腫瘍病理鑑別診断アトラス

骨腫瘍

第2版

編集

小田義直
[九州大学教授]

吉田朗彦
[国立がん研究センター中央病院]

監修:腫瘍病理鑑別診断アトラス刊行委員会
小田義直・坂元亨宇・深山正久・松野吉宏・森永正二郎・森谷卓也
編集協力:日本病理学会

文光堂

執筆者一覧 (五十音順)

阿江 啓介	がん研究会有明病院整形外科整形外科部長・リハビリテーション部長
青木 隆敏	産業医科大学放射線科学教室准教授
石田 剛	国立病院機構埼玉病院病理診断科部長
伊藤 以知郎	長野赤十字病院病理部部長
植野 映子	がん研究会有明病院画像診断部医長
内橋 和芳	国立病院機構佐賀病院病理診断科医長
岡田 恭司	秋田大学大学院医学系研究科保健学専攻理学療法学講座教授
小田 義直	九州大学大学院医学研究院形態機能病理学教授
角田 優子	静岡県立静岡がんセンター病理診断科医長
加藤 生真	横浜市立大学医学部分子病理学教室
孝橋 賢一	九州大学大学院医学研究院形態機能病理学准教授
小西 英一	京都府立医科大学人体病理学・病院病理部准教授
齋藤 剛	順天堂大学医学部人体病理病態学講座准教授
杉浦 善弥	東邦大学医療センター佐倉病院病理診断科
杉田 真太朗	札幌医科大学医学部病理診断学准教授
鈴木 宏明	国立病院機構北海道がんセンター臨床研究部臨床病理研究室長・臨床検査科長
高木 正之	国立病院機構静岡医療センター臨床検査科部長
土江 博幸	秋田大学大学院医学系研究科医学専攻機能展開医学系整形外科学講座
中山 隆之	東邦大学医療センター大橋病院整形外科
野島 孝之	金沢大学附属病院病理診断科・病理部客員教授
長谷川 匡	札幌医科大学医学部病理診断学教授
久岡 正典	産業医科大学医学部第1病理学教授
平賀 博明	国立病院機構北海道がんセンター骨軟部腫瘍科統括診療部長
蛭田 啓之	東邦大学医療センター佐倉病院病理診断科部長
福島 万奈	福井大学学術研究院医学系部門病因病態医学講座腫瘍病理学分野准教授
福永 真治	新百合ヶ丘総合病院病理診断科部長
藤野 節	埼玉医科大学国際医療センターがんゲノム医療科教授
干川 晶弘	町田市民病院病理診断科部長
牧瀬 尚大	東京大学医学部人体病理学教室
町並 陸生	河北総合病院病理診断科部長
松山 篤二	産業医科大学医学部第1病理学講師
三橋 智子	北海道大学病院病理診断科准教授
毛利 太郎	九州大学大学院医学研究院形態機能病理学
元井 亨	がん・感染症センター都立駒込病院病理科医長
山口 岳彦	獨協医科大学日光医療センター病理診断科教授
山下 享子	がん研究会有明病院病理部副医長
山田 裕一	九州大学大学院医学研究院形態機能病理学講師
山元 英崇	九州大学病院病理診断科・病理部准教授
吉田 朗彦	国立がん研究センター中央病院病理診断科
吉田 研一	日本大学医学部病態病理学系人体病理学分野
鷲見 公太	神奈川県立がんセンター病理診断科医長
渡辺 みか	東北公済病院病理診断科部長

第2版の序

　原発性骨腫瘍は発生頻度が低く一般病理医には馴染みがないため病理診断そのものに難渋することがまれではない．また他の腫瘍とは異なり画像所見が診断の鍵となることが多いなど特殊性もある．骨腫瘍の組織学的分類は腫瘍が産生する基質や細胞分化に基づいた分類が長らく使われてきた．しかしながら近年の画像診断や治療法の発達に加えて病理診断への分子生物学的解析法の導入により従来の疾患概念の変更が必要となるものが生じてきている．こうした背景から2013年に骨腫瘍のWHO分類第4版が出版され，さらに，2020年に第5版が出版された．内容の充実が望まれるところである．我が国では2013年のWHO分類第4版に準拠して2015年11月に日本整形外科学会　骨・軟部腫瘍委員会より悪性骨腫瘍取扱い規約第4版が出版されたが，新しいWHO分類に準拠したものが必要となってきている．

　骨腫瘍は軟部腫瘍に比較すると種類が少ないものの，極めてまれなものもありその全てを網羅するには紙幅が限られている．従って第2部では骨腫瘍の中でも頻度が高いものを取り上げ，最新の診断基準に沿った記載を交えて典型的な組織像を掲載するようにした．骨肉腫と軟骨肉腫に関しては診断する機会が多く，組織像にバリエーションが多いことや亜型によって治療法も異なることも考慮し多くの紙幅を割いた．第3部では骨腫瘍の病理診断を行うにあたってよく遭遇する組織学的所見を呈する腫瘍，すなわち骨形成性腫瘍，軟骨形成性腫瘍，巨細胞が多く出現する腫瘍，小円形細胞腫瘍および上皮様の形態を呈するものについて，経験豊富な骨病理医によってその鑑別を系統的に解説していただいた．

　骨腫瘍の正しい診断のためには病理医だけでは目的を達することができず，1950年代のJaffe's triangleに象徴されるように放射線科診断医および整形外科医との密接な連携が必須である．さらに適切な治療のためにはこれに加えて放射線科治療医，腫瘍内科医，小児科医などとの連携も必要となってくる．第4部では数多くの骨腫瘍症例の病理診断，遺伝子診断，画像診断，および外科的・内科的治療に携わっている第一線の医師に最新の現状と実践的なことを解説していただいた．

　本書が多数の組織像を供覧することによって我が国での精度の高い骨腫瘍病理診断に寄与し，標準的なアトラスとして診断病理医はもとより，骨腫瘍の診断・治療を行う多くの医師に必携の書となれば幸いである．

令和3年2月

小田　義直
吉田　朗彦

　この「腫瘍病理鑑別診断アトラスシリーズ」は日本病理学会の編集協力のもと，刊行委員会を設置し，本シリーズが日本の病理学の標準的なガイドラインとなるよう，各巻ごとの編集者選定をはじめ取りまとめを行っています．

腫瘍病理鑑別診断アトラス刊行委員会
小田義直，坂元亨宇，深山正久，松野吉宏，森永正二郎，森谷卓也

第1版の序

　骨腫瘍の組織学的分類は腫瘍が産生する基質や細胞分化に基づいた1950年代のJaffeの分類から長い間大きな変化はなかった．しかしながら近年の分子生物学的解析法の発達や詳細な臨床病理学的観察により疾患概念や悪性度の変更が必要となるものが生じてきた．こうした背景から2013年に出版された骨腫瘍のWHO分類では，前回2002年の分類に比較して悪性度や遺伝子異常について多くの新知見が加えられ，大幅に内容が改定されている．一方わが国では，2015年11月に日本整形外科学会・日本病理学会より悪性骨腫瘍取扱い規約第4版が出版された．しかしながら日常の骨腫瘍の病理鑑別診断に分かりやすくポイントを絞り，疾患の背景となる臨床像，分子遺伝学的知見を加味した標準的なアトラスがなく，WHO分類と悪性骨腫瘍取扱い規約に準拠したガイドラインの必要性が求められていた．

　骨腫瘍は軟部腫瘍に比較すると種類が少ないものの，その全てを網羅するには紙面が限られている．従って第2部では骨腫瘍の中でも頻度が高いものを取り上げ，最新の診断基準に沿った記載を交えて，典型的な組織像を可能な限り多数の写真を使用して，分かりやすく解説した．特に骨肉腫と軟骨肉腫に関しては組織像にバリエーションが多く，また亜型によって全く悪性度が異なることも考慮し，多くの紙面を割いた．第3部では骨腫瘍の病理診断を行うにあたってよく遭遇する組織学的所見を呈する腫瘍，すなわち骨形成性腫瘍，軟骨形成性腫瘍，巨細胞の多く出現する腫瘍，小円形細胞腫瘍および上皮様の形態を呈する腫瘍を，経験豊富な骨病理医によって系統的に鑑別を解説していただいた．

　骨腫瘍の正しい診断のためには病理医だけでは目的を達することができず，Jaffeのtriangleに象徴されるように画像放射線科医および整形外科医との密接な連携が必須である．さらに適切な治療のためにはこれに加えて治療放射線科医，腫瘍内科医，小児科医などの連携も必要となってくる．第4部では数多くの骨腫瘍症例の病理診断および治療に携わっている第一線の医師に最新の現状と実践的なことを解説していただいた．

　本書が多数の組織像を供覧することによって日本での精度の高い骨腫瘍病理診断に寄与し，標準的なアトラスとして診断病理医はもとより，骨腫瘍の診断・治療を行う多くの医師に必携の書となれば幸いである．

平成28年5月

野島　孝之
小田　義直

腫瘍病理鑑別診断アトラス

骨腫瘍

目次 CONTENTS

第1部　検鏡前の確認事項 ... 1

- **I. 骨腫瘍のWHO分類第5版の概要** .... 吉田朗彦 — 2
  1. 疾患単位の追加 ... 2
  2. 疾患単位の削除 ... 4
  3. gradeの変更 ... 4
  4. その他の変更 ... 5
- **II. 骨腫瘍の頻度，年齢，発生部位** .... 杉田真太朗，長谷川 匡 — 6
  1. 骨腫瘍の発生頻度 ... 6
  2. 骨腫瘍の発生年齢 ... 8
  3. 骨腫瘍の発生部位 ... 10
- **III. 病理標本の取扱い方** .... 鈴木宏明 — 11
  1. 術中迅速診断 ... 11
  2. 生検検体 ... 11
  3. 手術検体 ... 11

第2部　組織型と診断の実際 ... 15

- **I. 軟骨形成性腫瘍** ... 16
  1. 良性軟骨形成性腫瘍 ... 16
     - (1) 骨軟骨腫，内軟骨腫，骨膜性軟骨腫 .... 杉田真太朗，長谷川 匡 — 16
     - (2) 軟骨芽細胞腫と軟骨粘液線維腫 .... 藤野 節，齋藤 剛，小田義直 — 26
  2. 中心性・末梢性・骨膜性軟骨肉腫 .... 小西英一 — 33
  3. 特殊型軟骨肉腫 .... 杉田真太朗，長谷川 匡 — 44
- **II. 骨形成性腫瘍** ... 57
  1. 良性・中間群骨形成性腫瘍 .... 山下享子，植野映子 — 57
  2. 通常型骨肉腫 .... 吉田朗彦 — 63
  3. 特殊型骨肉腫 .... 石田 剛 — 73
  4. 表在性骨肉腫 .... 小田義直 — 85
- **III. 線維性および線維組織球性腫瘍** ... 94
  1. 骨類腱線維腫と非骨化性線維腫 .... 山田裕一，小田義直 — 94

骨腫瘍 目次

Ⅳ．破骨細胞型巨細胞に富む腫瘍 — 99
1. 指趾骨巨細胞性病変と巨細胞修復性肉芽腫 — 角田優子 — 99
2. 動脈瘤様骨囊腫 — 加藤生真 — 102
3. 骨巨細胞腫 — 吉田研一，吉田朗彦 — 105

Ⅴ．脊索性腫瘍 — 112
1. 良性脊索細胞腫および脊索腫 — 山口岳彦 — 112

Ⅵ．血管性腫瘍 — 122
1. 血管腫および類上皮血管腫 — 毛利太郎，小田義直 — 122
2. 類上皮血管内皮腫および血管肉腫 — 福永真治 — 126

Ⅶ．その他の腫瘍 — 132
1. 単純性骨囊腫 — 渡辺みか — 132
2. 線維性骨異形成 — 内橋和芳 — 135
3. Langerhans 細胞組織球症 — 伊藤以知郎 — 140
4. 骨線維性異形成 — 鈴木宏明 — 144
5. アダマンチノーマ — 杉浦善弥，町並陸生 — 147
6. Ewing 肉腫と Ewing 様肉腫 — 牧瀬尚大，吉田朗彦 — 151
7. 骨未分化多形肉腫と骨平滑筋肉腫 — 松山篤二 — 160

Ⅷ．関節腫瘍 — 165
1. 腱滑膜巨細胞腫 — 野島孝之 — 165
2. 滑膜軟骨腫症 — 福島万奈 — 170
3. 滑膜脂肪腫 — 齋藤 剛 — 174

第3部　鑑別ポイント

Ⅰ．骨肉腫との鑑別を要する骨形成性腫瘍 — 山元英崇 — 178
1. 骨肉腫の亜型と特徴 — 178
2. 髄内骨肉腫と表在性骨肉腫の関係 — 179
3. 組織所見からみた骨肉腫の鑑別診断 — 179

Ⅱ．軟骨肉腫との鑑別を要する軟骨形成性腫瘍 — 孝橋賢一，小田義直 — 188
1. 軟骨芽細胞型骨肉腫 — 188
2. 内軟骨腫 — 188

　　　　3．軟骨芽細胞腫 ——————————————————— *189*
　　　　4．軟骨粘液線維腫 ————————————————— *190*
　　　　5．線維軟骨性異形成 ————————————————— *190*
　　　　6．線維軟骨性間葉腫 ————————————————— *191*
　　　　7．滑膜軟骨腫症 ——————————————————— *191*
　　　　8．ピロリン酸カルシウム結晶沈着症 ———————— *192*
　Ⅲ．巨細胞の出現する腫瘍の鑑別　　　　鷲見公太，干川晶弘，高木正之 —— *194*
　　　　1．臨床的事項 ———————————————————— *195*
　　　　2．組織学的診断時の注意事項 ————————————— *195*
　　　　3．多核巨細胞の出現する骨疾患の組織学的特徴 ———— *195*
　Ⅳ．骨小円形細胞腫瘍の鑑別　　　　　　　　　　　　　吉田朗彦 —— *204*
　　　　1．Ewing 肉腫といわゆる Ewing 様肉腫 ———————— *204*
　　　　2．小細胞型骨肉腫と Ewing 肉腫 ——————————— *206*
　　　　3．骨リンパ腫 ———————————————————— *208*
　　　　4．形質細胞腫瘍 ——————————————————— *209*
　　　　5．間葉性軟骨肉腫と骨肉腫 —————————————— *210*
　　　　6．癌腫の転移 ———————————————————— *211*
　　　　7．その他の鑑別 ——————————————————— *212*
　Ⅴ．転移性骨腫瘍と上皮様骨腫瘍の鑑別　　　　　　　　元井　亨 —— *214*
　　　　1．定義・概念 ———————————————————— *214*
　　　　2．鑑別の要点 ———————————————————— *214*
　　　　3．上皮様骨腫瘍の鑑別診断の実際 ——————————— *214*

第4部　臨床との連携

　Ⅰ．骨腫瘍の手術療法　　　　　　　　　　　　土江博幸，岡田恭司 —— *222*
　　　　1．骨腫瘍に対する標準的手術療法 ——————————— *222*
　　　　2．手術後の再建法 —————————————————— *224*
　Ⅱ．骨腫瘍の画像診断　　　　　　　　　　　　　　　　青木隆敏 —— *226*
　　　　1．画像診断法 ———————————————————— *226*
　　　　2．核医学検査 ———————————————————— *230*

骨腫瘍 目次

- **III. 悪性骨腫瘍の薬物療法および放射線療法** ─── 平賀博明 ── 232
  - 1. 病期分類 ── 232
  - 2. 薬物療法 ── 232
  - 3. 放射線療法 ── 235
  - 4. 医師主導臨床試験および治験 ── 236
- **IV. 免疫染色と遺伝子診断** ─── 久岡正典 ── 237
  - 1. 骨形成性腫瘍 ── 237
  - 2. 軟骨形成性腫瘍 ── 239
  - 3. 小円形細胞腫瘍 ── 239
  - 4. 破骨細胞型巨細胞に富む腫瘍 ── 240
  - 5. その他 ── 240
- **V. 骨肉腫の組織学的効果判定と切除縁評価**
  ─── 蛭田啓之, 阿江啓介, 中山隆之, 山下享子 ── 243
  - 1. 骨肉腫の組織学的効果判定 ── 243
  - 2. 切除縁評価 ── 247
- **VI. 病理診断報告書の記載** ─── 三橋智子 ── 251
  - 1. 病理診断報告書の構成 ── 251
  - 2. 病理診断 ── 251
  - 3. 病理所見（コメント）── 252

索引 ── 256

著者，編集者，監修者ならびに弊社は，本書に掲載する医薬品情報等の内容が，最新かつ正確な情報であるよう最善の努力を払い編集をしております．また，掲載の医薬品情報等は本書出版時点の情報等に基づいております．読者の方には，実際の診療や薬剤の使用にあたり，常に最新の添付文書等を確認され，細心の注意を払われることをお願い申し上げます．

第1部
検鏡前の確認事項

第1部　検鏡前の確認事項

I. 骨腫瘍の WHO 分類第5版の概要

はじめに

本項では，WHO 骨腫瘍分類第5版（2020年）のあらましを紹介する．疾患の詳細については第2部「組織型と診断の実際」に譲り，前版（第4版，2013年）からの変更点とその変更理由について述べる．第5版に準拠した骨腫瘍分類を表1に示す[1]．

1. 疾患単位の追加

1）いわゆる Ewing 様肉腫

これまで Ewing 様肉腫と呼ばれてきた肉腫群には，臨床病理的・遺伝子的に特異な複数のグループが含まれることが明らかとなったため，それらを下記 a）〜c）の3つの群に分けて，Ewing 肉腫からは独立して定義することとした．これらはいずれも，Ewing 肉腫とは臨床像や組織像，免疫形質が大きく異なっており，形質と遺伝子の両面から独立性が保証されたため，このような変更を行ったものである．

a) *EWSR1*-非 ETS 融合を有する円形細胞肉腫

WHO 分類第5版において Ewing 肉腫は，典型的な形質に加え，遺伝子的に *EWSR1* あるいは *FUS* 遺伝子と ETS 転写因子をコードする遺伝子の融合を有するものと定義され，*EWSR1* ないし *FUS* のパートナーが ETS ではない肉腫は Ewing 肉腫とはみなさない．そこで，すでに確立済みの疾患単位 entity（たとえば desmoplastic small round cell tumour など）を除き，*EWSR1*-非 ETS 融合を有する肉腫をこの項目に記載することとした．この項目は1つの疾患を取り扱ったものではなく，*EWSR1-NFATC2* 肉腫，*EWSR1-PATZ1* 肉腫といった複数の腫瘍型が含まれる不均一なグループを便宜上まとめたものにすぎない．

b) *CIC* 遺伝子再構成肉腫

CIC 融合により定義される高悪性度肉腫で，ほとんどが *CIC-DUX4* を有する．いわゆる Ewing 様肉腫では最も頻度が高い．しかしながらほとんどの症例は軟部原発であり，骨原発の *CIC* 遺伝子再構成肉腫は数例の報告しかない．

c) *BCOR* 遺伝子異常を有する肉腫

最も多いのは *BCOR-CCNB3* 肉腫であり，このほか *BCOR* と *CCNB3* 以外のパートナーとの融合を有する肉腫，*BCOR* の exon 15 の遺伝子内縦列重複 internal tandem duplication に定義づけられる肉腫などが含まれる．

2）低分化型脊索腫

脊索腫のうち小児発生例には，非典型的な組織像を呈し治療抵抗性の群があることが古くから観察されてきたが，近年そうした群において SMARCB1 染色性の消失をはじめ特徴的な臨床病理像が明らかになり，1つの疾患単位として独立させた．

3）線維軟骨性間葉腫

この概念が最初に提唱されたのは1984年と古く，Dahlin にさかのぼるが，提唱以来，その独立性については長く議論があった．とくに軟骨への分化を伴う線維性骨異形成や低悪性度骨肉腫なのではないかという疑念が払拭できなかったため，複数の教科書には記載があるものの，前版の WHO 分類に含まれ

表1 | 骨腫瘍の分類（2020年WHO分類第5版に基づく）（文献1より）

骨軟部の未分化小円形細胞腫瘍 Undifferentiated small round cell tumours of bone and soft tissue	血管性腫瘍 Vascular tumours
悪性 Malignant 　Ewing肉腫 Ewing sarcoma 　*EWSR1*-非ETS融合を有する円形細胞肉腫 Round cell sarcoma with *EWSR1*-non-ETS fusions 　*CIC*遺伝子再構成肉腫 *CIC*-rearranged sarcoma 　*BCOR*遺伝子異常を有する肉腫 Sarcoma with *BCOR* genetic alterations	良性 Benign 　血管腫 Haemangioma 中間群 Intermediate 　類上皮血管腫 Epithelioid haemangioma 悪性 Malignant 　類上皮血管内皮腫 Epithelioid haemangioendothelioma 　血管肉腫 Angiosarcoma
軟骨形成性腫瘍 Chondrogenic tumours	破骨細胞型巨細胞に富む腫瘍 Osteoclastic giant cell-rich tumours
良性 Benign 　爪下外骨腫 Subungual exostosis 　傍骨性骨軟骨異形増生 Bizarre parosteal osteochondromatous proliferation 　骨膜性軟骨腫 Periosteal chondroma 　内軟骨腫 Enchondroma 　骨軟骨腫 Osteochondroma 　軟骨芽細胞腫 Chondroblastoma 　軟骨粘液線維腫 Chondromyxoid fibroma 　骨軟骨粘液腫 Osteochondromyxoma 中間群 Intermediate 　滑膜軟骨腫症 Synovial chondromatosis 　中心性異型軟骨腫瘍 Central atypical cartilaginous tumour 　二次性末梢性異型軟骨腫瘍 Secondary peripheral atypical cartilaginous tumour 悪性 Malignant 　中心性軟骨肉腫, grade 1 Central chondrosarcoma, grade 1 　二次性末梢性軟骨肉腫, grade 1 Secondary peripheral chondrosarcoma, grade 1 　中心性軟骨肉腫, grade 2および3 Central chondrosarcoma, grades 2 and 3 　二次性末梢性軟骨肉腫, grade 2および3 Secondary peripheral chondrosarcoma, grades 2 and 3 　骨膜性軟骨肉腫 Periosteal chondrosarcoma 　淡明細胞型軟骨肉腫 Clear cell chondrosarcoma 　間葉性軟骨肉腫 Mesenchymal chondrosarcoma 　脱分化型軟骨肉腫 Dedifferentiated chondrosarcoma	良性 Benign 　動脈瘤様骨嚢腫 Aneurysmal bone cyst 　非骨化性線維腫 Non-ossifying fibroma 中間群 Intermediate 　骨巨細胞腫 Giant cell tumour of bone 悪性 Malignant 　悪性骨巨細胞腫 Malignant giant cell tumour of bone
	脊索性腫瘍 Notochordal tumours
	良性 Benign 　良性脊索細胞腫 Benign notochordal cell tumour 悪性 Malignant 　通常型脊索腫 Conventional chordoma 　脱分化型脊索腫 Dedifferentiated chordoma 　低分化型脊索腫 Poorly differentiated chordoma
	その他の間葉系腫瘍 Other mesenchymal tumours
	良性 Benign 　胸壁の軟骨間葉性過誤腫 Chondromesenchymal hamartoma of chest wall 　骨線維性異形成 Osteofibrous dysplasia 　単純性骨嚢腫 Simple bone cyst 　線維性骨異形成 Fibrous dysplasia 　脂肪腫 Lipoma 　褐色脂肪腫 Hibernoma 中間群 Intermediate 　線維軟骨性間葉腫 Fibrocartilaginous mesenchymoma 　骨線維性異形成様アダマンチノーマ Osteofibrous dysplasia-like adamantinoma 悪性 Malignant 　長管骨のアダマンチノーマ Adamantinoma of long bones 　平滑筋肉腫 Leiomyosarcoma 　未分化多形肉腫 Undifferentiated pleomorphic sarcoma 　転移性骨腫瘍 Bone metastases
骨形成性腫瘍 Osteogenic tumours	
良性 Benign 　骨腫 Osteoma 　類骨骨腫 Osteoid osteoma 中間群 Intermediate 　骨芽細胞腫 Osteoblastoma 悪性 Malignant 　低悪性度中心性骨肉腫 Low-grade central osteosarcoma 　骨肉腫 Osteosarcoma 　傍骨性骨肉腫 Parosteal osteosarcoma 　骨膜性骨肉腫 Periosteal osteosarcoma 　表在性高悪性度骨肉腫 High-grade surface osteosarcoma 　二次性骨肉腫 Secondary osteosarcoma	骨の造血系腫瘍 Haematopoietic neoplasms
線維形成性腫瘍 Fibrogenic tumours	孤立性形質細胞腫 Solitary plasmacytoma of bone 骨原発のHodgkinリンパ腫 Primary Hodgkin lymphoma of bone 骨原発の非Hodgkinリンパ腫 Primary non-Hodgkin lymphoma of bone Langerhans細胞組織球症 Langerhans cell histiocytosis Erdheim-Chester病 Erdheim-Chester disease Rosai-Dorfman病 Rosai-Dorfman disease
中間群 Intermediate 　類腱線維腫 Desmoplastic fibroma 悪性 Malignant 　線維肉腫 Fibrosarcoma	

ていなかった．近年，遺伝子解析結果が発表され，小さなシリーズではあるものの GNAS 変異や MDM2 増幅が認められなかったというデータを受けて，特徴的な組織像も合わせ1つの疾患単位として記載することとした．

4）骨の褐色脂肪腫

近年，骨原発の褐色脂肪腫の臨床病理像が文献的によく確立されてきたため，骨脂肪腫の項目に褐色脂肪腫もまとめて記載することとした．

2．疾患単位の削除

1）骨の良性線維性組織球腫

この病名は，前版の WHO 分類では非骨化性線維腫と組織学的に区別できない像を呈するものの，それとは異なる部位や年齢に発生する症例に対して用いられた．しかしながら，実際にはそうした症例が1つの疾患であるという根拠は薄弱で，実際線維組織球性の所見はさまざまな前駆病変の二次性変化として観察されうる．とくに，成人の骨端部を侵す症例はかねてより骨巨細胞腫の二次性変化であろうとする見解が主流であったが，実際そうした症例では骨巨細胞腫に特徴的な H3F3A G34 変異が確認されることがほとんどである．したがって，WHO 分類第5版では良性線維性組織球腫を疾患単位としては削除し，最も代表的な前駆病変である骨巨細胞腫の項目内にその理由を記載することとした．ただし，これまで骨良性線維性組織球腫と診断されてきたすべての病変が骨巨細胞腫由来とは限らず，たとえば線維性骨異形成などに続発することもありうるのでこの記載の仕方はややわかりづらいかもしれない．

2）手足の小骨に発生する巨細胞性病変

いわゆる巨細胞修復性肉芽腫 giant cell reparative granuloma（GCRG）については，2大好発部位として顎骨と手足の短管骨がよく知られてきた．一方，とくに長管骨発生例などは動脈瘤様骨囊腫 aneurysmal bone cyst（ABC）と組織学的な重複が著しいことから，いわゆる solid variant の ABC としても知られてきた．近年 ABC の70％において USP6 遺伝子の再構成が知られるに至り，GCRG についても USP6 遺伝子状態の検索が行われた結果，手足の短管骨症例では USP6 遺伝子再構成がしばしば観察されるのに対し，顎骨症例では USP6 遺伝子再構成は認められず，2つは別の病態と考えられるようになった．これに伴い，前版の WHO 分類で指趾骨巨細胞性病変 giant cell lesion of the small bones と呼ばれた短管骨の GCRG は ABC の項目内に記載することとし，独立した疾患単位とは認めないこととした．顎骨の GCRG については，部位特異的な病態はその臓器の WHO 分類で取り扱うという WHO 側の規定に則り，頭頸部の WHO 分類で取り扱うこととした．ただし，短管骨の GCRG には特異な臨床像もあることから，本書では WHO 分類によらず，独立して記載する．

3）脂肪肉腫

この疾患はきわめてまれであり，よく特徴づけられていないという意見が多く，記載を見合わせることとした．骨に脂肪肉腫が発生しないという意味で削除したわけではないので，臨床病理像の詳細については WHO 分類第5版の軟部腫瘍の項目を参照されたい．

3．grade の変更

1）異型軟骨腫瘍・軟骨肉腫, grade 1

WHO 分類第3版まで chondrosarcoma, grade 1 とされた腫瘍については，局所再発するものの遠隔転移をしない病態であり，搔爬＋補助療法で治癒する症例もあることから，前版（第4版）においては「肉腫」の名称を使用せず異型軟骨腫瘍 atypical cartilaginous tumour（ACT）という名称に変更が行われた．しかしながら，軀幹部原発例など再発率がきわめて高く搔爬＋補助療法のみでは治癒が望めない症例が数多くあり，こうした症例に肉腫の名称を用いないと臨床経過との乖離が著しいことが問題となっていた．このため第5版においては，同じ腫瘍であっても発生部位により予後が大きく異なる点を重くみて，名称を使い分けることとした．すなわち，椎体骨や肋骨などの体軸骨，骨盤骨，肩甲骨，鎖骨，頭蓋底に発生した症例については，軟骨肉腫, grade 1（chondrosarcoma, grade 1）の名称を用い，こうした症例では広範切除が推奨される．一方，同じ組織像を呈する腫瘍がそれ以外の管骨（上腕骨や大腿骨など）に発生した場合には ACT の名称が用いられ，こうした症例では搔爬＋補助療法が許容されるものとした．同じ腫瘍に対して部位により異なる名称を付与するこうした提案には，軟部腫瘍における高分化型脂肪肉腫（体腔例に用いる）と異型脂肪腫様腫瘍（四肢や体

幹表層例に用いる）の使い分けを参考にした．一方，軟骨肉腫, grade 2 および 3（chondrosarcoma, grades 2 and 3）については，前版と同様にいずれの部位についても同じ名称で分類する．

これは今回の WHO 骨腫瘍分類改訂作業のなかで最も議論が白熱し，さまざまな意見の調整に難渋した部分である．前版が導入した ACT という診断名の普及率も地域差があるように思われるし，掻爬＋補助療法という治療の選択についても臨床医により温度差があるように思う．実際の運用にあたっては診断名について臨床医とよく相談することが望ましい．

2）軟骨芽細胞腫

前版ではまれに遠隔転移する例のあるがゆえに中間群と分類された軟骨芽細胞腫は，今回の改訂では良性に戻した．肺転移をきたした軟骨芽細胞腫の報告はあるが，きわめて例外的な（＜1％）事象である．

3）軟骨粘液線維腫

前版では中間群（局所侵襲性）とされたこの疾患も，今回の改訂では良性とした．確かに軟骨粘液線維腫は骨を破壊することがあり，周囲軟部に進展する症例もあって，再発例も経験されるが，その治療にあたって難渋することは例外的と考えられたからである．

4）動脈瘤様骨囊腫（ABC）

前版では中間群（局所侵襲性）とされたが，今回の改訂では良性に戻した．確かに ABC は骨破壊性を示すことがあり，再発しうるが，その治療に難渋することは例外的だからである．

5）滑膜軟骨腫症

前版では良性と分類されていたが，実際の治療現場では繰り返す再発に対して広範な手術を行うこともある．今回の改訂のように中間群（局所侵襲性）と分類するほうが実態を反映するように思われた．

6）骨線維性異形成（OFD）様アダマンチノーマ

前版ではアダマンチノーマを一律に悪性と分類していた．古典型の症例は遠隔転移のリスクのある明らかな悪性腫瘍であるが，骨線維性異形成 osteofibrous dysplasia（OFD）様アダマンチノーマは局所再発しうるものの遠隔転移は経験されないため，第5版では OFD 様亜型を中間群（局所侵襲性）と分類し，古典型との生物学的態度の差を強調することにした．

4．その他の変更

1）小細胞型骨肉腫と血管拡張型骨肉腫

これらの亜型は前版までは通常型骨肉腫とは独立した疾患単位として記載されていた．しかしながら，これらがパターンや亜型ではなく，疾患単位として独立すべき疾患であるという根拠は薄弱であるように思われた．たとえば，部分的に小細胞形態を呈する症例や血管拡張様変化を呈する症例もまれではなく，こうした腫瘍の診断基準が専門家同士でやや異なっていた．また，そうした組織パターンの量により生物学的態度や遺伝子学的背景が異なるというデータはない．とくに血管拡張型骨肉腫は従来予後不良とされてきたが，化学療法が導入された現在，予後の差ははっきりしない．したがって第5版では独立した疾患単位としてではなく，高悪性度骨肉腫の組織学的亜型として位置づける取り扱いを選択した．無論こうした症例が，他の小円形細胞肉腫や ABC との鑑別診断上非常に重要である点には変わりないので，組織診断に重きを置く本書においては，従来の項目立てを踏襲し，特殊型骨肉腫の一型として記載を行う．

2）爪下外骨腫と傍骨性骨軟骨異形増生

この2つの疾患は前版の WHO 分類では同じ項目内に併記され，あたかも単一腫瘍の組織学的亜型であるかのような体裁となっていた．確かに組織像には一部類似性があるが，臨床像は異なっており，また遺伝子異常も別であることが判明しているため，2つの異なる疾患単位として取り扱うこととした．

3）胸壁の軟骨間葉性過誤腫

前版では胸壁と鼻腔の軟骨間葉性過誤腫として合わせた記載を行っていたが，鼻腔症例は *DICER1* 変異に関連していることが判明し，胸壁例と遺伝子異常が異なるため，第5版では胸壁例についてのみ記載することとした．鼻腔例は頭頸部の WHO 分類で取り扱う．

（吉田朗彦）

文　献

1) WHO Classification of Tumours Editorial Board (ed)：WHO Classification of Tumours, Soft Tissue and Bone Tumours (5th ed), IARC Press, Lyon, 2020

II. 骨腫瘍の頻度，年齢，発生部位

はじめに

　骨には良性，悪性の原発性腫瘍のほか，続発性（転移性）腫瘍や腫瘍類似疾患が発生し，その組織型は非常に多彩である．その上，とくに原発性悪性骨腫瘍の発生頻度は低く，骨腫瘍になじみが薄いと診断に苦慮する可能性がある．しかし，骨腫瘍は特徴的な好発年齢や部位を示す傾向があり，この疫学的事項の把握こそが骨腫瘍診療の第一歩と考える．さらに骨腫瘍診療に際しては，すべての腫瘍を網羅するよりも，全体の傾向を把握した上で発生頻度の高い腫瘍を整理しておくほうがより重要かつ実践的である．

　本項ではわが国の現状に沿うべく，日本整形外科学会骨・軟部腫瘍委員会および国立がん研究センターによる2017年度全国骨腫瘍登録一覧表（以下，骨腫瘍登録）に準じて解説を行う．骨腫瘍登録はわが国における骨腫瘍の発生，診断と治療の実態を明らかにすることを目的とした全国疫学調査であり，わが国の現状や傾向を把握する上で非常に重要と考える[1]．

1. 骨腫瘍の発生頻度

　原発性良性骨腫瘍の正確な発生率は不明であるが，日常診療で比較的多く遭遇すると考えてよい[2,3]．とくに原発性良性骨腫瘍のうち，骨軟骨腫，内軟骨腫，骨巨細胞腫は骨腫瘍全体に占める割合も高く，骨腫瘍を専門としない一般施設でも経験しうる発生頻度の高い骨腫瘍である．一方，原発性悪性骨腫瘍の発生頻度は全悪性腫瘍の0.2％程度と非常に低く，欧米では人口10万人あたり0.8人程度とされている[2〜4]．

　次にわが国の現状について骨腫瘍登録をもとに解説する[1]．ただし，骨腫瘍登録に基づき骨腫瘍の発生頻度を考える際に下記の2点に留意する必要がある．第一に，WHO分類第5版（2020年）である「WHO Classification of Tumours, Soft Tissue and Bone Tumours (5th ed)」と骨腫瘍登録とでは，一部の腫瘍組織型について悪性度分類などが異なっている．WHO分類では骨腫瘍においても軟部腫瘍と同様に良性腫瘍，悪性腫瘍に加えて中間群 intermediate（局所侵襲性 locally aggressive, 低頻度転移性 rarely metastasizing）腫瘍の項目が定義されている．これにより，たとえばWHO分類では中間群腫瘍に分類されている骨巨細胞腫，骨芽細胞腫などが，骨腫瘍登録では良性腫瘍として分類，登録されている．また，WHO分類では良性腫瘍に分類されている動脈瘤様骨嚢腫，非骨化性線維腫，線維性骨異形成などが，骨腫瘍登録では骨腫瘍類似疾患として分類，登録されており，若干の乖離が存在している．第二に，骨腫瘍登録における患者数は日本整形外科学会による登録患者数を反映している．よって，とくに骨発生の造血系腫瘍のすべてを登録できておらず，実際の造血系腫瘍の患者数はさらに多い点に留意すべきである．以上のように，骨腫瘍登録から骨腫瘍の発生頻度を考える際には若干の注意が必要であるが，骨という臓器の特異性から，一般的に骨腫瘍診療が少なからず整形外科を中心とする他科合同の医療チームにより実践されている現状があるため，日

Ⅱ．骨腫瘍の頻度，年齢，発生部位

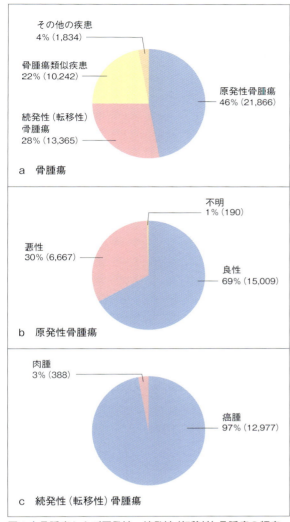

図1 ｜ 骨腫瘍および原発性，続発性（転移性）骨腫瘍の頻度
骨腫瘍登録による2006～2017年の骨腫瘍（a），原発性骨腫瘍（b），続発性（転移性）骨腫瘍（c）の頻度．（ ）内は症例実数．「中間群」カテゴリーは使用されていない．（文献1より作成）

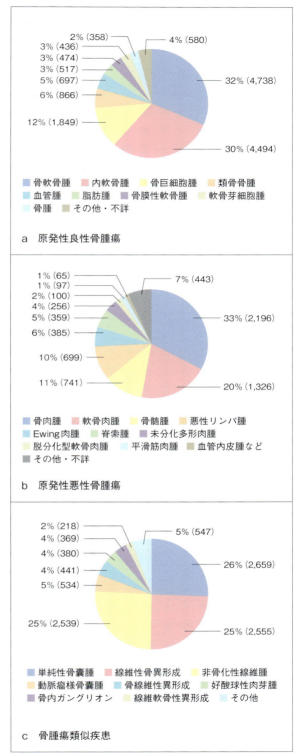

図2 ｜ 原発性良性骨腫瘍，原発性悪性骨腫瘍，および骨腫瘍類似疾患の頻度
骨腫瘍登録による2006～2017年の原発性良性骨腫瘍（a），原発性悪性骨腫瘍（b），骨腫瘍類似疾患（c）の頻度．（ ）内は症例実数．（文献1より作成）

本整形外科学会による骨腫瘍登録に準拠して骨腫瘍の発生頻度や発生傾向を整理しておくことは有益と考えられる．

骨腫瘍登録では，骨腫瘍（疾患）を原発性骨腫瘍，続発性（転移性）骨腫瘍，骨腫瘍類似疾患，その他の疾患（骨髄炎，骨梗塞，骨Paget病など）に分類し登録されている[1]（図1，2）．2006～2017年の登録総数は47,307例で，その頻度（括弧内は症例実数）は原発性骨腫瘍が46％（21,866例），続発性（転移性）骨腫瘍が28％（13,365例），骨腫瘍類似疾患が22％（10,242例），その他の疾患が4％（1,834例）である

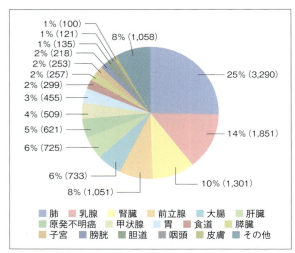

図3 | 転移性癌腫の頻度
骨腫瘍登録による2006～2017年の転移性癌腫の頻度．（　）内は症例実数．（文献1より作成）

（図1a）．続発性骨腫瘍の割合が高く，常に転移性腫瘍の可能性も考慮すべきである．原発性骨腫瘍では良性骨腫瘍が悪性骨腫瘍よりも多く（図1b），良性骨腫瘍の大部分を骨軟骨腫，内軟骨腫，骨巨細胞腫が占めている（図2a）．骨原発の良性軟部腫瘍では血管腫や脂肪腫が発生しやすいが，全体に占める割合は非常に低い．原発性悪性骨腫瘍では骨肉腫，軟骨肉腫，骨髄腫，悪性リンパ腫が大部分を占め，次いでEwing肉腫，脊索腫，未分化多形肉腫が多い（図2b）．骨腫瘍登録では骨肉腫，軟骨肉腫に次いで造血系腫瘍が多いが，造血系腫瘍のすべてを登録できていないため，原発性悪性骨腫瘍における発生頻度の実際の第1位は骨髄腫，第2位が骨肉腫である点が重要である．また，悪性骨腫瘍では原発性腫瘍よりも続発性（転移性）腫瘍がはるかに多く，がん好発年齢においては必ず転移性腫瘍を鑑別する必要がある．転移性腫瘍では癌腫が圧倒的に多く（図1c），肺癌，乳癌，腎癌が大部分を占め，次いで前立腺癌，大腸癌，肝癌，甲状腺癌，胃癌が多く，さらに食道癌，膵臓癌，子宮癌，膀胱癌，胆道癌，咽頭癌，皮膚癌，尿管癌，卵巣癌と続く[1]（図3）．なお，原発不明癌が多いことも特徴である．転移性肉腫では平滑筋肉腫が圧倒的に多く，女性の場合には必ず子宮平滑筋肉腫の既往を検討すべきである．骨腫瘍類似疾患では単純性骨嚢腫，線維性骨異形成，非骨化性線維腫の3疾患が大部分を占めている（図2c）．

2．骨腫瘍の発生年齢

骨腫瘍の多くはそれぞれの腫瘍に特徴的な発生年齢を示す傾向にあり（図4），この原則を知っておく

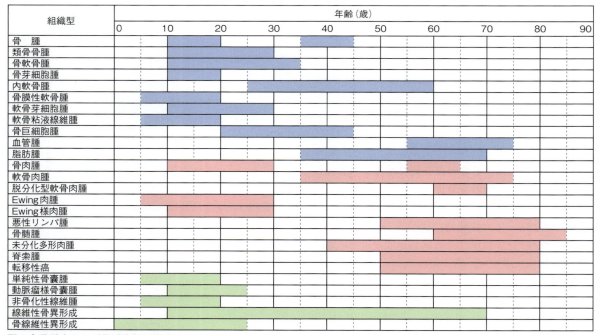

図4 | 骨腫瘍および骨腫瘍類似疾患の好発年齢
主要な原発性良性・中間群骨腫瘍（■），悪性骨腫瘍（■），および骨腫瘍類似疾患（■）の好発年齢．

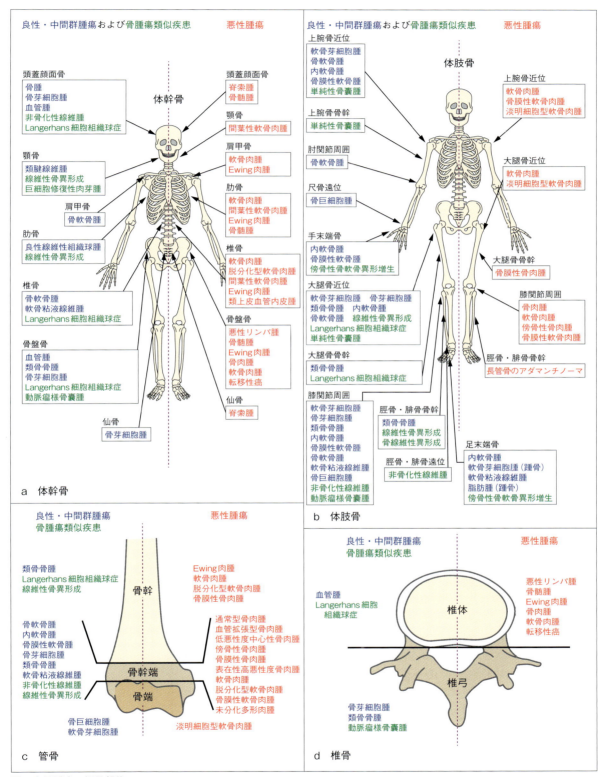

図5 | 骨腫瘍の好発部位
a, b：骨の解剖学的分類（体幹骨（a）と体肢骨（b））と重要な原発性良性骨腫瘍，原発性悪性骨腫瘍，および骨腫瘍類似疾患の好発部位．c：管骨の各領域（骨端，骨幹端，骨幹）と骨腫瘍および骨腫瘍類似疾患の好発部位．d：椎骨の解剖学的部位（椎体，椎弓）と骨腫瘍および骨腫瘍類似疾患の好発部位．

と診療に役立つ．良性骨腫瘍は全年齢層に幅広く発生する傾向にある[1~6]．これは頻度の高い骨軟骨腫，内軟骨腫，骨巨細胞腫や中年期以降の良性軟部腫瘍の発生を反映している．なお，骨軟骨腫は5〜20歳代，内軟骨腫は30〜40歳代，骨巨細胞腫は20〜40歳代にとくに多い．一方，悪性骨腫瘍では発生のピークが青少年〜若年成人期と高齢期の二峰性である点が特徴的である[1~6]．すなわち，青少年〜若年成人期には骨肉腫，Ewing肉腫，Ewing様肉腫が好発し，高齢期には軟骨肉腫，造血系腫瘍，未分化多形肉腫，脊索腫が好発する．転移性腫瘍はがん好発年齢に生じるため必然的に中高年〜高齢期に多く，晩年期のピークの形成に関与する．骨肉腫は10〜20歳代に好発し，骨巨細胞腫よりも年齢層が若干若いが，好発部位（膝関節周囲）も共通するため鑑別が重要である．骨肉腫は高齢期にも発生し，その多くは骨Paget病を背景に発生する．Ewing肉腫は10〜20歳代に好発する．また，近年報告されてきたBCOR-CCNB3肉腫などのEwing様肉腫は小児や10歳代に多い．造血系腫瘍，脊索腫は50〜70歳代に多く，未分化多形肉腫は40〜80歳代と年齢層がやや広い．なお，まれに小児に転移性腫瘍が生じる場合は神経芽腫や横紋筋肉腫など小児期に特有の腫瘍であり，臨床情報との対応が重要である．

3．骨腫瘍の発生部位

骨腫瘍の診断において腫瘍に特徴的な発生部位を考慮することは重要である．その際に腫瘍の発生部位を，①解剖学的部位，②骨の形状，③骨の領域の3点から整理しておくとよい．まず，解剖学的に骨は体幹骨 trunk bone（図5a）と体肢骨 appendicular bone（図5b）に分類される[4,5]．体幹骨には頭蓋顔面骨，脊柱骨，胸骨，肋骨，仙骨，尾骨，肩甲骨，骨盤骨（腸骨，恥骨，坐骨）が含まれ，このうち頭蓋顔面骨，脊柱骨，仙骨，尾骨を軸骨格 axial skeleton と呼ぶ．体肢骨は四肢の骨であり，肩甲骨と骨盤骨は体肢骨としても分類される．体肢骨のうち手・足関節より末端の骨を acral skeleton と呼ぶ．また，骨は形状により管骨 tubular bone と扁平骨 flat bone に分類され，管骨はその大きさ（長さ）から長管骨と短管骨に分類される．さらに管骨はその領域を成長軟骨板より末梢部の骨端 epiphysis，成長軟骨板の骨幹側近傍部の骨幹端 metaphysis，骨幹端の間の骨幹 diaphysis の3領域に分類され，腫瘍の発生部位を検討する際にとくに重要である[2~6]（図5c）．なお，手根骨，足根骨，膝蓋骨など発生学的な epiphyseal bone では管骨の骨端に好発する腫瘍が発生しやすいのも特徴である．さらに放射線画像で管骨では骨中心性，骨偏心性，傍骨性，また脊椎骨では椎骨（前方要素），椎弓（後方要素）など腫瘍の詳細な局在を検討することで診断を絞ることが可能となる（図5d）．

以上の観点から重要な疾患について好発部位を整理し，図5に示した．これに発生頻度や年齢などの情報を併せることで，より正確な診断が可能となる．

おわりに

骨腫瘍診療の根幹である疫学的事項（頻度，年齢，発生部位）について解説した．骨腫瘍の多彩性や希少性を考えると，個々の腫瘍についての各論よりも，総論的に全体の傾向を知っておくほうがよい．疫学的事項と他項で解説される放射線画像所見や病理所見と併せて骨腫瘍診療を実践することが重要である．

（杉田真太朗，長谷川　匡）

文　献

1) 日本整形外科学会骨・軟部腫瘍委員会：平成29年度全国骨腫瘍登録一覧表．国立がん研究センター，2017，pp28-35
2) Flanagan AM, Blay JY, Bovée JVMG, et al：Bone tumours：introduction. in WHO Classification of Tumours Editorial Board（ed）："WHO Classification of Tumours, Soft Tissue and Bone Tumours"（5th ed），IARC Press, Lyon, 2020, pp340-344
3) Unni KK, Inwards CY, Bridge JA, et al：AFIP Atlas of Tumor Pathology, Series 4, Tumors of the Bones and Joints, AFIP, Washington DC 2005, pp1-10
4) Czerniak B：Dorfman and Czerniak's Bone Tumors（2nd ed），Elsevier, Philadelphia, 2016, pp1-30
5) 石田　剛：骨腫瘍の病理．文光堂，2012, pp12-18
6) 森岡秀夫：概論 骨・軟部腫瘍診療のポイント．森岡秀夫編：整形外科専門医になるための診療スタンダード4 骨・軟部腫瘍および骨系統・代謝性疾患．羊土社，2009, pp12-42

第1部　検鏡前の確認事項

III. 病理標本の取扱い方

はじめに

病理診断においては臨床医との密な情報交換が大切である．骨腫瘍の診断では整形外科医，放射線診断医と病理医が臨床所見，画像所見を含めて症例を検討することが重要である．病理検査に提出される骨病変は，骨や石灰化した硬組織が含まれるので，その取扱い方は他の臓器と異なる点が多い[1~4]．

1．術中迅速診断

臨床的に骨肉腫などの高悪性度腫瘍が強く疑われ，化学療法を急ぐ場合，術中迅速診断を求められることがある．その場合，迅速診断の結果とともに，後の検索で診断可能な組織量が十分採取されているかを術者に伝える．迅速診断の目的および想定される疾患などの情報は，臨床医と病理医の間で事前に共有していることが重要である．

迅速診断の標本の作製は他臓器の場合と同様に，凍結切片を作製し，HE染色を行う．脱灰操作ができないので，術者はできるだけ骨片や硬組織の含まれない軟らかい部分を提出する．病理医は提出された検体を肉眼的によく観察し，骨や硬組織をできるだけ取り除いて標本作製を行う．捺印細胞診の併用が有用な場合もある．

また，必要に応じて染色体検査や微生物学的検査などを依頼する．凍結検体を保存しておくことは後の分子病理学的な検索にも有用である．

2．生検検体

経皮的針生検（以下，針生検 needle biopsy）と切開生検 incisional biopsy が行われ，いずれも10％中性緩衝ホルマリンに浸漬され，提出される．針生検検体では他臓器の場合と同様にそのまま包埋し標本とするが，脱灰操作が必要な場合もある．切開生検では骨片などの硬組織を含む部分と含まない部分に分け，硬組織を含む部分は脱灰し，含まない部分は脱灰せずにパラフィン包埋ブロックを作製する．脱灰操作を加えても通常の免疫染色の多くは施行可能であるが，不要な脱灰操作や過脱灰を避ける．脱灰操作，とくに酸を用いた脱灰法では核酸の分解，質の低下（degradation）が起こる．したがって，脱灰操作の加えられていないパラフィン包埋ブロックを作製しておくことは分子病理学的な検索を行う場合に有用である．脱灰操作を行わないことで標本の作製時間が短縮されることも利点である．なお，穿刺吸引細胞診も施設により適宜施行されている．

3．手術検体

1) 搔爬

搔爬 curettage は，臨床所見，画像所見，針生検の所見などに基づいて治療とともに診断を兼ねて行われる．切除縁（断端）の評価はできないので，取扱いは切開生検と基本的に同様である．肉眼的所見の異なる部分をよく観察し，ブロックを別に分けて標本にすると病変の理解に役立つ．

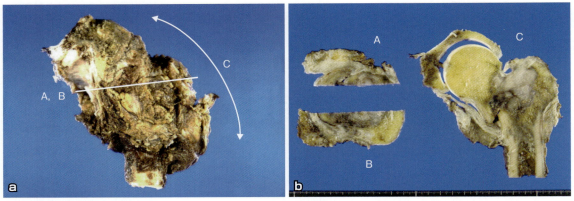

図1 | 切除検体の切り出し
a：左大腿骨の未分化多形肉腫の切り出し（全体像）．b：前額断と直交する水平断の各割面．

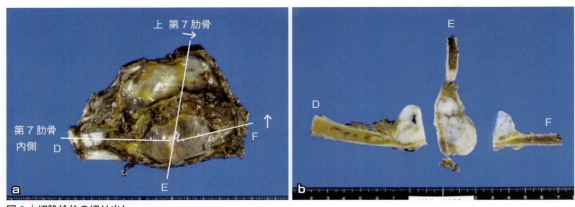

図2 | 切除検体の切り出し
a：右肋軟骨の低悪性度軟骨肉腫の切り出し（全体像）．b：矢状断と直行する水平断の各割面．

2）切除検体

　10％中性緩衝ホルマリンに浸漬され提出される．切除検体 resection（amputation）では腫瘍の組織学的診断と切除縁評価を，また術前化学療法が施行された症例では組織学的効果判定を行う．

　画像所見，術中所見をよく知る整形外科医とともに切り出しを行うことが勧められる．切り出しは，周囲軟部組織も含めて腫瘍の最大割面が出るようにし，直交する割面を加えることが多い（図1，2）．切除縁の肉眼的な評価方法が定められている[4]が，病理医には判断の難しいことが多く，切り出し時に整形外科医と一緒に確認することが望ましい[2]．切り出した割面 slab（slice）に付着した切り屑（bone dust）を取り除き，写真撮影し，さらにホルマリンで適宜固定する．十分固定した後に，再度写真を撮影し，脱灰の不要な部分を先にパラフィン包埋ブロックとする．生検部の皮膚組織も標本とする．この際に脱灰しない腫瘍成分のブロックを数個作製しておく．非脱灰ブロック作製が難しい場合は，EDTAで脱灰したブロックを作る．残った部分は脱灰してパラフィン包埋ブロックとする．脱灰は各施設の通常の方法で行ってよいが，筆者らの施設ではギ酸を用いることが多く，また，より脱灰効果の強いカルシウムスケール溶解剤（非劇毒物，等量のリン酸緩衝液で希釈）を使用する場合もある．免疫染色には脱灰操作を加えていないブロック，あるいは抗原性が比較的よく保持されるEDTAで脱灰したブロックを使うゲノム検査にも同様のブロックを用いている[5]．

　切り出しに使う道具は各施設で使いやすいものを選ぶ．筆者らの施設では電動帯鋸を使用している．大きな検体では洗浄瓶で水をかけながら使用する（図3a）．木片を検体と検体を把持する手の間に臨機応

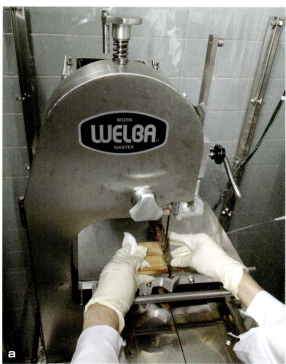

図3｜筆者らの施設で用いている器具
a：電動帯鋸機．鋸の刃と近い側に木片を挟んでいる．
b：目の細かい手鋸．

変に挟むと安全である．5mm以下の厚さの標本の作製が望ましいが，難しい場合もある．厚い部分は小さくしてからさらに手鋸で薄く切る．細かい作業には市販の安価な目の細かい鋸（**図3b**）を使用している．切れ味が悪くなり次第，新品に取り替える．

組織学的診断とマッピングによる組織学的な切除縁の評価を行う．化学療法の効果判定については，第4部-Ⅴ「骨肉腫の組織学的効果判定と切除縁評価」を参照されたい．

（鈴木宏明）

文　献

1）Unni KK, Inwards CY, Bridge JA, et al：AFIP Atlas of Tumor Pathology, Series 4, Tumors of the Bones and Joints, AFIP, Washington DC, 2005
2）石田　剛：骨腫瘍の病理，文光堂，2012
3）Czerniak B：Dorfman and Czerniak's Bone Tumors（2nd ed），Elsevier, Philadelphia, 2016
4）日本整形外科学会，日本病理学会編：整形外科・病理 悪性骨腫瘍取扱い規約，第4版，金原出版，2015
5）日本病理学会：ゲノム研究用・診療用病理組織検体取扱い規程，羊土社，2019

第2部
組織型と診断の実際

第2部 組織型と診断の実際

I．軟骨形成性腫瘍　1．良性軟骨形成性腫瘍

(1) 骨軟骨腫，内軟骨腫，骨膜性軟骨腫

osteochondroma, enchondroma and periosteal chondroma

はじめに

　骨腫瘍における良性軟骨形成性腫瘍の発生頻度は高く，とくに骨軟骨腫や内軟骨腫は日常診療で最も高頻度に遭遇する代表的な良性骨腫瘍である．しかし，内軟骨腫のように病理診断に際して発生年齢，発生部位などの臨床情報や放射線画像所見との対比がとくに重要な組織型も含まれている．

　本項では良性骨腫瘍の多くを占め，骨腫瘍全体においても発生頻度が高く，いわば骨腫瘍の"common disease"である骨軟骨腫と内軟骨腫に加え，比較的まれな骨膜性軟骨腫について，それらの臨床病理学的特徴を解説する．

1．骨軟骨腫

1) 定義・概念

　骨軟骨腫 osteochondroma は硝子軟骨性の軟骨帽 cartilaginous cap による被覆を特徴とし，骨表面から突出性に発育する骨性隆起性の良性軟骨形成性腫瘍である[1]．腫瘍では軟骨帽の深部が内軟骨性骨化 enchondral ossification を経て髄腔の海綿骨へ移行し，さらに腫瘍下床の骨髄腔と連続しており，この髄腔の連続性は本腫瘍に特徴的である．本腫瘍は発生異常的な要素が強い病変と考えられ，異常骨端軟骨が本来の骨の長軸に対して垂直方向に枝分かれして内軟骨性骨化を経て成長した結果，骨表面に突出する骨軟骨性隆起の形成に至ると理解されている[2]．骨軟骨腫には，非遺伝性に散発する単発性（散発性）骨軟骨腫 solitary osteochondroma と，多発性に発生する遺伝性多発性骨軟骨腫 hereditary multiple osteochondroma が存在する．

2) 臨床的事項

　骨軟骨腫は最も発生頻度の高い良性骨腫瘍で，その発生頻度は良性骨腫瘍の35％，全骨腫瘍の8％を占めている[1]．しかし，臨床症状に乏しく放射線画像で発見されていない，あるいは発見後も経過観察され切除に至っていない症例も多く，実際の発生頻度はさらに高いと考えられる．大部分は30歳代までに発生し，とくに20歳以下に多い．発生頻度は男性が女性よりわずかに多い．なお，骨軟骨腫患者の約15％は多発性病変を形成し，常染色体優性遺伝の遺伝性多発性骨軟骨腫を呈する．骨軟骨腫は内軟骨性骨化を生じる長管骨の骨幹端に好発し，最大の好発部位は大腿骨遠位であり，次いで上腕骨近位や脛骨・腓骨近位に発生する．扁平骨における発生頻度はやや低いが肩甲骨や腸骨に発生する．なお，脊椎骨や手足の短管骨にはまれである．

　骨軟骨腫の多くは無症候性であるが，腫瘍径や発生部位によっては症状が出現しうる．患部には長期間にわたり骨硬性腫瘤が触知され，合併症として骨折，軟骨帽表面の滑液包形成や滑液包炎，関節炎を生じ，圧迫により隣接する腱，神経，血管に障害が生じる．骨軟骨腫からまれに二次性末梢性軟骨肉腫が発生し，骨成長が停止した成人例における疼痛増悪や腫瘤増大は悪性転化の徴候の可能性があり，十分な注意が必要である[1]．

　骨軟骨腫は切除により通常は治癒するが，不完全切除では再発する．また，多発性の再発は悪性転化

(1) 骨軟骨腫，内軟骨腫，骨膜性軟骨腫

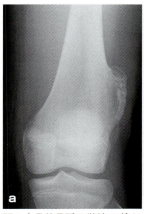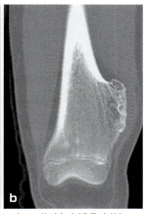

図1 | 骨軟骨腫の単純X線およびCT像（左大腿骨遠位）
a：単純X線像．左大腿骨遠位骨幹端の外側で境界明瞭な骨隆起がみられる．隆起部には髄腔の連続性が認められる．隆起部の先端はわずかに近位側に伸びている．b：CT像．大腿骨遠位骨幹端の骨隆起の内部構造が明瞭で，髄腔の連続性が認められる．骨隆起の表層は不整であるが，骨皮質の欠損は認めない．

図2 | 骨軟骨腫の肉眼所見（割面）（図1と同一症例）
若年発生例の骨軟骨腫である．腫瘍は厚さが3〜4mm程度の均一な硝子軟骨性の軟骨帽で覆われている．深部の骨組織では黄色調の脂肪髄と少量の赤色髄が混在し，下床骨の髄腔と連続している．

が疑われる．二次性末梢性軟骨肉腫への悪性転化のリスクは単発性骨軟骨腫で1％，遺伝性多発性骨軟骨腫で5％とされている．

3）画像所見

骨皮質から連続した有茎性あるいは無茎性の隆起性病変を形成し，腫瘍部の骨髄腔と下床既存骨の骨髄腔は連続している（図1）．軟骨帽にはときに石灰化がみられる．軟骨帽は豊富な硝子軟骨基質を反映し，MRI T2強調画像で明瞭な高信号を示す．軟骨帽が不規則分葉状の形態を示し，その厚さが2cm以上ある場合には軟骨肉腫への悪性転化が疑われる．なお，遺伝性多発性骨軟骨腫の診断は放射線画像上，骨軟骨腫が2個以上確認されることが必要である．

4）肉眼所見

表面の凹凸に富むカリフラワー状の有茎性あるいは無茎性の骨性隆起性病変で，表面は硝子軟骨性の軟骨帽で覆われているため平滑で光沢がある．割面では突出部の骨皮質，髄腔は茎部を経てそれぞれ下床骨の骨皮質，髄腔へ移行している．軟骨帽の厚さは数mm〜1cm程度であり（図2），骨成長が停止した成人例では薄く，加齢とともに消失する．軟骨帽下の海綿骨は赤色〜脂肪髄を呈し，通常の骨髄組織と同様である．

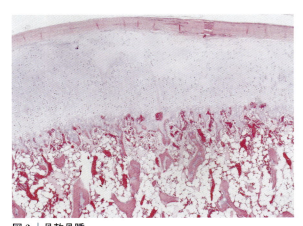

図3 | 骨軟骨腫
腫瘍は表層から軟骨膜，軟骨帽，骨からなる3層構造を示す．最外層の軟骨膜は非腫瘍性の線維性組織で下床骨の骨膜と連続している．

5）組織学的所見

腫瘍は表層から軟骨膜 perichondrium，軟骨帽 cartilaginous cap，骨からなる3層構造を示す（図3）．最外層の軟骨膜は非腫瘍性の線維性組織で下床骨の骨膜 periosteum に連続している．軟骨帽は骨端の成長軟骨板 epiphyseal growth plate の軟骨組織に類似した硝子軟骨組織からなり，その深部は内軟骨性骨化を経て最下層の海綿骨組織へ移行する（図4）．これらの組織像は若年者骨端の成長軟骨板における骨形成所見を模倣しており，骨軟骨腫が異常骨端軟骨から生じた骨軟骨性隆起性病変であることを想起させる．軟骨帽の軟骨細胞に核異型，核分裂像，細胞密度増加はなく（図5），二次性変化として不規則な石灰化や粘液変性がみられる．

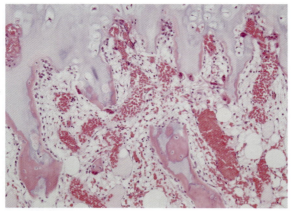

図4 骨軟骨腫
軟骨帽の深部は内軟骨性骨化を経て海綿骨組織へ移行する．本組織像は若年者骨端の成長軟骨板における骨形成所見に類似している．

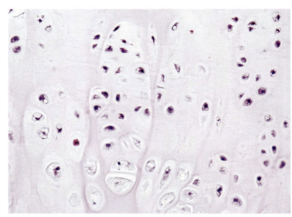

図5 骨軟骨腫
軟骨帽の軟骨細胞に核異型，核分裂像，細胞密度増加はみられない．

　悪性転化の指標の一つとして軟骨帽の厚さが重要である．軟骨帽の厚さは年齢によって異なるが，一般的に数mm〜1cm程度であることが多い．その厚さが肉眼的に2cm以上で，不規則に肥厚し，組織学的に太い線維索で隔てられた分葉状構造や軟骨細胞の細胞密度増加，細胞異型がみられる場合には悪性転化の可能性を考える．悪性転化した際に生じる組織型の大部分はgrade 1の二次性末梢性軟骨肉腫であり，ごくまれに骨肉腫，紡錘形細胞肉腫，脱分化型軟骨肉腫も生じる．

6）鑑別診断

　二次性末梢性異型軟骨腫瘍/軟骨肉腫，grade 1 secondary peripheral atypical cartilaginous tumour/chondrosarcoma, grade 1：骨軟骨腫との区別は組織学的には難しく，患者年齢などの臨床所見や画像所見を併せた検討が必須である．組織学的には軟骨構造の消失，結節状増殖，太い線維索の出現，粘液性変化，二核細胞の出現，細胞密度の増加などがみられた場合には注意が必要である．

　骨膜性軟骨肉腫 periosteal chondrosarcoma：骨膜性軟骨肉腫は骨膜と関連して骨表面に生じる軟骨肉腫である．腫瘍は無茎性でしばしば5cm以上となり，下床の皮質骨へ浸潤するが，髄腔との明瞭な連続性がみられることは少なく，画像所見や肉眼像が骨軟骨腫とは異なっている．

　傍骨性骨肉腫 parosteal osteosarcoma：傍骨性骨肉腫は低悪性度の表在性骨肉腫で，骨膜の挙上を伴わない骨表面からの外向性発育を特徴とする．組織学的には，異型の軽度な線維芽細胞様の紡錘形細胞が発達した骨梁を介在し束状に増殖する．腫瘍の表面には不完全な軟骨帽がときに形成されるため，その外向性発育も相まって骨軟骨腫と鑑別が必要となる．放射線画像上，傍骨性骨肉腫は骨軟骨腫よりもとくに基部や中心部において放射線密度が高い．組織学的鑑別所見として，骨軟骨腫で骨梁構造を伴った紡錘形細胞の増殖巣はみられない．また，傍骨性骨肉腫の軟骨帽は軽度の細胞異型を示す軟骨細胞から構成され，軟骨細胞の柱状配列はなく，骨軟骨腫の軟骨帽とは形態が異なる．

　傍骨性骨軟骨異形増生 bizarre parosteal osteochondromatous proliferation（BPOP）：BPOPは傍骨性に生じる反応性骨軟骨形成性病変で，Nora病変とも呼ばれている．手足の短管骨に好発する．BPOPでは軟骨帽の形状が不規則で，かつ骨折仮骨でみられる線維軟骨に類似しており，硝子軟骨からなる骨軟骨腫の軟骨帽とは異なっている（図6）．軟骨帽に少なからず異型軟骨細胞が出現する．骨軟骨移行部では内軟骨性骨化を示すが，骨梁の配列が不規則であり，また骨組織と軟骨組織の間には好塩基性に着色するいわゆるblue boneが特徴的に出現する．骨梁間には疎な線維性組織がみられ，脂肪髄や赤色髄はみられない（図7）．骨軟骨腫と異なり，病変と下床骨の髄腔に交通はない点も重要である．また，BPOPでは染色体転座t(1;17)(q32;q21)，あるいはt(1;17)(q42;q23)が認められ[3]，腫瘍性病変であることが示唆されている．こういった遺伝子学的背景も骨軟骨腫と全く異なっている．

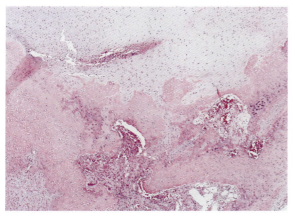

図6｜傍骨性骨軟骨異形増生
軟骨帽の基部では硝子軟骨組織，線維軟骨組織，骨梁の骨組織が移行混在している．骨梁に介在して線維性組織の増生がみられる．軟骨帽と骨梁との境界は不整であり骨軟骨腫とは異なっている．

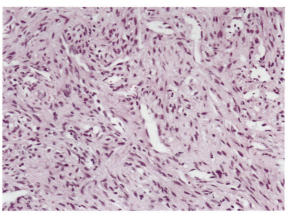

図7｜傍骨性骨軟骨異形増生
線維性組織では紡錘形の線維芽細胞が束状に増殖し，スリット状の血管が介在している．

傍骨性骨化性筋炎 juxtacortical myositis ossificans：傍骨性骨化性筋炎では病変が接する下床の骨皮質に異常がなく，病変部と下床骨の髄腔の連続性はない．典型的には放射線画像で病変と下床骨との間に radiolucent space が確認できる．傍骨性骨化性筋炎では病変中心部に浮腫性の線維芽細胞増殖巣がみられ，骨梁を経て辺縁部の殻状の骨組織へ移行する zoning architecture（phenomenon）がみられる．軟骨成分は辺縁部に巣状に出現し，ときに軟骨帽様構造を示すが，放射線画像所見や zoning architecture の存在から骨軟骨腫と鑑別が可能である．

爪下外骨腫 subungual exostosis：爪下の末節骨表面に発生する良性の骨軟骨腫様病変である．軟骨帽と内軟骨性骨化を経て移行する骨梁がみられ，骨軟骨腫に類似しているが，特異的な発生部位や髄腔との交通がない点で骨軟骨腫とは区別される．また，爪下外骨腫では染色体転座 t(X;6)(q24-26;q15-25) が認められる．

骨膜性軟骨腫 periosteal chondroma：放射線画像上，無茎性の骨軟骨腫との鑑別を要する．骨膜性軟骨腫では内部に海綿骨成分がみられず，下床の骨皮質には periosteal buttressing がみられ，下床骨髄腔との連続性はみられない．

7）分子病理学的特徴

散発性および遺伝性骨軟骨腫の大部分で軟骨帽における EXT1 遺伝子あるいは EXT2 遺伝子の両アレル不活性化が認められる．EXT 遺伝子の転写産物である exostosin-1，2 はヘパラン硫酸の生合成に関わるグリコシルトランスフェラーゼで，軟骨帽には EXT 遺伝子の野生型細胞と変異型細胞が混在している[4,5]．ヘパラン硫酸プロテオグリカンは軟骨帽における内軟骨性骨化，軟骨組織の極性形成，シグナル伝達の重要な調節因子であり，その消失は変異型細胞の増殖に有利に働く．また，ヘパラン硫酸はヘッジホッグ hedgehog（Hh）シグナル伝達経路にも関与し，そのシグナル伝達異常によって bony collar が形成されず，変異型細胞の極性消失と骨外増殖をもたらし，骨軟骨腫の形成に至ると考えられている．遺伝性骨軟骨腫は片方のアレルに存在する EXT1 遺伝子の生殖細胞変異 germline mutation に加えて，残存している野生型アレルの変異が組み合わさって発生する．また，散発性骨軟骨腫の約80％で EXT1 遺伝子のホモ接合性欠失 homozygous deletion が軟骨帽内にみられる．つまり，遺伝性骨軟骨腫の場合，腫瘍の発生には EXT 遺伝子ヘテロ変異体に対する one hit の体細胞変異 somatic mutation を要し，散発性骨軟骨腫では EXT 野生型に対する two hit の体細胞変異を要する．なお，IDH1 遺伝子，IDH2 遺伝子の変異は骨軟骨腫ではみられない．

2．内軟骨腫

1）定義・概念

内軟骨腫 enchondroma は，髄腔の硝子軟骨形成を特徴とする良性の軟骨形成性腫瘍である．手足の短管骨に好発し，大部分は単発性であるが，ときに複数の骨や単一骨内に多発し，内軟骨腫症 enchon-

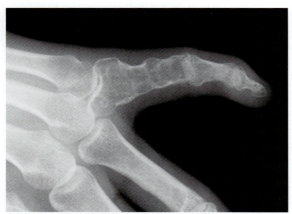

図8 | 内軟骨腫の画像所見（左小指単純X線像）
小指基節骨の不整な腫大があり，凹凸不整であるが骨皮質は保たれている．一部の骨皮質は菲薄化している．中手指節間（MP）関節は保たれているが，関節辺縁の腫大があり，基節骨は外転している．骨髄腔内は不整な骨破壊があり，内部の淡い石灰化を伴っている．

dromatosisを呈する[6]．

2）臨床的事項

内軟骨腫は発生頻度が高く，外科切除された良性骨腫瘍の10〜25％を占める．しかし，内軟骨腫の多くは単純X線などの放射線画像検査で偶然発見され，無症状の場合には経過観察されることもあり，実際の発生頻度はさらに高いと考えられる．発生年齢は5〜80歳と幅が広く，大部分は20〜50歳代であり，とくに10歳代から若年成人に多い．発生に男女差はない．手指の短管骨（とくに指節骨，中手骨）が最大の好発部位で全体の約40％を占めている．次いで上腕骨近位，脛骨遠位，大腿骨近位および遠位などの長管骨に多い[6,7]．骨盤骨，肋骨，肩甲骨，胸骨などの扁平骨や椎骨には非常にまれで，こういった軟骨肉腫の好発部位において内軟骨腫の診断を行う場合には，年齢や放射線画像所見と併せて慎重な判断を要する．なお，頭蓋顔面骨にはまず生じない．

手指の短管骨に生じる内軟骨腫では疼痛の有無にかかわらず患部の腫脹を自覚し，病的骨折も生じうる．長管骨の病変では機械的負荷により悪化しない限り無症候性である．通常，腫瘍は骨内掻爬により摘出され，局所再発はまれであるが，ときに長期経過の後に再発し，ごくまれに低悪性度の軟骨肉腫として再発する．

一方，内軟骨腫症は内軟骨腫が多発するまれな非遺伝性疾患であり，最も頻度の高い亜型としてOl-lier病とMaffucci症候群が存在する．Ollier病は小児期にみつかることが多く，多くは20歳までに診断される．Ollier病では多発性内軟骨腫が手の短管骨に好発するほか，四肢の短・長管骨が体片側性，一肢性に侵され，特徴的な病変局在が認められる．Maffucci症候群ではOllier病と同様の骨病変に加えて，生後早期に皮膚や軟部組織の血管腫を合併し，血管腫の有無によりOllier病と区別される．これらの内軟骨腫症では長管骨の骨幹端領域における多発性内軟骨腫の形成により四肢の変形や非対称性短縮，ときに病的骨折を生じる．なお，内軟骨腫症では二次性軟骨肉腫の発生リスクが高く，Ollier病で5〜50％，Maffucci症候群で53％と報告されており慎重な経過観察が望まれる[8]．

3）画像所見

単純X線では骨中心性の境界明瞭な骨透亮像を示し，内部は点状punctate（stippled），リング状ring-like，弧状arc-likeなどの特徴的な軟骨性石灰化を示す．小〜中型の管骨や薄い扁平骨ではしばしば膨張性発育を示し，とくに手足の短管骨では骨皮質の膨隆と菲薄化を示し，大きな腫瘍は骨髄腔の全体を置換する（**図8**）．一方，長管骨病変では腫瘍は骨幹端の中心部に位置し，骨皮質の膨隆や菲薄化はみられない．大腿骨，脛骨，上腕骨などの長管骨病変ではまれにendosteal erosionやendosteal scalloping（骨内膜のびらん，削り取り）がみられることはあるが，皮質肥厚cortical thickeningや骨膨張bone expansionがみられる場合には軟骨肉腫を疑う．MRIでは豊富な硝子軟骨基質を反映して，T1強調画像で低〜等信号，T2強調画像で高信号を示す．

4）肉眼所見

内軟骨腫の大部分は5cmより小さく，大部分の症例で掻爬による摘出が行われるため，腫瘍は帯青白色，半透明で硝子軟骨様の小組織断片として提出されることが多い（**図9**）．切除摘出された腫瘍では結節状の軟骨組織が骨髄組織で区画され，多結節状構造を示す．この多結節状構造は長管骨の腫瘍でより多く認められる．短管骨の腫瘍ではしばしば髄腔全域に置換性に増殖する．

5）組織学的所見

内軟骨腫は多結節状，分葉状，癒合状と多彩な構造を示し，個々の結節状構造は繊細な線維性隔壁や

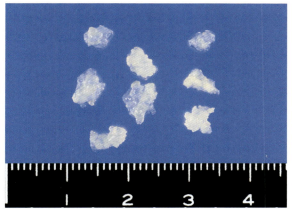

図 9 | 内軟骨腫の肉眼所見
通常, 腫瘍は搔爬摘出されるため青白色, 半透明な硝子軟骨様の外観を示す多数の小組織断片として提出されることが多い.

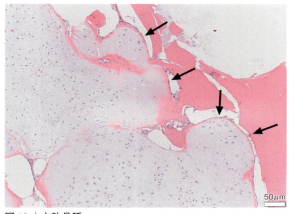

図 10 | 内軟骨腫
腫瘍は分葉状構造を示し, 搔爬検体でも確認可能である. 分葉状構造は周囲を繊細な線維性隔壁や薄い殻状の成熟層板骨で囲まれ encasement (矢印) を示す.

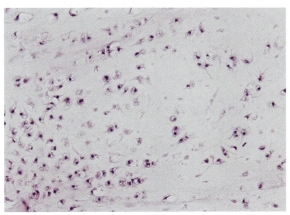

図 11 | 内軟骨腫
腫瘍では軟骨細胞が豊富な硝子軟骨基質を伴って疎密に増殖するが, 総じて細胞密度が低いことが多い.

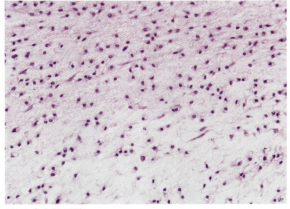

図 12 | 内軟骨腫
手足短管骨の内軟骨腫では細胞密度増加や粘液性変化がみられることが多く, これを悪性所見と判断してはならない. 本例では軟骨細胞の核腫大もみられる.

薄い殻状の成熟層板骨で囲まれ, encasement パターンを示す (図 10). 結節状構造に介在して既存の骨髄組織がみられる. この特徴的な組織構築は搔爬検体でも十分に観察可能である. 腫瘍では軟骨細胞が小集簇性に腫瘍全体に概ね均一に分布し, 豊富な硝子軟骨基質を伴っているため細胞密度は低いことが多いが (図 11), 手足の短管骨の腫瘍では細胞密度の増加がしばしばみられる (図 12). 軟骨基質では石灰化がさまざまな程度で認められ, ときに高度である. 軟骨細胞は核クロマチンが凝集した小型円形核としばしば空胞化を伴った顆粒状の好酸性細胞質を有し, 軟骨小窩 lacunar space に存在する (図 13). 1つの軟骨小窩に複数個の軟骨細胞が存在する場合もある. また, 軟骨小窩の外に双極性, 星芒状の腫瘍細胞も出現する. 腫瘍は内軟骨性骨化を示し, こういった部位では軟骨細胞の核が腫大し核内構造が透見される open chromatin pattern を示す (図 14). 軟骨細胞に高度の核異型, 核分裂像はみられない. ときに二核の軟骨細胞 (二核細胞 binucleated cell) も出現するが頻度は低い (図 14 inset). 腫瘍と骨内膜の境界部で endosteal erosion がみられても, 腫瘍の Havers 管系 Haversian system への進展はなく, 既存骨梁の巻き込みや隣接する骨外軟部組織への浸潤はない. 粘液基質はあっても少量である.

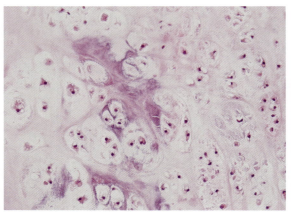

図 13 ｜ 内軟骨腫
個々の腫瘍細胞は核クロマチンが凝集した小型核としばしば空胞化を伴った顆粒状の好酸性細胞質を有する．軽度の核形不整がみられる．腫瘍細胞は軟骨小窩に存在し，1つの軟骨小窩に複数個の軟骨細胞が存在している．軟骨小窩の周囲の基質には石灰化がみられる．

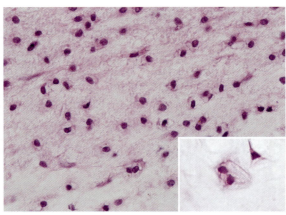

図 14 ｜ 内軟骨腫
腫瘍細胞の核が腫大し，核内構造が透見した open chromatin pattern を示す．inset：二核細胞が出現するが頻度は低い．

表 1 ｜ 内軟骨腫と軟骨肉腫，grade 1 の鑑別

	内軟骨腫	軟骨肉腫, grade 1
好発年齢	10 歳代〜中年成人	中年成人〜高齢者
好発部位	手足の短管骨，上腕骨，大腿骨	大腿骨，骨盤骨，肋骨
放射線画像所見	骨膨張性発育（短管骨）リング状，弧状の石灰化	骨皮質の肥厚，溶解性，地図状の骨破壊性発育
核異型	なし，あるいは軽度	軽度
核分裂像	通常はみられない	通常はみられない
二核細胞	ときに出現する	出現する
細胞密度	軽〜中等度に増加	軽度に増加
粘液基質	出現しうる	なし，あるいは限局的に出現する

　内軟骨腫の病理診断で最も重要なことは，手足の短管骨とそれ以外の部位で組織学的診断基準を同一と考えないことである．すなわち，手足の短管骨に生じる内軟骨腫は長管骨に生じるそれよりも細胞密度が高く，核異型や粘液性変化が目立つ傾向にあり，組織像のみでは軟骨肉腫と見誤るような症例がしばしば存在する．疫学的に手足の短管骨に軟骨肉腫はほとんど発生しないため，同部位においてはこういった異型的所見を直ちに悪性の診断基準に採用しないことが重要である．発生頻度からも手足短管骨の内軟骨腫を診断する機会は多いと考えられ，この基本姿勢はとくに重要である．

　また，Ollier 病など内軟骨腫症でみられる内軟骨腫でも同様の異型的所見がみられる傾向が強く，二次性の軟骨肉腫発生の診断には臨床所見や画像所見と併せた総合的な判断が必要である．

6）鑑別診断

　中心性異型軟骨腫瘍／中心性軟骨肉腫, grade 1 central atypical cartilaginous tumour/central chondrosarcoma, grade 1（**表 1**）：まず，内軟骨腫は発生部位により組織像が異なることを意識した上で鑑別診断を述べる．手足の短管骨の内軟骨腫は骨幹を中心にしばしば髄腔置換性に増殖するため，放射線画像で endosteal scalloping，骨膨張性変化，ときに病的骨折をきたす．また，組織学的にも軟骨細胞の核異型，二核細胞の出現，粘液性変化を示すため，悪性と考えてしまう可能性がある．しかし，こういった異型的な所見は手足の短管骨に発生する内軟骨腫の特徴であることを十分に認識し，決して悪性所見と判断してはならない．よって中心性異型軟骨腫瘍／中心性軟骨肉腫, grade 1 との鑑別が必要となる状況は，内軟骨腫が主に長管骨や体幹骨に発生した場合である．長管骨の内軟骨腫は大腿骨近位・遠位骨幹端や上腕骨近位骨幹端〜骨幹に多く，通常は無症候性であり，放射線画像検査で偶然みつかることが多い．また，大きさは通常 3cm より小さく，周囲の海綿骨や皮質骨の破壊がない．組織学的にも軟骨細胞に細胞異型がみられない．軟骨肉腫と異なり腫瘍細

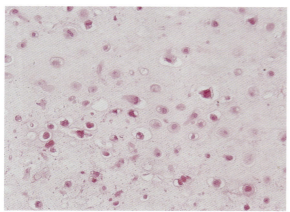

図 15 | 中心性異型軟骨腫瘍/中心性軟骨肉腫, grade 1
下顎骨に発生した grade 1 相当の軟骨肉腫である. 細胞の大小不同, 核腫大, 核形不整, 多核化を示す異型軟骨細胞が不規則に増殖している.

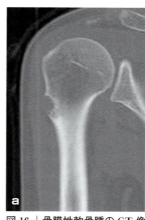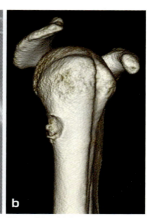

図 16 | 骨膜性軟骨腫の CT 像（右上腕骨近位）
a：冠状断再構成 CT 像. 上腕骨近位骨幹端の外側で骨皮質の境界明瞭な陥凹とその周囲の嘴状の骨膜反応が認められる. 骨欠損部には円形の腫瘤が認められ, 骨より突出し, 点状の石灰化を伴う. b：ボリュームレンダリング像. 上腕骨の陥凹と辺縁部の嘴状の骨膜反応がより明瞭に描出される.

胞の核は小型, 均一で, 核クロマチンも均一である. 二核の軟骨細胞は少なく, 基質は明瞭な硝子軟骨基質で著明な粘液性変化はみられない. 逆に言えば, 長管骨に発生した軟骨形成性腫瘍に手足の短管骨に発生する内軟骨腫に類似した所見がみられた場合, その腫瘍は中心性異型軟骨腫瘍/中心性軟骨肉腫, grade 1 が強く疑われる. また, 体幹骨（頭蓋顔面骨, 脊椎骨, 胸骨, 肋骨, 肩甲骨, 骨盤骨など）の内軟骨腫発生はきわめてまれであり, 完全切除検体での慎重な評価が必要である. 体幹骨発生例で組織学的に核異型, 細胞密度増加, 粘液性変化などが少しでもみられる場合には, 中心性異型軟骨腫瘍/中心性軟骨肉腫, grade 1 と判断すべきである（図 15）.

7）分子病理学的特徴

大部分の内軟骨腫は 2 倍体, あるいはそれに近い染色体核型を示す. 腫瘍に特異的な染色体異常は見出されていないが, 報告されている染色体異常では 6 番染色体の変異や 12 番染色体における 12q13-15 領域の再構成の頻度が高い[9,10]. IDH1/IDH2 遺伝子のヘテロ接合性体細胞変異 heterozygous somatic mutation が散発性症例の約 50％で, 内軟骨腫症の症例の約 90％で認められる. IDH1/IDH2 遺伝子の変異は内軟骨腫, 骨膜性軟骨腫, 中心性/骨膜性軟骨肉腫でみられるが, その他の軟骨性腫瘍や間葉系腫瘍でみられない点が重要である[11].

3. 骨膜性軟骨腫

1）定義・概念

骨膜性軟骨腫 periosteal chondroma は骨膜下の骨表面に発生する軟骨腫で, 組織像は手足の短管骨髄内に発生する内軟骨腫と類似する[12].

2）臨床的事項

骨膜性軟骨腫の発生頻度は内軟骨腫と比較してかなり低く, 全軟骨腫の 2％以下である. 小児や若年成人に好発し, 男性にやや多い. 腫瘍は長管骨の骨幹端や骨幹端骨幹移行部に好発し, 特徴的な好発部位は上腕骨近位で, 50％近くが同部位で診断される. 手足の短管骨にも生じる[12,13]. 腫瘍内切除, 辺縁切除, 広範切除により治療されるが, 術式にかかわらず再発は少ない. 腫瘍は体表から触知され, 腱付着部に近接するため疼痛や腱の可動制限が主な症状である.

3）画像所見

単純 X 線で骨膜性軟骨腫は骨表面の境界明瞭な骨透亮性病変, あるいは斑状の石灰化病変としてみられる. 石灰化の程度はさまざまである. 病変下床の骨皮質は圧痕を示し, 病変を取り囲むような嘴状, 殻状の骨膜反応（overhanging edge, marginal spicule）がみられ, peripheral buttressing で境界される（図 16）. MRI では軟骨基質を反映し, 内軟骨腫と

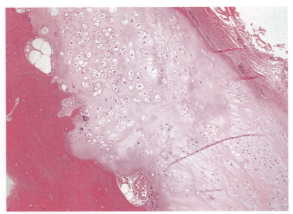

図17 | 骨膜性軟骨腫
左下の骨皮質と右上の骨膜の間に，分化のよい軟骨組織が認められる．（国立がん研究センター中央病院病理診断科 吉田朗彦先生ご提供）

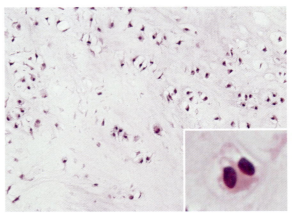

図18 | 骨膜性軟骨腫
本例では腫瘍細胞の核異型や細胞密度増加は目立たないが粘液性変化がみられ，手足の短管骨に生じる内軟骨腫に類似している．inset：二核細胞もみられる．

同様にT1強調画像で低信号，T2強調画像で高信号を呈する．

4）肉眼所見

腫瘍の大きさは通常5cm未満で，骨表面に境界明瞭な分葉状の硝子軟骨性腫瘤を形成し，表面は骨膜で被覆されている．下床の皮質骨はびらんや侵食により辺縁平滑な軽度の陥凹を呈するが，皮質骨からなる硬化縁により髄腔とは明瞭に区画されている．腫瘍の内部に石灰化巣がしばしば認められる．

5）組織学的所見

腫瘍の境界は明瞭で（図17），下床の皮質骨は肥厚する．腫瘍圧排による皮質骨外層のびらんがみられるが，腫瘍の海綿骨への進展はない．また，周囲の軟部組織に対しては膨張性に発育する．骨膜性軟骨腫は長管骨に生じる内軟骨腫と比較して細胞密度増加，細胞異型，二核細胞が目立ち，その組織像は手足の短管骨に生じる内軟骨腫に類似している（図18）．よって，骨膜性軟骨腫では若干の異型的所見が出現しうることを認識すべきである．腫瘍は内軟骨性骨化により分葉間や腫瘍表面に骨形成を示すことがある．

6）鑑別診断

骨軟骨腫 osteochondroma：骨軟骨腫では軟骨帽が形成され隆起性発育と相まって鑑別が必要となる．骨膜性軟骨腫では骨軟骨腫で特徴的な病変部と下床骨の髄腔の連続性はなく，この点で鑑別可能である．

骨膜性軟骨肉腫 periosteal chondrosarcoma：骨膜性軟骨肉腫は通常5cm以上と大型である．骨膜性軟骨肉腫では細胞密度増加，腫瘍細胞の核異型や核多形性，多核軟骨細胞の出現など，軟骨肉腫としての明瞭な異型が存在する．骨膜性軟骨肉腫では骨外の周囲結合組織への不整な浸潤性増殖も認められ，骨膜性軟骨腫とは異なる．

骨膜性骨肉腫 periosteal osteosarcoma：骨膜性骨肉腫は骨表面に生じる表在性骨肉腫の亜型であり，豊富な軟骨形成を特徴とする表在性の軟骨芽細胞型骨肉腫である．放射線画像上，feathery perpendicular calcific striae や，ときにCodman三角がみられるため，画像上も鑑別が可能である．また，骨膜性骨肉腫では peripheral buttressing はみられない．組織学的に骨膜性骨肉腫では軟骨成分に加えて，未熟な腫瘍細胞のシート状増殖や類骨，骨形成が認められ，鑑別が可能である．

7）分子病理学的特徴

骨膜性軟骨腫では内軟骨腫と同様に*IDH*遺伝子のヘテロ接合性変異がみられる．染色体異常としては6番染色体の欠損や2q37，4q21-24，11q13-15，12q13-q15領域の再構成の報告がある[10]．

おわりに

良性軟骨形成性腫瘍として骨軟骨腫，内軟骨腫，

骨膜性軟骨腫の臨床病理学的特徴を解説した．とくに骨軟骨腫と内軟骨腫の発生頻度は高く，原発性良性骨腫瘍に占める割合も多い．日常診療で遭遇しやすい代表的な良性骨腫瘍として認識しておくことが重要と考えられる．

（杉田真太朗，長谷川　匡）

文　献

1) Bovée JVMG, Bloem JL, Heymann D, et al：Osteochondroma. in WHO Classification of Tumours Editorial Board (ed)："WHO Classification of Tumours, Soft Tissue and Bone Tumours"(5th ed), IARC Press, Lyon, 2020, pp356-358
2) 石田　剛：骨腫瘍の病理．文光堂，2012, pp137-146
3) Endo M, Hasegawa T, Tashiro T, et al：Bizarre parosteal osteochondromatous proliferation with a t(1;17)translocation. Virchows Arch 447：99-102, 2005
4) Jones KB, Piombo V, Searby C, et al：A mouse model of osteochondromagenesis from clonal inactivation of Ext1 in chondrocytes. Proc Natl Acad Sci U S A 107：2054-2059, 2010
5) Matsumoto K, Irie F, Mackem S, et al：A mouse model of chondrocyte-specific somatic mutation reveals a role for Ext1 loss of heterozygosity in multiple hereditary exostoses. Proc Natl Acad Sci U S A 107：10932-10937, 2010
6) Bovée JVMG, Bloem JL, Flanagan AM, et al：Enchondroma. in WHO Classification of Tumours Editorial Board (ed)："WHO Classification of Tumours, Soft Tissue and Bone Tumours"(5th ed), IARC Press, Lyon, 2020, pp353-355
7) 石田　剛：骨腫瘍の病理．文光堂，2012, pp120-128
8) Bovée JVMG, Alman BA：Enchondromatosis. in WHO Classification of Tumours Editorial Board (ed)："WHO Classification of Tumours, Soft Tissue and Bone Tumours"(5th ed), IARC Press, Lyon, 2020, pp506-509
9) Sakai Junior N, Abe KT, Formigli LM, et al：Cytogenetic findings in 14 benign cartilaginous neoplasms. Cancer Genet 204：180-186, 2011
10) Dahlén A, Mertens F, Rydholm A, et al：Fusion, disruption, and expression of HMGA2 in bone and soft tissue chondromas. Mod Pathol 16：1132-1140, 2003
11) Amary MF, Bacsi K, Maggiani F, et al：IDH1 and IDH2 mutations are frequent events in central chondrosarcoma and central and periosteal chondromas but not in other mesenchymal tumours. J Pathol 224：334-343, 2011
12) Bridge JA, Cleven AHG, Tirabosco R：Periosteal chondroma. in WHO Classification of Tumours Editorial Board (ed)："WHO Classification of Tumours, Soft Tissue and Bone Tumours"(5th ed), IARC Press, Lyon, 2020, pp351-352
13) 石田　剛：骨腫瘍の病理．文光堂，2012, pp128-132

第2部　組織型と診断の実際

I．軟骨形成性腫瘍　1．良性軟骨形成性腫瘍

(2) 軟骨芽細胞腫と軟骨粘液線維腫

chondroblastoma and chondromyxoid fibroma

はじめに

軟骨芽細胞腫 chondroblastoma と軟骨粘液線維腫 chondromyxoid fibroma は，いずれも軟骨形成性腫瘍である[1~3]．2013年刊行のWHO分類第4版では，grade 1の軟骨肉腫とともに中間悪性軟骨形成性腫瘍に分類されていたが[2]，2020年刊行のWHO分類第5版では良性軟骨形成性腫瘍に分類された[1]．

組織学的には，この両腫瘍は多かれ少なかれ軟骨基質の産生を伴い，破骨細胞型多核巨細胞 osteoclastic multinucleated giant cell が出現する点で共通する[1~3]．両腫瘍とも，腫瘍の発生機構は十分には解明されていないが，細胞分化が幼若な軟骨細胞性の腫瘍と捉えられている[3~6]．

1．軟骨芽細胞腫

1）定義・概念

骨端部に好発し，軟骨芽細胞と好酸性軟骨基質島で構成される良性の骨腫瘍である[1]．1942年，JaffeとLichtensteinによってその概念が提唱された[7]．

2）臨床的事項

まれな骨腫瘍で，全骨腫瘍の1％に満たない．骨端線が閉鎖していない若年者に好発し，男性に多い[1~3]．好発部位は長管骨の骨端で，大腿骨，脛骨近位，上腕骨近位に発生することが多い[1~3]．また，距骨，踵骨，膝蓋骨，骨盤骨にも発生する[1~3]．腫瘍の大きさは直径3～6cm大である[1~3]．

3）画像所見

単純X線では辺縁に骨硬化像を伴う骨中心性の骨透亮像として捉えられることが多い[1~3]（図1）．図2にCT像を示す．しばしば腫瘍の変性によって二次性の動脈瘤様骨嚢腫が形成され，MRIで液面形成（fluid-fluid level）が観察される（図3）．

4）肉眼所見

ほとんどの症例で治療法として腫瘍の搔爬が選択されるため，採取された組織片は出血の影響で暗赤色調を呈し，実際の病変の色調を捉えることは非常に難しい．

5）組織学的所見

組織学的には，円形～多稜形の腫瘍細胞が淡い好酸性の軟骨基質を所々に産生しながら充実性に増殖する（図4）．個々の腫瘍細胞を取り囲むような類骨様の網目状の好酸性基質の産生も認められる（図5）．症例により数の多寡はあるが，破骨細胞型多核巨細胞が腫瘍細胞の充実性増殖巣内，あるいは軟骨基質の辺縁に観察される（図6）．多くの腫瘍細胞の核には切れ込みが認められ，Langerhans細胞との鑑別を要する（図7）．その他，軟骨芽細胞腫に特徴的な組織学的所見として"chicken-wire calcification"と呼ばれる個々の腫瘍を取り囲む細く繊細な石灰化が有名であるが，必ずしもすべての症例で観察されるわけではない（図8）．一方，軟骨基質内の腫瘍細胞の変性はよくみられる（図8）．軟骨芽細胞腫は，しばしば二次性の動脈瘤様骨嚢腫を形成する．組織学的には，腫瘍細胞を伴う膜様の線維性結合織として観察

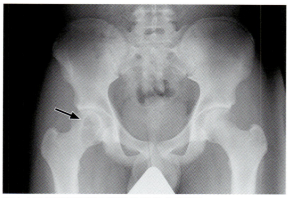

図 1 │ 軟骨芽細胞腫の単純 X 線像（正面像）
右大腿骨頭に，辺縁に境界明瞭な骨硬化像を伴う骨透亮像を認める（矢印）．

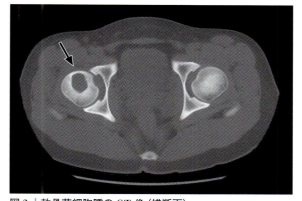

図 2 │ 軟骨芽細胞腫の CT 像（横断面）
右大腿骨頭に，辺縁に骨硬化像を伴う境界明瞭な病変を認める（矢印）．

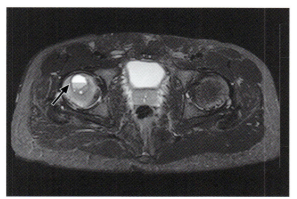

図 3 │ 軟骨芽細胞腫の MRI T2 強調像（横断面）
二次性の動脈瘤様骨嚢腫の形成に伴う液面形成が確認できる（矢印）．

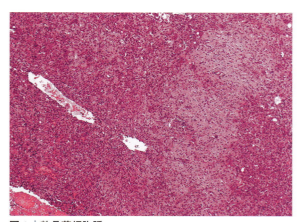

図 4 │ 軟骨芽細胞腫
淡好酸性の軟骨基質の産生が認められる．

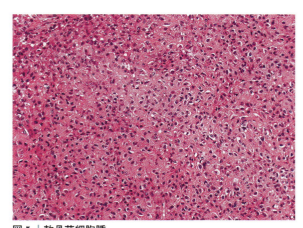

図 5 │ 軟骨芽細胞腫
個々の腫瘍細胞を取り囲むような類骨様の網目状の好酸性基質の産生が認められる．

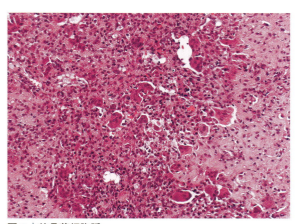

図 6 │ 軟骨芽細胞腫
破骨細胞型多核巨細胞が認められる．

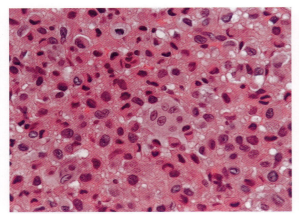

図7 | 軟骨芽細胞腫
腫瘍細胞の核は円形〜類円形で，しばしば切れ込みを有し，Langerhans細胞との鑑別を要する．

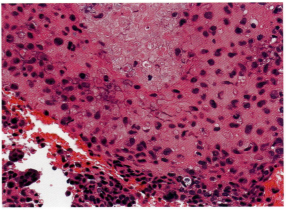

図8 | 軟骨芽細胞腫
"chicken-wire calcification"と呼ばれる個々の腫瘍細胞を取り囲む細く繊細な石灰化と，基質内の腫瘍細胞の変性が認められる．

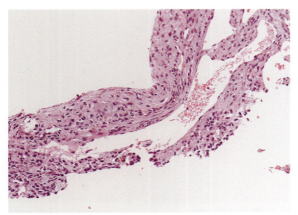

図9 | 軟骨芽細胞腫
MRIで液面形成として捉えられる二次性の動脈瘤様骨嚢腫は，腫瘍細胞を伴う膜様の線維性結合織として観察される．

される（図9）．免疫組織化学的には，腫瘍細胞はS-100蛋白が核に陽性となる．

6）分子病理学的特徴

ほとんどの症例で，2つのヒストン遺伝子（*H3F3A*と*H3F3B*）のうち，17番染色体上の*H3F3B*遺伝子の変異（アミノ酸変化K36M）が検出される[8〜10]．*H3F3B*遺伝子変異（K36M）は，ドライバー変異（腫瘍の発生・進行に関与している遺伝子変異）である．なお，骨巨細胞腫では，ほとんどの症例で1番染色体上の*H3F3A*遺伝子変異（アミノ酸変化G34W）が検出されるが，*H3F3B*遺伝子変異（K36M）の検出例の報告例はこれまでになく，*H3F3B*遺伝子変異（K36M）は両腫瘍の鑑別に有用なマーカーといえる[8,9]．

7）治療・予後

標準的な治療は，病変の搔爬と欠損部への骨移植である[1〜3]．10〜20％程度の頻度で局所再発をきたすので，局所再発例に対しては再搔爬を行う[1〜3]．まれに肺に転移することがあるが，肺病変は進行性ではなく，切除により良好な経過が得られ，切除ではなく経過観察が選択されることもある[1〜3]．なお，肺の転移結節は，真の悪性腫瘍の転移（metastatic lung cancer）と区別する意味を込めて"benign lung implant"という用語で表現されることがある[3]．

2．軟骨粘液線維腫

1）定義・概念

良性の分葉状の軟骨形成性腫瘍で，軟骨基質領域，粘液腫様基質領域，筋線維芽細胞領域からなる"zoning architecture（phenomenon）"が認められる[1]．1948年，JaffeとLichtensteinによって報告された[11]．

2）臨床的事項

全骨腫瘍の1％に満たず，骨芽細胞腫よりもさらにまれである[1〜3]．各年代に発生するが，とくに10〜20歳代に多く，男性に好発する[1〜3]．下半身の長管骨の骨幹端に好発し，脛骨近位発生が最も多く，大腿骨遠位が続く[1〜3]．約25％の症例は扁平骨発生で，なかでも腸骨発生が多い[1〜3]．腫瘍の大きさは

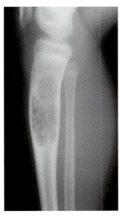

図10 | 軟骨粘液線維腫の単純X線像（側面像）
右脛骨近位に，辺縁が波打ち，骨硬化像を伴う境界明瞭な骨透亮像が認められる．

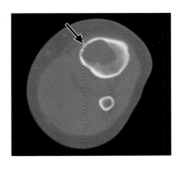

図11 | 軟骨粘液線維腫のCT像（横断面）
偏心性の病変であることが確認できる（矢印）．

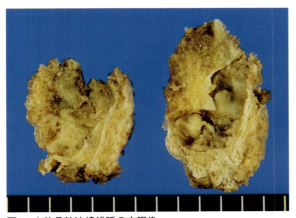

図12 | 軟骨粘液線維腫の肉眼像
境界明瞭な黄灰色の充実性病変で，軟らかそうな軟骨基質の存在がうかがえる．肉眼的には"myxoid"な成分を確認することが難しい．

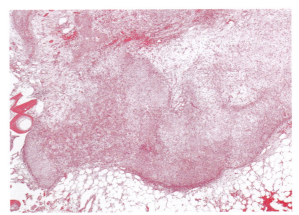

図13 | 軟骨粘液線維腫
分葉状増殖を示す腫瘍であるが，分葉状構造の境界は明瞭ではない．

直径1〜10cm大（平均3cm大）である[1〜3]．

3）画像所見

単純X線では，偏心性で，辺縁が波打ち，骨硬化像を伴う境界明瞭な骨透亮像として捉えられることが多い[1〜3]（図10）．図11にCT像を示す．

4）肉眼所見

境界明瞭な黄灰色の充実性病変を呈する（図12）[1]．肉眼的には，腫瘍の名称には"myxoid"という用語が含まれるが，それに対応する成分を確認することは難しい．

5）組織学的所見

組織学的には，紡錘形〜星芒状の腫瘍細胞が分葉状に増殖する腫瘍で，分葉状構造の境界がはっきりしないことを特徴とする（図13）．腫瘍は軟骨様，粘

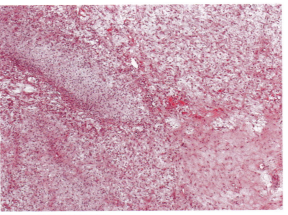

図14 | 軟骨粘液線維腫
腫瘍細胞が産生する基質は，軟骨様，粘液腫様である．

液腫様の基質を産生する（図14）．分葉状構造の辺縁は腫瘍細胞の細胞密度が高く，破骨細胞型多核巨細

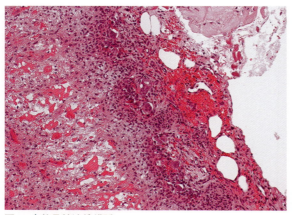

図15 │ 軟骨粘液線維腫
分葉状構造の辺縁は細胞密度が高い．また，破骨細胞型多核巨細胞が観察されることも多い．

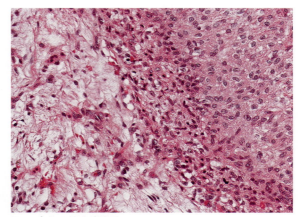

図16 │ 軟骨粘液線維腫
紡錘形〜星芒状の腫瘍細胞が認められる．

表1 │ 軟骨芽細胞腫と軟骨粘液線維腫の臨床的特徴

	軟骨芽細胞腫	軟骨粘液線維腫
発生頻度	全骨腫瘍の1％未満	全骨腫瘍の1％未満
好発年齢	10歳代	10〜20歳代
性差	男性に多い	男性に多い
好発部位	長管骨の骨端（膝周囲と上腕骨近位）	長管骨の骨幹端（膝周囲）
腫瘍の大きさ	3〜6cm	1〜10cm（平均3cm）
単純X線像	辺縁に骨硬化像を伴う骨中心性の透亮像	辺縁に骨硬化像を伴う骨偏心性の透亮像

表2 │ 軟骨芽細胞腫と軟骨粘液線維腫の組織学的特徴

	軟骨芽細胞腫	軟骨粘液線維腫
増殖様式	充実性	分葉状（各分葉の境界は不明瞭）
産生する基質	淡好酸性の軟骨基質	軟骨様基質，粘液腫様基質
破骨細胞型多核巨細胞の分布様式	充実性増殖巣内，軟骨基質の辺縁	分葉状構造の辺縁
腫瘍細胞の形態	円形〜多稜形．核にはしばしば切れ込みがみられ，Langerhans細胞との鑑別を要する	紡錘形〜星芒状

胞が観察されることも多い（**図15**）．軟骨粘液線維腫と軟骨芽細胞腫の腫瘍細胞の核には形態的な相同性がうかがえる（**図16**）．また，多核の腫瘍細胞，多形性を示す腫瘍細胞が認められる場合があるので，このような場合に直ちに軟骨肉腫と判断してしまわないよう十分に注意を払う．免疫組織化学的には，腫瘍細胞にはS-100蛋白の核陽性所見を認める．

6）分子病理学的特徴

ほとんどの症例で，6番染色体上のグルタミン酸受容体をコードする GRM1 遺伝子のプロモーターが，染色体の再編成によって他の遺伝子の強力なプロモーターと入れ替わることで，GRM1蛋白が高発現している[1,10,12]．

7）治療・予後

腫瘍の一括切除 en bloc resection が治療の基本である[3]．予後が良好な腫瘍であるが，局所切除された約9〜15％の症例で再発をきたす[1]．

3．鑑別診断

最も大切なことは，軟骨肉腫の可能性を除外した上で，軟骨芽細胞腫と軟骨粘液線維腫を鑑別することである．軟骨芽細胞腫と軟骨粘液線維腫の鑑別は，①腫瘍の増殖様式，②腫瘍細胞の産生する基質の特徴，③破骨細胞型多核巨細胞の分布様式，④腫瘍細胞の形態に着目して行う．なお，両腫瘍の臨床的特徴を**表1**に，組織学的特徴を**表2**にまとめた．腫瘍細胞の軟骨分化は軟骨粘液線維腫のほうが軟骨芽細胞腫よりも幼若であると考えられており，軟骨粘液線維腫における短紡錘形の腫瘍細胞はその傍証と思われる．

また，軟骨芽細胞腫と軟骨粘液線維腫では多かれ

表3 | 軟骨芽細胞腫と軟骨粘液線維腫との鑑別を要する巨細胞の出現する骨病変の特徴

	骨巨細胞腫	動脈瘤様骨嚢腫	指趾骨巨細胞性病変	褐色腫	非骨化性線維腫	リン酸塩尿性間葉系腫瘍
好発年齢	20～50歳代	20歳代	10～20歳代	成人～中高年	10歳代	中高年
性差	女性にやや多い	性差なし	性差なし	女性にやや多い	男性に多い	ほぼ性差なし
好発部位	長管骨の骨端（とくに大腿骨遠位，脛骨近位，橈骨遠位，上腕骨近位）	長管骨の骨幹端（とくに大腿骨，脛骨，上腕骨）	指趾骨	とくになし	下肢長管骨の骨幹端	大腿骨，脛骨
単純X線像	骨端から骨幹端に及ぶ偏心性かつ膨隆性の透亮像	骨幹端に偏心性かつ膨隆性の透亮像	内部に隔壁様構造のある骨透亮像	境界明瞭な骨透亮像	境界明瞭な多房性の骨透亮像	骨陰影の減弱
組織像	巨細胞の分布は均一．巨細胞は核の数が多く，100を超えることもある．	膜様の線維性結合織の内部に巨細胞を伴う．	反応性の骨形成を伴う．巨細胞は出血部位に集簇する．	骨吸収が亢進した領域での線維芽細胞の増殖．著しいヘモジデリン沈着．	線維芽細胞が，巨細胞と出血を伴いながら，花むしろ状配列を示して増殖する．	汚らしい異栄養性石灰化

少なかれ破骨細胞型多核巨細胞が出現する．したがって，破骨細胞型多核巨細胞が出現するさまざまな骨病変も，鑑別疾患として考慮する必要に迫られる場合がある．表3に，本項で取り上げた2腫瘍との鑑別を要する代表的な巨細胞の出現する骨病変の特徴をまとめた[1～3]．加えて，軟骨芽細胞腫は **Langerhans細胞組織球症** Langerhans cell histiocytosis（LCH）との，軟骨粘液線維腫は典型的な**軟骨肉腫**との鑑別を要する．LCHは，背景に多数の好酸球が出現する点，免疫組織化学的に腫瘍細胞はCD1aが陽性となる点で軟骨芽細胞腫と鑑別される[1～3]．典型的な軟骨肉腫では量の多寡はあっても腫瘍細胞が産生する"硝子軟骨"が認められるので，軟骨粘液線維腫との鑑別は比較的容易と思われる．

なお，WHO分類には詳述されていないが，骨肉腫には軟骨芽細胞腫と組織像が非常に類似する"**軟骨芽細胞腫様骨肉腫** chondroblastoma-like osteosarcoma"と呼ばれるきわめてまれなサブタイプが存在する（**図17**）．軟骨芽細胞腫様骨肉腫は，丹念に標本を観察しても組織像から軟骨芽細胞腫と鑑別することは難しい[3]．組織像から軟骨芽細胞腫の可能性を第一に考えたとしても，発生部位や年齢が典型例と異なる症例に遭遇した場合には，この可能性も念頭に置き，整形外科医，放射線科医とともにさらに慎重に検討する．

（藤野　節，齋藤　剛，小田義直）

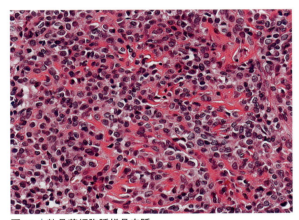

図17 | 軟骨芽細胞腫様骨肉腫
典型的な軟骨芽細胞腫と比べて，細胞密度が高く，腫瘍細胞の核細胞質比（N/C比）も高い．

文献

1) WHO Classification of Tumours Editorial Board (ed)：WHO Classification of Tumours, Soft Tissue and Bone Tumours (5th ed), IARC Press, Lyon, 2020, pp338, 359-364
2) Fletcher CDM, Bridge JA, Hogendoorn PCW, et al (eds)：WHO Classification of Tumours of Soft Tissue and Bone (4th ed), IARC Press, Lyon, 2013, pp240-241, 255-256, 262-263
3) Czerniak B：Dorfman and Czerniak's Bone Tumors (2nd ed), Elsevier, Philadelphia, 2016, pp246, 249-250, 400-438, 457
4) Weiss AP, Dorfman HD：S-100 protein in human cartilage lesions. J Bone Joint Surg Am 68：521-526, 1986
5) Park HR, Park YK, Jang KT, et al：Expression of collagen type II, S100B, S100A2 and osteocalcin in chondroblastoma and chondromyxoid fibroma. Oncol Rep 9：1087-1091,

2002
6) Konishi E, Nakashima Y, Iwasa Y, et al : Immunohistochemical analysis for Sox9 reveals the cartilaginous character of chondroblastoma and chondromyxoid fibroma of the bone. Hum Pathol 41 : 208-213, 2010
7) Jaffe HL, Lichtenstein L : Benign chondroblastoma of bone : a reinterpretation of the so-called calcifying or chondromatous giant cell tumor. Am J Pathol 18 : 969-991, 1942
8) Behjati S, Tarpey PS, Presneau N, et al : Distinct H3F3A and H3F3B driver mutations define chondroblastoma and giant cell tumor of bone. Nat Genet 45 : 1479-1482, 2013
9) Presneau N, Baumhoer D, Behjati S, et al : Diagnostic value of H3F3A mutations in giant cell tumour of bone compared to osteoclast-rich mimics. J Pathol Clin Res 1 : 113-123, 2015
10) Baumhoer D, Amary F, Flanagan AM : An update of molecular pathology of bone tumors. Lessons learned from investigating samples by next generation sequencing. Genes Chromosomes Cancer 58 : 88-99, 2019
11) Jaffe HL, Lichtenstein L : Chondromyxoid fibroma of bone : a distinctive benign tumor likely to be mistaken especially for chondrosarcoma. Arch Pathol 45 : 541-551, 1948
12) Nord KH, Lilljebjörn H, Vezzi F, et al : GRM1 is upregulated through gene fusion and promoter swapping in chondromyxoid fibroma. Nat Genet 46 : 474-477, 2014

第2部 組織型と診断の実際
I. 軟骨形成性腫瘍

2 中心性・末梢性・骨膜性軟骨肉腫

central, peripheral, and periosteal chondrosarcoma

1. 定義・概念

　軟骨基質の形成を伴い局所破壊あるいは転移を伴う肉腫を軟骨肉腫 chondrosarcoma と呼ぶ[1]．ただし，WHO分類第5版（2020年）では，低悪性度（grade 1）の軟骨肉腫についてはその生物学的態度から発生骨により呼び名および分類を変えることとなった．すなわち，局所再発をしばしば示すが転移を伴わない四肢骨発生例は中間群として異型軟骨腫瘍 atypical cartilaginous tumour（ACT）［国際疾病分類-腫瘍学International Classification of Diseases for Oncology（ICD-O）/1］，局所再発により患者を死に至らしめることがある体軸および肢帯骨発生例は悪性として軟骨肉腫, grade 1（echondrosarcoma, grade 1）（CSG1）（ICD-O/3）と呼ぶことになった．この分類法は軟部における異型脂肪腫様腫瘍と高分化型脂肪肉腫の関係によく似ている．

　軟骨肉腫はその発生様式（原発性，二次性），発生部位（中心性 central，末梢性 peripheral）により，①原発性中心性，②原発性末梢性，③二次性中心性，④二次性末梢性の4つに亜分類される．さらに組織学的悪性度によって，ACT/CSG1，軟骨肉腫, grade 2（CSG2）あるいは grade 3（CSG3）に分けられる．ACT/CSG1 の命名については前述のごとく発生骨に基づく．WHO分類第5版では，①と③は一括としたのち低悪性度（grade 1）と高悪性度（grade 2, 3）に分けて，④はそのまま低悪性度・高悪性度に分けて分類してあるが，②には悪性度による分類はない[1]．

　①原発性中心性病変は別名「通常型軟骨肉腫」とも呼ばれ，髄内に発生し最も頻度が高い[2]．②原発性末梢性病変は骨膜性軟骨肉腫 periosteal chondrosarcoma で骨表面に発生し大変まれである．③二次性中心性病変は主に後述する Ollier 病，Maffucci 症候群にみられる多発性内軟骨腫から発生したもので，④二次性末梢性病変は骨軟骨腫（症）から発生したものがほとんどである．単発性の内軟骨腫や骨軟骨腫の二次性悪性転化についてはその発生頻度は1%未満[3,4]，多発例である骨軟骨腫症で約1～3%[4]，Ollier 病や Maffucci 症候群では約半数に及ぶとされている[5]．一般に二次性例は原発例に比べ若年発生が多く，また Ollier 病や Maffucci 症候群でも手足の小骨例の悪性化率は低い（15%）といわれている[5]．実際は単発性の内軟骨腫や骨軟骨腫は潜在例がかなり多いと類推され，正確にはどの程度の頻度で悪性転化するのか明らかでない．

　特殊型軟骨肉腫（淡明細胞型，間葉性，脱分化型）については，次項のI-3「特殊型軟骨肉腫」で解説される．

2. 臨床的事項

　わが国では軟骨肉腫は造血系を除く原発性悪性骨腫瘍で2番目の頻度を占める[6]．発症年齢は骨肉腫に比して高く，中高年に多い．二次性病変は原発性に比べ発症年齢がやや低い（図1）．一般に男性に多いとされてきたが，ほぼ同等ともいわれるようになった[1-3,6,7]．通常型軟骨肉腫は長管骨の骨幹端や骨盤骨，肋骨などに好発し，手足の小骨や頭蓋骨の発生例はまれである（図2）．骨膜性軟骨肉腫は大変まれで中年男性の長管骨骨幹端に好発する[1-3,6,8,9]．二

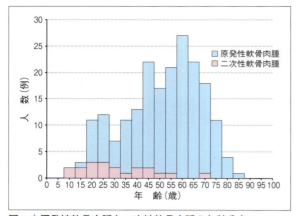

図1 | 原発性軟骨肉腫と二次性軟骨肉腫の年齢分布
二次性軟骨肉腫の発症年齢がやや若い.（関西骨軟部腫瘍研究会のデータより）

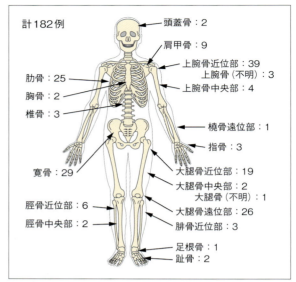

図2 | 原発性中心性軟骨肉腫の発生部位および発生数
長管骨, 骨盤骨, 肋骨に好発する.（関西骨軟部腫瘍研究会のデータより）

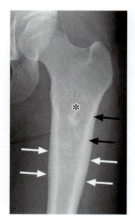

図3 | 大腿骨近位の通常型軟骨肉腫の単純X線像
石灰化（＊）を伴う溶骨性病変が骨幹部から骨幹端にみられる. 皮質骨に肥厚（白矢印）と軽い削り取り（黒矢印）を伴う.

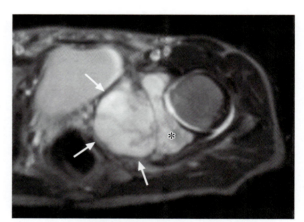

図4 | 坐骨の通常型軟骨肉腫のMRI T2強調脂肪抑制像
髄内（＊）から髄外（骨盤内）に浸潤する（矢印）.

次性病変は元になる病変の好発部位による[1~3,5].
　原発性の場合, 罹患部位の腫脹と疼痛が初発症状であることが多い. 二次性の場合, 既知の病変が次第に大きくなり, 急な疼痛の増悪がみられることがある. 二次性でも先行病変に気づかれない場合は, 原発性と同様の初発症状を示す.
　画像上は[8~13], 通常型のACT/CSG1では髄内に点状・リング状など種々の石灰化を伴う骨融解像を示すことが多く, 病変周囲の皮質骨に肥厚や膨隆, 削り取りがみられる（図3）. CSG2やCSG3ではより高度な破壊性の画像を示し, 髄外進展による軟部病変を認めることが多い（図4）. 骨膜反応は通常みられず, 病的骨折を認めることがある. 骨膜性軟骨肉腫では, 5cmを超えるような溶骨性病変が皮質骨を骨膜側から削り取る分葉状の像がみられ, 石灰化を伴う縁rimがみられることがある（図5, 6）. 二次性中心性病変は通常多発性の内軟骨腫症（Ollier病, Maffucci症候群）から発生するため, 既知の軟骨性病変から発育する. CSG2やCSG3では原発性と同様に皮質を破り軟部腫瘤の形成を伴う（図7, 8）. また二次性末梢性病変のほとんどが骨軟骨腫の悪性転化であり, 既存病変の軟骨帽の著明な肥厚（>2cm）

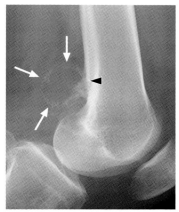

図5｜大腿骨遠位後面の骨膜性軟骨肉腫の単純X線像
石灰化を示すrim（矢印）を伴う病変が骨表面に突出している．一部皮質の欠損を認める（矢頭）．

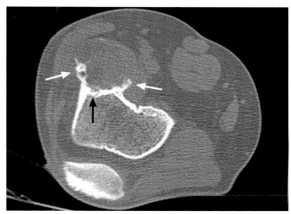

図6｜大腿骨遠位後面の骨膜性軟骨肉腫のCT像（図5と同一症例）
骨表面に隆起する病変あり．皿状の石灰化（白矢印）を皮質骨から連続して認める．病変付着部の皮質には削り取り像（黒矢印）を認める．

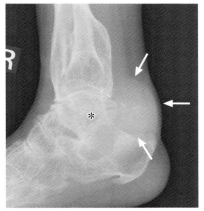

図7｜距骨の二次性中心性軟骨肉腫の単純X線像
Ollier病による多発性内軟骨腫により脛・腓骨の遠位部に変形がみられる．距骨（*）は不規則な溶骨性病変を伴い，後方軟部に石灰化を伴う腫瘤を形成する（矢印）．

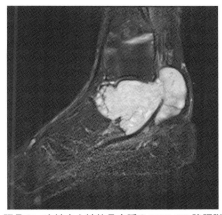

図8｜距骨の二次性中心性軟骨肉腫のMRI T2強調脂肪抑制像（図7と同一症例）
髄内から髄外へ浸潤するT2高信号病変がみられる．

が起こり，周囲軟部組織への浸潤がみられる（図9，10）．軟骨肉腫の確定診断・病期診断には石灰化の描出に優れたCTや，類粘液変化や病変の広がりの評価に優れたMRIが欠かせない．

　軟骨肉腫の予後は組織学的gradeにより有意に異なることが知られ，gradeが上がるほど予後が悪い[1~3,7,14~16]．低悪性度（grade 1）病変では局所破壊が，高悪性度（grade 2, 3）病変では肺転移が死因となることが多い．筆者らの通常型軟骨肉腫174例の検討でも5年生存率はgrade 1：2：3＝98.7：84.5：33.1％で，それぞれのgrade間に有意差があった[7]

（図11）．また臨床病理学的所見を用いたハザード解析では，通常型軟骨肉腫の予後に有意に影響する所見はこの組織学的gradeのほかに年齢と組織学的石灰化が挙げられている[7]．gradeは生存率のみならず，転移・再発率にも関与するとされている[14~18]．また一般に長管骨に比べ，体軸や肢帯骨発生例の予後が悪く，手足の小骨発生例は予後がよいとされている[15,16]．gradeは治療法の選択にも大きく関わる．部位による切除法の選択に差異があるが，長管骨の中心性軟骨肉腫ではgrade 1病変は搔爬術（エタノール併用などの補助療法を加えることが多い）が選択

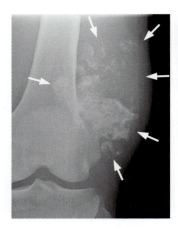

図9｜大腿骨遠位の二次性末梢性軟骨肉腫の単純X線像
骨表面から隆起する不規則な石灰化を伴う病変を認める（矢印）．

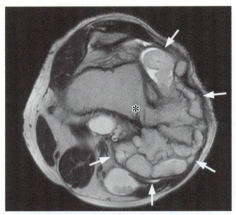

図10｜大腿骨遠位の二次性末梢性軟骨肉腫のMRI T2強調像（図9と同一症例）
髄内から連続する茎（＊）を有する隆起性病変を認める．T2高信号を示す分葉状の多数の病変（矢印）より構成される．

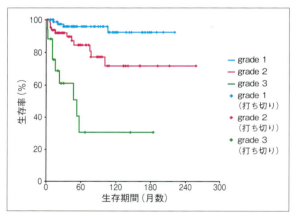

図11｜通常型軟骨肉腫の組織学的grade別生存率
それぞれのgrade間に有意差がある．（文献7より一部改変）

されるのに対し，grade 2以上の病変では原則切除術が選択される[16〜18]．

一方，二次性末梢性軟骨肉腫では約90％がgrade 1病変で原則切除術が行われる．予後は概ね良好であるが，単発性の骨軟骨腫からの例では5年：10年死亡率は0：5％，骨軟骨腫症からの例では2.3：10％で，後者の予後がやや悪い．死因の多くは再発・局所破壊によるものである[12]．また原発性末梢性（骨膜性）軟骨肉腫では肺転移が5％ほどみられるが組織学的gradeは予後と関係ないとされている[9]．

WHO分類第4版（2013年）ではCSG1は発生部位にかかわらず「異型軟骨腫瘍（ACT）」とされ，転移を起こさない局所破壊性の中間群腫瘍と分類されたが，その是非については議論も多かった．筆者らの検討でも，長管骨の通常型CSG1は疾患特異的5年生存率が100％で中間群として矛盾はなかったのに対し，肢帯や体軸骨発生例では88％前後となり局所破壊などによる死亡例が存在した．別の報告では通常型CSG1の5年転移率は4.6％とされ[14]，また次項（I-3「特殊型軟骨肉腫」）で述べられる脱分化型軟骨肉腫の前駆病変としてその診断は重要な意味をもつ．再発のたびにgradeが上がる症例もあり，WHO分類第5版はより実際に即したものと考える．

3. 肉眼所見

いずれの軟骨肉腫も，透明感のある軟骨基質に富んだ分葉状・結節性の病変がみられ（図12），石灰化巣が種々の程度含まれる．ときに類粘液変化が強く，割面では糸を引く粘稠な物質が囊胞内にたまっているようにみえる例があるが，その場合はCSG2/CSG3であることが多い（図13）．中心性病変では皮質骨を髄内から（図12），また骨膜病変では外側から削っている（浸潤している）ようにみえる（図14）．中心性病変における皮質骨破壊や髄外病変は，CSG2/CSG3ではまれではないがCSG1では珍しい．末梢性病変である骨軟骨腫（症）の二次性悪性転化では，病変は軟骨帽から周囲軟部組織や骨軟骨腫の茎への浸潤を伴う（図15）．その場合，軟骨帽の厚さは通常2cmを超える[12]．中心性，末梢性とも脱分化の成分を伴

2．中心性・末梢性・骨膜性軟骨肉腫　37

図12｜大腿骨近位の通常型軟骨肉腫の肉眼像（図3と同一症例）
透明感のある分葉状の病変が髄腔内にぎっしりと詰まり，皮質に削り取り（びらん）を形成する（矢印）．

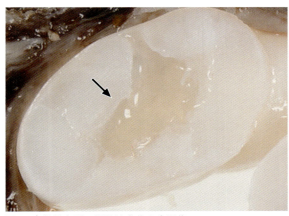

図13｜軟骨肉腫の類粘液変化の肉眼像
腫瘍性軟骨の中心部が囊胞性変化を示す（矢印）．

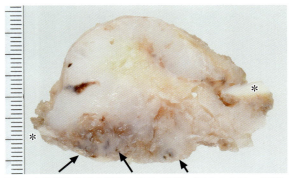

図14｜骨膜性軟骨肉腫の肉眼像（割面）（図5，6と同一症例）
軟骨形成性病変が皮質（＊）を結んだ線から隆起している．底部で髄腔内に浸潤する（矢印）．

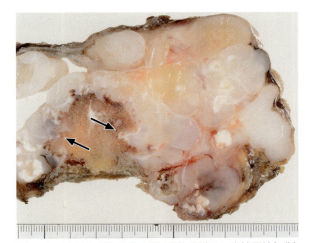

図15｜二次性末梢性軟骨肉腫（骨軟骨腫の二次性悪性転化）の肉眼像（図9，10と同一症例）
既存骨表面から石灰化や囊胞変性を伴う軟骨形成性病変が広く増殖する．既存骨髄内への浸潤を認める（矢印）．

わない限り，肉腫様（魚肉様）の病変は含まない．

4．組織学的所見

　異型を伴う軟骨細胞が不規則な小葉状の軟骨基質内に増殖する（図16）．基質はときに類粘液変化を示す（図17）．腫瘍は周囲に浸潤性に発育し，中心性病変では既存骨梁の取り込み（entrapment）（図18）や皮質骨のびらん（図19）に表される浸潤像を示す．また，末梢性病変では皮質骨のびらんや周囲軟部組織，

茎や髄内への浸潤像を認める．細胞異型は軽微なものから，核の多形性や多核化・紡錘形化まで種々の程度にみられ，石灰化や壊死・核分裂像もみられる（図20〜23）．しかし，軟骨あるいは類粘液基質外で腫瘍細胞の増殖を認めることは通常ない．
　組織学的gradeの基準について解説する（図24〜26）．gradingの基本となる所見は細胞異型（核の大きさ，クロマチンの濃さ），細胞密度，核分裂像である[1]．CSG1では，中等度の細胞密度と腫大しクロマチンの増した核を有する腫瘍細胞がみられる．二

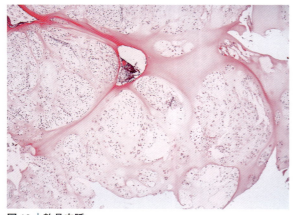

図 16 │ 軟骨肉腫
硝子軟骨あるいは類粘液基質に異型軟骨細胞の増殖がみられる．小葉状の増殖パターンを示す．

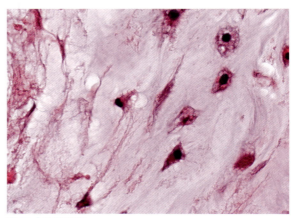

図 17 │ 軟骨肉腫
基質の類粘液変化．硝子軟骨に通常みられる軟骨細胞周囲の間隙（軟骨小窩）は基質の類粘液変化により消失している．

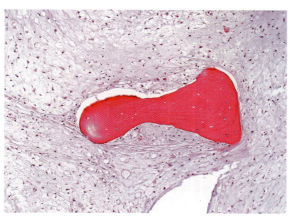

図 18 │ 軟骨肉腫
浸潤性発育像．既存骨梁が腫瘍に取り囲まれる．

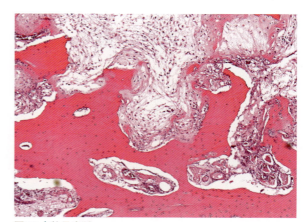

図 19 │ 軟骨肉腫
皮質骨への浸潤像．

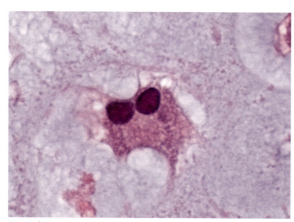

図 20 │ 軟骨肉腫
二核細胞．軟骨腫でもみられ，悪性化の指標とはならないが，軟骨肉腫ではその出現頻度が増す．

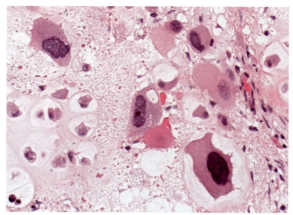

図 21 │ 軟骨肉腫
多形軟骨細胞．

2．中心性・末梢性・骨膜性軟骨肉腫　39

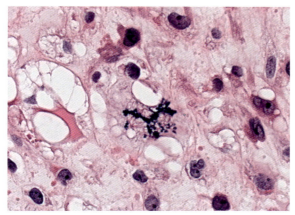

図22｜軟骨肉腫
異常核分裂像.

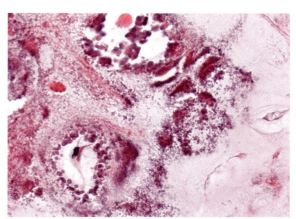

図23｜軟骨肉腫
石灰化像.

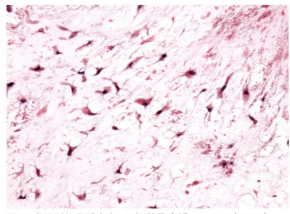

図24｜異型軟骨腫瘍（ACT）/軟骨肉腫, grade 1（CSG1）
類粘液基質を背景にややクロマチンを増した核を有する異型細胞が比較的疎に増殖している．核分裂像を伴わない．

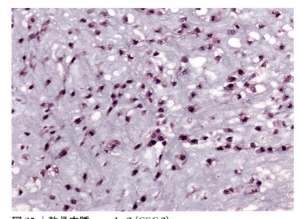

図25｜軟骨肉腫, grade 2（CSG2）
CSG1より高い細胞密度でクロマチンの濃い異型細胞が増殖している．通常核分裂像を認める．

核細胞も時折みられるが，核分裂像はみられない（図24）．CSG2ではCSG1よりさらに細胞異型が増し，細胞密度も上昇する．核分裂像がみられる（図25）．CSG3ではCSG2よりさらに細胞異型の高度化，細胞密度の上昇がみられ，核分裂像が容易にみつかる．また小葉の辺縁では腫瘍細胞が紡錘形化することがある（図26）．日本人例の検討ではその頻度はgrade 1：2：3＝51.7：38.5：9.8％であった[7]が，欧米の報告でもgrade 1：2：3＝61：36：3％とされ[14]，大差はない．軟骨肉腫（特殊型，骨膜性軟骨肉腫[9]を除く）を診断する際は必ずgradingを行う必要があるが，gradingにあたっては生検組織と手術材料のgradeにはしばしば乖離があり[7]，通常後者が高くなることを覚えておきたい．

軟骨あるいは類粘液基質外で紡錘形細胞あるいは

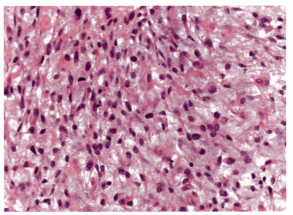

図26｜軟骨肉腫, grade 3（CSG3）
CSG2よりさらに高い細胞密度で異型細胞が増殖している．紡錘形細胞が含まれ，背景の基質も不明瞭となっている．CSG3では核分裂像も容易にみつかる．

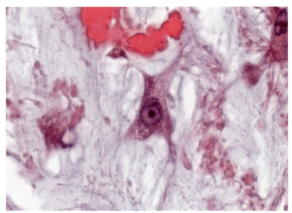

図27 | 軟骨肉腫
淡明クロマチンを示す核を有する腫瘍細胞．明瞭な核小体がみられる．

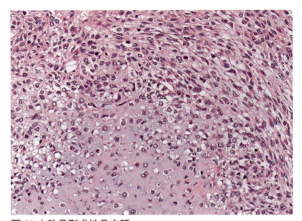

図28 | 軟骨形成性骨肉腫
強い細胞異型を示す軟骨細胞を含む軟骨基質の周囲を紡錘形細胞肉腫が取り囲む．

多形細胞肉腫を認めた場合，骨肉腫や脱分化型軟骨肉腫の可能性を考慮せねばならない．

5．鑑別診断

高悪性度病変（CSG2，CSG3）は良性病変との鑑別に苦慮することは少ないが，低悪性度病変（ACT/CSG1）では鑑別診断は容易ではない．最も重要な点は，軟骨形成性腫瘍においてはその発生骨と発生様式（原発性・二次性），発生部位（中心性・末梢性）により診断基準が異なることである．したがって，鑑別診断の要点は前述の4亜型（①～④）でそれぞれ異なる．また，現時点で良悪の鑑別に有用な遺伝子・免疫組織化学的手法はみつかっていない．

1）原発性中心性（通常型）軟骨肉腫

最も重要な鑑別疾患は**内軟骨腫**である．内軟骨腫は手足の小骨に多く，軟骨肉腫が好発する肢帯や体軸骨での発生はまれであるが，長管骨では発生部位が重複し，とくにACT/CSG1との鑑別点については議論が絶えない[19,20]．一般的に内軟骨腫に比べ，軟骨肉腫においては細胞異型，細胞密度が増し，浸潤性の発育を示すとされるが，長管骨のACTは細胞異型が弱く細胞密度が低い領域がしばしば含まれ，その鑑別は大変難しい．臨床病理所見を数値化して行った多変量解析では，細胞密度，年齢（>40歳），浸潤像（図18，19），基質の類粘液変化（図17）と淡明クロマチン（図27）が鑑別に有用とされている[19]．形態的には浸潤像が最も客観性が高いと考えるが，実際には掻爬で採取されることが多いためACT/CSG1と内軟骨腫の鑑別は容易ではない[21]．画像所見でも著明な類粘液変化，皮質の削り取り，皮質の膨隆・肥厚（図3，4），軟部腫瘤の形成（図4），5cmを超えるサイズなどが悪性を示唆する所見として知られている[22]が，さまざまな放射線画像手法を用いてもその鑑別は容易でない[20]．また初発症状としてしばしば挙げられる痛みは，わが国においては五十肩や変形性関節症の症状でもあり，軟骨肉腫の初発症状として重要視されない可能性が高い．したがって，実臨床においては病理組織像，放射線画像や症状などを含めた総合的な判断が必須で，病理医，放射線科医，整形外科医三者の協力の必要性を説いたJaffe's triangle[23]が最も当てはまる腫瘍である．

一方，手足の小骨発生例では上記の組織学的鑑別基準とは少し異なる．すなわち，小骨発生の内軟骨腫は細胞密度が高く，二核細胞をはじめ細胞異型がしばしばみられるものの明瞭な浸潤像を示さない[2,24]という特徴を有する．そのため，軟骨肉腫との鑑別には，明らかな浸潤像や小骨以外の発生例に比してより明瞭な細胞密度の上昇や細胞異型が必要とされる．具体的にはgrade 2相当の細胞異型や細胞密度であるが，浸潤像以外は客観性に乏しく，術前画像での皮質の破壊や軟部腫瘤の形成などが決め手になることが多い．

通常型骨肉腫（軟骨形成性）がCSG3との鑑別に挙がることがある．しかし，骨肉腫は軟骨肉腫より低い年齢層（10～20歳代）にみられ，またその画像も破壊浸潤像がより明瞭で骨膜反応があることが多い．

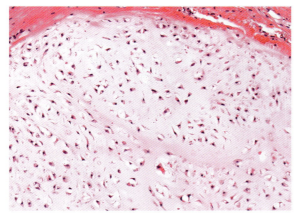

図29 | Ollier病の脛骨遠位にみられた内軟骨腫
多発性軟骨腫症にみられる内軟骨腫には，ときにCSG1と変わらない細胞密度や細胞異型を示すものがある．

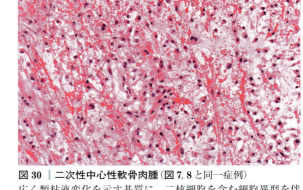

図30 | 二次性中心性軟骨肉腫（図7, 8と同一症例）
広く類粘液変化を示す基質に，二核細胞を含む細胞異型を伴う軟骨細胞の増殖がみられる．grade 2 相当の病変と考える．

組織学的にも骨肉腫では，軟骨肉腫に比べ基質内に含まれる腫瘍細胞の異型が強いこと，基質外に紡錘形あるいは多形細胞肉腫がみられることが大きく異なる（図28）．その他，体軸骨における**脊索腫**と高悪性度病変（CSG2, CSG3）との鑑別にはcytokeratinやbrachyuryの発現確認が助けになる．

通常型軟骨肉腫の一部に軟骨とは別の分化形質を示す高悪性度肉腫（骨肉腫や未分化多形肉腫など）がみられた場合は，**脱分化型軟骨肉腫**を疑う必要がある．とくに高齢者において，本来若年者に好発する骨肉腫など高悪性度の肉腫を認めた場合，必ず先行する軟骨肉腫の有無を確かめるべきである．

2）二次性中心性軟骨肉腫

Ollier病，Maffucci症候群に多発性にみられる**内軟骨腫**の低悪性度軟骨肉腫（ACT/CSG1）への二次性悪性転化を病理組織のみで診断することは，ときに困難を伴う．この2疾患に出現する多発性内軟骨腫（軟骨異形成病変）は，とくに骨端線が閉鎖する前の症例では二核細胞を含む異型軟骨細胞が高い細胞密度で出現する例があるためである．この点では手足の小骨に発生する内軟骨腫と組織学的特徴はよく似ている（図29）．鑑別には著明な類粘液変化や浸潤像が重要視される[1〜3]が（図30），生検材料のみでは鑑別は容易ではない．放射線画像における髄外腫瘤像など，明瞭な浸潤像（図7, 8）を決め手とすることが多い．悪性転化の診断は大変難しく，専門家の間でも診断が異なることがあり，総合的な判断が必須である[1〜3,5]．

単発性内軟骨腫の二次性悪性転化の有無については議論が多い[1〜3, 21, 25]．とくに長管骨例では異型の弱い腫瘍組織がACT/CSG1に含まれることがあり，その部分を先行する内軟骨腫とみなすか，軟骨形成性腫瘍の組織像の多彩さの表れと解釈するかにより立場が異なる．現時点では前者の説を唱える研究者が多いが，多数の内軟骨腫が臨床的に潜在病変として存在していると類推されることから，その発生頻度についてはきわめて低いと考えざるを得ない．

3）原発性末梢性（骨膜性）軟骨肉腫

鑑別の対象は良性の**骨膜性軟骨腫**である[8]．骨膜性軟骨腫は骨膜性軟骨肉腫と同様，長管骨に好発する．骨膜性軟骨腫にも手足の小骨同様，もともと細胞異型を示し高い細胞密度を伴うものがあることから，組織像のみでの鑑別は難しい．原則的には手足の小骨同様，grade 2 相当の細胞異型，細胞密度を診断基準と考えるが（図31），皮質骨のHavers管や髄内への浸潤像，周囲軟部組織への浸潤の有無が決め手となる（図14）．したがって，前述の二次性中心性軟骨肉腫と同様，術前画像所見が鑑別に重要となる（図5, 6）．骨膜性軟骨肉腫は大きさが5cmを超えることが多い[8]．先にも述べたように，原発性末梢性軟骨肉腫においては組織学的gradeは予後と関係しないとされている[9]．

骨膜性骨肉腫との異同について述べておく．骨膜性骨肉腫は青年期に好発し，長管骨の主に骨幹部に発生する．画像上も浸潤像が明瞭で強い骨膜反応を伴い，骨膜反応の弱い軟骨肉腫とは異なる．組織学

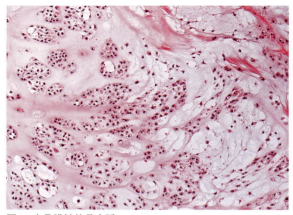

図31 | 骨膜性軟骨肉腫
異型軟骨細胞の集簇が類粘液変化あるいは硝子軟骨基質にみられる．

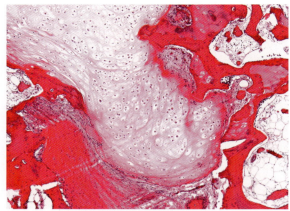

図32 | 二次性末梢性軟骨肉腫
骨軟骨腫の茎への浸潤がみられる．

的には異型軟骨に加え，腫瘍性骨形成および基質外に肉腫成分がみられる点が鑑別点となる．

4）二次性末梢性軟骨肉腫

骨軟骨腫（症）の軟骨帽にも細胞異型や細胞密度の増加がみられることがあり，二次性悪性転化の病理学的鑑別には周囲間質や茎への浸潤像（図15, 32）と著明な類粘液変化が重要な所見とされている[2]．定期的にフォローされている骨軟骨腫では，周囲組織への進展や茎への浸潤の有無はMRIやCT画像でチェックすることが多い（図10）．悪性転化例では軟骨帽の厚さが2cmを超えることが多い[13]．高悪性度病変（CSG2, CSG3）は末梢性（骨膜性や傍骨性）の**骨肉腫**と鑑別が問題になることがあるが，紡錘形細胞肉腫の成分を含まないため，鑑別は比較的容易である．ただし，きわめてまれであるが，二次性末梢性軟骨肉腫にも脱分化が起こることを覚えておきたい[26]．

6. 発生メカニズム

内軟骨腫，通常型軟骨肉腫，二次性中心性軟骨肉腫，骨膜性軟骨腫，骨膜性軟骨肉腫において，*IDH*（isocitrate dehydrogenase）*1* あるいは *IDH2* の異常がみられる[27]．四肢末梢発生例では90％，長管骨で53％，扁平骨で35％にみられ，またOllier病やMaffucci症候群ではほぼ全例に，単発例でも30～90％の例にこの異常が存在するとされる[27,28]．*IDH1/IDH2* の異常は，がん代謝物の一つである δ-2-hydroxyglutarate の蓄積が epigenetic に作用し，腫瘍形成に関わると考えられる[27,29]．軟骨肉腫の遺伝子異常は，このほかに *COL2A1* や *RB1* 経路，ヘッジホッグシグナル伝達経路の一部にみつかっている[30,31]．*IDH1/IDH2* の異常は良悪性の鑑別には用いることができないが，脱分化型軟骨肉腫の診断や軟骨形成性骨肉腫の除外診断には有効である[27]．

骨軟骨腫（症）の軟骨帽の細胞では *EXT*（exostosis）*1* あるいは *EXT2* の両アレルの不活化を高頻度に認める[32,33]．しかし，骨軟骨腫から発生した二次性末梢性軟骨肉腫のほとんどは野生型の *EXT* を少なくとも一方は有しており，*EXT1/EXT2* 野生型を有する細胞が軟骨肉腫の発生起源となっていることが示唆されている[34]．また，二次性末梢性軟骨肉腫には *p16*（*CDKN2A*），*TP53*，*RB1* など，細胞周期制御遺伝子の関与が考えられている[34,35]．現時点で日常診療に使える二次性悪性転化の指標となるような遺伝子異常はみつかっていない．

（小西英一）

文 献

1) WHO Classification of Tumours Editorial Board（ed）：WHO Classification of Tumours（5th ed），Soft Tissue and Bone Tumours, IARC Press, Lyon, 2020
2) Unni KK, Inwards CY：Dahlin's Bone Tumors（6th ed），Lippincott Williams & Wilkins, Philadelphia, 2010
3) Unni KK, Inwards CY, Bridge JA, et al：AFIP Atlas of Tumor Pathology, Series 4, Tumors of the Bones and Joints, AFIP, Washington DC, 2005
4) Bovée JVMG, Hogendoorn PCW, Wunder JS, et al：Cartilage tumours and bone development：molecular pathology and possible therapeutic targets. Nat Rev Cancer 10：481-

488, 2010
5) Verdegaal SHM, Bovée JVMG, Pansuriya TC, et al : Incidence, predictive factors, and prognosis of chondrosarcoma in patients with Ollier disease and Maffucci syndrome : an international multicenter study of 161 patients. Oncologist 16 : 1771-1779, 2011
6) 日本整形外科学会骨軟部腫瘍委員会：平成28年度全国骨軟部腫瘍登録一覧表．国立がん研究センター，2017
7) Konishi E, Nakashima Y, Mano M, et al : Primary central chondrosarcoma of long bone, limb girdle and trunk : analysis of 174 cases by numerical scoring on histology. Pathol Int 65 : 468-475, 2015
8) Nojima T, Unni KK, MacLeod RA, et al : Periosteal chondroma and periosteal chondrosarcoma. Am J Surg Pathol 9 : 666-677, 1985
9) Cleven AH, Zwartkruis E, Hogendoorn PC, et al : Periosteal chondrosarcoma : a histopathological and molecular analysis of a rare chondrosarcoma subtype. Histopathology 67 : 483-490, 2015
10) Murphey MD, Flemming DJ, Boyea SR, et al : Enchondroma versus chondrosarcoma in the appendicular skeleton : differentiating features. Radiographics 18 : 1213-1237, Quiz 1244-1245, 1998
11) Crim J, Schmidt R, Layfield L, et al : Can imaging criteria distinguish enchondroma from grade 1 chondrosarcoma? Eur J Radiol 84 : 2222-2230, 2015
12) Ahmed AR, Tan TS, Unni KK, et al : Secondary chondrosarcoma in osteochondroma : report of 107 patients. Clin Orthop Relat Res (411) : 193-206, 2003
13) Bernard SA, Murphey MD, Flemming DJ, et al : Improved differentiation of benign osteochondromas from secondary chondrosarcomas with standardized measurement of cartilage cap at CT and MR imaging. Radiology 255 : 857-865, 2010
14) Björnsson J, McLeod RA, Unni KK, et al : Primary chondrosarcoma of long bones and limb girdles. Cancer 83 : 2105-2119, 1998
15) Evans HL, Ayala AG, Romsdahl MM : Prognostic factors in chondrosarcoma of bone : a clinicopathologic analysis with emphasis on histologic grading. Cancer 40 : 818-831, 1977
16) Angelini A, Guerra G, Mavrogenis AF, et al : Clinical outcome of central conventional chondrosarcoma. J Surg Oncol 106 : 929-937, 2012
17) Lee FY, Mankin HJ, Fondren G, et al : Chondrosarcoma of bone : an assessment of outcome. J Bone Joint Surg Am 81 : 326-338, 1999
18) Gelderblom H, Hogendoorn PC, Dijkstra SD, et al : The clinical approach towards chondrosarcoma. Oncologist 13 : 320-329, 2008
19) Eefting D, Schrage YM, Geirnaerdt MJ, et al : Assessment of interobserver variability and histologic parameters to improve reliability in classification and grading of central cartilaginous tumors. Am J Surg Pathol 33 : 50-57, 2009
20) Skeletal Lesions Interobserver Correlation among Expert Diagnosticians (SLICED) Study Group : Reliability of histopathologic and radiologic grading of cartilaginous tumors. J Bone Joint Surg Am 89 : 2113-2123, 2007
21) Mirra JM, Gold R, Downs J, et al : A few histologic approach to the differentiation of enchondroma and chondrosarcoma of the bones. A clinicopathologic analysis of 51 cases. Clin Orthop Relat Res (201) : 214-237, 1985
22) Geirnaerdt MJA, Hermans J, Bloem JL, et al : Usefulness of radiography in differentiating enchondroma from central grade 1 chondrosarcoma. AJR Am J Roentgenol 169 : 1097-1104, 1997
23) Jaffe HL : Tumors and Tumorous Conditions of the Bones and Joints, Lea & Febiger, Philadelphia, 1958
24) Dahlin DC, Salvador AH : Chondrosarcomas of bones of the hands and feet—a study of 30 cases. Cancer 34 : 755-760, 1974
25) Dahlin DC, Henderson ED : Chondrosarcoma, a surgical and pathological problem ; review of 212 cases. J Bone Joint Surg Am 38-A : 1025-1038, 1956
26) Staals EL, Bacchini P, Mercuri M, et al : Dedifferentiated chondrosarcomas arising in preexisting osteochondromas. J Bone Joint Surg Am 89 : 987-993, 2007
27) Amary MF, Bacsi K, Maggiani F, et al : IDH1 and IDH2 mutations are frequent events in central chondrosarcoma and central and periosteal chondromas but not in other mesenchymal tumours. J Pathol 224 : 334-343, 2011
28) Amary MF, Damato S, Halai D, et al : Ollier disease and Maffucci syndrome are caused by somatic mosaic mutations of IDH1 and IDH2. Nat Genet 43 : 1262-1265, 2011
29) Guilhamon P, Eskandarpour M, Halai D, et al : Meta-analysis of IDH-mutant cancers identifies EBF1 as an interaction partner for TET2. Nat Commun 4 : 2166, 2013
30) Tarpey PS, Behjati S, Cooke SL, et al : Frequent mutation of the major cartilage collagen gene COL2A1 in chondrosarcoma. Nat Genet 45 : 923-926, 2013
31) Tiet TD, Hopyan S, Nadesan P, et al : Constitutive hedgehog signaling in chondrosarcoma up-regulates tumor cell proliferation. Am J Pathol 168 : 321-330, 2006
32) Bridge JA, Nelson M, Orndal C, et al : Clonal karyotypic abnormalities of the hereditary multiple exostoses chromosomal loci 8q24.1 (EXT1) and 11p11-12 (EXT2) in patients with sporadic and hereditary osteochondromas. Cancer 82 : 1657-1663, 1998
33) Hameetman L, Szuhai K, Yavas A, et al : The role of EXT1 in nonhereditary osteochondroma : identification of homozygous deletions. J Natl Cancer Inst 99 : 396-406, 2007
34) de Andrea CE, Reijnders CM, Kroon HM, et al : Secondary peripheral chondrosarcoma evolving from osteochondroma as a result of outgrowth of cells with functional EXT. Oncogene 31 : 1095-1104, 2012
35) de Andrea CE, Zhu JF, Jin H, et al : Cell cycle deregulation and mosaic loss of Ext1 drive peripheral chondrosarcomagenesis in the mouse and reveal an intrinsic cilia deficiency. J Pathol 236 : 210-218, 2015

第2部 組織型と診断の実際

I. 軟骨形成性腫瘍

3 特殊型軟骨肉腫

unconventional chondrosarcoma

はじめに

　特殊型軟骨肉腫は通常型軟骨肉腫と比較して発生頻度が非常に低く，日常診療で遭遇する機会はかなり少ないと考えられる．しかし，いずれの組織型も特徴的な疫学的事項，臨床所見，放射線画像所見，病理組織所見を示すため，これらについて理解しておくことはとくに他の骨腫瘍との鑑別診断において重要と考えられる．本項では脱分化型軟骨肉腫，間葉性軟骨肉腫，淡明細胞型軟骨肉腫について臨床病理学的特徴を解説する．

1. 脱分化型軟骨肉腫

1) 定義・概念

　脱分化型軟骨肉腫 dedifferentiated chondrosarcoma（DCS）はきわめて高悪性度の軟骨肉腫である．組織学的には，低悪性度軟骨肉腫成分と脱分化成分である非軟骨性の高悪性度肉腫成分が段階的な移行像を示さず唐突かつ境界明瞭に相対する二相性パターン bimorphic pattern を特徴とする[1]．なお，軟骨肉腫成分と非軟骨性の高悪性度肉腫成分が段階的な移行像を示す場合には，軟骨肉腫の高悪性度化とみなし，DCSの範疇には含めない点が重要である．

2) 臨床的事項

　DCSは通常型軟骨肉腫（原発性中心性軟骨肉腫）を基盤に発生するとされており，脱分化は中心性軟骨肉腫の10〜15％に生じ，ごくまれに末梢性軟骨肉腫にも生じる．発生年齢の中央値は59歳であり（15〜89歳），わずかに男性に多い．大腿骨，骨盤骨，上腕骨，肩甲骨に好発し，末梢性のDCSの好発部位は通常型軟骨肉腫と概ね同様で骨盤骨，肩甲骨，肋骨に好発する[1,2]．主な臨床症状は疼痛，腫瘤触知，および病的骨折である．経過中に主に肺への多発転移を生じ予後がきわめて不良であり，全5年生存率は7〜24％程度である．治療の基本は十分な切除縁を確保した外科的広範切除であり，化学療法や放射線療法による予後の改善については報告がない．DCSの予後不良因子として，診断時における病的骨折や遠隔転移の存在，骨盤骨発生例，不完全切除が報告されている．

3) 画像所見

　放射線画像上，DCSは局所侵襲性，破壊性に増殖する軟骨性腫瘍であり，典型的には軟骨肉腫成分と非軟骨性の脱分化成分が混在した heterogenous な所見を呈する（図1）．軟骨肉腫成分はリング状，弧状などの軟骨性石灰化パターンを示し，脱分化成分は溶骨性，浸潤性，骨破壊性増殖を呈する．この脱分化を示唆する放射線画像上の二相性パターンは単純X線で約1/3の症例，CTで約1/2の症例，MRIで約1/3の症例で描出され（図2），DCSの診断を考慮するにあたり診断的価値の高い重要な所見である[3]．

4) 肉眼所見

　典型的には軟骨肉腫成分と非軟骨性の脱分化成分はそれぞれ領域性をもって明瞭に認識でき，腫瘍に占めるそれらの割合は症例によりさまざまである（図

3．特殊型軟骨肉腫　45

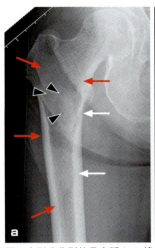
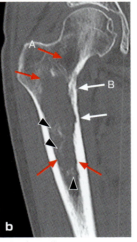

図1｜脱分化型軟骨肉腫のX線およびCT像
a：右大腿骨近位正面単純X線像．右大腿骨転子間部から近位骨幹にかけて境界不明瞭な虫食い状の骨破壊を認める（赤矢印）．骨幹部では骨皮質の部分的な侵食がありendosteal scallopingがみられる（白矢印）．転子間部には点状の石灰化があり（矢頭），軟骨性石灰化が疑われる．b：右大腿部単純CT冠状断再構成像．右大腿骨転子間部から近位骨幹にかけて骨破壊が認められる（赤矢印）．骨幹には弓状，線状，点状の石灰化がみられ（矢頭），軟骨性石灰化が疑われる．転子間部の骨破壊からやや離れて大腿骨頸部にも骨破壊が認められる（A）．頸部内側の骨皮質には侵食がみられるが（白矢印），転子間部の骨皮質には浸透性骨破壊がみられ（B），悪性度の高い腫瘍の浸潤を疑わせる．

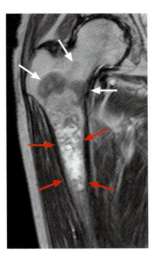

図2｜脱分化型軟骨肉腫のMR像（右大腿部T2強調冠状断像）（図1と同一症例）
右大腿骨骨幹には顆粒状の高信号の腫瘤がみられ，軟骨性腫瘍を示す（赤矢印）．転子間部から大腿骨頸部には中等度～低信号の腫瘤がみられ（白矢印），別の腫瘍が隣接して存在しているのがわかる．軟骨肉腫に悪性度の高い腫瘍が接して存在している所見は脱分化型軟骨肉腫を示唆する．

図3｜脱分化型軟骨肉腫の肉眼像（図1と同一症例）
右大腿骨骨幹には灰白色調で透明感のある硝子軟骨様の腫瘍成分がみられ，軟骨肉腫が示唆される．また，その近位側の骨幹から骨幹端にかけて壊死を伴った黄白色調の腫瘍成分が軟骨肉腫成分と境界明瞭に認められ，脱分化成分が示唆される．

3）．軟骨肉腫成分では青白～灰色，分葉状の軟骨組織様外観を示し，骨中心部にみられることが多い．一方，脱分化成分は出血や壊死が強く，骨外の増殖が優勢であり，病的骨折を伴った部位にも認められる．

5）組織学的所見

　DCSの最大の組織学的特徴は，軟骨肉腫成分と非軟骨性の脱分化成分が段階的な移行像を示さず唐突かつ境界明瞭に相対する二相性パターンを示す点である（図4，5）．これらの腫瘍成分に移行像がみられる場合にはDCSと診断してはならない．軟骨肉腫成分は内軟骨腫様の異型の軽度な成分からgrade 1～2相当の軟骨肉腫成分までさまざまであり，多くは低悪性度軟骨肉腫の成分からなる（図6）．非軟骨性の脱分化成分は異型の高度な多角形（図7），紡錘形（図8）の腫瘍細胞の充実性，束状増殖からなる高悪性度肉腫であり，特定の組織分化を示さない未分化多形肉腫や類骨形成を示す骨肉腫であることが多い（図9）．脱分化成分では腫瘍細胞に高度の核異型，核多形性，核分裂像がみられ，しばしば腫瘍壊死を伴っている（図10）．また，異型の高度な破骨細胞型多核巨細胞が出現する部位もみられる（図11）．脱分化成分が血管肉腫，平滑筋肉腫，横紋筋肉腫からなることもある．ごくまれに多数の破骨細胞型多核巨細胞を伴い，骨巨細胞腫に類似した脱分化成分も出現する．この骨巨細胞腫様の脱分化成分は，通常の脱分化成分より異型が目立たないことが多いため注意が必要である[4]．近年，脱分化成分が典型的な悪性末梢神経鞘腫瘍に類似したDCSが報告されている[5]．これらの症例では比較的均一な濃染核を有する紡錘形の腫瘍細胞が束状，疎密に増殖し，免疫組織化学的にH3K27me3の発現が消失している．

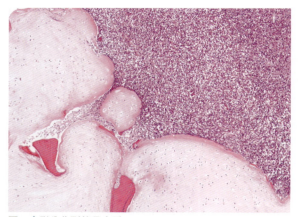

図4｜脱分化型軟骨肉腫

腫瘍では軟骨肉腫成分と非軟骨性の脱分化成分が段階的な移行像を示さず唐突かつ境界明瞭に相対しており，本腫瘍の最大の組織学的特徴である．

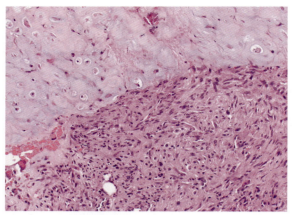

図5｜脱分化型軟骨肉腫

2つの腫瘍成分には移行像が全くみられず，この点が本腫瘍の診断に際して重要である．軟骨肉腫成分では粘液性変化が軽度にみられる．

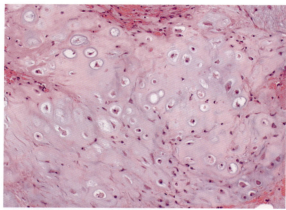

図6｜脱分化型軟骨肉腫（軟骨肉腫成分）

軽度の核形不整，核腫大を示す軟骨細胞様の腫瘍細胞が豊富な硝子軟骨様基質を背景に増殖している．短紡錘形，星芒状の腫瘍細胞も出現している．grade 1〜2相当の低悪性度軟骨肉腫成分である．

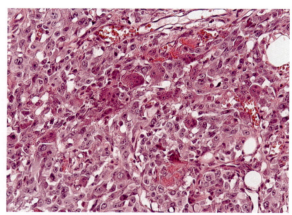

図7｜脱分化型軟骨肉腫（脱分化成分）

脱分化成分では高度異型を示す多角形の腫瘍細胞が充実性に増殖しており，特定の組織分化を示さない非軟骨性の高悪性度肉腫である．未分化多形肉腫に相当する脱分化成分である．

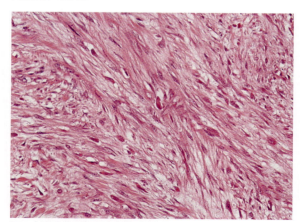

図8｜脱分化型軟骨肉腫（脱分化成分）

脱分化成分では高度異型を示す紡錘形の腫瘍細胞が束状に増殖している．高悪性度の紡錘形細胞肉腫の像を呈する脱分化成分である．

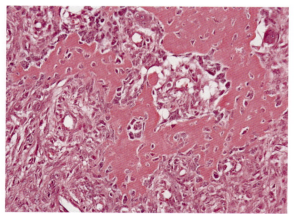

図9｜脱分化型軟骨肉腫（脱分化成分）

高度異型を示す多角形の腫瘍細胞が類骨形成を示し充実性に増殖している．骨肉腫の像を呈する脱分化成分である．

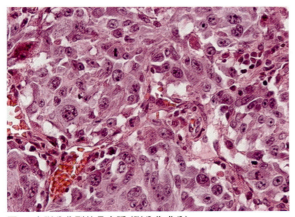

図10 | 脱分化型軟骨肉腫（脱分化成分）
脱分化成分では腫瘍細胞に高度の核異型，核多形性がみられ，核分裂像も認められる．

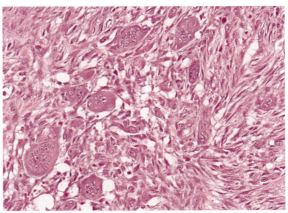

図11 | 脱分化型軟骨肉腫（脱分化成分）
未分化多形肉腫からなる脱分化成分では異型の高度な破骨細胞型多核巨細胞が多数出現している．

6）免疫組織化学的特徴

　腫瘍の軟骨性成分にS-100蛋白，SOX9，ERGが陽性となる．ERGは本来，血管内皮細胞のマーカーとして有名であるが，軟骨形成における調節因子でもあり，軟骨肉腫をはじめ，さまざまな軟骨形成性腫瘍で陽性となる[6]．DCSにおいても軟骨肉腫成分で陽性となり，脱分化成分では陰性となる．また，PD-L1の発現が約50％の症例で認められる．

7）分子病理学的特徴

　DCSの約50％において*IDH1*，*IDH2*遺伝子のヘテロ接合性変異が軟骨肉腫成分，脱分化成分のいずれの腫瘍成分でも報告されている[7]．DCSへの進展に関する特異的な染色体異常は報告されていないが，染色体の構造的，数的異常は1番染色体と9番染色体で最も多く報告され，*MYC*遺伝子を含む8q24.12-24.13領域の増幅が20％で報告されている[8]．*TP53*や*IDH1*遺伝子の同一の変異や，7番染色体の数的異常が軟骨肉腫成分，脱分化成分の双方でみられることから，両腫瘍成分が同一起源に由来する可能性も示唆されている[9,10]．

8）鑑別診断

　生検などで脱分化成分のみが採取された場合には診断が難しいことがあり，放射線画像所見と併せた検討が必須である．放射線画像で軟骨肉腫成分を同定できれば総合的に診断可能である．放射線画像の参照を前提とした上で鑑別診断について述べる．

　軟骨肉腫 chondrosarcoma：grade 2～3の高悪度の軟骨肉腫との鑑別が必要である．軟骨肉腫の分葉状増殖の辺縁部では腫瘍細胞の紡錘形化がみられることがあり，DCSの脱分化成分と類似することがある．しかし，軟骨肉腫ではこのような紡錘形化した腫瘍成分と軟骨肉腫成分は段階的に移行しており，DCSで特徴的な軟骨肉腫成分と非軟骨性の脱分化成分が唐突かつ境界明瞭に相対する二相性パターンを示さない点で鑑別が可能である．

　骨肉腫 osteosarcoma：軟骨形成性骨肉腫（軟骨形成が目立つ骨肉腫）との鑑別が必要である．骨肉腫では，核異型の高度な多角形，紡錘形の腫瘍細胞が類骨形成や明瞭な軟骨形成を伴い増殖する．生検では軟骨性成分と異型の高度な骨肉腫細胞が採取されることもあるが，これらの成分にDCSで特徴的な二相性パターンはみられない．また，類骨形成を見出すことで鑑別を行う．

　間葉性軟骨肉腫 mesenchymal chondrosarcoma（MCS）：MCSもDCSと同様に分化の明瞭な軟骨性成分と未分化な腫瘍成分からなる二相性パターンを特徴とするが，両者では未分化な腫瘍成分の形態が全く異なっている．MCSでみられる未分化な腫瘍成分は小円形の腫瘍細胞からなり，ときに紡錘形の腫瘍細胞が出現することがあっても，DCSの脱分化成分でみられるような高度の異型を伴うことはない．

　未分化多形肉腫 undifferentiated pleomorphic sarcoma：軟骨肉腫成分が著しく少量のDCSの場合に鑑別が問題となるが，切除検体で軟骨肉腫成分と脱分化成分との二相性パターンを見出せば鑑別が可能である．しかし，生検で脱分化成分のみが採取され

た場合には鑑別は難しく，放射線画像で軟骨成分を示唆する所見を見出すなど総合的な判断が必要である．

線維軟骨性異形成 fibrocartilaginous dysplasia：線維性骨異形成のまれな亜型である．軟骨成分と線維・骨成分との二相性パターンがみられるが，線維成分を構成する紡錘形細胞は異型に乏しく，DCSの脱分化成分とは異なる．また，軟骨成分に異型がみられない点で鑑別が可能である．さらに，DCSと異なり放射線画像で非侵襲性所見を示す点も鑑別に重要である．

転移性平滑筋肉腫 metastatic leiomyosarcoma：DCSの脱分化成分として平滑筋肉腫が出現することがあり，生検などで脱分化成分のみが採取された場合に転移性平滑筋肉腫との鑑別が必要である．骨の転移性肉腫に平滑筋肉腫が占める割合は多く，とくに子宮平滑筋肉腫の転移が重要である．骨病変の発見時にはすでに子宮摘出後の状態であることが多く，また既往の低悪性度子宮平滑筋肉腫が平滑筋腫と診断されている可能性もある．とくに患者が女性である場合には子宮摘出術の既往の有無について確認が必要である．

転移性肉腫様癌 metastatic sarcomatoid carcinoma：転移性癌腫のうち紡錘形，多角形の腫瘍細胞からなる肉腫様癌の転移と脱分化成分との鑑別が重要である．また，骨転移性癌腫では肺原発が最も多いため，組織型としては肺原発の多形癌や紡錘細胞癌が重要である．画像所見を含めた臨床情報の詳細な評価の上で，上皮性マーカーの免疫組織化学を行うと鑑別に有効である．

2．間葉性軟骨肉腫

1）定義・概念

間葉性軟骨肉腫 mesenchymal chondrosarcoma (MCS) は軟骨肉腫のまれな亜型で，組織学的には未分化な小円形細胞成分と分化のよい硝子軟骨成分からなる軟骨島との二相性パターンを特徴とする[11]．

2）臨床的事項

MCSは原発性軟骨肉腫の3％未満とまれである．発生年齢は幅広いが20～30歳代に多く，発生に男女差はない．頭蓋顔面骨（とくに下顎骨），肋骨，腸骨，脊椎骨が最大の好発部位である．また骨外発生例も多く，全体の40％程度を占めている[11,12]．骨外では体幹，四肢，頭頸部の軟部組織のほか，縦隔，腹腔や髄膜にも生じ，髄膜は好発部位の一つである[13]．ごくまれに腎臓などの内臓にも発生する．患者は患部の疼痛や腫脹を訴え，総じて進行性の経過を示し，遠隔転移は肺に多い．発症から20年以上の長期経過の後に遠隔転移をきたすこともある．5年生存率は60％，10年生存率は40％程度である．

3）画像所見

単純X線ではさまざまな程度の石灰化を示す境界不明瞭な溶骨性，破壊性病変を示し，多くは通常の軟骨肉腫と所見に大差がない．斑状石灰化 mottled calcification がときに高度である．また，硬化縁 sclerotic rim を呈し境界明瞭なこともある．腫瘍による骨膨張はしばしばみられ，骨外軟部組織への進展や骨外浸潤巣からの皮質破壊像もよくみられる（図12）．骨硬化 bony sclerosis，皮質肥厚もみられる．

4）肉眼所見

腫瘍は灰白～灰桃色，弾性硬～軟で通常は境界明瞭である．大きさは0.9～30cmである．分葉構造は不明瞭である．多くで石灰沈着巣がみられ，散在する程度の軽度なものから，ときに顕著な石灰化を示す．腫瘍壊死や出血が目立つ．

5）組織学的所見

典型的には未分化な形態を示す小円形腫瘍細胞からなる未分化小円形細胞成分と，分化のよい軟骨島からなる二相性パターンがみられる（図13）．弱拡大では軟骨島と未分化小円形細胞成分とは境界明瞭に接しているが，強拡大では境界部で両成分の段階的な移行像も認められる（図14）．未分化小円形細胞成分では核クロマチン濃染性で核細胞質比（N/C比）が高い小型円形～卵円形の腫瘍細胞が毛細血管増生を伴って充実性に増殖している（図15）．短紡錘形～紡錘形細胞からなる腫瘍成分もときに出現する（図16）．腫瘍細胞に介在して好酸性の膠原線維性基質が認められ（図17），ときに高度である．また，未分化小円形細胞成分では血管周皮腫様構造 haemangiopericytoma-like pattern を示す小血管の介在が特徴的にみられる（図18）．一方，軟骨島は分化のよい硝子軟骨組織からなり，その組織量は腫瘍によりさまざまである．軟骨島を形成する軟骨細胞に高度の異型はない（図19）．軟骨基質には石灰沈着がさまざまな程度でみられる．背景には破骨細胞型多核巨細胞や類骨

3．特殊型軟骨肉腫　49

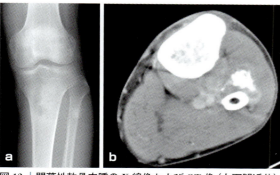

図12 ｜ 間葉性軟骨肉腫のX線像およびCT像（左下腿近位）
a：単純X線像．脛骨骨幹端に線状・弓状の石灰化を伴う境界不明瞭な溶骨性病変を認める．腓骨骨幹端に重なる点状・線状の石灰化を認め，骨外病変を示す．石灰化はいずれも軟骨性石灰化の性質を示す．b：造影CT像．腓骨前面で長趾伸筋内に不整な形状で不均一な造影効果を認め，一部に不整な石灰化を伴う．脛骨骨髄内に石灰化を認める．

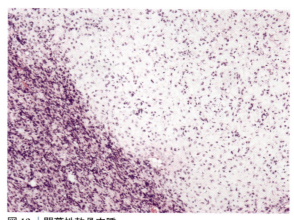

図13 ｜ 間葉性軟骨肉腫
未分化な形態を示す小円形腫瘍細胞からなる未分化小円形細胞成分（左下）と，分化のよい軟骨島（右上）からなる二相性パターンがみられる．弱拡大では軟骨島と未分化小円形細胞成分との境界は明瞭である．

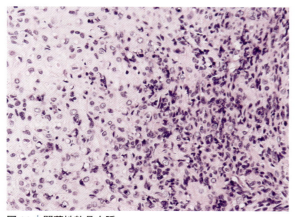

図14 ｜ 間葉性軟骨肉腫
強拡大では2つの腫瘍成分の境界部で段階的な移行像も認められる．

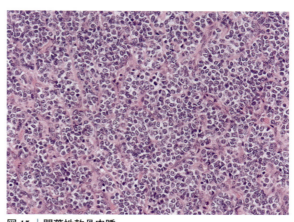

図15 ｜ 間葉性軟骨肉腫
未分化小円形細胞成分では核クロマチン濃染性でN/C比が高い小型円形～卵円形の腫瘍細胞が多数の毛細血管を介在して充実性に増殖している．

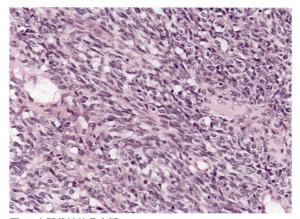

図16 ｜ 間葉性軟骨肉腫
短紡錘形～紡錘形腫瘍細胞も部分的に出現する．

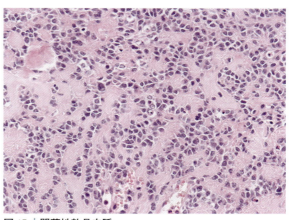

図17 ｜ 間葉性軟骨肉腫
腫瘍細胞に介在して好酸性の膠原線維性基質が認められる．

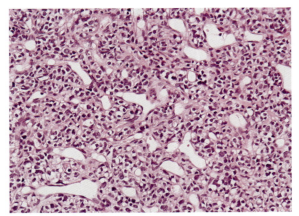

図18 | 間葉性軟骨肉腫
未分化小円形細胞成分では血管周皮腫様構造を示す小血管の介在が特徴的にみられる．

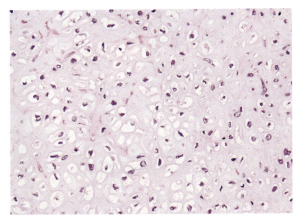

図19 | 間葉性軟骨肉腫
軟骨島は分化のよい硝子軟骨組織からなり，軟骨細胞に高度の異型はない．

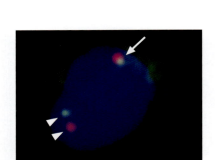

図20 | 間葉性軟骨肉腫（FISH）
*HEY1*遺伝子と*NCOA2*遺伝子をそれぞれ赤，緑の蛍光色素で標識した2色融合プローブと腫瘍のホルマリン固定・パラフィン包埋切片を用いたFISHにより特異的融合遺伝子*HEY1-NCOA2*の検出が可能である．矢印：融合シグナル，矢頭：正常シグナル．

様基質もときにみられる．

6）免疫組織化学的特徴

免疫組織化学で硝子軟骨成分はS-100蛋白，ERGに陽性となる．また，未分化小円形細胞成分，硝子軟骨成分のいずれの腫瘍細胞とも軟骨系マーカーでもあるSOX9で陽性を示す[14]．未分化小円形細胞成分はCD99に陽性であるほか，EMA, desmin, myogenin, MyoD1に陽性となることもある．なお，FLI1は未分化小円形細胞成分で陰性である．

7）分子病理学的特徴

MCSでは，染色体8q21に存在する*HEY1*遺伝子のexon 4から染色体8q13に存在する*NCOA2*遺伝子のexon 13までの欠失により生じる特異的融合遺伝子*HEY1-NCOA2*が存在する[15]．同融合遺伝子は*HEY1*と*NCOA2*をそれぞれ蛍光色素標識した2色融合プローブと，腫瘍のホルマリン固定・パラフィン包埋切片を用いたfluorescence in situ hybridization（FISH）により検出が可能である[16]（図20）．とくに生検で未分化小円形細胞成分のみが採取された場合には，鑑別診断として多種の小円形細胞腫瘍が鑑別に挙がるため，FISHによる融合遺伝子*HEY1-NCOA2*の同定は診断確定に有用である．また，近年MCSにおいて新たな融合遺伝子*IRF2BP2-CDX1*も同定されている[17]．なお，軟骨腫や通常の軟骨肉腫でみられる*IDH1*遺伝子や*IDH2*遺伝子の変異はみられない．

8）鑑別診断

硝子軟骨成分と未分化小円形細胞成分がともに採取されれば診断は比較的容易と考えられるが，未分化小円形細胞成分のみが採取された場合には種々の小円形細胞腫瘍と鑑別が必要である．

Ewing肉腫 Ewing sarcoma：Ewing肉腫は代表的な小円形細胞肉腫であり，MCSと同様に骨外にも発生するため鑑別がとくに重要である．Ewing肉腫では，クロマチン繊細でN/C比の高い小円形腫瘍細胞がしばしば血管周皮腫様血管構築を伴い充実性に増殖する．腫瘍細胞にはPAS染色で細顆粒状陽性を示すグリコーゲンが豊富である．免疫組織化学でEwing肉腫はCD99に陽性となるが，MCSと異なりFLI1にびまん性，強陽性となる．また，MCSで陽

性となる S-100 蛋白や SOX9 は陰性である．Ewing 肉腫には特異的融合遺伝子 EWSR1-FLI1/ERG が存在するため，最終的にはその検出により鑑別が可能である．

Ewing 様肉腫 Ewing-like sarcoma：近年，Ewing 肉腫に類似した形態像を示すが，FET family 遺伝子（EWSR1，FUS）と ETS family 転写因子の遺伝子（FLI1，ERG，ETV1，ETV4，FEV）からなる融合遺伝子（EWSR1-FLI1，EWSR1-ERG など）を有しない小円形細胞肉腫が Ewing 様肉腫として呼ばれ，その臨床病理学的特徴が徐々に明らかになってきた．代表的な Ewing 様肉腫として主に骨に好発する BCOR-CCNB3 肉腫，軟部に発生する CIC-DUX4 肉腫がある．いずれの腫瘍とも小型円形〜紡錘形，ときに類上皮形態を示す腫瘍細胞がびまん性に増殖する．これらの腫瘍細胞は典型的な Ewing 肉腫の腫瘍細胞と比較して大型で核形不整を示し，多彩な印象を受けるが，基本的に小型円形〜紡錘形の腫瘍細胞であるため，MCS の未分化小円形細胞成分との鑑別を要する．免疫組織化学的に，Ewing 様肉腫では CD99 がさまざまな程度で陽性になるほか，とくに BCOR-CCNB3 肉腫では BCOR，CCNB3 が[18]，CIC-DUX4 肉腫では DUX4 が陽性となり，鑑別診断に役立つ[19]．

低分化型滑膜肉腫 poorly differentiated synovial sarcoma：滑膜肉腫の亜型である低分化型滑膜肉腫では，小円形腫瘍細胞が血管周皮腫様血管構築を伴い増殖するため，鑑別が必要である．低分化型滑膜肉腫では短紡錘形腫瘍細胞も出現し，この点も MCS と類似する．免疫組織化学で低分化型滑膜肉腫では cytokeratin や EMA などの上皮性マーカーがさまざまな程度で陽性となり鑑別に役立つ．また，滑膜肉腫では特異的融合遺伝子 SS18-SSX が存在するため，最終的にはこの検出により鑑別が可能である．

悪性末梢神経鞘腫瘍 malignant peripheral nerve sheath tumour（MPNST）：MPNST のうち，主に小円形細胞からなる small round cell type の MPNST との鑑別が必要である．免疫組織化学で S-100 蛋白は神経系，軟骨系腫瘍の双方で陽性となるため MPNST と MCS の鑑別においては有用でないが，SOX9 は軟骨系腫瘍である MCS で陽性となるため鑑別が可能である．また，MPNST では多くの症例で H3K27me3 の発現消失，あるいは低下がみられるため鑑別に有用である．

悪性リンパ腫 malignant lymphoma：小細胞性の悪性リンパ腫との鑑別が必要となるが，免疫組織化学で汎リンパ球マーカー（LCA），B 細胞マーカー（CD20，CD79a，CD10），T 細胞マーカー（CD3，CD4，CD8）などの種々のリンパ球マーカーの発現を検討することで鑑別は容易と考えられる．

転移性小細胞癌 metastatic small cell carcinoma：肺原発小細胞癌に代表される諸臓器の小細胞癌（神経内分泌癌）は骨転移をきたすため，鑑別が必要である．これらの小細胞癌は上皮性マーカーである cytokeratin，EMA のほか，神経内分泌系マーカーである CD56，synaptophysin，chromogranin A を発現するため鑑別が容易である．

3．淡明細胞型軟骨肉腫

1）定義・概念

淡明細胞型軟骨肉腫 clear cell chondrosarcoma（CCCS）は組織型名の由来である淡明腫瘍細胞の出現のほか，骨形成，破骨細胞型多核巨細胞の出現，動脈瘤様骨囊腫 aneurysmal bone cyst（ABC）様変化など，通常型軟骨肉腫とは大きく異なった特徴的な組織像を示す低悪性度の軟骨肉腫である．発生部位も特徴的で長管骨の骨端部に好発する[20]．

2）臨床的事項

CCCS の発生頻度は全軟骨肉腫の約 2％と非常にまれである．発生頻度に性差があり，男性は女性の 3 倍である．発生年齢は幅広く分布するが，30〜50 歳の間に多い．頭蓋，脊椎，手足を含むほとんどの骨に発生するが，2/3 の症例は大腿骨頭や上腕骨頭に発生し，大腿骨遠位骨端も好発部位である[20,21]．主な臨床症状は疼痛で，55％以上が 1 年以上，18％が 5 年以上にわたり継続する．十分な切除縁を確保した en bloc 切除により通常は治癒が可能であるが，辺縁切除や搔爬摘出では 86％と高率に再発する．転移は肺などに生じ，全致死率は 15％である．高悪性度肉腫への脱分化がごくまれに起こりうる．

3）画像所見

単純 X 線では長管骨の骨端に境界明瞭な溶骨性病変がみられる．ときに腫瘍周囲に硬化縁が存在する．斑状石灰化など特徴的な軟骨性石灰化を示すこともある．CCCS は二次性に囊胞形成を示し，ABC 様変化をきたすことも多い[22]（図 21）．

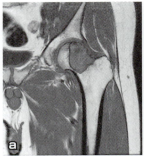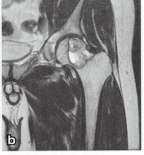

図21 | 淡明細胞型軟骨肉腫のMR像（左大腿骨近位）
a：MRI T1強調冠状断像．大腿骨頭外側から頸部にかけて境界明瞭な腫瘍を認め，内部不均一で，低信号域を伴った中等度信号を示す．骨外病変は認めない．b：MRI T2強調冠状断像．腫瘍は不均一な高信号を示し，一部は顕著な高信号を含み，囊胞性変化が疑われ，低信号域も認められる．

図22 | 淡明細胞型軟骨肉腫の肉眼所見
大腿骨頭骨端に周囲と境界明瞭な灰白色調の腫瘍がみられ，本症例では部分的に軟骨様外観を認める．ABC様変化による囊胞形成が目立ち，囊胞周囲には出血がみられる．

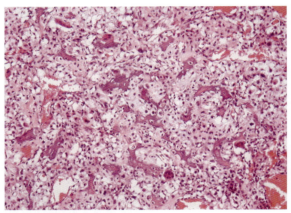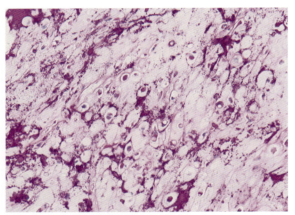

図23 | 淡明細胞型軟骨肉腫
腫瘍では核小体明瞭な大型円形核と淡明〜弱好酸性の豊富な細胞質を有する腫瘍細胞が多数の毛細血管を伴ってシート状に増殖している．淡明腫瘍細胞が特徴的である．

図24 | 淡明細胞型軟骨肉腫（PAS染色）
淡明な細胞質にはPAS染色で細顆粒状に陽性を示すグリコーゲンが証明される．

4）肉眼所見

腫瘍は2〜13cmに及び，黄白色調を示し，石灰化巣が散在する．通常，硝子軟骨基質は目立たず軟骨様外観を示さないため，一般的な軟骨形成性腫瘍の肉眼所見とは異なる．放射線画像で軟骨成分が指摘されている場合には確認可能なこともある．また，ABC様変化を伴う場合には出血を伴った囊胞性変化が目立つ（図22）．

5）組織学的所見

腫瘍では核小体明瞭な大型円形核と淡明〜弱好酸性の豊富な細胞質を有する腫瘍細胞が多数の毛細血管を伴ってシート状に増殖しており，本腫瘍の最大の組織学的特徴である（図23）．個々の腫瘍細胞では細胞膜が明瞭で，淡明な細胞質にはPAS染色で豊富なグリコーゲンが証明される（図24）．腫瘍細胞の核異型は比較的軽度で，核分裂像はまれである．腫瘍では未熟骨（woven bone）からなる骨成分が高頻度に認められる（図25）．破骨細胞型多核巨細胞が多数出現する（図26）．腫瘍ではABC様変化がしばしばみられ，それに伴い大小の囊胞形成が出血巣とともにみられる（図27, 28）．多くの場合，硝子軟骨成分やごく軽度の異型を示す通常型の低悪性度軟骨肉腫の成分を部分的に含んでいる（図29）．骨成分はしば

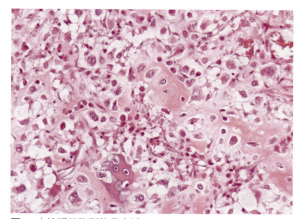

図25 | 淡明細胞型軟骨肉腫
腫瘍細胞の核異型は比較的軽度で，未熟骨からなる骨成分が認められる．骨成分の出現も特徴的である．

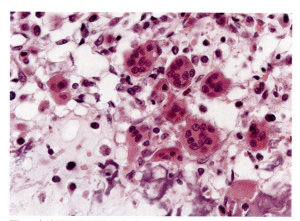

図26 | 淡明細胞型軟骨肉腫
破骨細胞型多核巨細胞が多数出現する．

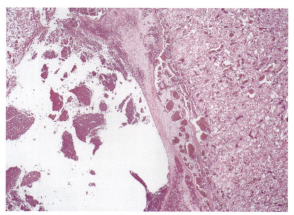

図27 | 淡明細胞型軟骨肉腫
腫瘍ではABC様変化による大小の囊胞形成がしばしばみられる．囊胞内腔には血液の貯留や変性脱落した腫瘍成分がみられる．

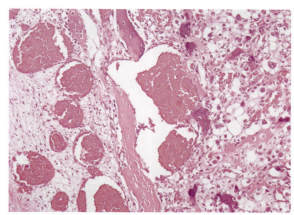

図28 | 淡明細胞型軟骨肉腫
ABC様変化による囊胞壁には出血巣や充血がみられる．

しば石灰化や骨化を示す（図30）．

6）免疫組織化学的特徴

免疫組織化学では腫瘍細胞は軟骨系マーカーでもあるS-100蛋白やSOX9に陽性となる．また，ERGでも陽性像がみられる（図31）．軟骨芽細胞腫で陽性となるH3 K36Mはほとんどの症例で陰性である[23]．さらに，少数の腫瘍細胞がcytokeratin AE1/AE3で陽性になることがあり注意が必要である[24]．

7）分子病理学的特徴

分子病理学的にCCCSの腫瘍細胞では2倍体やそれに近い核型が優勢である．また，9番染色体の欠損あるいは構造異常，20番染色体の増加などの染色

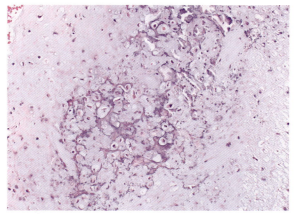

図29 | 淡明細胞型軟骨肉腫
粘液性変化と軽度の異型を示す通常型の低悪性度軟骨肉腫の成分が部分的にみられる．

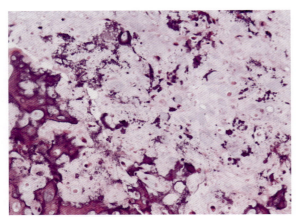

図30 ｜ 淡明細胞型軟骨肉腫
軟骨成分ではしばしば石灰化がみられる．

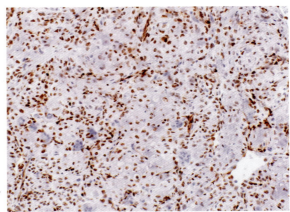

図31 ｜ 淡明細胞型軟骨肉腫（ERG免疫染色）
免疫組織化学で腫瘍細胞はERGに陽性である．

体異常が少数例で報告されている[20]．*p16*（*CDKN2A*）遺伝子の変異の頻度は低いが，p16（CDKN2A）蛋白の発現が消失している[25]．p53の過剰発現がしばしばみられるが，*TP53* 遺伝子の変異はみられない[26,27]．*IDH1* 遺伝子や *IDH2* 遺伝子の変異はみられない．ごく少数の腫瘍では *H3F3B* の変異がみられ，軟骨芽細胞腫との病原的関連が示唆されている[23]．

8）鑑別診断

軟骨芽細胞腫 chondroblastoma：軟骨芽細胞腫は長管骨の骨端に好発し，CCCSの好発部位である大腿骨近位および遠位骨端，上腕骨近位骨端に発生した場合には必ず鑑別が問題となる．軟骨芽細胞腫では卵円形核と豊富な好酸性細胞質を示す円形の腫瘍細胞が破骨細胞型多核巨細胞を伴って充実性に増殖する．CCCSでみられるような淡明細胞の増殖はなく，骨形成もみられないため，十分な組織量が採取されれば生検検体で鑑別は容易であると考える．また，免疫組織化学で軟骨芽細胞腫ではヒストン蛋白であるH3K36Mが核に陽性となるため，鑑別の一助となる．

骨巨細胞腫 giant cell tumour of bone：骨巨細胞腫も長管骨の骨端に好発し，とくに大腿骨遠位骨端に発生した場合に臨床的に鑑別が問題となる．骨巨細胞腫では卵円形〜短紡錘形の腫瘍細胞が多数の破骨細胞型多核巨細胞を伴って充実性に増殖するが，CCCSの特徴である淡明腫瘍細胞の出現や顕著な骨形成はみられない．また，免疫組織化学で骨巨細胞腫の腫瘍細胞はCD68やヒストン蛋白であるH3 G34Wに陽性となり，CCCSで陽性となるS-100蛋白，SOX9，ERGは陰性である．十分量が採取されれば鑑別は容易と考える．

骨芽細胞腫 osteoblastoma：骨形成が豊富なCCCSでは，骨芽細胞や破骨細胞による囲繞rimmingを示す骨梁が発達した毛細血管とともに出現するため，骨芽細胞腫との鑑別が必要である．生検などの小検体で骨成分が主体で採取された場合に診断に難渋する可能性があるが，軟骨成分の存在に加えてCCCSに特徴的な淡明腫瘍細胞を少数でも見出すことで鑑別が可能である．とくに淡明腫瘍細胞が少ない場合には，その同定にS-100蛋白，SOX9，ERGの免疫組織化学の併用が有効である．

骨肉腫 osteosarcoma：CCCSでは骨形成が豊富な点から，軟骨形成を伴った骨肉腫との鑑別が必要である．骨肉腫では類骨形成とともにCCCSでは通常みられない高度異型を示す多角形，紡錘形の腫瘍細胞が認められる．放射線画像でみられる高度の局所破壊性増殖像と併せて鑑別が可能である．

軟骨肉腫 chondrosarcoma：CCCSと通常型軟骨肉腫では発生年齢，発生部位などの疫学的背景が大きく異なるので，まず臨床情報を考慮することが重要である．組織学的にもCCCSの細胞所見や，通常型軟骨肉腫では少なからずより異型の高度な軟骨肉腫成分がみられる点に注意すれば，鑑別は十分に可能である．逆に通常型軟骨肉腫の発生部位としては非典型的である長管骨の骨端部の生検検体で軟骨成分をみた場合には，CCCSを念頭に置いて鑑別することが望まれる．

転移性淡明細胞癌 metastatic clear cell carcinoma：代表的な淡明細胞癌として腎臓の淡明細胞型腎細胞癌や卵巣の明細胞癌があり，いずれも血行性転移をきたすため転移性淡明細胞癌として重要である．とくに腎癌の骨転移の頻度は肺癌，乳癌に次いで高いため，腎細胞癌の骨転移は常に念頭に置き，疑われる場合には既往の有無や放射線画像を必ず確認すべきである．免疫組織化学で癌腫は上皮性マーカーである cytokeratin や EMA に陽性となるので，鑑別が必要な場合には積極的に検索したほうがよい．ただし，CCCS でも cytokeratin に陽性となりうるため鑑別に際しては注意が必要である[21]．

動脈瘤様骨嚢腫 aneurysmal bone cyst（ABC）：CCCS はしばしば二次性に ABC 様変化をきたすので，一次性の ABC や二次性に ABC 様変化をきたす他腫瘍との鑑別が必要である．放射線画像所見も検討しつつ，組織学的には ABC 様変化をきたしていない腫瘍成分を丹念に観察し，既存の腫瘍成分に特徴的な所見を見出すことで鑑別を行う．

おわりに

特殊型軟骨肉腫として脱分化型軟骨肉腫，間葉性軟骨肉腫，淡明細胞型軟骨肉腫の臨床病理学的特徴を解説した．いずれも発生頻度は低いが組織像が非常に特徴的であるため，これらの組織型の存在を知っていれば病理診断は比較的容易と考えられる．また，臨床像も通常型軟骨肉腫とは異なっており，疫学的事項や放射線画像所見と併せて特徴を整理しておくことが重要と考えられる．

（杉田真太朗，長谷川　匡）

文　献

1) Inwards CY, Bloem JL, Hogendoorn PCW：Dedifferentiated chondrosarcoma. in WHO Classification of Tumours Editorial Board (ed)："WHO Classification of Tumours, Soft Tissue and Bone Tumours"(5th ed), IARC Press, Lyon, 2020, pp388-390
2) 石田　剛：骨腫瘍の病理，文光堂，2012, pp181-186
3) Littrell LA, Wenger DE, Wold LE, et al：Radiographic, CT, and MR imaging features of dedifferentiated chondrosarcomas：a retrospective review of 174 de novo cases. Radiographics 24：1397-1409, 2004
4) Knösel T, Werner M, Jung A, et al：Dedifferentiated chondrosarcoma mimicking a giant cell tumor. Is this low grade dedifferentiated chondrosarcoma? Pathol Res Pract 210：194-197, 2014
5) Makise N, Sekimizu M, Konishi E, et al：H3K27me3 deficiency defines a subset of dedifferentiated chondrosarcomas with characteristic clinicopathological features. Mod Pathol 32：435-445, 2019
6) Shon W, Folpe AL, Fritchie KJ：ERG expression in chondrogenic bone and soft tissue tumours. J Clin Pathol 68 125-129, 2015
7) Amary MF, Bacsi K, Maggiani F, et al：IDH1 and IDH2 mutations are frequent events in central chondrosarcoma and central and periosteal chondromas but not in other mesenchymal tumours. J Pathol 224：334-343, 2011
8) Morrison C, Radmacher M, Mohammed N, et al：MYC amplification and polysomy 8 in chondrosarcoma：array comparative genomic hybridization, fluorescent in situ hybridization, and association with outcome. J Clin Oncol 23：9369-9376, 2005
9) Bovée JV, Cleton-Jansen AM, Rosenberg C, et al：Molecular genetic characterization of both components of a dedifferentiated chondrosarcoma, with implications for its histogenesis. J Pathol 189：454-462, 1999
10) Bridge JA, DeBoer J, Travis J, et al：Simultaneous interphase cytogenetic analysis and fluorescence immunophenotyping of dedifferentiated chondrosarcoma. Implications for histopathogenesis. Am J Pathol 144：215-220, 1994
11) Fanburg-Smith JC, de Pinieux G, Ladanyi M：Mesenchymal chondrosarcoma. in WHO Classification of Tumours Editorial Board (ed)："WHO Classification of Tumours, Soft Tissue and Bone Tumours"(5th ed), IARC Press, Lyon, 2020, pp385-387
12) 石田　剛：骨腫瘍の病理，文光堂，2012, pp193-202
13) Frezza AM, Cesari M, Baumhoer D, et al：Mesenchymal chondrosarcoma：prognostic factors and outcome in 113 patients. A European Musculoskeletal Oncology Society study. Eur J Cancer 51：374-381, 2015
14) Fanburg-Smith JC, Auerbach A, Marwaha JS, et al：Reappraisal of mesenchymal chondrosarcoma：novel morphologic observations of the hyaline cartilage and endochondral ossification and beta-catenin, Sox9, and osteocalcin immunostaining of 22 cases. Hum Pathol 41：653-662, 2010
15) Wang L, Motoi T, Khanin R, et al：Identification of a novel, recurrent HEY1-NCOA2 fusion in mesenchymal chondrosarcoma based on a genome-wide screen of exon-level expression data. Genes Chromosomes Cancer 51：127-139, 2012
16) Nakayama R, Miura Y, Ogino J, et al：Detection of HEY1-NCOA2 fusion by fluorescence in-situ hybridization in formalin-fixed paraffin-embedded tissues as a possible diagnostic tool for mesenchymal chondrosarcoma. Pathol Int 62：823-826, 2012
17) Nyquist KB, Panagopoulos I, Thorsen J, et al：Whole-transcriptome sequencing identifies novel IRF2BP2-CDX1 fusion gene brought about by translocation t(1;5)(q42;q32) in mesenchymal chondrosarcoma. PLoS One 7：e49705, 2012
18) Matsuyama A, Shiba E, Umekita Y, et al：Clinicopathologic diversity of undifferentiated sarcoma with BCOR-CCNB3 fusion：analysis of 11 cases with a reappraisal of the utility of immunohistochemistry for BCOR and CCNB3. Am J Surg Pathol 41：1713-1721, 2017
19) Siegele B, Roberts J, Black JO, et al：DUX4 immunohistochemistry is a highly sensitive and specific marker for CIC-DUX4 fusion-positive round cell tumor. Am J Surg Pathol 41：423-429, 2017
20) Baumhoer D, Bloem JL, Oda Y：Clear cell chondrosarcoma. in WHO Classification of Tumours Editorial Board (ed)："WHO Classification of Tumours, Soft Tissue and Bone Tumours"(5th ed), IARC Press, Lyon, 2020, pp383-

21) 石田　剛：骨腫瘍の病理．文光堂，2012, pp186-193
22) Collins MS, Koyama T, Swee RG, et al：Clear cell chondrosarcoma：radiographic, computed tomographic, and magnetic resonance findings in 34 patients with pathologic correlation. Skeletal Radiol 32：687-694, 2003
23) Behjati S, Tarpey PS, Presneau N, et al：Distinct H3F3A and H3F3B driver mutations define chondroblastoma and giant cell tumor of bone. Nat Genet 45：1479-1482, 2013
24) Matsuura S, Ishii T, Endo M, et al：Epithelial and cartilaginous differentiation in clear cell chondrosarcoma. Hum Pathol 44：237-243, 2013
25) Park YK, Cho CH, Chi SG, et al：Low incidence of genetic alterations of the p16CDKN2a in clear cell chondrosarcoma. Int J Oncol 19：749-753, 2001
26) Park YK, Park HR, Chi SG, et al：Overexpression of p53 and absent genetic mutation in clear cell chondrosarcoma. Int J Oncol 19：353-357, 2001
27) Meijer D, de Jong D, Pansuriya TC, et al：Genetic characterization of mesenchymal, clear cell, and dedifferentiated chondrosarcoma. Genes Chromosomes Cancer 51：899-909, 2012

第2部 組織型と診断の実際

II. 骨形成性腫瘍

1 良性・中間群骨形成性腫瘍

benign and intermediate osteogenic tumours

はじめに

骨形成性腫瘍 osteogenic tumours は，腫瘍細胞による骨・類骨形成を本態とする腫瘍であり，WHO分類では骨腫 osteoma，類骨骨腫 osteoid osteoma，骨芽細胞腫 osteoblastoma，骨肉腫 osteosarcoma が含まれている．良性および中間群腫瘍は，骨肉腫を除く前三者である．

WHO分類においては，第2版（1993年）では，骨腫・類骨骨腫・骨芽細胞腫が良性，侵襲性骨芽細胞腫が中間群，第3版（2002年）では，類骨骨腫と骨芽細胞腫が良性腫瘍とされていたが，第4版（2013年）以降，良性 benign として骨腫と類骨骨腫，中間群（局所侵襲性）intermediate（locally aggressive）として骨芽細胞腫が挙げられている．日本整形外科学会・日本病理学会の「整形外科・病理 悪性骨腫瘍取扱い規約」では，2000年の第3版では境界性骨形成腫瘍（侵襲性骨芽細胞腫）が骨芽細胞腫とは別に分類されていたが，2015年の第4版ではWHO分類と同様の分類となっている．

良性骨形成性腫瘍は，1932年にJaffeとMayerにより初めて明確な疾患群として提唱された腫瘍で[1]，1935年には類骨骨腫がJaffeによって独立した疾患概念として報告された[2]．骨芽細胞腫は，類骨骨腫よりも大きく成長しうる腫瘍として，1956年にJaffeとLichtensteinによってそれぞれ別に導入された疾患概念である[3,4]．現在では，類骨骨腫と骨芽細胞腫は，関連があるものの別の疾患であると一般的に認識されている．また，良性・中間群骨形成性腫瘍の悪性転化はほとんどないと考えられている．

本項では，骨腫，類骨骨腫，骨芽細胞腫に関して，主に臨床的，病理学的特徴について記載し，類骨骨腫および骨芽細胞腫では鑑別診断についても解説する．

1．骨 腫

1）定義・概念

骨腫 osteoma は主に成熟した層板骨，なかでも皮質骨様の緻密骨で構成される良性骨病変である．基本的には，骨表面に発生する隆起性病変を指し，外骨腫 exostosis とも呼ばれるが，広義には髄腔内に発生した緻密骨の結節（骨島 bone island あるいは内骨腫 enostosis）を含む．ほとんどの症例は，真の腫瘍ではなく過誤腫性病変と考えられているが，多発する場合には特定の遺伝子変異を伴う遺伝性疾患に関連していることが多い．APC遺伝子変異によるGardner症候群の頻度が高く，LEMD3遺伝子変異による骨斑紋症 osteopoikilosis では骨島と同様の骨硬化巣が多発する．

2）臨床的事項

すべての年齢層に発生し，男女差はほぼない．増殖速度は緩徐であり，無症状で偶然みつかるか，局所膨隆のみで気づかれることが多い．膜性骨化で形成される頭蓋・顔面骨に好発し，他部位はまれであるが，長管骨の表面に発生することもある．骨島は長管骨，骨盤骨，椎骨に好発し，1cm未満のものが多い．

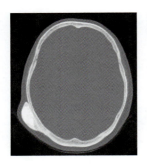

図1 | 骨腫のCT横断像
骨条件．皮質骨と同様の緻密骨からなる広茎性の腫瘍性病変が，皮質骨から連続して認められる．

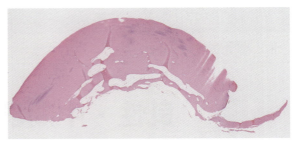

図2 | 骨腫のルーペ像
厚い緻密骨からなる病変が認められる．

図3 | 骨腫
表層部では，骨細胞が年輪状に配列する．

3) 画像所見

緻密な骨性腫瘍で，境界は明瞭である．狭義の骨腫は，皮質骨と連続する広茎性の隆起性病変である（図1）．

4) 組織学的所見

皮質骨様の緻密骨からなる compact type と，海綿骨様の成分を含む spongious type (cancellous type) とに分けられ，前者の頻度が高い（図2）．皮質骨様の外層部では，骨細胞が年輪状に配列し，骨芽細胞や破骨細胞の活動性は低い（図3）．表面は骨膜で覆われ，軟骨帽はみられない．spongious type にみられる海綿骨様の骨梁は骨芽細胞により縁どられ，ときに骨芽細胞腫に類似した像を示す[5]．

2. 類骨骨腫

1) 定義・概念

類骨骨腫 osteoid osteoma は小型（2cm未満）の良性骨形成性腫瘍である．nidus と呼ばれる境界明瞭な小結節が腫瘍であり，周囲に反応性の骨硬化がみられる．

2) 臨床的事項

良性骨腫瘍の約1割を占める比較的頻度の高い疾患である．10歳代の若年者に好発し，3/4以上の患者が5〜24歳である．やや男性に多い（男：女＝2：1〜3：1）[6]．夜間に増強する特徴的な疼痛がみられ，約8割の患者で非ステロイド性抗炎症薬（NSAIDs）が著効するが，これには病変部でのプロスタグランジン（PGE2，PGI2など）やその合成酵素であるシクロオキシゲナーゼ（COX-2など）の発現亢進が関連していると考えられる[7,8]．

長管骨，とくに大腿骨と脛骨が好発部位であるが，さまざまな骨で報告がある．長管骨では骨幹や骨幹端，とくにその移行部に多くみられる．手足の短管骨や脊椎の後方要素（椎弓や椎弓根）にも認められる．通常皮質骨内にみられるが，髄腔内に発生することもある．予後は非常に良好で，適切に切除されれば再発はほとんどない．

3) 画像所見

X線やCTで，nidusに相当する骨透亮像と周囲の骨硬化が認められる．CTでは，骨透亮像の中央部に微小な硬化巣がみられることもある．MRIでは，反応性の浮腫を反映した信号が病変周囲の骨髄内や軟部組織に認められる（図4）．

4) 組織学的所見

腫瘍の本体であるnidusは，相互に吻合する未熟な骨梁と，骨梁間の血管豊富な線維性間質からなる小結節である．形成された骨梁には石灰化した部分としていない部分とが混在するが，nidusの中央部で骨梁の肥厚や石灰化が目立ち，辺縁部では少ない傾向がある（図5，6）．nidus内では骨芽細胞が骨梁を取り巻く，あるいは骨梁内に埋め込まれるように増殖している（図7〜11）．骨芽細胞は腫大し，大小

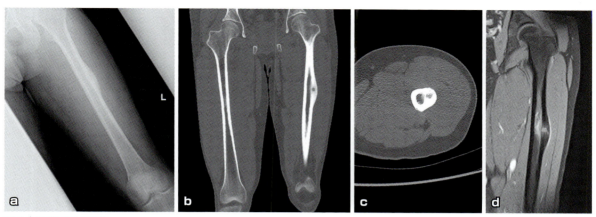

図4｜類骨骨腫の画像
a：単純X線像．大腿骨骨幹部外側皮質が限局して肥厚している．b：CT骨条件冠状断像．c：CT骨条件横断像．肥厚した皮質内部にnidusに相当する境界明瞭な溶骨性病変が認められる．d：造影MRI脂肪抑制T1強調冠状断像．nidusおよび付近の髄腔と骨膜に造影効果がみられる．

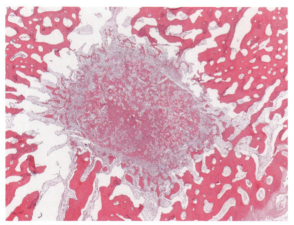

図5｜類骨骨腫（弱拡大像）
nidus中央部で骨梁の肥厚が目立つ．

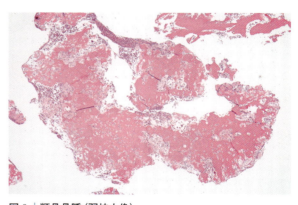

図6｜類骨骨腫（弱拡大像）
掻爬検体では，分割されたnidusが周囲骨から分離して認められる．

不同がみられることもあるが，高度の核異型は認められない．破骨細胞が目立つ場合があるが，軟骨形成がみられることはほとんどない．nidus周囲には反応性の骨形成，骨硬化が認められる．

5）免疫組織化学的・分子病理学的特徴

88〜94%の症例で，*FOS*を含む融合遺伝子形成が示唆されている[9,10]．免疫染色では，多くの症例でc-FOSの核内発現が認められる[10,11]．

6）鑑別診断

骨芽細胞腫との鑑別が問題となるが，腫瘍部（nidus）の組織像のみで区別することはできず，腫瘍の大きさが重要である．類骨骨腫のnidusは径1cm以

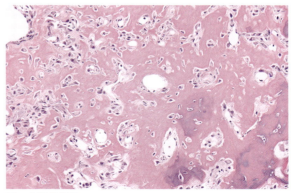

図7｜類骨骨腫
左上から右下に向かって，骨が成熟していく傾向がうかがえる．骨梁間に分布する骨芽細胞が，次第に骨梁内に取り込まれていく（骨細胞分化）．

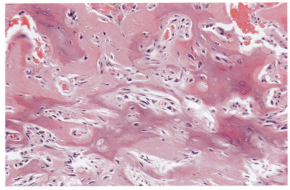

図 8 │ 類骨骨腫
不規則に吻合する骨梁は一部石灰化している．骨芽細胞はかなり紡錘形に近い形状になっている．

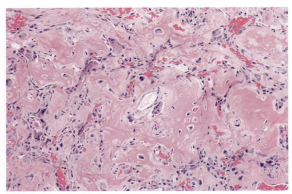

図 9 │ 類骨骨腫
不規則な骨梁形成がみられ，破骨細胞が目立つ．一部の骨芽細胞は骨梁内に取り込まれつつある．

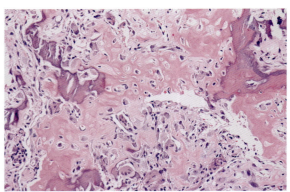

図 10 │ 類骨骨腫
石灰化を伴う不規則な骨梁形成がみられる．腫大した骨芽細胞は広い細胞質をもつ．

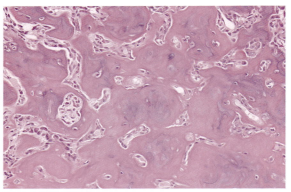

図 11 │ 類骨骨腫
硬化・石灰化の目立つ領域（脱灰が強い）．

下であることが多く，2cm 以上の病変は骨芽細胞腫と診断するが，径 1〜2cm の病変については意見が分かれる．特徴的な臨床症状・画像所見も参考になる．

3．骨芽細胞腫

1）定義・概念

骨芽細胞腫 osteoblastoma は，組織形態は類骨骨腫に類似しているが，一般的に 2cm を超えて増殖する骨形成性腫瘍である．

2）臨床的事項

類骨骨腫よりもかなり頻度が低く，良性骨腫瘍の約 1％を占める．10 歳代および 20 歳代に好発し，8 割の患者が 30 歳未満である．やや男性に多い（男：女＝2：1）[6]．類骨骨腫と異なり，NSAIDs で疼痛はあまり改善しない．あらゆる骨に発生しうるが，脊椎の頻度が最も高く，この場合とくに椎弓などの脊椎後方要素に生じる．顎骨や大腿骨頸部にも比較的多く認められる．予後は良好であるが，ときに局所再発することがあり，搔爬では en bloc 切除した場合より再発の頻度が高いとされる．

3）画像所見

X 線や CT では，2cm を超える溶骨性病変として認められ，周囲には反応性の硬化がみられるが，硬化の程度は類骨骨腫より軽度であることが多い．内部に石灰化を伴うことがある（図 12）．動脈瘤様骨嚢腫 aneurysmal bone cyst（ABC）様の変化をきたした症例では，液面形成がみられることもある．

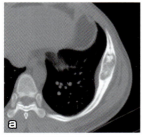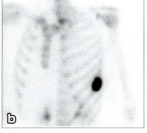

図12｜骨芽細胞腫の画像
a：CT骨条件横断像．内部に石灰化を伴い膨張性発育を示す境界明瞭な溶骨性病変を認める．b：骨シンチグラフィ．病変部に著明な集積を認める．

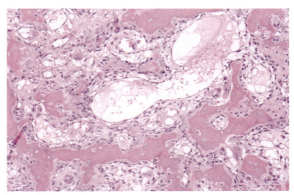

図13｜骨芽細胞腫
成熟骨に類似した骨梁形成がみられ，骨芽細胞が骨梁周囲を取り巻いている．

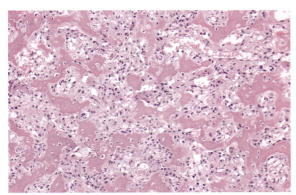

図14｜骨芽細胞腫
未熟な骨梁周囲を骨芽細胞が取り巻いている．

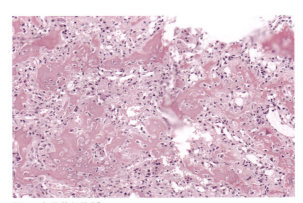

図15｜骨芽細胞腫
レース状に近い類骨形成が認められる．

4）組織学的所見

　組織所見は類骨骨腫に類似しており，病変部の組織像のみから類骨骨腫と区別することはできないとされる．相互に吻合する未熟な骨梁と，骨梁間の血管豊富な線維性間質からなる結節性病変で，骨芽細胞が骨梁を取り巻き，あるいは骨梁内に埋め込まれるように増殖している（**図13～17**）．病変の境界は一般的には明瞭で，形成された骨梁は，周囲の非腫瘍性の層板骨に連続性に移行する．破壊性・浸潤性増殖はみられない．核分裂像がみられることもあるが，異型核分裂像は認められない．骨芽細胞が集簇して認められることもある．まれに変性異型が目立つことがあり，pseudomalignant osteoblastoma と呼ばれてきたが，こうした異型細胞は核分裂像に乏しい．ときに二次的に ABC 様の変化をきたすことがある．
　侵襲性骨芽細胞腫 aggressive osteoblastoma は，

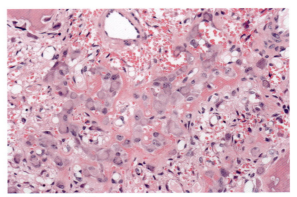

図16｜骨芽細胞腫
上皮様骨芽細胞が目立つ．

1984年に Dorfman と Weiss により提唱された疾患概念で，局所再発率が高いものの転移能をもたず，

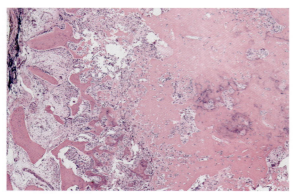

図17 | 骨芽細胞腫
周辺骨との移行部．病変部（右）では骨梁同士が癒合し，やや大型の骨を形成している．

良悪の中間的な悪性度を示す骨形成性腫瘍と想定されてきた[12,13]．組織学的には，腫大した核と明瞭な核小体をもつ大型の上皮様骨芽細胞 epithelioid osteoblast が特徴的に認められ，骨梁間でシート状に増殖することもある．しかしこの疾患概念の存在には異論があり，いまだに独立した疾患単位であるのか統一した見解が得られていない．WHO分類では，第3版以降一貫して，組織学的診断としては侵襲性骨芽細胞腫ではなく類上皮型骨芽細胞腫 epithelioid osteoblastoma の名称が推奨されている．

5）免疫組織化学的・分子病理学的特徴

86〜94％の症例で *FOS* を含む融合遺伝子形成が，6％までの症例で *FOSB* を含む融合遺伝子形成が示唆されている[9,10]．免疫染色では，多くの症例でc-FOS の核内発現が認められる[10,11]．

6）鑑別診断

類骨骨腫との鑑別点は，大きさ，特徴的な夜間痛の有無，病変周囲の骨硬化の程度などが主で，とくに病変の大きさが重要である．

一次性の**動脈瘤様骨嚢腫**（primary ABC）は好発部位が骨芽細胞腫と共通していることもあり，ときに鑑別が問題となるが，nidus 様の未熟な骨梁形成が認められれば骨芽細胞腫と判断できる．鑑別困難な症例において，FISH などで *USP6* の遺伝子再構成が示されれば primary ABC を考える．

骨肉腫のなかには，まれながら骨芽細胞腫と組織像が類似した**骨芽細胞腫様骨肉腫** osteoblastoma-like osteosarcoma があり，個々の細胞の異型性のみでは鑑別困難な場合がある．既存骨を取り込みつつ周囲骨梁間へ浸潤する像は，骨肉腫を示唆する重要な所見である[14]．また骨芽細胞腫でも，腫瘍のごく一部にレース様の類骨形成や，細胞密度の高い部分，核分裂像の多い部分がみられることがあり，軟骨形成もごくまれにみられることがあるが，1つの腫瘍でこうした所見がすべてみられる場合には骨肉腫を考える必要がある[13]．

（山下享子，植野映子）

文献

1）Jaffe HL, Mayer L：An osteoblastic osteoid tissue forming tumor of a metacarpal bone. Arch Surg 24：550-564, 1932
2）Jaffe HL："Osteoid-osteoma"：a benign osteoblastic tumor composed of osteoid and atypical bone. Arch Surg 31：709-728, 1935
3）Jaffe HL：Benign osteoblastoma. Bull Hosp Joint Dis 17：141-151, 1956
4）Lichtenstein L：Benign osteoblastoma；a category of osteoid-and bone-forming tumors other than classical osteoid osteoma, which may be mistaken for giant-cell tumor or osteogenic sarcoma. Cancer 9：1044-1052, 1956
5）McHugh JB, Mukherji SK, Lucas DR：Sino-orbital osteoma：a clinicopathologic study of 45 surgically treated cases with emphasis on tumors with osteoblastoma-like features. Arch Pathol Lab Med 133：1587-1593, 2009
6）Unni KK, Inwards CY, Bridge JA, et al：AFIP Atlas of Tumor Pathology, Series 4, Tumors of the Bones and Joints, AFIP, Washington DC, 2005, pp119-135
7）Makley JT, Dunn MJ：Prostaglandin synthesis by osteoid osteoma. Lancet 2：42, 1982
8）Mungo DV, Zhang X, O'Keefe RJ, et al：COX-1 and COX-2 expression in osteoid osteomas. J Orthop Res 20：159-162, 2002
9）Fittall MW, Mifsud W, Pillay N, et al：Recurrent rearrangements of FOS and FOSB define osteoblastoma. Nat Commun 9：2150, 2018
10）Amary F, Markert E, Berisha F, et al：FOS expression in osteoid osteoma and osteoblastoma：A valuable ancillary diagnostic tool. Am J Surg Pathol 43：1661-1667, 2019
11）Lam SW, Cleven AHG, Kroon HM, et al：Utility of FOS as diagnostic marker for osteoid osteoma and osteoblastoma. Virchows Arch 476：455-463, 2020
12）Dorfman HD, Weiss SW：Borderline osteoblastic tumors：problems in the differential diagnosis of aggressive osteoblastoma and low-grade osteosarcoma. Semin Diagn Pathol 1：215-234, 1984
13）Czerniak B：Dorfman and Czerniak's Bone Tumors（2nd ed），Elsevier, Philadelphia 2016, pp144-199
14）Unni KK, Inwards CY：Dahlin's Bone Tumors（6th ed），Lippincott Williams & Wilkins, Philadelphia, 2010, pp98-121

第2部　組織型と診断の実際

II. 骨形成性腫瘍

2 通常型骨肉腫

conventional osteosarcoma

1．定義・概念

骨肉腫 osteosarcoma は，骨原発の悪性間葉系腫瘍のうち腫瘍細胞が直接的に骨・類骨を形成するもの，と定義される．この定義に，4点を補足する．

①腫瘍は「悪性」でなくてはならず，直接的に骨・類骨を形成していても，良性・中間群腫瘍は骨肉腫の定義を満たさない．

②骨の形成は「直接的」でなくてはならない．軟骨肉腫や滑膜肉腫などで，軟骨内骨化や化生性骨化を経由して間接的に骨を形成する腫瘍については，骨肉腫の定義を満たさない．

③骨・類骨の量に関する規定はなく，少しでも形成していればよいし，ほかにどのような基質を形成してもよい．

④腫瘍細胞の形態に関する規定はなく，どのような細胞であってもよい．

本項で取り扱う通常型骨肉腫 conventional osteosarcoma には，骨肉腫全体の90％以上が含まれる．傍骨性，骨膜性，表在性高悪性度，低悪性度中心性の骨肉腫については，II-4「表在性骨肉腫」とII-3「特殊型骨肉腫」を参照されたい．なお小細胞型骨肉腫と血管拡張型骨肉腫については，WHO 分類第5版（2020年）では独立した疾患単位として認識されず，高悪性度髄内骨肉腫の組織学的亜型として記載することとなった．しかし，これらの2つの群については，（とくに血管拡張型は）特徴的な画像や組織像があるので，II-3「特殊型骨肉腫」で記載される．

2．臨床的事項

通常型骨肉腫は原発性悪性骨腫瘍で骨髄腫に次いで多く，小児の悪性骨腫瘍では最も頻度が高い．最も高い年齢のピークは10歳代にあり，男性に多い．発生部位では大腿骨遠位，脛骨近位など膝の周囲が多く全体の半数ほどを占めるが，ほかの長管骨にも発生する．骨盤骨や椎体骨にも発生する．手指の短管骨発生例はまれである．顎骨発生症例は，長管骨症例より年齢が高く20～30歳代にピークがあり，経過がやや緩やかな傾向がある．

骨肉腫が発生しやすい症候群として Li-Fraumeni 症候群，両側性網膜芽細胞腫，Rothmund-Thomson 症候群，Bloom 症候群，Werner 症候群などが知られている．このほか Paget 病，骨梗塞，放射線照射，人工物 prosthesis に関連した骨肉腫もあるが，そうした二次性骨肉腫についてはII-3「特殊型骨肉腫」を参照されたい．

通常型骨肉腫は一般に高悪性度として治療する．手術可能な高悪性度骨肉腫の治療方針は確立しており，生検で診断をつけ，大量メトトレキサート，ドキソルビシン，シスプラチンをはじめとする術前化学療法を施行したのち，病変を広範切除し，術後化学療法を施行する．化学療法が導入される以前，骨肉腫の5年生存率は20％未満であったが，化学療法により四肢の限局性骨肉腫患者の7割が長期生存できるようになり，骨肉腫は化学療法が最も成功した医学的達成の一つといえる．しかしながら，初発時すでに転移のある症例ではいまだ5年生存率が30％未満と不良である．転移部位としては肺と骨が多く，

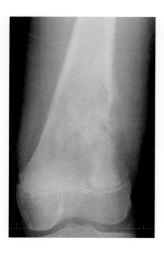

図1｜通常型骨肉腫（骨芽細胞型）の単純X線像
大腿骨遠位骨幹端に偏心性の境界不明瞭な硬化・溶骨病変が認められる．皮質は破綻し，溶骨部には雲状の石灰化を伴い，Codman三角もみられる．

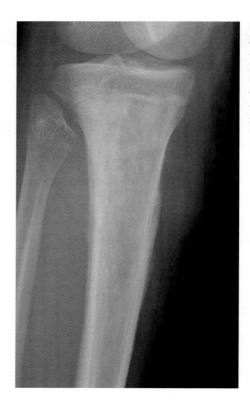

図2｜通常型骨肉腫（骨芽細胞型）の単純X線像
脛骨近位に境界不明瞭な硬化・溶骨像があり，内側・外側ともに皮質に垂直に立ち上がるような骨膜反応（スピクラ）を伴う．

肺転移などは少数であれば切除されることもある．

スキップ転移は，主病変と同じ骨の別の部位，あるいは主病変と関節を挟んで主病変と同時期に転移巣が発見されるもので，近年の報告では5％未満とまれな現象ではあるが，特徴的である[1]．予後に与える影響は遠隔転移とは異なるとされ，TNM分類でもM1ではなく，長管骨ではT3の評価となる．

3．画像所見

骨腫瘍一般にいえる大前提ではあるが，病変の放射線画像を自分の目で見，骨肉腫の画像として矛盾しないことを確認することなく病理診断をつけることは厳に慎みたい．解釈が難しければしかるべき放射線診断医や骨腫瘍を専門とする臨床医と相談し，気になる点がある場合には安易な判断を避ける注意深さが求められる．

長管骨では，骨幹端を主座とする境界不明瞭でしばしば偏心性の病変がみられる（図1, 2）．内部は虫食い像を呈するものが多いが，腫瘍内の骨形成量に応じて，溶骨性から著しい硬化を示す病変までさまざまである．綿状ないし雲状と表現される淡い石灰化をみることが多い．腫瘍に接する皮質はしばしば破綻し，Codman三角など不連続な骨膜反応がみられることが多い．皮質骨から垂直に立ち上がるような骨膜反応（スピクラ spicula）や皮質に平行な層状の反応（玉ねぎの皮状 onion-skin）をみることがある．骨皮質の膨隆をきたす症例や，境界明瞭な症例はまれである．骨盤骨など扁平な骨では，早期に巨大な骨外成分が出現し，髄腔内成分が不明瞭な場合は骨外性骨肉腫や表在性骨肉腫との鑑別が難しいことがある．軟骨形成性骨肉腫では，円弧状～点状の石灰化や皮質膨隆，MRIでのT2高信号および分葉状隔壁の造影パターンなど軟骨肉腫と類似する所見を示す例もある（図3）．術前化学療法後には，病変が縮小するだけでなく硬化も進むことが多いが，血管拡張型骨肉腫に類似した多房性の血性囊胞形成を惹起し病変が著しく増大する場合もある．

4．肉眼所見

化学療法後の切除検体を観察することがほとんどで，腫瘍の元来の性状を観察できる機会は少ない．腫瘍は髄腔内を主座とする境界不明瞭な病変で，生

2．通常型骨肉腫

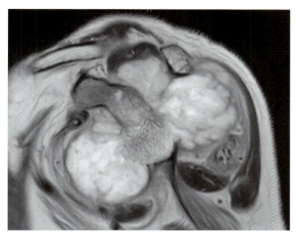

図3｜通常型骨肉腫（軟骨芽細胞型）のMRI T2強調像
一様に高信号で分葉する肩甲骨骨外の腫瘤を伴い，軟骨肉腫にやや類似した像を呈する．

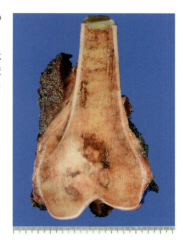

図4｜通常型骨肉腫の肉眼像
大腿骨遠位骨幹端に，一部硬化を伴う境界不明瞭な淡褐色調の病変が存在し，骨膜を押し上げている．

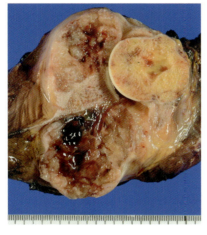

図5｜通常型骨肉腫の肉眼像
肩甲骨発生例．淡褐色で魚肉様の大きな骨外腫瘍が認められる．

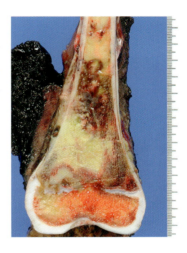

図6｜通常型骨肉腫の肉眼像
化学療法施行後に切除された大腿骨骨肉腫．黄色調の壊死，赤色調の出血，白色調の硬化部が混在し，組織では残存腫瘍細胞はほとんど認められなかった．

存領域は淡褐色充実性，多くの症例で微細な石灰化を触れる（図4, 5）．非常に硬い腫瘍性骨組織が腫瘍の大部分を占めることもある．ルーペで観察すると，腫瘍辺縁部では既存の骨梁間を腫瘍が埋めていく様子がうかがえる．治療効果により硝子化した領域は灰白色で弾性軟な充実組織であり，内部に黄色調の壊死が散見される（図6）．腫瘍はしばしば皮質を越えて骨膜下に進展し，これに伴ってさまざまな骨膜反応が肉眼でも確認できる．腫瘍は概ね骨膜下にとどまるが，これを越えて軟部組織に浸潤する例もある．

治療後の骨肉腫の切り出し方は標準化されている．腫瘍の最大面と，それに垂直な2方向で割を入れ，その全体を標本化するのが一般的であるが，腫瘍の広がりに応じて適宜切り出し方を工夫する．画像所見とよく対比し，スキップ転移の有無も検索する．軟部断端・骨断端の標本化にあたっては，割を入れる前にあらかじめインクを断端に塗布しておくとよい．靱帯などに沿って骨外に進展することもあるので，十字靱帯や関節包などの切除断端も適切に標本化する．腫瘍全体のどの程度が残存しているか報告する必要があるため，切り出しにはマッピングを使用する．

術前生検検体が微小で手術検体に生存腫瘍が十分ありそうなら，すべてを酸脱灰するのではなく，少なくとも一部は過固定を避け，非脱灰ないしEDTA

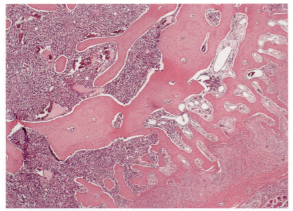

図7 | 通常型骨肉腫
腫瘍は髄腔内で骨梁間を浸潤し，Havers管に侵入して皮質を越え，骨膜下に到達し，骨膜反応を惹起している．

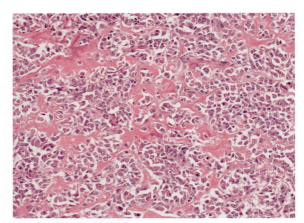

図8 | 骨芽細胞型骨肉腫
骨芽細胞様の腫瘍細胞がレース状類骨を形成する．わずかな石灰化がみられる．

脱灰で標本化しておくことが望ましい．昨今，遺伝子検査が依頼される症例は増えており，核酸の質のよい検体を十分量確保しておくことは病理医の新たな責務といえる．

5．組織学的所見

通常型骨肉腫は，定義上必ず悪性所見を有する腫瘍細胞が直接的に類骨・骨を形成する．腫瘍細胞の形態はさまざまであるが，一般にクロマチン濃染や核縁不整といった核異型が強く，多形もみられる．分裂像はしばしば多く，異型分裂をみることも多い．原則として腫瘍は浸潤性であり，既存の骨梁間を進展し，皮質ではHavers管に侵入し骨膜下，さらに軟部組織に至る（図7）．

類骨や骨の形成が腫瘍の定義に組み込まれている以上，これをどのようにして正確に同定するかが診断の要諦となる．とくに，線維化・硝子化なのか，それとも類骨なのかが問題となるような症例に遭遇することはまれでない．残念ながら，この鑑別において信頼に足る特殊染色や免疫染色はない．偏光で（あるいはコンデンサを下げて）観察した場合，膠原線維では線維が平行に並ぶようにみえるのに対し，類骨では線維方向が追えず，ベタっとした印象になる．また類骨は自然に石灰化する性質があるため，非脱灰検体ではごく繊細な類骨にも青みがかった石灰化が観察され，重要な所見である．

通常型骨肉腫は，古くから，腫瘍全体に占める優勢な組織像に応じて**骨芽細胞型骨肉腫** osteoblastic osteosarcoma，**軟骨芽細胞型骨肉腫** chondroblastic osteosarcoma，**線維芽細胞型骨肉腫** fibroblastic osteosarcoma に大別され，それぞれ75％，15％，10％ほどの頻度である．骨芽細胞型骨肉腫では，骨芽細胞に類似した腫瘍細胞が類骨や骨を形成して増殖する（図8，9）．腫瘍性類骨・骨はしばしばレース状繊細であるが，梁状，島状，シート状の症例もある．軟骨芽細胞型骨肉腫では，腫瘍性軟骨の形成が大部分を占め，腫瘍性骨形成は少ない（図10）．線維芽細胞型骨肉腫では，紡錘形細胞が束状・花むしろ状に増殖し，腫瘍性骨形成は目立たない（図11）．しかし，ほとんどの骨肉腫は生検で診断したのち術前化学療法後に切除される．生検の組織像が全体を代表するとは限らず，化学療法後に全体像を観察できても，治療効果の高い症例では壊死や線維化により大部分が置換され，生存する部分でもしばしば治療により骨形成が進むので，腫瘍の元の姿を反映しているわけではない．したがって，腫瘍全体に占める優勢な組織像の割合に基づいて定義される上記3型分類は現実的には適用困難なことが多く，またそうした亜分類を敢行しても治療方針や予後の差異も乏しい．

上記の一般的な組織像以外にも，通常型骨肉腫は実に多彩な組織像を呈しうる．その一部には，病理医の注意を喚起するため，特殊な通称が行われている．**骨芽細胞腫様骨肉腫** osteoblastoma-like osteosarcoma は，均一な腫瘍性骨芽細胞が梁状の腫瘍骨を取り巻くように1層に並び，浮腫性の背景は血管に富み，骨芽細胞腫に類似する（図12）．**軟骨芽細胞**

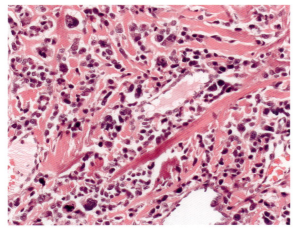

図9 | 骨芽細胞型骨肉腫
多形の目立つ腫瘍細胞が類骨を形成する．わずかな石灰化がみられる．

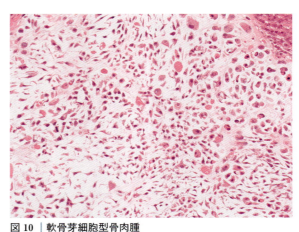

図10 | 軟骨芽細胞型骨肉腫
異型・多形の目立つ腫瘍細胞が豊富な軟骨基質を形成する．

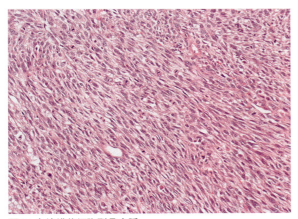

図11 | 線維芽細胞型骨肉腫
紡錘形細胞が束状に増殖する．このタイプの骨肉腫では腫瘍性骨形成が目立たないことが多い（この図に腫瘍骨は含まれない）．

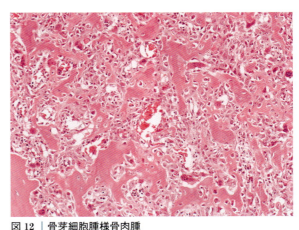

図12 | 骨芽細胞腫様骨肉腫
比較的均一で異型の弱い骨芽細胞様細胞が，規則的な骨を形成して増殖する．背景は血管に富む．

腫様骨肉腫 chondroblastoma-like osteosarcoma は，核溝を有する小型類円形の腫瘍細胞がシート状に増殖し，巣状に基質を形成して軟骨芽細胞腫に類似する（図13）．**軟骨粘液線維腫様骨肉腫** chondromyxoid fibroma-like osteosarcoma は，粘液性背景に短紡錘形細胞が網目状に増殖し，軟骨粘液線維腫に類似する（図14）．**富巨細胞腫型骨肉腫** giant cell-rich osteosarcoma は，腫瘍組織内に多数の破骨細胞型巨細胞が分布する（図15）．**未分化多形肉腫様骨肉腫** undifferentiated pleomorphic sarcoma-like osteosarcoma（malignant fibrous histiocytoma（MFH）-like osteosarcoma ともいう）では，多形の強い紡錘形細胞が花むしろ状・束状に増殖する（図16）．**硬化型骨肉腫** sclerosing osteosarcoma では，著しい腫瘍性骨形成をきたし，腫瘍細胞はまばらに観察される（図17）．硬化した骨肉腫の腫瘍細胞はしばしば異型が弱いが（normalization と呼ばれる），実際には悪性細胞である．**類上皮型骨肉腫** epithelioid osteosarcoma は細胞質の広い上皮様の腫瘍細胞が敷石状に増殖するもので，癌との鑑別が問題となる（図18）．

　顎骨原発の骨肉腫は他の骨とは臨床像がやや異なり，組織像もしばしば非典型的である．具体的には軟骨形成症例が多く，軟骨粘液線維腫様のパターンも散見され，骨形成の強い症例でも腫瘍骨に異様な

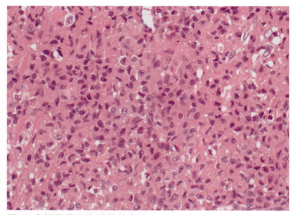

図 13 │ 軟骨芽細胞腫様骨肉腫
核溝を伴い異型の弱い類円形細胞がシート状に増殖している．

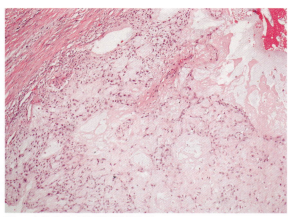

図 14 │ 軟骨粘液線維腫様骨肉腫
短紡錘形の腫瘍細胞が粘液性背景に網目状に増殖する．

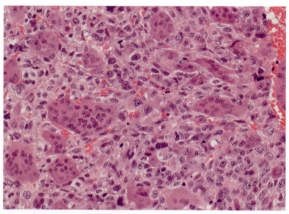

図 15 │ 富巨細胞腫型骨肉腫
多形を有する異型細胞のびまん性増殖に混じて，破骨細胞型巨細胞が多数認められる．

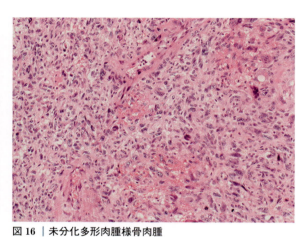

図 16 │ 未分化多形肉腫様骨肉腫
多形紡錘形細胞の不規則な増殖が認められ，この像のみでは未分化多形肉腫と区別できない．

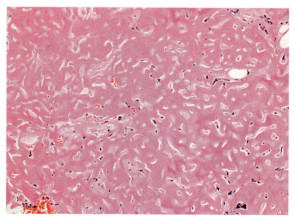

図 17 │ 硬化型骨肉腫
大量に作られた腫瘍骨内に，一見すると異型に乏しい腫瘍細胞が埋まっている．

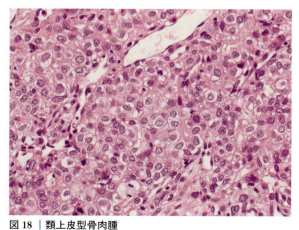

図 18 │ 類上皮型骨肉腫
類上皮細胞がシート状に増殖し，癌を模倣する．

2．通常型骨肉腫　69

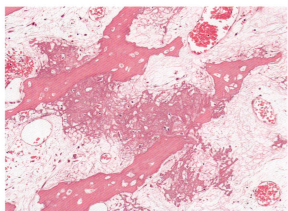

図19｜化学療法後，骨肉腫の消失した部分の組織像
浮腫性背景に，概ね壊死に陥った不整な腫瘍骨が残存する．

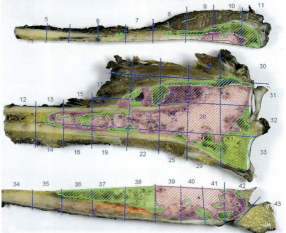

図20｜化学療法後の骨肉腫切除検体のマッピング
a：化学療法後の脛骨骨肉腫の肉眼像．成熟して硬化が強い領域が目立ち，黄色調の壊死を伴う．b：マッピングして色分けすると，赤紫色斜線部では腫瘍は消失し壊死，硬化，瘢痕組織に置換され，一方黄緑色斜線部では生存している．

成熟傾向がある．

　化学療法後の骨肉腫の組織学的評価の詳細については第4部-Ⅴ「骨肉腫の組織学的効果判定と切除縁評価」を参照されたい．化学療法により腫瘍は壊死に陥ることもあるし，炎症性線維組織に置換されることもある（図19）．その中には不規則に配列した腫瘍骨が沈着し，そこがもとは腫瘍組織であったことを教える（腫瘍床）．生存する腫瘍細胞の腫瘍床に対する割合を，マッピングや生検時の細胞密度に基づき評価する（図20）．生存腫瘍は髄腔内よりも骨膜下や軟部浸潤部に認められることが多い．一般に，生存細胞が10％を超えるかどうかが予後予測に有用と考えられている．

6．分子病理学的特徴

　通常型骨肉腫のゲノムは複雑で，数的・構造的異常を多数有し，おそらくはchromothripsis/chromoplexyといった一回性の崩壊的イベントに伴う大規模なゲノム再編に由来すると考えられている．最も頻度の高い遺伝子異常はTP53機能失活変異（＞90％）であり，点突然変異のほか，機能喪失型の遺伝子融合なども認められる．このほか，Rb欠失，CDKN2A/CDKN2B欠失もしばしば認められる．よく知られた増幅領域には6p（RUNX2, VEGFAを含む），8q（MYCを含む），4q（PDGFRA, KITを含む），12q（MDM2, CDK4を含む），17p（COPS3を含む）がある[2]．MDM2高度増幅例では詳細に組織像を観察すると低悪性度成分がみつかることが多く，低悪性度中心性骨肉腫の増悪の可能性がある[3]．しかし，これら遺伝子異常はいずれも骨肉腫特異的ではない．一方，骨肉腫ではIDH1/IDH2変異やFOSの融合は認められない．まれに，骨巨細胞腫の組織像や既往がないにもかかわらず，H3F3AやH3F3BのG34変異を有する症例があるが，これらは骨巨細胞腫と同様に若年成人の骨端部を侵すことが多く，組織学的な基準は満たさないものの一次性悪性骨巨細胞腫の一型と理解する考え方が提唱されている[4]．

7．免疫組織化学的特徴

　骨肉腫の免疫形質はさまざまで，ほとんどの場合，その診断において免疫染色は必要でない．骨肉腫の一部はcytokeratin陽性であり，とくに類上皮型症例でのcytokeratin陽性像は癌腫の転移との鑑別を難しくする．軟骨形成性症例をはじめS-100蛋白陽性例も経験される．骨芽細胞はCD138陽性であり，その細胞形態から形質細胞と誤認しないよう気をつけ

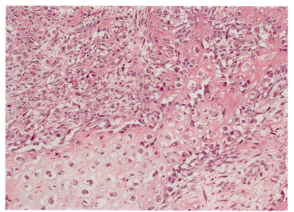

図21｜骨折仮骨
未熟な骨，軟骨，線維組織が混在して活発に増生し，悪性腫瘍と間違えやすい．

たい．SATB2はほとんどの骨芽細胞型骨肉腫でびまん性に強く陽性となるが，ほかの骨腫瘍（良性・中間群含め）でもしばしば陽性となり特異性が低く，軟骨形成性や線維形成性の骨肉腫ではSATB2陰性となることもある[5]．

8．鑑別診断

通常型骨肉腫との鑑別で問題となりうる代表的な状況を記す．小細胞型，血管拡張型，傍骨性，低悪性度中心性，骨膜性，表在性高悪性度については，それぞれの項目（Ⅱ-3「特殊型骨肉腫」，Ⅱ-4「表在性骨肉腫」）で鑑別を解説する．必ずしも悪性腫瘍との鑑別になるとは限らず，中間群，良性腫瘍，さらに非腫瘍性病変との鑑別に困難を生じるのが骨肉腫診断の難点である．病理検査で骨肉腫と診断されると，強い化学療法を含む確立された治療法の対象となり，診断のインパクトが非常に大きいので，likely, probable, compatible などと曖昧に診断するのではなく，確信をもった診断に至ることが望ましい．針生検では良悪の判断すらつかないことも十分ありうる．臨床経過や画像所見との対比が肝要なのはもとより，必要なら切開生検や再生検についても主治医と相談し診断確定を目指したい．

1）骨折仮骨と骨肉腫

骨折に伴う仮骨では未熟な類骨，骨，軟骨が混在し，細胞自体も活発で，骨肉腫と誤診しないよう注意が必要である（図21）．骨折の存在に気づくことが大切で，とくに疲労骨折では骨折線がわかりにくいことがある．骨形成不全症 osteogenesis imperfecta では，反復する骨折に続発する仮骨が異様なほど巨大な腫瘤を形成することがあり，こうした背景病変の認識も重要である．組織学的に，仮骨では未熟な類骨が徐々に成熟し梁状になるような成熟傾向が局所的にみられ，類骨を取り囲む細胞は1層に並び，線維性組織は肉芽組織のような性状を呈する．細胞は活発であるが，クロマチンは濃染せずむしろ概して薄く，皆一様に腫大して多形に乏しい．仮骨の病変組織は良性腫瘍と異なり，骨梁間に進展するような像をみせることがあり，これを骨肉腫の浸潤と誤認してはならない．骨周囲発生の骨化性筋炎や骨膜炎と骨肉腫との鑑別においても，同じような組織所見を鑑別点として利用できる．なお，骨肉腫に伴う骨膜反応や骨折のため反応性変化が併存することは十分ある．

2）軟骨肉腫と軟骨芽細胞型骨肉腫

年齢，部位，画像所見に注目する．小児発生例ではまず骨肉腫を考えるのが定石である．また通常型軟骨肉腫が顎骨に発生することはほぼなく，間葉性軟骨肉腫や軟骨芽細胞型骨肉腫を考える．画像上，軟骨肉腫では骨皮質の膨隆や不整な肥厚（buttressing）がみられ，Codman三角やスピクラといったタイプの骨膜反応はまず経験されない．軟骨肉腫は（脱分化していなければ），一様に軟骨〜粘液性で，MRIで均一にT2高信号を示し，分葉周囲の隔壁が強く造影される特徴的な画像を示す．

組織学的に，軟骨芽細胞型骨肉腫に出現する軟骨は細胞密度が高く，核異型が目立ち，分裂像も散見されるなど，軟骨肉腫でいえばgrade 3に相当するような像を示すことが多く（図10），grade 1〜2相当の軟骨肉腫を模倣することはまれである．また，骨肉腫では軟骨肉腫に比べ分葉が不完全で，軟骨組織周囲に軟骨を形成しない紡錘形細胞の密な増殖が唐突にみられるのも特徴的である（図22）．骨肉腫に現れる基質は，ときに軟骨か骨か区別が難しいような両義的なみえ方をし，これも重要な手がかりである（図23）．定義上，骨肉腫には腫瘍性の直接的類骨・骨形成がみられるはずだが，骨量が少ないこともあり生検ではみつからないことが多い．なお，軟骨肉腫は軟骨内骨化を介して「間接的に」骨を形成するので，直接骨形成と見誤らないようにしたい．脱分化型軟骨肉腫の脱分化成分が骨肉腫の形態をとること

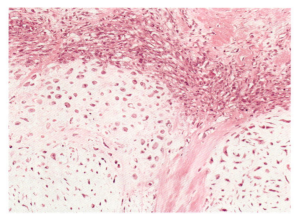

図22 | 軟骨芽細胞型骨肉腫
分葉状軟骨形成部の辺縁で唐突に軟骨を形成しない紡錘形細胞増殖が認められる．

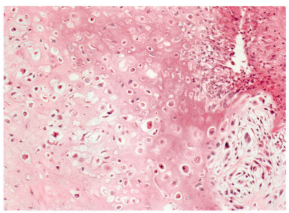

図23 | 軟骨芽細胞型骨肉腫
形成される基質には，骨とも軟骨ともつかない両義的な性格のものがしばしばみられる．

もあり，この場合鑑別が複雑である．軟骨芽細胞型骨肉腫と軟骨肉腫との鑑別に免疫染色は有用でない．遺伝子的には *IDH1/IDH2* 変異が軟骨肉腫の半数ほどでみられるのに対し，骨肉腫には認められないため，*IDH* 変異が陽性であれば軟骨肉腫の診断を強く示唆するが，*IDH* 変異が陰性であれば診断に寄与しない[6]．

3）骨芽細胞腫と骨芽細胞腫様骨肉腫

どちらも同様の年齢に発生しうる．画像上，骨芽細胞腫は境界明瞭な病変で，骨肉腫はしばしば境界不明瞭であるが，画像では区別が難しい症例もありうる．骨芽細胞腫では規則的に配列する腫瘍性骨梁の周囲を異型に乏しい骨芽細胞が1層取り巻き，背景は血管に富む浮腫性の間質からなる．ただ，類上皮型骨芽細胞腫 epithelioid osteoblastoma と通称されるまれな亜型では，細胞が大型で軽度の異型を有し，腫瘍性骨梁間を腫瘍細胞がシート状に埋めることがある．骨芽細胞腫様骨肉腫では，類上皮形態を示す腫瘍性骨芽細胞がしばしばシート状に腫瘍性骨梁間を埋めるほか，形成される骨自体も梁状のみならずレース状で繊細なパターンを含み，不規則に配列する．骨肉腫では分裂像も多い傾向にある．最も確実な組織学的鑑別点は浸潤性の有無である．すなわち，骨芽細胞腫は周囲組織との境界が鮮明で浸潤性を欠くが，骨肉腫では既存の骨梁を取り込んで浸潤する．病変中心部からの生検を偏光で（ないしコンデンサを下げて）観察した場合，腫瘍性線維骨の中に既存の層板骨が完全に取り囲まれていれば，そ

れは浸潤性を示唆する[7]．

骨芽細胞腫では，類骨骨腫と同様，その多くの症例において *FOS*（まれには *FOSB*）遺伝子の再構成が存在し，これは骨肉腫では認められない特異的な点である．また *FOS* 遺伝子再構成を有する骨芽細胞腫では FOS 免疫染色がびまん性に強く核陽性像を示す．診断が難しい場合，こうした知見を診断に活用することもできるが，*FOS* 遺伝子再構成のみられない骨芽細胞腫もある上，遺伝子再構成があっても FOS 免疫染色で染まらない骨芽細胞腫や，逆に再構成がないのに FOS 染色陽性となる骨肉腫も知られており，実際の診断への応用はそれほど容易でない[8]．

4）骨巨細胞腫と富巨細胞腫型骨肉腫

骨巨細胞腫は一般に骨端線の閉鎖した成人の骨端〜骨幹端を侵す境界明瞭な完全溶骨性病変である．したがって，たとえば小児や成人の骨幹端に限局して境界不明瞭な虫食い像があり，内部に石灰化がみられるような場合，組織像が骨巨細胞腫に類似していたとしても，一般にそう診断すべきではない．骨巨細胞腫と異なり，富巨細胞腫型骨肉腫では単核細胞に異型や多形が認められることが多く，分裂像も目立ち，異型分裂像も観察され，巨細胞もやや小ぶりである．ただ異型が目立たない骨肉腫もある．

この鑑別における類骨・骨の意義については慎重な判断が望ましい．骨肉腫では確かに腫瘍性類骨が形成され，しばしばレース状である．しかし，骨巨細胞腫においてもさまざまな頻度で類骨・骨が形成される．骨巨細胞腫における骨は線維性隔壁に沿っ

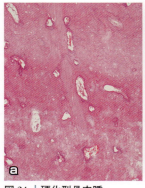

図24 | 硬化型骨肉腫
a：HE染色ではただ一様な骨組織のようにもみえるかもしれない．b：しかし，簡易偏光観察では腫瘍性の線維骨組織の中に小さな層板骨が観察され，これが浸潤性病変であることを教える．

た梁状の形態が多く，しばしば1層の骨芽細胞に取り囲まれ反応性と思われるが，一部の症例では腫瘍組織内に腫瘍細胞と密接に関連して作られる腫瘍性と思われる骨も観察される．骨巨細胞腫は境界明瞭，圧排性で，骨梁間浸潤をきたさず，原則として腫瘍内部に既存の骨梁が取り込まれないが，骨肉腫はその浸潤性性格を反映し，腫瘍内に既存骨梁が残存することが多い．

骨巨細胞腫ではその95％以上の症例で $H3F3A$ G34変異が存在し，頻度の高い変異については変異特異的抗体を用いた免疫染色で検出可能である．しかし，同じ変異は悪性骨巨細胞腫や，骨巨細胞腫の既往・隣接のない骨原発肉腫にも存在することがあり，それらが富巨細胞腫型骨肉腫の形態を呈することもあるから，変異の有無をもって骨巨細胞腫であるか肉腫であるか判断することはできない．なお，$H3F3A$ G34変異を有する肉腫の多くは富巨細胞性であるが，逆に富巨細胞腫型骨肉腫のなかでこの変異をもつものは少ない．

5）未分化多形肉腫と未分化多形肉腫様骨肉腫

この鑑別はもっぱら腫瘍性類骨・骨形成の有無にかかっているが，このタイプの骨肉腫では類骨・骨量が少ないことが多く，切除検体で十分な切り出しを行った後に初めて決着がつくことが多い．また線維沈着と類骨の鑑別が問題になることも少なくない．類骨形成が含まれていない生検検体では定義上，鑑別することはできない．なお，この鑑別にSATB2免疫染色は寄与しない（未分化多形肉腫でも陽性となりうる）．画像で雲状の特徴的な石灰化がみられ，骨肉腫として特徴的な臨床像を示す場合には，骨肉腫の可能性を疑う旨を臨床医に伝えることには意義がある．小児の場合，生検で未分化多形肉腫相当であっても骨肉腫として治療が進められることも多いので，そもそも生検時点で必要な鑑別なのかどうか，臨床医に確認しておくとよい．

6）良性の骨硬化と硬化型骨肉腫

硬化型骨肉腫は，組織像のみでは良性腫瘍（骨腫など）や非腫瘍性骨化（Paget病など）と誤認される危険性がある．画像上はしばしば大きな腫瘍であり，発生部位も骨肉腫の好発部位に多いが，境界が異様なほど明瞭にみえる例や，サイズの小さな症例，短管骨など非典型部位の症例もある．骨肉腫の診断に最も重要なのは浸潤性増殖パターンの確認であり，これは腫瘍性線維骨内に取り込まれた既存の層板骨という所見で表現され，とくに偏光で観察しやすい（図24）．硬化が強い骨肉腫では，腫瘍骨に埋め込まれた腫瘍細胞の異型が目立たなくなるが，つぶさに観察するとクロマチン濃染や核縁不整など軽度の異型はみられる．

（吉田朗彦）

文　献

1）Kager L, Zoubek A, Kastner U, et al：Skip metastases in osteosarcoma：experience of the Cooperative Osteosarcoma Study Group. J Clin Oncol 24：1535-1541, 2006
2）Suehara Y, Alex D, Bowman A, et al：Clinical genomic sequencing of pediatric and adult osteosarcoma reveals distinct molecular subsets with potentially targetable alterations. Clin Cancer Res 25：6346-6356, 2019
3）Yoshida A, Ushiku T, Motoi T, et al：MDM2 and CDK4 immunohistochemical coexpression in high-grade osteosarcoma：correlation with a dedifferentiated subtype. Am J Surg Pathol 36：423-431, 2012
4）Amary F, Berisha F, Ye H, et al：H3F3A（Histone 3.3）G34W immunohistochemistry：a reliable marker defining benign and malignant giant cell tumor of bone. Am J Surg Pathol 41：1059-1068, 2017
5）Davis JL, Horvai AE：Special AT-rich sequence-binding protein 2（SATB2）expression is sensitive but may not be specific for osteosarcoma as compared with other high-grade primary bone sarcomas. Histopathology 69：84-90, 2016
6）Kerr DA, Lopez HU, Deshpande V, et al：Molecular distinction of chondrosarcoma from chondroblastic osteosarcoma through IDH1/2 mutations. Am J Surg Pathol 37：787-795, 2013
7）Gambarotti M, Dei Tos AP, Vanel D, et al：Osteoblastoma-like osteosarcoma：high-grade or low-grade osteosarcoma？ Histopathology 74：494-503, 2019
8）Lam SW, Cleven AHG, Kroon HM, et al：Utility of FOS as diagnostic marker for osteoid osteoma and osteoblastoma. Virchows Arch 476：455-463, 2020

第2部 組織型と診断の実際

II．骨形成性腫瘍

3 特殊型骨肉腫

unconventional osteosarcoma

はじめに

本項では特殊型骨肉腫として，血管拡張型骨肉腫，小細胞型骨肉腫，二次性骨肉腫，低悪性度中心性骨肉腫について述べる．

1．血管拡張型骨肉腫

1）定義・概念

血管拡張型骨肉腫 telangiectatic osteosarcoma（TOS）は，1976年，Matsunoらにより初めて提唱された疾患概念であるが[1]，2020年のWHO分類第5版では骨肉腫の独立した疾患単位としては位置づけられず，骨肉腫，not otherwise specified（NOS）のなかでの亜型あるいは一つの組織パターンとして扱われている[2]．TOSは隔壁に隔てられた血液を容れた大きな囊胞腔により特徴づけられた高悪性度の骨形成性悪性腫瘍と定義されているが[3]，画像上も組織学的にも動脈瘤様骨囊腫に類似しているので，両者の鑑別には常に注意が必要である．

WHO分類第3版（2002年）では，Matsunoらが提唱したとおり，画像上で完全に骨溶解性病変を示し，基質の石灰化がX線写真で描出できないこともTOSの定義に加えられていた[4]．一方，WHO分類第4版（2013年）および第5版ではその点が削除されている[2,3]．また，両版ともに単純X線写真に石灰化が認められる病変が載っているが，通常型骨肉腫の一部にTOS様の出血性病変を認めることがまれならずあるので，第4版で改訂された定義をそのまま受け入れると，通常型骨肉腫とTOSとの境界が曖昧となる可能性があることを，本書前版でも指摘しておいた[5]．WHO分類第5版でも定義としては同様で，TOSを独立した疾患単位として扱わなくなったのもある意味必然といえるのかもしれない．Matsunoらの定義に従うTOSはまれではあるが存在し，通常型骨肉腫の部分像としてみられるTOS様の組織像を示す病変とは臨床病理学的に異なる印象を筆者はもっており，今後もMatsunoらの定義[1,4]に従ったTOSの概念も残しつつ検討していくことが望ましいと考えている．

2）臨床的事項

TOSはまれであり，その発生頻度は全骨肉腫の4％に満たない．10歳代に多く，男女比は約2：1である．好発部位は通常型骨肉腫と同様で，長管骨の骨幹端に多く，大腿骨遠位，脛骨近位，上腕骨近位の順に多い．臨床症状も通常型骨肉腫と同様であるが，病的骨折が25％の症例で認められる．これは骨の破壊傾向がより強いためと説明されている．

以前は通常型骨肉腫よりも予後が悪い亜型と考えられていたが，近年の化学療法の進歩により，現在ではTOSの予後は通常型骨肉腫ととくに大きな違いはないとされている．転移は肺に多い．

単純X線写真では骨破壊性の強い溶骨性病変を呈し，しばしば皮質骨を壊して軟部組織に進展する[6]（図1a）．骨膨脹性の変化を示すこともある．Codman三角や玉ねぎの皮状 onion-skin などの骨膜反応を認める．病変内に著明な骨硬化性変化は認めない．逆に硬化性変化がある場合，TOSは否定的である．MRIでは病変の囊胞性変化がよく描出され，動脈瘤

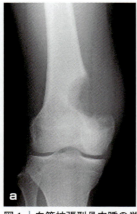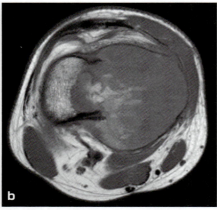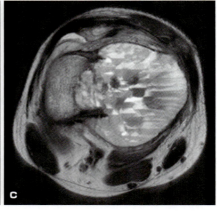

図1｜血管拡張型骨肉腫の単純X線およびMR像
10歳代後半，男性．**a**：単純X線像．大腿骨遠位骨幹端の偏心性の溶骨性病変．石灰化は認められない．骨皮質は消失している．**b**：MRI T1強調横断像，**c**：MRI T2強調横断像．MRIでは腫瘍の軟部組織への進展が明らかで，液面形成が認められる．（文献6より）

図2｜血管拡張型骨肉腫の肉眼像（図1と同一症例）
腫瘍全体が出血性であり，充実成分は認められない．いわゆるbag of bloodと呼ばれる肉眼所見である．（文献6より）

様骨嚢腫に類似してT2強調画像で高信号を呈する多房性嚢胞に液面形成fluid-fluid levelが認められる[6]（図1b, c）．

3）肉眼所見

肉眼的にはbag of bloodといわれる出血性の多嚢胞状腫瘍で，血液，凝血塊を容れた大小の嚢胞が病変のほぼ全体を占めている[6]（図2）．通常の肉腫様あるいは硬化性の充実性腫瘍成分は基本的に認めない[5~7]．

4）組織学的所見

組織学的には，一見すると動脈瘤様骨嚢腫に似た大小の出血性嚢胞状病変であるが，嚢胞壁には多形性に富む異型の強い腫瘍細胞が認められる（図3, 4）．核分裂像が多く，異常核分裂像もしばしば認められる．破骨細胞型多核巨細胞の出現も多い．類骨形成は乏しいことが多い（図5）．壊死を伴うことがある．病変の辺縁では浸潤性発育を示し，髄腔内では既存骨梁間に浸潤する．

5）鑑別診断

動脈瘤様骨嚢腫：TOSの鑑別診断で最も重要なのは動脈瘤様骨嚢腫との鑑別である．TOSと動脈瘤様骨嚢腫は画像所見や弱拡大の組織像が互いによく似ているので，注意が必要である．診断のポイントは隔壁にみられる腫瘍細胞の大小不同，核形不整など，悪性腫瘍としての異型性の把握と異常核分裂像の認識である．動脈瘤様骨嚢腫でも紡錘形細胞の盛んな増殖（核分裂像も多いことがあるが，異常核分裂像は認めない）や類骨形成をみることがあるので，これを悪性と読み誤らないように注意する．

通常型骨肉腫：通常型骨肉腫との鑑別は，充実性腫瘍成分の有無によって行われていた．つまり，TOSでは出血性ではない充実性腫瘍成分や骨硬化性変化を示す腫瘍成分は原則としてみられなかったからである．したがって，これらがみられた場合には通常型骨肉腫と診断していた．しかし，WHO分類第4版ではこの点の定義がやや曖昧に改変され[3]，WHO分類第5版では広く骨肉腫のなかに分類され，独立した疾患単位としての位置づけではなくなってしまった[2]．しかし，通常型骨肉腫の一部分像としてではなく，当初の定義に合致するTOSはまれでは

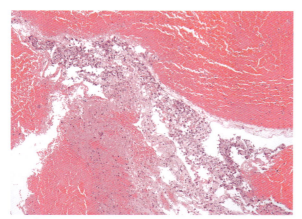

図3 | 血管拡張型骨肉腫
出血性嚢胞腔と細胞成分に富む隔壁が認められる．弱拡大でみる印象は動脈瘤様骨嚢腫に類似している．

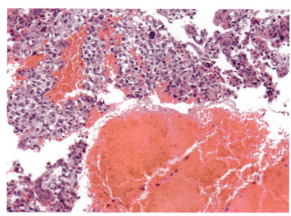

図4 | 血管拡張型骨肉腫
隔壁を構成する腫瘍細胞は異型が強く，多形性も認められる．破骨細胞型多核巨細胞の出現も認められる．

あるが確かに存在するので，このような事情を理解した上でTOSを的確に診断していくことは必要と思われる．

標本に類骨がみられない場合：TOSは類骨形成が乏しいため，組織標本で類骨が確認できないことがあり，とくに生検検体では類骨が認められないこともよく経験される．腫瘍性類骨（ないし腫瘍性骨形成）がなければ，骨肉腫という診断を病理サイドから積極的にすることは通常できないが，TOSは例外である．TOSに特徴的な画像および病理所見がそろっていれば，生検標本に類骨形成が認められなくてもTOSと診断をすべきである．これは手術材料でも同様で，やはり特徴的な画像・病理所見がそろっていれば，類骨が確認できなくてもTOSと診断する．

血管肉腫：骨血管肉腫は，出血性の腫瘍を形成し，高悪性度の病変で腫瘍細胞も多形性に富み，多彩でもあることから，TOSと鑑別を要することもある．TOS，骨血管肉腫ともにまれな腫瘍であるが，類骨形成や血管腔形成の有無など診断の鍵となる所見を見逃さないようにする．また，骨血管肉腫が疑われれば，血管内皮マーカーの検索も有用である．

6）発生メカニズム

遺伝子や染色体異常の検索がなされた症例は少数で，特定の異常は知られていない．通常型骨肉腫よりも染色体の構造的および数的変化が少なかったという報告もある[8]．

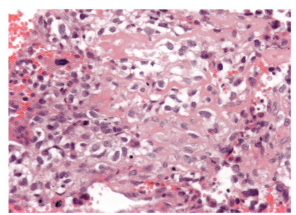

図5 | 血管拡張型骨肉腫
不規則な腫瘍性類骨の形成を認める．核分裂像も認められる．血管拡張型骨肉腫では類骨形成は乏しいことが多い．

2．小細胞型骨肉腫

1）定義・概念

小細胞型骨肉腫 small cell osteosarcoma は小型の細胞からなり，さまざまな程度の類骨形成を伴う高悪性度の骨肉腫である．1979年にSimらにより提唱されたものであるが[9]，TOSと同様に，WHO分類第5版では骨肉腫の独立した疾患単位としては位置づけられず，骨肉腫，NOSのなかでの亜型あるいは一つの組織パターンとして扱われている[2]．臨床像は通常型骨肉腫ととくに変わりはないが，組織学的にEwing肉腫や悪性リンパ腫など他の小円形細胞腫瘍との鑑別に難渋することがあり，そのため病理診

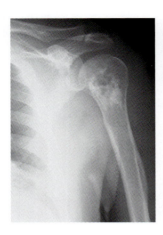

図6 | 小細胞型骨肉腫の単純X線像
40歳代後半，男性．上腕骨近位骨幹端に境界不鮮明な石灰化を伴う病変を認める．（文献7より）

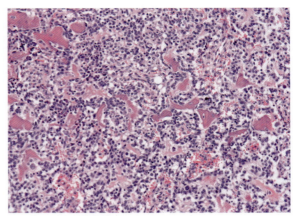

図7 | 小細胞型骨肉腫（図6と同一症例）
小型の腫瘍細胞が不規則な類骨の形成を伴って，びまん性に増殖している．腫瘍細胞は小型円形で，弱拡大像は小円形細胞腫瘍の範疇に入るが，この領域では類骨形成が明らかである．

断が化学療法のプロトコールの選択など少なからず治療に影響を及ぼすことがあるという点で，通常型骨肉腫と区別しておく意義があると考えられる．

2）臨床的事項

小細胞型骨肉腫はきわめてまれであり，発生頻度は全骨肉腫の約1.5％である．好発年齢は通常型骨肉腫と同様で10歳代に多い．男女比も通常型骨肉腫と同様であるが，女性にやや多いという報告もある．好発部位は長管骨の骨幹端であり，やはり通常型骨肉腫と同様である．

臨床症状は通常型骨肉腫と同様である．治療も通常型骨肉腫と同様で化学療法と外科的切除が基本である．予後については症例数が少ないので断定はできないが，通常型骨肉腫よりも若干予後不良であるとの報告がある．

画像所見も通常型骨肉腫と同様の所見である[7]（図6）．

3）肉眼所見

小細胞型骨肉腫の肉眼所見は通常型骨肉腫と同様であり，両者を肉眼で区別することは難しい．

4）組織学的所見

小細胞型骨肉腫は細胞質の乏しい小型の腫瘍細胞の増殖からなり，腫瘍性類骨の形成を伴うものである[7]（図7, 8）．腫瘍細胞の核は円形ないし卵円形で，核クロマチンは繊細なことも粗造なこともあり，核小体は目立たないことも1〜2個の小さな核小体をみることもある（図9）．通常はEwing肉腫や悪性リンパ腫に類似した像からなるが，まれに短紡錘形細胞からなることもある[10]．核分裂像は数個/HPF程度認めることが多い．血管周皮腫様パターンをみることもある．

腫瘍性の類骨の確認は小細胞型骨肉腫の診断に必須であり，通常はレース状の類骨形成を認めるが，類骨の産生が一部分のみに限局していたり，量的に少ない場合もある．とくに細胞間に滲出したフィブリンと類骨の鑑別がHE染色標本では難しいこともあり，判断に迷う場合はAzan染色などで積極的に類骨の確認をすることが肝要である．小細胞型骨肉腫で軟骨形成がみられることもあるが，軟骨形成が優勢となることはない．

小細胞型骨肉腫に特異的な免疫染色マーカーはない．Ewing肉腫で陽性となるCD99は小細胞型骨肉腫でも陽性となりうるので注意が必要である．少数例の解析ではNKX2.2は陰性である．osteocalcin，α-smooth muscle actin（α-SMA），CD34が陽性となることがある．一方，FLI1は陰性であり，Ewing肉腫との鑑別の一助になるとされている．Ewing肉腫や間葉性軟骨肉腫でみられる特徴的な染色体転座や，これらの染色体転座により形成される*EWSR1-FLI1*などや*HEY1-NCOA2*の融合遺伝子の発現は，小細胞型骨肉腫では認められない．

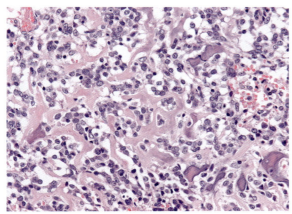

図8 | 小細胞型骨肉腫（図6と同一症例）
石灰化を伴うレース状の類骨の形成を認める．腫瘍細胞は小型で，比較的均一である．（文献7より）

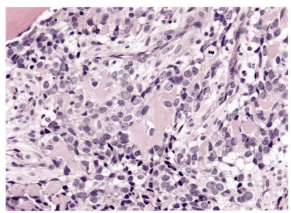

図9 | 小細胞型骨肉腫（図6と同一症例）
腫瘍細胞は繊細なクロマチンと小型の核小体が認められる．核分裂像や類骨形成も認められる．

5）鑑別診断

Ewing 肉腫：HE 染色標本のみでは困難なことも多い．類骨を確認することが小細胞型骨肉腫の診断にきわめて大切である．加えて，染色体分析や FISH あるいは分子病理学的検索で，Ewing 肉腫に特徴的な染色体転座や *EWSR1-FLI1* などの融合遺伝子の発現がないことを確認しておくことも補助診断として有用である．CD99 は Ewing 肉腫では腫瘍細胞の細胞膜にびまん性に強く発現し，Ewing 肉腫の診断に有用なマーカーであるが，小細胞型骨肉腫でも陽性となることがあるので過信するのは危険である．

悪性リンパ腫：骨悪性リンパ腫ではびまん性大細胞型 B 細胞リンパ腫が多く，その他，未分化大細胞型リンパ腫やリンパ芽球性リンパ腫も認められる．リンパ腫細胞個々の所見から，小細胞型骨肉腫との鑑別はそれほど困難ではないと思われる．また，CD45 をはじめとする各種リンパ球マーカーなどの免疫組織化学的検索も鑑別に有用である．

通常型骨肉腫：この両者を鑑別する境界線は曖昧な点が残るものの，小細胞型骨肉腫はまずは小円形細胞腫瘍に分類されるような組織像を示す腫瘍であり，腫瘍細胞の異型性や多形性の強い通常型骨肉腫とは組織学的所見の印象がかなり異なるのを原則とする．つまり，検鏡時の第一印象で骨肉腫を疑うような症例は小細胞型骨肉腫のカテゴリーには当てはまらないと思っておいてよい．

間葉性軟骨肉腫：間葉性軟骨肉腫でも軟骨と類骨の中間的な基質がみられたり，軟骨内骨化を示したり，骨肉腫の骨形成と紛らわしい所見にしばしば遭遇するので診断に際して注意が必要である．血管周皮腫様パターンは間葉性軟骨肉腫の特徴の一つであるが，小細胞型骨肉腫でもみられることがある．免疫染色では間葉性軟骨肉腫は SOX9 が陽性であり鑑別に有用である．また，間葉性軟骨肉腫では特異的な染色体転座 t(8;8)(q21;q13) およびこの転座による融合遺伝子 *HEY1-NCOA2* の発現がみられるが，小細胞型骨肉腫では認められないので，これら分子病理学的検索が鑑別に有用である．

6）発生メカニズム

遺伝子や染色体異常の検索がなされた症例は少数で，詳しい発生メカニズムはわかっていない．また，*EWSR1-FLI1* などの特異的な融合遺伝子の発現はみられていない[8]．

3．二次性骨肉腫

1）定義・概念

骨肉腫は良性骨病変に続発して発生することがある．これを二次性骨肉腫 secondary osteosarcoma という．二次性骨肉腫の発生頻度が比較的高い前駆病変には放射線照射，骨 Paget 病，線維性骨異形成がある．そのほかに骨梗塞，人工関節，骨系統疾患，慢性骨髄炎などが前駆病変として知られている[2,11~13]．まれではあるが骨軟骨腫や Ollier 病の悪性転化の組織像が軟骨肉腫ではなく骨肉腫であるこ

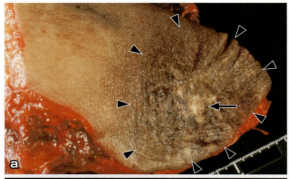
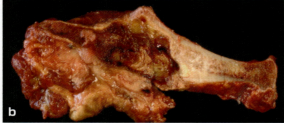

図10｜放射線に関連した骨肉腫の肉眼像
50歳代後半，男性．32年前に直腸癌のために放射線治療の既往がある．a：腸骨発生例であり，広範切除検体には放射線照射による皮膚の色素沈着（矢頭）と萎縮（矢印）を認める．b：腸骨を破壊する腫瘍で，組織学的には線維芽細胞型骨肉腫であった．（文献13より）

ともある．また，Li-Fraumeni症候群，Rothmund-Thomson症候群，Werner症候群でも骨肉腫を合併することがある．骨巨細胞腫の悪性転化の場合，その組織像が骨肉腫であることもあるが，この場合は二次性骨肉腫とはいわず，悪性骨巨細胞腫 malignant giant cell tumour of bone とする．

2）臨床的事項

a）放射線に関連した骨肉腫 radiation-associated osteosarcoma

放射線照射に関連して起こる骨肉腫である．全骨肉腫の約3.5～5.5％を占め，放射線照射に関連して発生する肉腫のうち骨肉腫が占める割合は50～60％である．放射線に関連した骨肉腫と診断する要件は，骨肉腫が発生した背景骨が正常あるいは組織学的に発生した骨肉腫とは全く異なる病変（たとえば子宮頸癌や網膜芽細胞腫など）であること，放射線照射の既往があり骨肉腫の発生部位がその照射野に入っていること，照射後一定の潜伏期間を経ていること（通常は2年以上），そして骨肉腫を組織学的に確認していることである．照射線量と潜伏期間は反比例の関係にあるとされており，発生に至る線量は通常20Gy以上で，平均55Gy程度といわれている．高線量の放射線治療が行われた小児は高リスクであるといわれている．

骨巨細胞腫や線維性骨異形成などに対し放射線治療が行われることがあるが，このような症例で二次性に骨肉腫が発生することがある．これらの骨病変は放射線照射をしなくても二次性の肉腫が発生することがあるので，病変そのものの悪性転化であるのか，放射線照射に関連した肉腫であるのか，厳密にはわからない．過去の報告では，これら前駆骨病変に続発した肉腫として扱っている場合と放射線に関連した肉腫として扱っている場合の両者がある．

好発部位は骨盤骨や肩甲帯部などで，放射線照射の適応病変と関係した発生分布となる[13]（図10）．予後は通常型骨肉腫と類似しており，5年生存率は42～58％であるが，骨盤骨，肩甲帯部，脊椎など手術治療に難渋する部位に発生した症例の予後は不良である．

b）Paget骨肉腫 Paget osteosarcoma

骨Paget病に肉腫が続発することはよく知られており，骨Paget病の有病率が日本よりも高い欧米では，Paget骨肉腫のために高齢者に骨肉腫発生の小さなピークがみられる．わが国では骨Paget病がまれであるので，当然Paget骨肉腫もまれである．骨肉腫はPaget肉腫の50～60％を占め，その他，線維肉腫，未分化多形肉腫，軟骨肉腫なども発生する．肉腫の発生率は骨Paget病の1％以下である．骨Paget病は高齢者に多いので，Paget骨肉腫も50歳以上の高齢者に多い．また，男性に多いといわれている．好発部位は骨盤骨，上腕骨，大腿骨，頭蓋骨などである．骨Paget病では血清アルカリホスファターゼ（ALP）が高値となるが，骨肉腫へ悪性転化した場合，さらに高値となることがある．画像では溶骨性病変を形成することが多く，骨形成像を示すこともある．皮質を破壊し，軟部に進展する．骨Paget病の罹患骨は脆弱であるので，病的骨折をみることもある．背景骨には骨Paget病の変化を認める．骨Paget病は多骨性 polyostotic のことも単骨性 monostotic のこともある．予後はきわめて不良で，*de novo* に発生した通常型骨肉腫のそれよりもさらに悪く，5年生存率は約10％である．近年の研究では，腫瘍の発生部位，stage，治療法は予後因子とはならないことが示唆されている[14]．

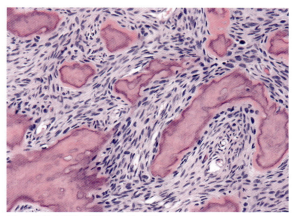

図11 | 放射線に関連した骨肉腫
50歳代，女性．10年前に子宮頸癌のため50Gyの放射線治療を受け，仙骨に発生した腫瘍．異型紡錘形細胞の増殖と類骨形成を認める線維芽細胞型骨肉腫である．

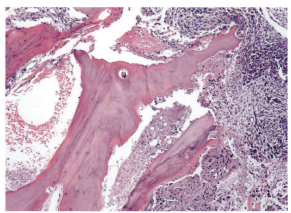

図12 | 放射線に関連した骨肉腫（図11と同一症例）
壊死傾向の強い線維芽細胞型骨肉腫．既存骨梁にやや不規則なセメント線がみられるが，組織学的には放射線性骨炎の所見は明らかではない．

c) 線維性骨異形成に続発した骨肉腫 osteosarcoma arising in fibrous dysplasia

線維性骨異形成の悪性転化はまれである．悪性転化は単骨性の線維性骨異形成でも多骨性のそれでもきたしうるが，線維性骨異形成単体の症例よりもMcCune-Albright症候群やMazabraud症候群で悪性転化のリスクがより高いとされている．

3) 肉眼所見

肉眼的には通常型骨肉腫と同様の所見を呈する．肉眼的に前駆病変が確認できることがある．

4) 組織学的所見

二次性骨肉腫の組織像は，通常型骨肉腫ととくに変わるところはない．高悪性度の骨肉腫で，骨芽細胞型か線維芽細胞型の組織像を示すことが多い（図11）．軟骨芽細胞型やその他の亜型の骨肉腫像を呈することはまれである．

前駆病変は，残存していれば組織学的にも確認できるが，続発した肉腫組織により凌駕されてしまい，わからなくなることもある．放射線に関連した骨肉腫では，背景の既存骨梁に粗造化などの放射線性骨炎 radiation osteitis の所見がみられることもあるが，放射線性骨炎の所見を二次性骨肉腫例の検体で確認することは難しく，その診断は組織学的に行うのではなく，放射線治療歴を含めた上述の要件を確認することによる（図12）．骨Paget病に伴う肉腫では，既存骨梁にモザイクパターンを認めるが，骨梁のモザイクパターンは骨Paget病に特異的ではないこと

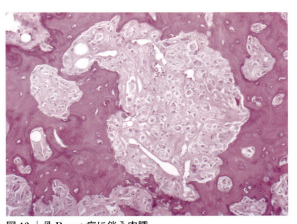

図13 | 骨Paget病に伴う肉腫
モザイクパターンを示す硬化性骨梁（Pagetic bone）の間に浸潤する骨肉腫．（文献13より）

に留意する必要がある（モザイクパターンがみられればすべて骨Paget病というわけではない）[13]（図13）．線維性骨異形成に続発した骨肉腫では，線維性骨異形成の良性の線維骨性病変 fibro-osseous lesion を示す領域が認められる[15]（図14〜18）．

なお，良性骨病変に続発する肉腫としては，骨肉腫ばかりではなく線維肉腫や未分化多形肉腫などの高悪性度肉腫が発生することもある．

5) 鑑別診断

他の病変との鑑別診断については，通常型骨肉腫の場合ととくに変わるところがないのでⅡ-2「通常型骨肉腫」を参照されたい．

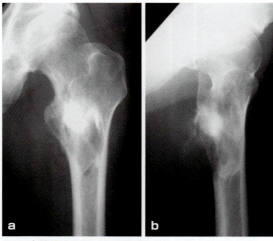

図14 | 線維性骨異形成に続発した骨肉腫の単純X線像
40歳代，男性．a：正面像，b：側面像．大腿骨近位の髄内にすりガラス陰影を示す境界明瞭な病変を認め，骨皮質の破綻と骨膜反応および石灰化を伴う軟部陰影を認める．（文献15より）

図15 | 線維性骨異形成に続発した骨肉腫の肉眼像（図14と同一症例）
髄内に灰白色で境界明瞭な線維性骨異形成病変があり，髄外の腫瘤は骨肉腫である．（文献15より）

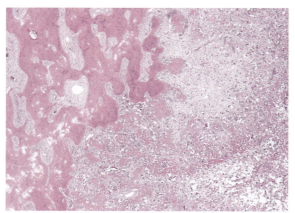

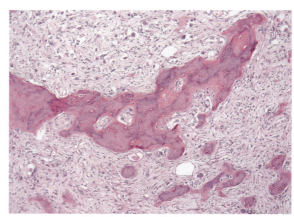

図16 | 線維性骨異形成に続発した骨肉腫
線維性骨異形成と骨肉腫との境界部．左上に線維性骨異形成病変があり，右下に不規則な類骨形成を示す骨肉腫組織を認める．

図17 | 線維性骨異形成に続発した骨肉腫
線維性骨異形成の組織に異型の強い骨肉腫細胞が浸潤性に進展している．

6）発生メカニズム

放射線に関連した骨肉腫：通常型骨肉腫と同様，染色体の異常は複雑な核型を示すが，染色体1pの欠失が通常型骨肉腫よりも高頻度で認められる．網膜芽細胞腫では放射線に関連した骨肉腫の発生リスクがより高い[12]．

Paget骨肉腫：骨Paget病で変異のみられることがある遺伝子，たとえば *TNFRSF 11A* や *SQSTM 1* などの変異がPaget骨肉腫など骨Paget病に伴う肉腫でも認められることがある[12]．

4．低悪性度中心性骨肉腫

1）定義・概念

低悪性度中心性骨肉腫 low-grade central osteosarcoma は，髄内に発生する低悪性度の骨形成性悪性腫瘍である．1977年のUnniらの27例をまとめた報告によって疾患概念が確立された[16]．高分化髄内型骨肉腫well-differentiated intramedullary osteosarcoma，骨内高分化型骨肉腫 intraosseous well-differentiated osteosarcoma とも呼ばれている[17]．通常型骨肉腫よりも悪性度が低く，再発傾向は強いが，転

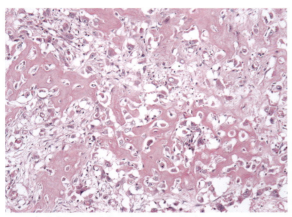

図 18 │ 線維性骨異形成に続発した骨肉腫
骨肉腫成分の強拡大像. 不規則な類骨形成を示す骨芽細胞型骨肉腫の像で, 組織学的な所見は通常型骨肉腫と変わりはない.

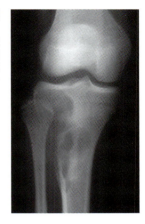

図 19 │ 低悪性度中心性骨肉腫の単純 X 線像
10 歳代半ば, 女性. 脛骨近位骨幹端から骨端に及ぶ溶骨性病変. 外側の骨皮質の途絶, 病変の外側遠位端での骨膜反応を認める. (文献 18 より)

移能は低い.

2) 臨床的事項

発生頻度は全骨肉腫の 1〜2 % とまれな亜型である. 20 歳代に発生のピークがあり, 通常型骨肉腫より発生年齢がやや高い. また, 女性にやや多いとされている. 好発部位は長管骨の骨幹端から骨幹端骨幹の移行部で, 大腿骨遠位に最も多く, 次いで脛骨近位に多い. 約 3/4 の症例はこの膝関節近傍の領域に発生する. 顎骨, 手足の小骨, 軸骨格の発生はまれである. 臨床症状としては持続する疼痛が最も多く, 腫脹を伴うこともある. 症状が数年に及ぶこともあり, 一般に通常型骨肉腫と比べて経過が長い.

画像所見は, 単純 X 線写真で溶骨性病変を呈し, 境界は明瞭なことも不明瞭なこともあり, 既存骨梁が梁状に残存することもある [18] (図 19). 雲状ないし不規則な石灰化を伴うこともある. 多くの症例で X 線写真上悪性を示唆する皮質骨の壊れが多かれ少なかれ認められ, 骨膜反応を伴うこともあるが, 進行すれば軟部組織に腫瘤を形成する. CT や MRI では腫瘍の進展範囲や皮質骨の破綻, 石灰化の有無などが把握しやすい.

治療は外科的な広範切除が選択される. 化学療法は高悪性度の病巣がある場合に行われる. 予後は良好で 5 年生存率は 90 % を超える.

3) 肉眼所見

境界明瞭な弾性硬の灰白色充実性腫瘍である. 骨形成の量が少なければ線維性であるが, 骨形成が優

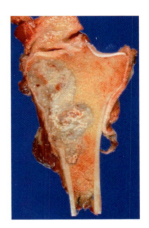

図 20 │ 低悪性度中心性骨肉腫の肉眼像 (図 19 と同一症例)
図 19 の溶骨性病変に一致して黄白色, 充実性の腫瘍を認める. (文献 18 より)

勢であれば骨様硬となる [18] (図 20). 皮質骨の破壊像や軟部組織への進展も認められることが多い.

4) 組織学的所見

組織学的には, 異型に乏しい線維芽細胞様紡錘形細胞が豊富な線維性間質を伴って増殖するが, 細胞密度は低いか, せいぜい中等度の細胞密度である (図 21). minimal cytological atypia と表現されるように個々の腫瘍細胞の異型は弱く, 異型の強い細胞や著しい多形性はない (図 22). 核分裂像は少数散見される程度である (図 23). 類骨・骨形成の程度は症例によりさまざまであるが, 通常型骨肉腫にみられるようなレース状の類骨は認められない. 類骨や骨梁の形状は, 線維性骨異形成に類似した彎曲したものや C-shaped (C 字状) を呈するものなどが出現する. ま

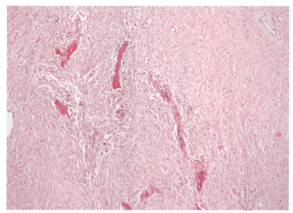

図 21 | 低悪性度中心性骨肉腫
線維性背景に不規則な woven bone の形成を認める．線維性背景の紡錘形細胞の細胞密度は高くない．

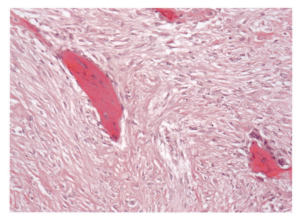

図 22 | 低悪性度中心性骨肉腫
紡錘形細胞に著しい異型性や多形性はみられない．

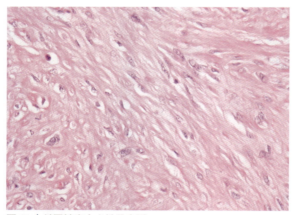

図 23 | 低悪性度中心性骨肉腫
強拡大像では増殖する紡錘形細胞に核形の不均一や核縁の不整像が認められる．また少数ではあるが，核分裂像を認める．

た，骨形成が盛んで，骨梁が平行に配列する傍骨性骨肉腫 parosteal osteosarcoma の組織像に類似した像を呈することもある．腫瘍性軟骨をみることもあり，破骨細胞型多核巨細胞が出現することもある．腫瘍は浸潤性発育を示し，既存骨梁の間に浸潤し，皮質骨を壊して軟部組織に進展する．

免疫染色では MDM2 や CDK4 が陽性となる（図 24）．線維性骨異形成など鑑別が問題となる良性線維骨性病変ではこれらの発現はみられず，鑑別の一助となる[19]．

低悪性度の腫瘍組織の中に，高悪性度の腫瘍成分の focus ないし領域が認められることがある．初発の腫瘍内にみられることも，再発腫瘍でみられることもあり，腫瘍の progression と考えられる．高悪性度成分が境界明瞭に認められれば，いわゆる脱分化現象と捉えることも可能であり，このような腫瘍を脱分化型低悪性度中心性骨肉腫 dedifferentiated low-grade central osteosarcoma と呼ぶこともある．脱分化した高悪性度の骨肉腫成分は，HE 染色所見では通常型骨肉腫の組織像と区別できないものの，免疫染色で MDM2 や CDK4 が陽性となり，これらのマーカーの発現において de novo に発生した通常型骨肉腫とは異なるとされている（de novo 発生の通常型骨肉腫では MDM2 と CDK4 の共発現はまれである）．したがって，切除検体において低悪性度の骨肉腫成分が痕跡程度で認識し難い場合でも（この場合は脱分化型中心性骨肉腫という用語は適当ではない），MDM2 や CDK4 が共発現する高悪性度骨肉腫症例はその成因として，低悪性度中心性骨肉腫が脱分化（現象としては骨肉腫の悪性度が増しただけなので，脱分化というよりも progression というほうが適切であるが）した症例であることが強く示唆されるという[20]．

5）鑑別診断

線維性骨異形成：線維性骨異形成との鑑別は最も重要でかつ難しい．低悪性度中心性骨肉腫は細胞異型に乏しく，その異型性の観点のみから悪性腫瘍と診断することが困難である．低悪性度中心性骨肉腫において組織学的に最も確実な悪性を示唆する所見は，既存の骨梁間へ浸潤性に増殖するパターンと，皮質骨を壊して軟部組織へ浸潤する所見である．し

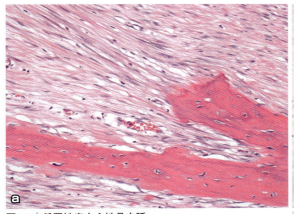
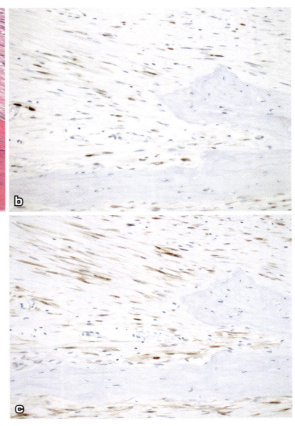

図24 | 低悪性度中心性骨肉腫
a：HE染色．b：MDM2免疫染色．c：CDK4免疫染色．
腫瘍細胞はMDM2，CDK4に陽性である．（国立がん研究センター中央病院病理診断科 吉田朗彦先生ご提供）

かし，生検検体ではこれらの所見を把握することが困難なことも少なくない．したがって生検検体の診断に際しては，やはり画像所見や臨床経過を併せて総合的に判断することがきわめて重要であり，組織像だけで即断しないことが肝要である．低悪性度中心性骨肉腫は組織像が良性を思わせるおとなしいものであっても，画像所見ではaggressiveな悪性を疑う像を示すことが多い．さらに，MDM2やCDK4の免疫染色が両者の鑑別に有用である[19]．

類腱線維腫：低悪性度中心性骨肉腫の類骨・骨成分が少ないときに鑑別が問題となる．類腱線維腫では原則として骨形成は認められず（病変辺縁に反応性骨形成をみることはある），骨形成の有無が鑑別に重要である．なお，類腱線維腫は最もまれな骨腫瘍の一つであり，その診断は慎重であるべきである．

線維肉腫，未分化多形肉腫：線維肉腫や未分化多形肉腫は高悪性度の腫瘍であるが，間質の硝子化や変性などにより細胞密度が減少すると低悪性度中心性骨肉腫との鑑別が問題となることがある．また，低悪性度の線維肉腫も鑑別が必要である．高悪性度の成分の有無や腫瘍性類骨・骨の有無が鑑別のポイントである．

通常型骨肉腫：通常型骨肉腫は高悪性度の肉腫であり，低悪性度中心性骨肉腫とは治療方針が異なるので確実に鑑別する必要がある．細胞異型，細胞密度，核分裂像の数，レース状類骨の有無などに着目して鑑別する．まれに両者の中間的な異型度を示す腫瘍に遭遇するが，このような場合は低悪性度骨肉腫から高悪性度骨肉腫への移行像をみている可能性があり，治療などを考えると転移能のある高悪性度骨肉腫として扱うべきであろう．

傍骨性骨肉腫：傍骨性骨肉腫と低悪性度中心性骨肉腫の組織像は類似しているが，腫瘍の発生部位，病変の局在が異なるので，画像所見を参照すれば診断に迷うことはない．骨内外に同量程度の腫瘍が占拠し，骨内発生で骨外に進展したものか，傍骨性に発生した腫瘍が著明な髄内浸潤をきたしたものか，判断に困る症例もないわけではないが，幸いそのような症例はきわめてまれである．

6）発生メカニズム

染色体12q13-q15領域に位置する*MDM2*および*CDK4*の増幅が多くの症例で認められる．*MDM2*の増幅は，高悪性度の骨肉腫にprogressionしても維持される．線維性骨異形成でみられる*GNAS*の変異は認められない[21]．

（石田　剛）

文　献

1) Matsuno T, Unni KK, McLeod RA, et al：Telangiectatic osteogenic sarcoma. Cancer 38：2538-2547, 1976
2) Baumhoer D, Bohling TO, Cates JMM, et al：Osteosarcoma. in WHO Classification of Tumours Editorial Board (ed)："WHO Classification of Tumours, Soft Tissue and Bone Tumours"(5th ed), IARC Press, Lyon, 2019, pp403-409
3) Oliveira AM, Okada K, Squire J：Telangiectatic osteosarcoma. in Fletcher CDM, Bridge JA, Hogendoorn PCW, et al (eds)："World Health Organization Classification of Tumours of Soft Tissue and Bone"(4th ed), IARC Press, Lyon, 2013, pp289-290
4) Matsuno T, Okada K, Knuutila S：Telangiectatic osteosarcoma. in Fletcher CDM, Unni KK, Mertens F (eds)："World Health Organization Classification of Tumours, Pathology and Genetics Tumours of Soft Tissue and Bone" (3rd ed), IARC Press, Lyon, 2002, pp271-272
5) 石田　剛：特殊型骨肉腫．野島孝之，小田義直編：腫瘍病理鑑別診断アトラス骨腫瘍．文光堂．2016, pp65-75
6) 石田　剛：骨腫瘍の病理．文光堂．2012, pp82-87
7) 石田　剛：骨形成性腫瘍の病理．病理と臨床 38：311-319, 2020
8) Martin JW, Squire JA, Zielenska M：The genetics of osteosarcoma. Sarcoma 2012：627254, 2012
9) Sim FH, Unni KK, Beabout JW, et al：Osteosarcoma with small cells simulating Ewing's tumor. J Bone Joint Surg Am 61：207-215, 1979
10) Ayala AG, Ro JY, Raymond AK, et al：Small cell osteosarcoma. A clinicopathologic study of 27 cases. Cancer 64：2162-2173, 1989
11) Forest M, De Pinieux G, Knuutila S：Secondary osteosarcoma. in Fletcher CDM, Unni KK, Mertens F (eds)："World Health Organization Classification of Tumours, Pathology and Genetics Tumours of Soft Tissue and Bone" (3rd ed), IARC Press, Lyon, 2002, pp277-278
12) Rosenberg AE, Cleton-Jansen AM, de Pinieux G, et al：Conventional osteosarcoma. in Fletcher CDM, Bridge JA, Hogendoorn PCW, et al (eds)："World Health Organization Classification of Tumours of Soft Tissue and Bone"(4th ed), IARC Press, Lyon, 2013, pp282-288
13) 石田　剛：骨腫瘍の病理．文光堂．2012, pp115-117
14) Deyrup AT, Montag AG, Inwards CY, et al：Sarcomas arising in Paget disease of bone：a clinicopathologic analysis of 70 cases. Arch Pathol Lab Med 131：942-946, 2007
15) 石田　剛：骨腫瘍の病理．文光堂．2012, pp260-274
16) Unni KK, Dahlin DC, McLeod RA, et al：Intraosseous well-differentiated osteosarcoma. Cancer 40：1337-1347, 1977
17) Inwards CY, Knuutila S：Low grade central osteosarcoma. in Fletcher CDM, Unni KK, Mertens F (eds)："World Health Organization Classification of Tumours, Pathology and Genetics Tumours of Soft Tissue and Bone" (3rd ed), IARC Press, Lyon, 2002, pp275-276
18) 石田　剛：骨腫瘍の病理．文光堂．2012, pp87-93
19) Yoshida A, Ushiku T, Motoi T, et al：Immunohistochemical analysis of MDM2 and CDK4 distinguishes low-grade osteosarcoma from benign mimics. Mod Pathol 23：1279-1288, 2010
20) Yoshida A, Ushiku T, Motoi T, et al：MDM2 and CDK4 immunohistochemical coexpression in high-grade osteosarcoma：correlation with a dedifferentiated subtype. Am J Surg Pathol 36：423-431, 2012
21) Yoshida A, Bredella MA, Gambarotti M, et al：Low-grade central osteosarcoma. in WHO Classification of Tumours Editorial Board (ed)："WHO Classification of Tumours, Soft Tissue and Bone Tumours"(5th ed), IARC Press, Lyon, 2019, pp400-402

第2部 組織型と診断の実際

II. 骨形成性腫瘍

4 表在性骨肉腫

surface osteosarcoma

はじめに

　骨肉腫はその大部分が髄内に発生するが，まれに骨の表面に発生するものがあり，これらを総称して表在性骨肉腫 surface osteosarcoma と呼ぶ．傍骨性骨肉腫，骨膜性骨肉腫，表在性高悪性度骨肉腫の3種類がある．傍骨性骨肉腫は低悪性度の骨肉腫であり，組織学的に豊富な骨形成を認め，髄内に発生する低悪性度中心性骨肉腫 low-grade central osteosarcoma の髄外カウンターパートである．骨膜性骨肉腫は，髄内に発生する通常型骨肉腫 conventional osteosarcoma の軟骨芽細胞型 chondroblastic type の中間悪性度のものが骨表面に発生したものである．表在性高悪性度骨肉腫は，高悪性度の通常型骨肉腫が骨表面に発生したものである．

1. 傍骨性骨肉腫

1) 定義・概念

　傍骨性骨肉腫 parosteal osteosarcoma は骨表面に発生する低悪性度の骨形成性腫瘍で，画像上，高度に石灰化した腫瘍を形成する[1]．

2) 臨床的事項

　表在性骨肉腫のなかでは最も頻度が高いが，全骨肉腫のなかでは4%を占めるにすぎない．若年者，とくに20歳代に多く認められ，やや女性に多い．70%が大腿骨遠位骨幹端部に発生し，脛骨近位や上腕骨近位骨幹端部にも多く認められる．頭蓋骨，脊椎，骨盤骨などに発生することはきわめてまれである．通常は痛みのない腫瘍を触知することで気づかれる．

3) 画像所見

　単純X線像では，骨の表面に広く接し高度に石灰化した腫瘍を形成する[2]（図1）．CTやMRIは髄内進展の評価や（図2），内部に石灰化の少ない後述する脱分化を示唆する所見を検出するのに有用である．髄内進展は約30〜50%の症例に認められる[3-5]．CTでは既存の骨を取り囲むように腫瘍形成を認め，大腿骨遠位発生の典型例では大腿骨側方から後方に大腿骨を包み込むような腫瘍が観察される．腫瘍周辺は石灰化の程度が減弱し，腫瘍と骨の間に石灰化が認められない例もある（図3）．

4) 肉眼所見

　硬い分葉状の腫瘍であり（図4），軟骨結節を伴うこともある．そのような場合は表面に不完全な軟骨帽様の軟骨組織を認め，骨軟骨腫との鑑別が問題となる．

5) 組織学的所見

　組織学的に並走あるいは吻合する骨梁（図5）と，介在する細胞密度の低い軽度異型紡錘形細胞の増殖（図6）が基本像である．骨梁には骨芽細胞の縁どりを認めることも認めないこともある．線維性骨異形成類似あるいは類腱線維腫類似の組織像を伴うこともある．紡錘形細胞成分は約20%の症例で細胞密度が高く，異型も中程度のものがある（図7）．骨肉腫の組織学的悪性度を4段階に分けた grade 分類では

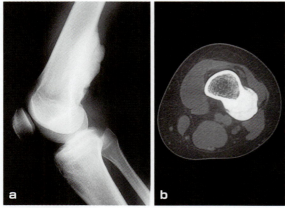

図1｜傍骨性骨肉腫（20歳代，女性）の単純X線およびCT像
a：単純X線では大腿骨遠位骨幹端部後面に骨皮質から連続した高度に骨化した腫瘤を認める．b：CTでは大腿骨後方から側方にかけて骨と連続し軟部組織に主座を置く骨性腫瘤を認める．（文献2より）

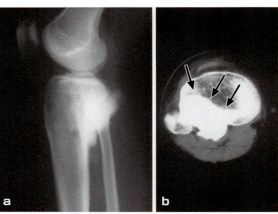

図2｜傍骨性骨肉腫（20歳代，男性）の単純X線およびCT像
a：単純X線では脛骨後方に突出する骨性腫瘤を認める．b：CTでは骨性腫瘤の髄内進展が明瞭に描出されている（矢印）．

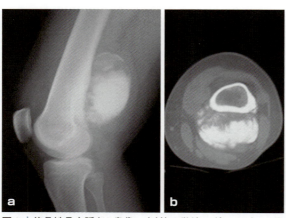

図3｜傍骨性骨肉腫（40歳代，女性）の単純X線およびCT像
単純X線（a）およびCT（b）で大腿骨後面の骨性腫瘤と骨皮質の間に透亮像を認める．

図4｜傍骨性骨肉腫の割面肉眼像（図2と同一症例）
脛骨後方に突出する分葉状の境界明瞭な骨性腫瘤を認める．既存の骨皮質が途絶し髄内への腫瘍進展を認める（点線）．

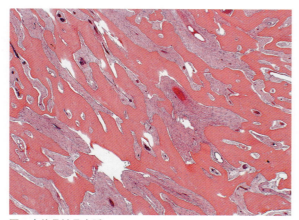

図5｜傍骨性骨肉腫
並走あるいは吻合する骨梁形成を認め，その間には紡錘形細胞の増殖を認める．

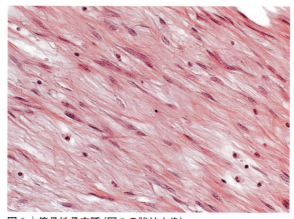

図6｜傍骨性骨肉腫（図5の強拡大像）
増殖している紡錘形細胞の異型は軽度で細胞密度も高くない．組織学的悪性度はgrade 1に相当する．

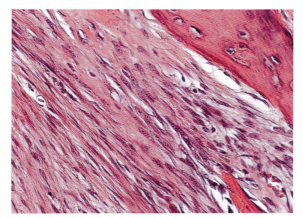

図7 | 別の症例の傍骨性骨肉腫
図6の症例に比較して紡錘形細胞の異型がやや高く，細胞密度も高い．組織学的悪性度は grade 2 に相当する．

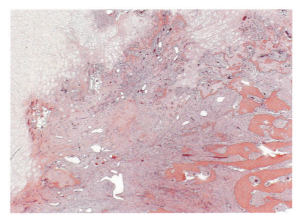

図8 | 軟骨成分を伴った傍骨性骨肉腫
骨梁と紡錘形細胞よりなる通常の傍骨性骨肉腫の像（右下）に加えて，硝子軟骨組織（左上）を認める．

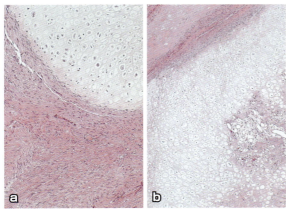

図9 | 軟骨成分を伴った傍骨性骨肉腫
紡錘形細胞成分に接して主に辺縁に軟骨組織を認め（a），この軟骨結節基部では軟骨内骨化も認められ，骨軟骨腫の軟骨帽の像に類似する（b）．

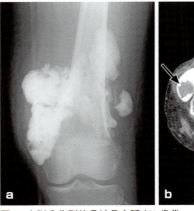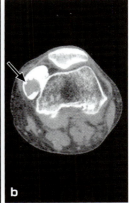

図10 | 脱分化型傍骨性骨肉腫（60歳代，女性）の単純X線およびCT像
a：単純X線では大腿骨遠位の骨周囲に多結節性骨性腫瘤を認める．b：CTでは骨性腫瘤の内部に非骨化性成分を認め（矢印），脱分化成分を示唆する．

大部分が grade 1 に，少数が grade 2 に相当する．約半数の症例で軟骨成分が認められ，軟骨細胞には軽度の異型がある．表面に軟骨帽様の形態で存在する場合は骨軟骨腫の軟骨帽とは異なり，規則正しい成長軟骨を模倣した配列を欠く（図8, 9）．16〜43％[4〜6]の症例で高悪性度成分を伴い，そのようなものは脱分化型傍骨性骨肉腫 dedifferentiated parosteal osteosarcoma と呼ばれる（図10〜12）．高悪性度成分は脱分化成分 dedifferentiated area とも呼ばれ，組織学的には通常型骨肉腫や骨未分化多形肉腫の像を呈する（図12）．脱分化成分は原発巣内に認めることもあるが，再発を繰り返すうちに出現してくる頻度が高い．

6）分子病理学的特徴

染色体解析では環状染色体が検出され，結果として *CDK4* および *MDM2* 遺伝子増幅を引き起こす．*CDK4*，*MDM2* 遺伝子増幅は FISH で検出することができ，その産物を免疫染色で検出可能である（図13）．両遺伝子に近接する *FRS2* 遺伝子増幅も高頻度に報告されている[7]．免疫染色は一般病院でも施行できて便利であるが，MDM2 は安定した抗体が市販されているものの，CDK4 の市販抗体はしばしば偽陽性を示すものがあり，注意が必要である．また過脱灰された標本では偽陰性となる．文献上は85％程度の症例が免疫染色で CDK4，MDM2 に陽性となり，さらに脱分化成分でもこれらは陽性となる[8,9]．

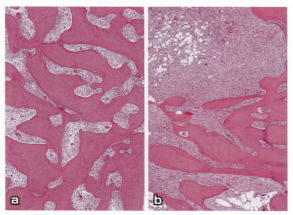

図 11 | 脱分化型傍骨性骨肉腫
傍骨性骨肉腫に特徴的な豊富な骨梁形成（a）に加えて，骨形成が乏しく細胞成分に富む部分（b：上半分）を認める．

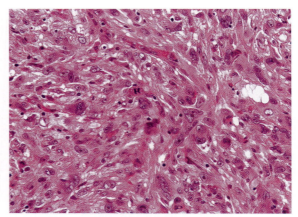

図 12 | 脱分化型傍骨性骨肉腫（図 11b の強拡大像）
細胞成分に富む部分は明瞭な核小体を有し多形性が顕著な腫瘍細胞の無秩序な増殖よりなり，骨未分化多形肉腫の像を呈する（脱分化成分）．

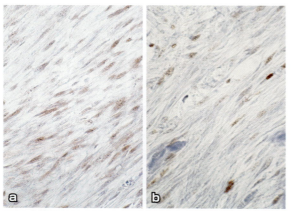

図 13 | 傍骨性骨肉腫
異型の軽度な紡錘形腫瘍細胞は CDK4（a）と MDM2（b）に陽性である．

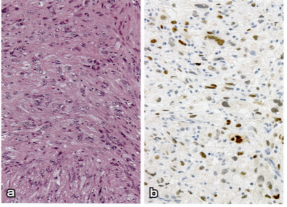

図 14 | 傍骨性骨肉腫
脱分化成分の腫瘍細胞（a）は MDM2 に陽性となる（b）．

（図 14）．この CDK4 と MDM2 の共発現は通常型骨肉腫ではまれである．Yoshida らは，数少ない CDK4 と MDM2 の共発現を伴う通常型骨肉腫の辺縁部に高頻度に低悪性度成分を見出し，そのような骨肉腫は低悪性度骨肉腫からの悪性転化である可能性を示唆している[10]．

7）治療・予後

通常型骨肉腫と比較して予後は良好であり，5年生存率は90％以上である．ただし，脱分化例は通常の傍骨性骨肉腫と比較して予後不良であり，5年生存率は65％程度である[5]．治療は外科的切除が基本で化学療法は必要ない．1cm 以上の切除縁を確保した広範切除が適切な切除法で，不適切な切除では局所再発のリスクが高くなり，ひいては脱分化成分の出現につながる．原発巣で脱分化成分が認められた場合は補助的化学療法により予後が改善される．

8）鑑別診断

線維性骨異形成：本病変が骨より膨隆したものは隆起性線維性骨異形成 fibrous dysplasia protuberans と呼ばれ，部分像のみでは組織学的に鑑別が問題となることがある．典型例では線維性骨異形成に特有の C-shaped（C 字状）と形容される未熟な線維性骨梁形成と細胞密度の低い紡錘形細胞の増殖よりなるが，骨梁の幅が広く，細胞密度のやや高いものも存在する．MDM2 および CDK4 の免疫染色（傍骨性骨肉腫に特異性が高い）や *GNAS* 遺伝子異常の解析（線

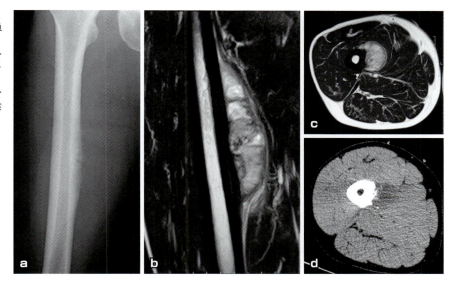

図15 | 骨膜性骨肉腫（10歳代，男性，大腿骨骨幹部発生）の単純X線，CT，MR像
a：単純X線では骨皮質から骨の長軸方向と垂直に骨膜反応を認め，骨皮質の圧痕を認める．MRI（b, c）およびCT（d）では骨皮質から骨膜下にかけて腫瘍陰影が描出されている．

維性骨異形成に特異性が高い）が鑑別の補助として有用である．

骨軟骨腫：既述のように腫瘍の表面にしばしば軟骨組織が軟骨帽様に存在し，生検のみでは鑑別が問題となるが，画像所見が異なる．組織学的に骨軟骨腫では，傍骨性骨肉腫のような腫瘍の本態である紡錘形細胞の増殖と豊富な骨梁形成を認めない．

骨化性筋炎：軟部組織内に骨性腫瘤を形成し，組織学的に豊富な骨形成部分では組織像が類似することがあるが，本病変では最外層に成熟した骨梁，中間部では石灰化していない類骨形成，中心部では線維芽細胞・筋線維芽細胞の増殖といったzoning architecture（phenomenon）を認める．

傍骨性骨軟骨異形増生（Nora's lesion）：手足の小長管骨に好発するが大長管骨発生例の報告もある．組織学的に骨，軟骨，線維芽細胞の増殖よりなり，blue boneと呼ばれる石灰化した骨形成が目立つのが特徴である．

低悪性度中心性骨肉腫：組織学的に通常の傍骨性骨肉腫と同様に骨形成の顕著なもの，線維性骨異形成，類腱線維腫に類似した組織像を呈するものがある．組織学的，分子病理学的所見では鑑別はできないが，病変の主座はあくまで髄内である．

2．骨膜性骨肉腫

1）定義・概念

骨膜性骨肉腫 periosteal osteosarcoma は，骨表面に発生する中間悪性度の軟骨および骨形成性腫瘍である[11]．

2）臨床的事項

全骨肉腫の2％未満とまれな骨肉腫の亜型であり，傍骨性骨肉腫の1/3程度の頻度である．10〜20歳代に多く，女性にやや多く認められる．長管骨の骨幹部（図15）あるいは骨幹部から骨幹端部にかけて発生することが多く，大腿骨および脛骨骨幹部が好発部位である[11]．上腕骨，腓骨，尺骨，骨盤骨などにも発生する．鎖骨[2,12]（図16）や顎骨発生例も報告されているがまれである．局所の腫脹，腫瘤触知，痛みなどで発症する．

3）画像所見

単純X線像では骨皮質上に軟部腫瘤を認め，骨皮質の肥厚や陥凹（削り取り scalloping）を伴う[2,12]（図16）．骨皮質から腫瘍に向かって垂直方向に刷毛ではいたような骨膜反応（sunburst appearance）を認めるが[2,12]（図16a），通常型骨肉腫で観察されるCodman三角はあまり認められない．軟部腫瘤内にはしばしば石灰化を伴う（図16b）．MRIでは軟骨基質を反映してT1強調像で低信号，T2強調像で高信号の

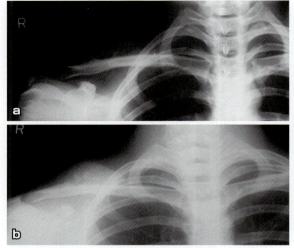

図16 | 骨膜性骨肉腫（10歳代，男性，鎖骨発生）の単純X線像
骨条件（a）では骨皮質から垂直方向に刷毛ではいたような石灰化と骨皮質の圧痕を認め，軟部条件（b）では鎖骨上方に石灰化を伴った軟部腫瘤陰影を認める．（文献2，12より）

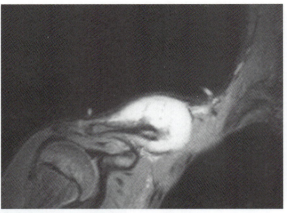

図17 | 骨膜性骨肉腫のMRI T2強調像（図16と同一症例）
鎖骨を取り巻くように軟骨成分を反映した高信号の軟部腫瘤陰影を認める．（文献2，12より）

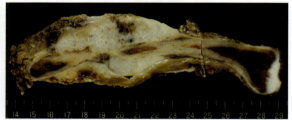

図18 | 骨膜性骨肉腫の切除標本の割面肉眼像（図16と同一症例）
鎖骨を取り巻くように灰白色分葉状の軟骨性腫瘤を認める．（文献2，12より）

腫瘍として描出される[2,12]（図17）．CTおよびMRIは腫瘍の正確な範囲や髄内浸潤の判定に有用である．

4）肉眼所見

肉眼的に既存の骨を取り囲むように骨皮質上の広基性の腫瘤を形成する[2,12]（図18）．画像所見を反映して骨皮質の肥厚や陥凹も認められるが，髄内進展は70％に認められる[13]．白色調の硬い軟骨様の腫瘤であり，骨皮質から軟骨性腫瘍内に先細りの石灰化病変を認める．腫瘍辺縁の境界は明瞭で，骨膜や線維性結合組織よりなる偽被膜を有する．

5）組織学的所見

典型例では腫瘍中心部に異型軟骨細胞の増殖より

なる硝子軟骨組織の分葉状増殖を認め，辺縁部は類骨産生を伴った異型紡錘形細胞の増殖よりなる[2,12]（図19〜22）．軟骨組織はしばしば粘液腫様変化を伴う．類骨産生を伴う部分の組織学的悪性度は90％以上がgrade 3の骨肉腫であり，grade 2のものも少数存在する[13]．grade 4の通常型骨肉腫の組織像を呈するものはない．

6）分子病理学的特徴

骨膜性骨肉腫においては，傍骨性骨肉腫や低悪性度中心性骨肉腫に認められるMDM2およびCDK4の発現は認められない[14]．さまざまな染色体異常や遺伝子異常が報告されているが，通常型骨肉腫に比較すると複雑ではない．p53遺伝子異常は通常型骨肉腫と同様に高頻度に認められる[15]．

7）治療・予後

10年全生存率は84％，10年無病生存率は65％と予後は比較的良好で，転移は12％程度に認められる[13]．髄内進展を伴う例では局所再発や遠隔転移の危険性が高い[13]．治療は外科的広範切除が基本である．組織学的悪性度の高いgrade 3の腫瘍に対して補助的化学療法が行われることがあるが，補助的化学療法による予後の改善は認められない[13]．

図 19 | 骨膜性骨肉腫（弱拡大像）（図 16 と同一症例）
骨皮質に接して分葉状の軟骨性腫瘍を認め（上），骨皮質に一部浸潤を伴うが（矢印），髄内進展はみられない（下）．（文献 2，12 より）

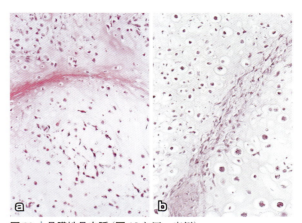

図 20 | 骨膜性骨肉腫（図 16 と同一症例）
腫瘍の中心部は分葉状の硝子軟骨組織よりなり（a），軟骨細胞には核の大小不同などの異型が認められる（b）．（文献 2，12 より）

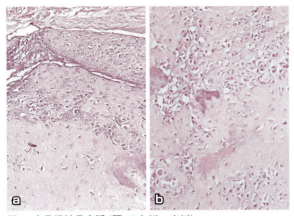

図 21 | 骨膜性骨肉腫（図 16 と同一症例）
分葉状軟骨組織辺縁には短紡錘形腫瘍細胞の増殖を認め（a），腫瘍細胞の間には好酸性の腫瘍性類骨と石灰化を認める（b）．（文献 2，12 より）

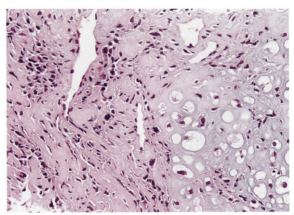

図 22 | 骨膜性骨肉腫（図 15 と同一症例）
腫瘍の中心部の異型軟骨組織（右）に接して類骨産生を伴った異型短紡錘形腫瘍細胞の増殖を認める（左）．

8）鑑別診断

骨膜性軟骨腫：発生部位や肉眼像は骨膜性骨肉腫に類似するが，組織学的に異型軟骨細胞と硝子軟骨基質の分葉状増殖よりなり，周囲軟部組織内に浸潤性発育を示す．骨膜性骨肉腫のような腫瘍性類骨や紡錘形腫瘍細胞の増殖を認めない．

表在性高悪性度骨肉腫：発生部位や画像所見が骨膜性骨肉腫と類似することがあるが，後述するように組織学的に grade 4 の高悪性度骨肉腫である．軟骨芽細胞型の組織像を呈する場合も，骨膜性骨肉腫と比較して細胞異型が高度である．

通常型骨肉腫（軟骨芽細胞型）の軟部進展：病変の主座は髄内であり，軟骨細胞の異型もより強い．全体の組織学的悪性度が高く，通常は grade 4 の高悪性度の骨肉腫である．

3．表在性高悪性度骨肉腫

1）定義・概念

表在性高悪性度骨肉腫 high-grade surface osteosarcoma は，骨表面に発生する高悪性度の骨形成性腫瘍である[16]．

2）臨床的事項

全骨肉腫の 1％未満と非常にまれな亜型であり，通常型骨肉腫と同様に 10 歳代に最も多く発生する．

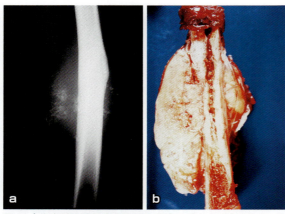

図23 表在性高悪性度骨肉腫の単純X線および肉眼像（10歳代，男性，大腿骨骨幹部発生）
a：単純X線像では大腿骨周囲に骨皮質から垂直方向に刷毛ではいたような石灰化像と，顆粒状の不規則な石灰化を認める．
b：切除標本の割面肉眼像では大腿骨を取り巻くような灰白色充実性腫瘤を認める．（文献2より）

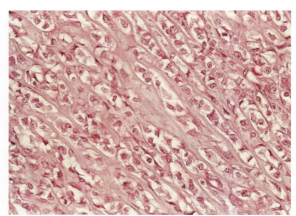

図24 表在性高悪性度骨肉腫（図23と同一症例）
異型を伴った類円形腫瘍細胞の密な増殖と，腫瘍細胞の間に介在する繊細な好酸性類骨を認める．（文献2より）

発生部位は大腿骨骨幹部が約半数と最も多く[2]（図23），脛骨骨幹部（20％），上腕骨骨幹部（10％）にも発生する．大長管骨以外の体幹骨や扁平骨発生例も報告されているがまれである．局所の腫瘤形成や痛みで発症するが，悪性度が高く急速に増大するので短い経過で発症する．

3）画像所見

部分的に石灰化を伴った腫瘤が骨表面から軟部組織にかけて認められる[2]（図23a）．石灰化の程度は症例によりさまざまであり，典型例では毛羽立った綿毛のような石灰化を認める．腫瘍辺縁で骨膜反応を通常認める．石灰化腫瘍と既存の骨皮質の間に傍骨性骨肉腫のような透亮像を認めることはない．

4）肉眼所見

肉眼的に腫瘍は骨表面から骨周囲の軟部組織にかけて境界明瞭な分葉状腫瘤を形成し[2]（図23b），骨皮質にはびらんを形成する．硬さと色調は腫瘍が産生する基質の多寡により，骨や類骨形成の著しいものでは灰白色調で硬く，細胞成分が多く類骨成分が少ないもの（通常型骨肉腫の線維芽細胞型骨肉腫に相当）では黄色調で軟らかい．

5）組織学的所見

骨肉腫の組織学的悪性度を4段階に分けた分類ではすべての症例がgrade 4であり，髄内に発生する通常型骨肉腫と同じ組織像を呈する．骨芽細胞型が多く約80％を占め[2]（図24），次に軟骨芽細胞型が多い[17]．線維芽細胞型に相当するものは少ない．約50％の症例で髄内進展を伴う[17]．

6）分子病理学的特徴

SAS遺伝子の増幅の1例報告があるのみで[18]，症例が少ないためまとまった解析がなされておらず，特異的な異常は報告されていない．

7）治療・予後

手術による広範切除と化学療法が治療の基本であり，通常型骨肉腫の治療に準ずる．2008年のRizzoli Instituteからの報告では，5年生存率は82％と予後良好である[17]．この予後は同じ施設で治療された髄内通常型骨肉腫（67.5％）や脱分化型傍骨性骨肉腫（72％）に比較しても良好である．通常型骨肉腫のような術前化学療法に対する組織学的効果判定は予後の指標とならない．

8）鑑別診断

骨膜性骨肉腫：表在性高悪性度骨肉腫で軟骨形成を認める場合に鑑別が問題となる．骨膜性骨肉腫がgrade 2あるいはgrade 3の中間悪性度骨肉腫であるのに対し，表在性高悪性度骨肉腫はgrade 4の高悪性度骨肉腫である．grade 4の軟骨芽細胞型の組織像を呈する場合，悪性腫瘍細胞による軟骨形成を

50％以上の範囲に不規則に認め，中心部の軟骨組織の分葉状構造と辺縁の紡錘形細胞による腫瘍性類骨といった骨膜性骨肉腫で認められる特徴的な像はみられない．さらに異型紡錘形細胞の成分は骨膜性骨肉腫より広い範囲を占める．

通常型骨肉腫の軟部進展：病変の主座はあくまでも髄内であり，画像所見より鑑別可能である．

骨外性骨肉腫：組織像からは鑑別できないが，骨外性骨肉腫は骨との連続性を認めない．

（小田義直）

文　献

1) Wang JF, Nord KH, O'Donnell PG, et al：Parosteal osteosarcoma. in WHO Classification of Tumours Editorial Board (ed)："WHO Classification of Tumours, Soft Tissue and Bone Tumours" (5th ed), IARC Press, Lyon, 2020, pp410-413
2) 小田義直, 恒吉正澄：2. 良悪鑑別および悪性度が問題となる疾患(2)骨肉腫と良性病変との鑑別. 病理と臨床 20：795-811, 2002
3) Okada K, Frassica FJ, Sim FH, et al：Parosteal osteosarcoma. A clinicopathological study. J Bone Joint Surg Am 76：366-378, 1994
4) Sheth DS, Yasko AW, Raymond AK, et al：Conventional and dedifferentiated parosteal osteosarcoma. Diagnosis, treatment, and outcome. Cancer 78：2136-2145, 1996
5) Ruengwanichayakun P, Gambarotti M, Frisoni T, et al：Parosteal osteosarcoma：a monocentric retrospective analysis of 195 patients. Hum Pathol 91：11-18, 2019
6) Hang JF, Chen PC：Parosteal osteosarcoma. Arch Pathol Lab Med 138：694-699, 2014
7) He X, Pang Z, Zhang X, et al：Consistent amplification of FRS2 and MDM2 in low-grade osteosarcoma：A genetic study of 22 cases with clinicopathologic analysis. Am J Surg Pathol 42：1143-1155, 2018
8) Yoshida A, Ushiku T, Motoi T, et al：Immunohistochemical analysis of MDM2 and CDK4 distinguishes low-grade osteosarcoma from benign mimics. Mod Pathol 23：1279-1288, 2010
9) Dujardin F, Binh MB, Bouvier C, et al：MDM2 and CDK4 immunohistochemistry is a valuable tool in the differential diagnosis of low-grade osteosarcomas and other primary fibro-osseous lesions of the bone. Mod Pathol 24：624-637, 2011
10) Yoshida A, Ushiku T, Motoi T, et al：MDM2 and CDK4 immunohistochemical coexpression in high-grade osteosarcoma：correlation with a dedifferentiated subtype. Am J Surg Pathol 36：423-431, 2012
11) Bonar SFM, Klein MJ, O'Donnell PG：Perioseal osteosarcoma. in WHO Classification of Tumours Editorial Board (ed)："WHO Classification of Tumours, Soft Tissue and Bone Tumours" (5th ed), IARC Press, Lyon, 2020, pp414-416
12) Oda Y, Hashimoto H, Tsuneyoshi M, et al：Case report 793. Periosteal osteosarcoma of the clavicle. Skeletal Radiol 22：375-377, 1993
13) Cesari M, Alberghini M, Vanel D, et al：Periosteal osteosarcoma：a single-institution experience. Cancer 117：1731-1735, 2011
14) Righi A, Gambarotti M, Benini S, et al：MDM2 and CDK4 expression in periosteal osteosarcoma. Hum Pathol 46：549-553, 2015
15) Radig K, Schneider-Stock R, Haeckel C, et al：p53 gene mutations in osteosarcomas of low-grade malignancy. Hum Pathol 29：1310-1316, 1998
16) Klein MJ, Bonar SFM, O'Donnell PG：High-grade surface osteosarcoma. in WHO Classification of Tumours Editorial Board (ed)："WHO Classification of Tumours, Soft Tissue and Bone Tumours" (5th ed), IARC Press, Lyon, 2020, pp417-418
17) Staals EL, Bacchini P, Bertoni F：High-grade surface osteosarcoma：a review of 25 cases from the Rizzoli Institute. Cancer 112：1592-1599, 2008
18) Noble-Topham SE, Burrow SR, Eppert K, et al：SAS is amplified predominantly in surface osteosarcoma. J Orthop Res 14：700-705, 1996

第2部 組織型と診断の実際

Ⅲ．線維性および線維組織球性腫瘍

1 骨類腱線維腫と非骨化性線維腫

desmoplastic fibroma of bone and non-ossifying fibroma

1．骨類腱線維腫

1）定義・概念

骨類腱線維腫 desmoplastic fibroma of bone は，異型に乏しい線維芽細胞・筋線維芽細胞が膠原線維の産生を伴って増殖するまれな局所侵襲性骨腫瘍である[1,2]．Jaffeにより1958年に報告された病変であり，骨原発デスモイド型線維腫症 desmoid-type fibromatosis に相当すると考えられている[2]．良性線維性腫瘍に分類されていることがあるが，その局所侵襲性と軟部のデスモイドに対応した骨病変であるということを考慮し，局所侵襲性 locally aggressive の意味での境界病変として扱う方が適切と思われる．β-catenin 遺伝子の活性型変異は，これまでに少数例で報告されている[1,3]．局所侵襲性病変であるが，転移能はないので，切除縁を確保した切除が望ましいといえる．掻爬，骨移植では高率に再発するが，病変が取り切れれば予後は良好である．また，これまでに類腱線維腫の悪性転化は知られていない．

2）臨床的事項

大変まれな腫瘍であり，WHO分類においてもその発生頻度は全骨腫瘍の0.1%に満たないとされている[1]．発生年齢は広い年齢層にわたっているが，一般的には10〜20歳代の青年期から若年成人に好発する．男女比は差がないか，もしくは男性にやや多いと報告されている．どの骨にも発生するが，下顎骨，骨盤骨や大腿骨，脛骨，上腕骨の骨幹端に好発する．疼痛と局所の腫脹が主症状であるが，無症状で偶然発見されることもある．12%程度の症例で病的骨折を起こすとされている．単純X線像やCTでは，境界鮮明な溶骨性病変を示す．皮質骨を膨隆させ，また皮質骨を破綻させて骨外の軟部組織に進展することもある（図1）．骨膜反応は伴わないことが多い．石灰化や骨化を認めないが，病変内に残存する骨梁が trabeculated pattern を示すことがある．

3）肉眼所見

弾性硬，白色充実性線維性腫瘍である（図2）．軟部組織のデスモイド型線維腫症に似た肉眼像を呈する．

4）組織学的所見

組織学的にも軟部組織のデスモイドに類似した像を示し，細い紡錘形ないし星芒状の腫瘍細胞が豊富な膠原線維を伴って束状，渦巻き状に，ないし錯綜して増殖する（図3a）．細胞密度はさまざまであるが，一般には高くない．腫瘍細胞の異型は乏しく，多形性は認められない（図3b）．また，核分裂像も少ない．辺縁では骨梁間に浸潤性に増殖する．紡錘形細胞は筋線維芽細胞への分化が認められる．骨形成や軟骨形成はみられないが，反応性の骨・軟骨形成はまれにみられることがある．免疫染色では α-smooth muscle actin（α-SMA），desmin に種々の割合で陽性となり（図3c），一部の症例では β-catenin の核陽性が観察される（図3d）．β-catenin 陽性細胞は通常10%に満たない．MDM2 および CDK4 には一貫して陰性である．

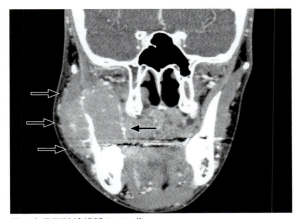

図1 | 骨類腱線維腫のCT像
右下顎骨に発生した骨類腱線維腫が骨破壊性に発育し、骨外に進展している（矢印）.

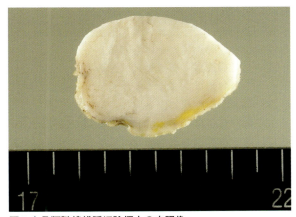

図2 | 骨類腱線維腫切除標本の肉眼像
膠原線維の豊富な白色調の割面を呈する.

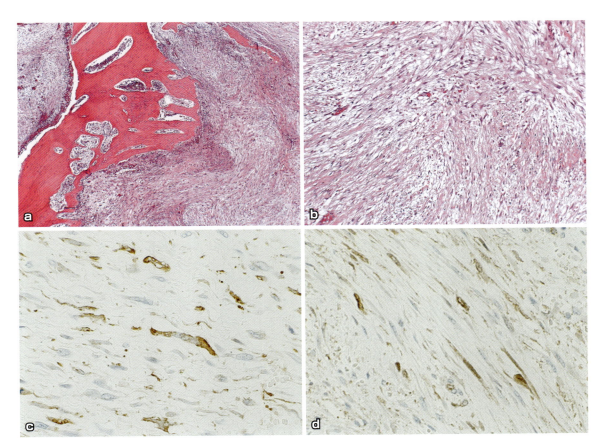

図3 | 骨類腱線維腫
a：腫瘍性紡錘形細胞が既存の骨組織を破壊し増殖している. b：紡錘形細胞は線維芽細胞もしくは筋線維芽細胞様で、異型に乏しい. c：一部の腫瘍細胞はα-SMA免疫染色で陽性となる. d：β-catenin免疫染色で腫瘍細胞の核に陽性となる.

5) 鑑別診断

鑑別診断として，線維性骨異形成，線維肉腫，低悪性度中心性骨肉腫が挙げられる．

線維性骨異形成：線維性骨異形成と診断される症例のうち，骨形成が少なく線維性成分が優勢な検体をみた場合，類腱線維腫と診断されていることがある．類腱線維腫はきわめてまれな腫瘍なので，より頻度の高い線維性骨異形成などの病変の可能性を確実に除外した上で診断する必要がある．

線維肉腫：高分化型線維肉腫と類腱線維腫の鑑別診断は困難であることがある．また，低分化型線維肉腫や骨肉腫，未分化多形肉腫の部分像として，類腱線維腫に類似した線維性腫瘍組織がみられることがある点にも注意する．したがって，類腱線維腫の診断は，核異型，細胞密度，核分裂像，腫瘍性骨形成などを慎重に評価して，悪性の可能性を完全に除外してからすべきである．

低悪性度中心性骨肉腫：低悪性度中心性骨肉腫に関しても線維性骨異形成と同様，骨形成が目立たない標本において類腱線維腫と診断される可能性がある．類腱線維腫では免疫染色においてMDM2およびCDK4が陰性である点，あるいはFISH法により同遺伝子増幅の有無を確認することで鑑別可能である．

2．非骨化性線維腫

1）定義・概念

非骨化性線維腫 non-ossifying fibroma は，真の腫瘍というより反応性の病変と考えられてきた良性の病変であり，骨の成長が盛んな小児から青少年期の長管骨の骨幹端～骨幹移行部に発生する[1,2]．本腫瘍は過去には線維組織球性腫瘍に分類されたが，2020年のWHO分類第5版で破骨細胞型巨細胞に富む腫瘍に分類されている[1]．組織学的には，花むしろ状配列を示す線維性組織の増生を認め，これに破骨細胞型多核巨細胞，泡沫細胞，ヘモジデリン沈着などを伴う．同義語として，骨幹端線維性欠損，線維性骨皮質欠損があり，とくに皮質に病変が限局する場合に線維性骨皮質欠損と呼ばれ，髄腔に進展する大きな病変は非骨化性線維腫と呼ばれる傾向があるとされていた．しかし，2020年のWHO分類第5版では線維性骨皮質欠損という用語は推奨されないと記載されており，用語が非骨化性線維腫に統一されている[1]．また，良性線維性組織球腫も非骨化性線維腫の関連用語としての記載にとどまり，同腫瘍に疾患概念が吸収された形である．非骨化性線維腫は画像所見のみから診断されることが多く，生検を要しないことが多い．病変は自然退縮を示し，治療の対象とならないことがほとんどである．

非骨化性線維腫はまれに多発性に認められることがあり，多発性非骨化性線維腫と呼ばれる．神経線維腫症1型 neurofibromatosis type 1（NF1）患者に多発性に認められることがあり，この場合，病変は長管骨の非骨化性線維腫が通常認められる部位に両側性に多発する．家族性を有する多発性非骨化性線維腫もまれに認められることがあり，NF1合併例同様，病変長管骨の非骨化性線維腫が通常認められる部位に両側性に多発する．また，Jaffe-Campanacci症候群と呼ばれ，多発性非骨化性線維腫に皮膚の色素沈着，精神遅滞，内分泌異常，がんや心臓の奇形などを合併する疾患があり，病変は両側性，多発性に多数認められ，骨幹端～骨幹に及ぶ．さらに，同疾患では顎顔面骨や脊椎など通常は非骨化性線維腫がみられない部位にも病変を認める．

多くの例では治療の必要はなく，経過観察が選択される．Arataらの解析によると，病的骨折を起こした病変は単純X線像で横径が骨の幅の50％以上あるいは長径33mmを超えていたとされており[2]，これより大きな病変では病的骨折を起こすリスクが高くなる．このような病変や疼痛などの症状がある病変に対しては，掻爬術と骨移植が行われる．予後良好であり，年少者では自然退縮する例が多いと考えられている．掻爬術後の再発はまれである．

2）臨床的事項

比較的頻度の高い病変であり，単純X線像では正常な5～15歳の小児の約30％にみられるとさえいわれており，多発することもある．無症状で自然寛解する病変であり正確な頻度は不明であるが，5～10歳代の小児から青年期に多く，5歳以下の乳幼児と20歳以上の成人にはまれで，わずかに男性に多いとされる．長管骨の骨成長部，骨幹端部から骨幹端と骨幹部の移行部に発生することが多く，大腿骨遠位に最も好発し，次いで脛骨近位および遠位，腓骨近位と続く．骨幹部にみられることもまれにある．ほとんどの症例で無症状であり，偶然みつかることが多いが，局所の膨隆や軽い疼痛を伴うこともある．まれに皮膚の色素沈着など骨格外の症状を伴うことがある．

単純X線像が特徴的であり，画像所見のみで診断が確定されることが多い．単純X線において偏心性の卵円形ないし辺縁にscallopingを呈する病変であり，長管骨の骨幹端に辺縁硬化像を伴う境界鮮明な骨透亮像として認められる（**図4**）．病変部の皮質骨は菲薄化するか軽度膨隆することもあるが，皮質骨の途切れや破綻はみられない．病変内部は不完全な隔壁を有し，多房性の病変のようにみえることがある．骨が成長するに伴い，病変は骨幹部に移動し骨端成長軟骨板から離れていくことが知られている．単純X線像の鑑別診断としては，軟骨粘液線維腫や骨線維性異形成が挙がる程度であり，鑑別が比較的容易な病変といえる．

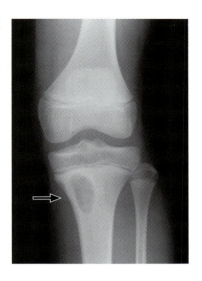

図4 | 非骨化性線維腫の単純X線像
脛骨近位骨幹端部に境界明瞭な卵円形の骨透亮像が存在し，周辺に骨硬化がみられる（矢印）．

3）肉眼所見

褐色調で黄色の混じった線維組織としてみられ，辺縁の硬化がみられる．10歳以下でみつかる病変は比較的小さく自然退縮することが多いが，10歳以上でみつかった病変はそれに比べて大きい傾向にあり，増大するものもある．大きな病変では病的骨折をきたすことがあり，その場合には出血や壊死がみられることがある．

4）組織学的所見

紡錘形細胞が花むしろ状パターンを呈するいわゆる線維組織球性病変 fibro-histiocytic lesion であり，紡錘形細胞は線維芽細胞様で，核の腫大を伴うこともあるが，核異型はみられない（**図5a**）．細胞密度が高いことがあり，核分裂像も散見されるが，異型核分裂像はみられない．破骨細胞型多核巨細胞，ヘモジデリン沈着や泡沫細胞の出現もよくみられる所見であり（**図5b, c**），総合して黄色肉芽腫様反応を伴う病変といえる．リンパ球，形質細胞などの炎症細胞浸潤を伴い，コレステリン結晶の沈着がみられることもある（**図5c**）．非骨化性線維腫という名称の病変ではあるが，反応性骨形成がみられることはまれではない（**図5d**）．一方，病的骨折を伴わない限り，著明な骨形成はみられない．

5）分子病理学的特徴

散発性症例では，8割以上が *KRAS* や *FGFR1* 遺伝子変異を有することがわかっており，mitogen-activated protein kinase（MAPK）pathway の活性化を介して細胞増殖をきたす真の腫瘍性病変であることがこれまでに示された[1,4]．診断においてこれらが利用されることがある．

6）鑑別診断

組織学的な鑑別診断としては，**骨巨細胞腫**が挙げられる．骨巨細胞腫では巨細胞の出現と巨細胞腫で線維組織球性反応をよく認め，組織学的な鑑別疾患に挙げられるが，年齢，発生部位や画像所見が異なるため，総合的に鑑別は容易といえる．

（山田裕一，小田義直）

文献

1) WHO Classification of Tumours Editorial Board (ed)：WHO Classification of Tumours, Soft Tissue and Bone Tumours (5th ed), IARC Press, Lyon, 2020, p422, 447, 448
2) 石田 剛：骨腫瘍の病理，文光堂，2012, pp238-249
3) Kadowaki H, Oyama Y, Nishida H, et al：A case of desmoplastic fibroma of bone with CTNNB1 point mutation. Oral Surg Oral Med Oral Pathol Oral Radiol 129：e230-e233, 2020
4) Baumhoer D, Kovac M, Sperveslage J, et al：Activating mutations in the MAP-kinase pathway define non-ossifying fibroma of bone. J Pathol 248：116-122, 2019

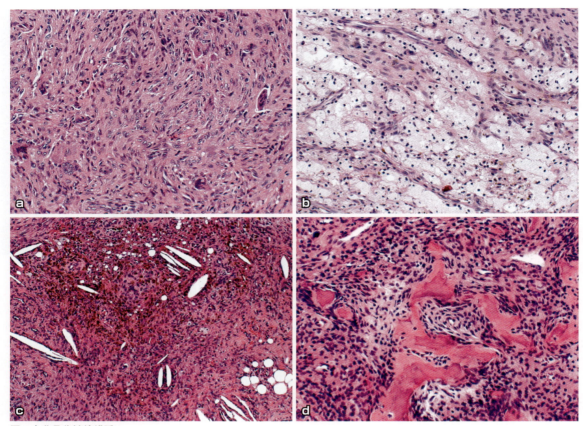

図5 | 非骨化性線維腫
a：膠原線維性間質および破骨細胞型多核巨細胞を伴う緩い花むしろ状の紡錘形細胞の増殖がみられる．b：泡沫状マクロファージの集簇がみられる．c：コレステリン結晶を伴う出血およびヘモジデリンの沈着がみられる．d：反応性骨形成がみられる．

第2部 組織型と診断の実際

IV. 破骨細胞型巨細胞に富む腫瘍

1 指趾骨巨細胞性病変と巨細胞修復性肉芽腫

giant cell lesion of the small bones and giant cell reparative granuloma

1. 定義・概念

巨細胞修復性肉芽腫 giant cell reparative granuloma (GCRG) は，破骨細胞型多核巨細胞の出現や反応性骨形成を伴う比較的まれな良性の線維性病変である．1953年にJaffeが顎骨の出血に関連する非腫瘍性病変として最初に報告し[1]，1962年にAckermanらが giant cell reaction として指節骨発生例を記載した[2]．WHO分類第4版(2013年)では指趾骨巨細胞性病変 giant cell lesion of the small bones (GCLSB) と記載されていた[3]が，GCRG/GCLSB は動脈瘤様骨嚢腫 aneurysmal bone cyst (ABC) の充実型亜型である solid aneurysmal bone cyst (solid ABC) と同様の病変と考えられており，WHO分類第5版(2020年)ではABCに統合された[4]．しかし，GCRGとABCは好発部位などに差異があることから，本書では別項で記載する．また，顎骨病変については central giant cell granuloma の名称も用いられている[5]．GCRGの成因は不明で，骨内の出血や外傷の修復機転に関連していると考えられていたが，近年ではABCと同様の USP6 遺伝子再構成を伴う例が報告されている[6,7]．

2. 臨床的事項

GCRG/GCLSB の好発年齢は10〜20歳代で，小児や中高年の報告もある[8]．好発部位は顎骨や手足の短管骨で，脊椎(椎体)や側頭骨などにもみられるが，長管骨はまれである[9]．指趾骨では骨幹端に発生し，骨幹に及ぶが，骨端に達することは少ない．

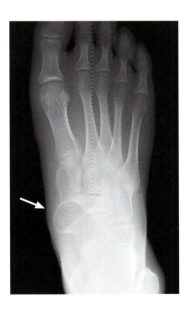

図1│指趾骨巨細胞性病変の単純X線像
右足舟状骨内側に境界明瞭な骨透亮像を認める(矢印)．骨皮質は菲薄化し，軽度膨隆している．外側には辺縁硬化がみられる．
(静岡がんセンター整形外科 宮城道人先生ご提供)

疼痛や腫脹，病的骨折などの臨床症状を呈する．

3. 画像所見

単純X線やCTでは膨張性の溶骨性病変として認められる(図1)．顎骨病変では境界明瞭な卵円形の骨透亮像を呈する．骨皮質は菲薄化し，通常は保たれているが，まれに破綻することもある．MRIではT1, T2強調像ともに低〜中等度の信号を示す[10]．

4. 肉眼所見

褐色〜灰白色調の脆い組織で，肉眼的にも出血や

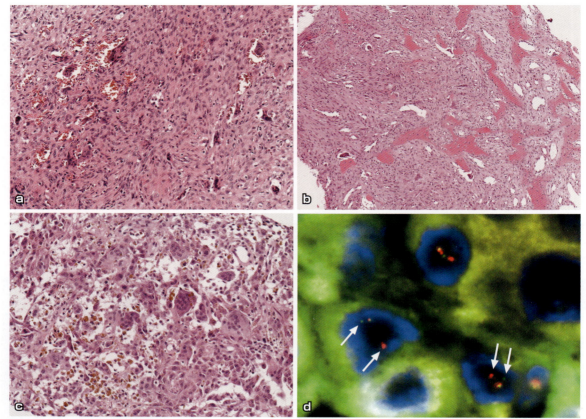

図2｜指趾骨巨細胞性病変および巨細胞修復性肉芽腫（a〜c：HE染色，d：FISH法による*USP6*遺伝子再構成検出）
a：紡錘形細胞の増殖と破骨細胞型多核巨細胞からなり，多核巨細胞はやや不均等に分布している．出血を伴う．b：反応性骨形成を伴う症例．（浜松医科大学 福嶋麻由先生ご提供）c：ヘモジデリン沈着や小囊胞形成が目立つ症例．d：FISH法による*USP6*遺伝子再構成検出にて分離シグナルがみられる（矢印）（cと同一症例）．

出血性小囊胞を認めることがある．

5. 組織学的所見

膠原線維増生を伴って線維芽細胞様紡錘形細胞や卵円形核をもつ細胞が増殖し，破骨細胞様の多核巨細胞が混在する像を示す（図2a〜c）．出血やヘモジデリン沈着，小囊胞形成を伴う．紡錘形細胞に核異型は目立たず，少数の核分裂像を伴うことがあるが，異型核分裂像は認められない．紡錘形細胞の増殖が目立つ症例もあり，花むしろ状構造を示すこともある．多核巨細胞の分布は不均一で，出血や小囊胞部分に集簇してみられることが多い．活動性の腫大した骨芽細胞を伴う反応性骨形成をみることがあるが，異型増殖はない．

6. 分子病理学的特徴

GCLSBおよび顎骨外GCRGでは，ABCと同様の*USP6*遺伝子再構成例が報告されている[6,11]（図2d）が，Agaramらの検討では顎骨GCRGには*USP6*遺伝子再構成はみられなかった[6]．顎骨GCRGについては特異的な遺伝子異常は指摘されておらず[5]，GCLSBおよび顎骨外GCRGとは異なる発生機転が疑われている．

7. 鑑別診断

動脈瘤様骨囊腫（ABC）：長管骨や脊椎骨が好発部位である．一次性ABCの囊胞壁やsolid ABCはGCLSB/GCRGと同様の組織像を示し[12,13]，GCRGとsolid ABCは同義語として扱われている．ただし，

上述のごとくGCRGは顎骨と顎骨外で*USP6*遺伝子再構成の有無に差異があり，*USP6*遺伝子再構成のあるものをABC，ないものをGCRGとすべきといういう意見もある[6,11]．

骨巨細胞腫 giant cell tumour of bone（GCTB）：長管骨の骨端部が好発部位で，顎骨や指趾短管骨での発生はまれである．GCTBでは破骨細胞型多核巨細胞の分布が均等であることや単核細胞の形態が鑑別点であるが，生検検体などではGCLSB/GCRGと鑑別が難しいこともあり，その場合はヒストンH3.3 G34Wなどの免疫染色が有用である．

褐色腫 brown tumour：組織学的にはGCRGと区別できない像を示し，鑑別には副甲状腺機能亢進症の有無を確認する必要がある．

骨肉腫 osteosarcoma：GCRGでは幼若な類骨形成や紡錘形細胞増殖がみられ，骨肉腫との鑑別を要することがあるが，細胞異型や異型核分裂像の有無，画像所見などで鑑別する．

他に，**ケルビズム** cherubismや**非骨化性線維腫** non-ossifying fibromaなど多核巨細胞の出現を伴う病変が鑑別に挙げられるが，発生部位や画像所見と併せて判断する．

8．治療・予後

治療は搔爬・骨移植が第一選択で，予後は良好である．再発率は10〜50％と報告により差があるが，再発病変に対しても搔爬などで治癒可能で，悪性転化の報告はない[3,9]．

（角田優子）

文　献

1) Jaffe HL：Giant-cell reparative granuloma, traumatic bone cyst, and fibrous (fibro-oseous) dysplasia of the jawbones. Oral Surg Oral Med Oral Pathol 6：159-175, 1953
2) Ackerman LV, Spjut HJ：Giant cell reaction in tumors of bone and cartilage. in Spjut HJ, Dorfman HD, Fechner RE (eds)："Atlas of Tumor Pathology, Section Ⅱ Fascicle 4", AFIP, Washington DC, 1962, p282
3) Forsyth R, Jundt G：Giant cell lesion of the small bones. in Fletcher CDM, Bridge JA, Hogendoorn PCW, et al (eds)："World Health Organization Classification of Tumours of Soft Tissue and Bone"（4th ed），IARC Press, Lyon, 2013, p320
4) Agaram NP, Bredella MA：Aneurysmal bone cyst. in WHO Classification of Tumours Editorial Board (ed)："WHO Classification of Tumours, Soft Tissue and Bone Tumours"（5th ed），IARC Press, Lyon, 2020, pp437-439
5) Raubenheimer E, Jordan RC：Central giant cell granuloma. in El-Naggar AK, Chan JKC, Grandis JR, et al (eds)："World Health Organization Classification of Head and Neck Tumours"（4th ed），IARC Press, Lyon, 2017, p256
6) Agaram NP, LeLoarer FV, Zhang L, et al：USP6 gene rearrangements occur preferentially in giant cell reparative granulomas of the hands and feet but not in gnathic location. Hum Pathol 45：1147-1152, 2014
7) Johnsson A, Collin A, Rydholm A, et al：Unstable translocation (8；22) in a case of giant cell reparative granuloma. Cancer Genet Cytogenet 177：59-63, 2007
8) Angelini A, Pagliarini E, Belluzzi E, et al：Giant cell reparative granuloma of the scapula：report of a case and literature review. Skeletal Radiol 48：1293-1298, 2019
9) 石田　剛：骨腫瘍の病理．文光堂，2012, pp417-423
10) Murphey MD, Nomikos GC, Flemming DJ, et al：From the archives of AFIP. Imaging of giant cell tumor and giant cell reparative granuloma of bone：radiologic-pathologic correlation. Radiographics 21：1283-1309, 2001
11) Zhou J, Zheng S, Zhou L, et al：Pathologic evaluation of the solid variant of aneurysmal bone cysts with USP6 rearrangement with an emphasis on the frequent diagnostic pitfalls. Pathol Int 70：502-512, 2020
12) Oda Y, Tsuneyoshi M, Shinohara N："Solid" variant of aneurysmal bone cyst (extragnathic giant cell reparative granuloma) in the axial skeleton and long bones. A study of its morphologic spectrum and distinction from allied giant cell lesions. Cancer 70：2642-2649, 1992
13) Angelini A, Ruggieri P：Response to a letter to the editor concerning "Giant Cell Reparative Granuloma of the Scapula：report of a case and literature review". Skeletal Radiol 49：339, 2020

第2部 組織型と診断の実際

Ⅳ．破骨細胞型巨細胞に富む腫瘍

2 動脈瘤様骨囊腫

aneurysmal bone cyst

1．概　念

　動脈瘤様骨囊腫 aneurysmal bone cyst（ABC）は，血液を容れた多囊胞性構造をとり，局所破壊性・膨張性に発育する病変である．前駆病変のない一次性ABC（本項で主に扱う）と，前駆病変をもとに発生した二次的な ABC 様変化は，類似の画像所見・組織所見をとるものの明確に区別する必要がある．かつては反応性病変とする説も存在したが，一次性ABCにおいて融合遺伝子 CDH11-USP6 などの存在が多数例で証明されたことにより，現在は腫瘍性病変（良性腫瘍）として受け入れられている[1]．

2．臨床的事項

　20歳未満に好発し，性差はない．長管骨では骨幹端に好発する傾向があるが，顎顔面骨・脊椎・手足の短幹骨などあらゆる骨に発生する[1,2]．なお，脊椎では後方要素（椎弓や棘突起）に好発し，前方要素（椎体）に好発する骨巨細胞腫とは対照的である．

3．画像所見

　単純X線では，偏心性で境界明瞭な溶骨性病変を呈する．膨張性に発育し，骨皮質は菲薄化する（図1a）．MRIでは病変内に液面形成が明瞭である（図1b）．

4．組織学的所見

　血液を容れた多囊胞性構造をとっており（図2a），囊胞壁は多核巨細胞を混じた単核細胞の増殖で構成される（図2b）．単核細胞・多核細胞ともに核の異型性・多形性は目立たない．ときに類骨や骨の形成がみられ，石灰化を伴う（blue bone と呼ばれる）こともある（図2c）．二次的な ABC 様変化の場合も，前駆病変以外の領域は一次性 ABC と同様の組織像をとる．

　充実成分を含むこともあるが，その組織像の構成細胞は囊胞状部分と同様である．いわゆる巨細胞修復性肉芽腫 giant cell reparative granuloma（GCRG）との違いはない．手足の短管骨発生の GCRG（指趾骨巨細胞性病変）と呼ばれていた例に関しては一次性 ABC と共通の遺伝子異常が報告されており（後述），囊胞成分と充実成分の比率が異なる同一スペクトラム上の疾患であると現在は認知されている．ただし，ABC と GCRG はそれぞれ固有の臨床像，画像所見，鑑別対象を有する疾患単位として認知されており，区別して扱う方が臨床現場でのメリットは大きいと思われる[2]．

5．免疫組織化学的・分子病理学的特徴

　一次性ABCでは CDH11-USP6 をはじめとする融合遺伝子を高率に認めることが明らかとなっている[3]．その後，複数種類の融合遺伝子が報告されているが，片側の遺伝子は一貫して USP6 であり，USP6 遺伝子再構成の有無の検討が診断上は有用と考えられる[4]（図3）．なお，かつて手足の短管骨発生のGCRG と呼ばれた例に関しては，高率に USP6 遺伝子再構成が検出されることから，前述のとおり一次

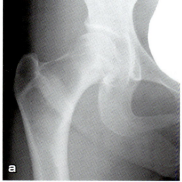
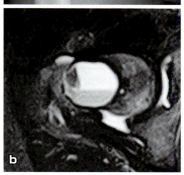

図1｜動脈瘤様骨囊腫の単純X線およびMR像
a：単純X線像では，右大腿骨頭から頸部にかけて偏心性の境界明瞭な溶骨性病変が認められる．病変部には膨張性の変化がみられ，骨皮質は菲薄化している．b：MRI（STIR像）では，病変内に液面形成が明瞭である．

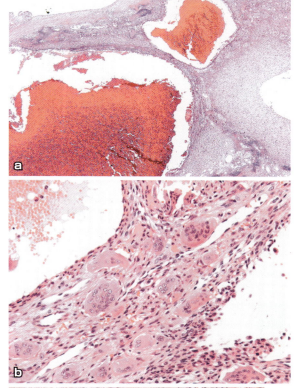

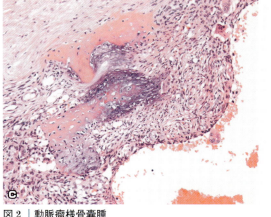

図2｜動脈瘤様骨囊腫
a：弱拡大では，血液を容れた多囊胞性構造がみられる．b：隔壁部分では単核細胞と多核巨細胞が混在している．いずれの細胞も核異型は目立たない．c：類骨・骨形成を散見し，ときに石灰化を伴う．

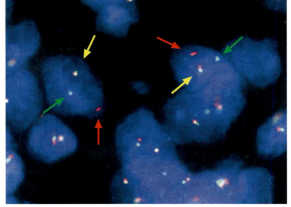

図3｜動脈瘤様骨囊腫（FISH）
USP6遺伝子の2色分離プローブを用いたFISH．一次性ABCの多くの例では，USP6遺伝子再構成が検出される．融合シグナル1個（黄矢印）に加え，分離シグナル1組（緑矢印・赤矢印）を認める．

性ABCと一連のスペクトラムと認知されている[5]．

一次性ABCの診断に有用な免疫組織化学マーカーは，現在までに報告がない．ただし二次的なABC様変化の前駆病変となりうるいくつかの腫瘍では，有用な免疫組織化学マーカーが見出されており（骨巨細胞腫におけるH3.3 G34W，軟骨芽細胞腫におけるH3 K36Mなど），これらを組み合わせて用いることにより診断精度の向上が期待できる[6]．

6. 治療・予後

掻爬と骨移植が一般的に行われるが，再発率は20〜70％と低くはない．

7. 鑑別診断

一次性 ABC の確定診断において重要なことは，①骨肉腫（いわゆる血管拡張型）を除外すること，②二次的な ABC 様変化を除外することの2点である．

骨肉腫（いわゆる血管拡張型）：治療方針が大きく異なるため鑑別がとくに重要である．ルーペ像・弱拡大像では血液を容れた大小の嚢胞構造が目立つ点は ABC に類似するが，嚢胞壁あるいは充実部分に核異型の強い腫瘍細胞が認識される．骨・類骨の形成は ABC と共通して認められるため，鑑別ポイントとはしにくい．

二次的な ABC 様変化：二次的な ABC 様変化の前駆病変としては，骨巨細胞腫，軟骨芽細胞腫，骨芽細胞腫，線維性骨異形成，単純性骨嚢腫など枚挙に遑がない（ABC の半数以上は二次的な変化と述べている成書もあり，筆者も同様の印象をもっている）[1]．さらに，骨肉腫・癌腫の転移など悪性腫瘍も前駆病変となりうるため，鑑別は重要である．一方，一次性 ABC を積極的に診断する上で有用な融合遺伝子の検出は，現状で実施可能な施設が限られている．したがって，前駆病変の有無の丹念な確認が最も現実的な鑑別方法であり，可能な限り病変全体を組織標本化し注意深く観察することが求められる．生検検体や術中迅速診断用検体などの部分的な組織像のみで一次性 ABC の確定診断を行うことは危険である．

謝辞：貴重な症例をご提供いただきました，がん・感染症センター都立駒込病院 元井 亨先生，横浜市立大学整形外科 川端佑介先生，同放射線診断学 岡部哲彦先生に深謝いたします．

（加藤生真）

文　献

1) Czerniak B：Dorfman and Czerniak's Bone Tumors（2nd ed），Elsevier, Philadelphia, 2016, pp1055-1076
2) 石田 剛：骨腫瘍の病理．文光堂，2012, pp410-417
3) Oliveira AM, Perez-Atayde AR, Inwards CY, et al：USP6 and CDH11 oncogenes identify the neoplastic cell in primary aneurysmal bone cysts and are absent in so-called secondary aneurysmal bone cysts. Am J Pathol 165：1773-1780, 2004
4) Li L, Bui MM, Zhang M, et al：Validation of fluorescence in situ hybridization testing of USP6 gene rearrangement for diagnosis of primary aneurysmal bone cyst. Ann Clin Lab Sci 49：590-597, 2019
5) Agaram NP, LeLoarer FV, Zhang L, et al：USP6 gene rearrangements occur preferentially in giant cell reparative granulomas of the hands and feet but not in gnathic location. Hum Pathol 45：1147-1152, 2014
6) Rehkämper J, Steinestel K, Jeiler B, et al：Diagnostic tools in the differential diagnosis of giant cell-rich lesions of bone at biopsy. Oncotarget 9：30106-30114, 2018

第2部 組織型と診断の実際

Ⅳ．破骨細胞型巨細胞に富む腫瘍

3　骨巨細胞腫

giant cell tumour of bone

1．定義・概念

　骨巨細胞腫 giant cell tumour of bone は，局所侵襲性を示す良悪性中間群の骨腫瘍である．組織学的には短紡錘形核を有する細胞が多数の破骨細胞型多核巨細胞を伴い増殖する．骨巨細胞腫の一部では悪性転化をきたすことがあり，初発病変内に骨巨細胞腫と肉腫が混在する一次性悪性骨巨細胞腫 primary malignant giant cell tumour of bone と，骨巨細胞腫の既往がある症例において再発巣が肉腫の像を呈する二次性悪性骨巨細胞腫 secondary malignant giant cell tumour of bone に分けられる．

2．臨床的事項

　原発性骨腫瘍の4～5％を占め，骨端線閉鎖後の20～40歳代に好発し，女性にやや多い[1]．症状は，疼痛，腫脹，病的骨折などである．好発部位は，大腿骨遠位や脛骨近位といった膝関節周囲で，次いで橈骨遠位に多い．その他の長管骨にも発生する．管骨では骨端部を侵すのが特徴的である．体軸骨にも発生し，仙骨に多い．ほかの椎骨に発生する場合，前方の椎体を侵すことが多く，後方の椎弓や突起に発生することはまれである．扁平骨や短管骨には起こりにくい．Paget 病に合併する骨巨細胞腫は骨端とは無関係に多発したり，頭蓋顔面骨を侵すなど非典型的であるが，これらの症例は後述する *H3F3A* の変異を欠く．Paget 病を伴わずに骨巨細胞腫が多発することはきわめてまれである．10歳代に発症する割合はおよそ10％で，骨端線閉鎖後が多く，骨端線閉鎖前にはきわめてまれである．骨端線閉鎖前に生じた場合，病変は骨幹端に位置し骨端線を越えない．また，小児例では女性が男性のおよそ2倍と多く，椎体病変が成人に比して多い[2]．骨巨細胞腫の3割程度が掻爬後3年以内に再発することが知られている．また，1～2％に肺転移が起こるとされるが，転移巣の発育は遅く，概ね外科的切除による対応が可能とされている[3]．

　治療としては，病巣掻爬および局所補助療法が基本であるが，近年 RANK/RANKL 経路を阻害し骨吸収作用を抑制する抗 RANKL モノクローナル抗体であるデノスマブが保険適用となり，とくに切除不能例や術後に重度の後遺障害が残るおそれのある症例に対して積極的に用いられている．術前デノスマブ投与により掻爬後の術後再発が多くなったとする報告もみられ，検討すべき課題も残されている．

　悪性転化は4％程度とされ，そのうち一次性は1.6％，二次性は2.4％と報告されている[4]．二次性悪性転化は放射線照射後に多いとされてきたが，手術療法のみの場合にも起こりうる．二次性悪性転化は通常5年以上経過してから生じ，初回治療から数十年経過してから悪性転化することもある．一次性悪性骨巨細胞腫は二次性例に比べて予後が比較的よいとされている[5]．

3．画像所見

　骨幹端～骨端を侵す偏心性の境界明瞭な骨透亮像を呈する（**図1, 2**）．病変は関節軟骨直下にまで及ぶことが多い．通常は辺縁硬化像を示さないが，荷重

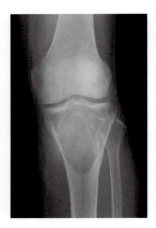

図1 | 骨巨細胞腫の単純X線像
脛骨近位端を侵す骨透亮像を示す.

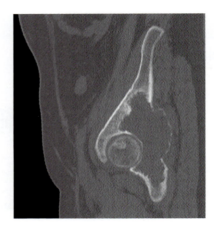

図2 | 骨巨細胞腫のCT像
左臼蓋を侵す溶骨性病変で,皮質骨の菲薄化がみられ,一部不明瞭となっている.

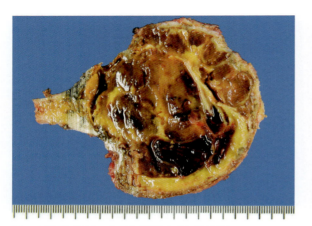

図3 | 骨巨細胞腫の肉眼像(橈骨病変切除検体)
囊胞性変化や出血を伴い,皮質骨を膨隆させる病変.

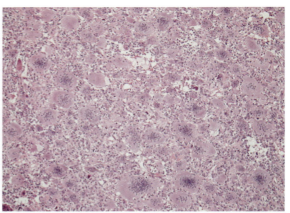

図4 | 骨巨細胞腫
多数の破骨細胞型多核巨細胞が病変全体に分布する.

骨では辺縁硬化像を伴うことがあり,そういった変化がみられる病変では組織学的に線維性組織球腫様変化が目立つ[3].骨皮質には膨隆や菲薄化がみられる.単純X線像では骨皮質が不明瞭になっていても,CTでは菲薄化した骨皮質が確認されることが多い.まれに骨皮質を破壊し,周囲軟部組織に進展する.通常骨膜反応は目立たないが,骨折時にはみられることもある.二次的に動脈瘤様骨囊腫様変化を伴うと,液面形成もみられる.骨シンチグラフィでは病巣辺縁で輪状に集積像がみられる doughnut sign を呈する.悪性骨巨細胞腫では,境界不明瞭で破壊性が強く明らかに悪性とみえる症例もあるが,一部の症例は通常の骨巨細胞腫と区別できない画像を示す.

4. 肉眼所見

赤褐色調を呈する脆く軟らかい組織で,出血,囊胞性変化や壊死を伴い,黄色肉芽腫性変化により黄色調を示す部分も認められる(図3).デノスマブ投与後には石灰化を伴う灰白色充実性組織となる.切除例では周囲骨組織との境界は鮮明である.悪性骨巨細胞腫では淡褐色で魚肉様の性状のものが多い.

5. 組織学的所見

腫瘍細胞は短紡錘形核を有する均一な単核細胞で,多数の破骨細胞型多核巨細胞を伴って密に増殖する.腫瘍細胞の核縁は平滑で,小型の核小体を有し異型に乏しい.単核細胞は緩やかな花むしろ状のパターンを示すことが多いが,まれには束状の増殖パ

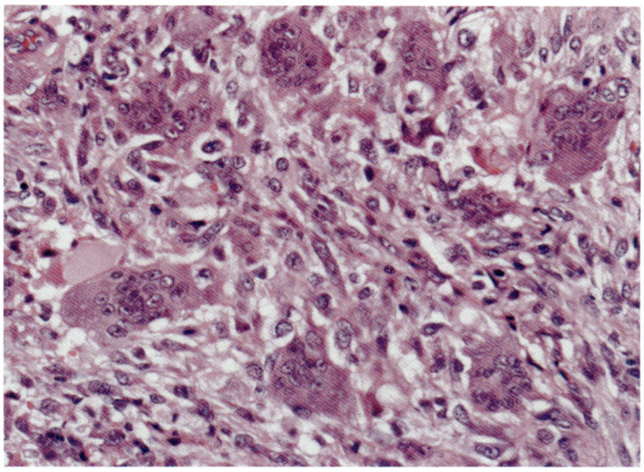

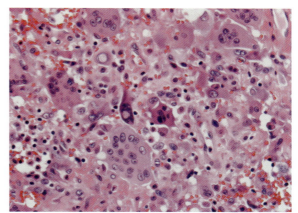

図5 | 骨巨細胞腫
短紡錘形核を有する腫瘍細胞が増殖する.

図6 | 変性異型を伴う骨巨細胞腫
核内偽封入体を有する変性異型細胞を認める.

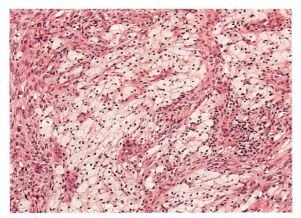

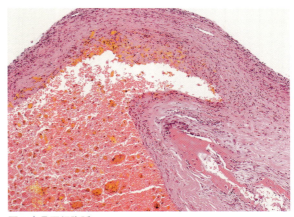

図7 | 骨巨細胞腫
泡沫細胞浸潤が目立つ黄色肉芽腫性変化を認める.

図8 | 骨巨細胞腫
出血を伴う囊胞形成を示す動脈瘤様骨囊腫様変化を認める.

ターンを示す. 破骨細胞型多核巨細胞は正常の破骨細胞よりもサイズが大きく核数も多く(数十個以上にも及ぶ), 出血と関係なく病変全体に比較的均一に分布することが特徴である(図4, 5). 単核細胞は, ときに多数の核分裂像を伴うが(通常20/10HPF未満), 異型核分裂像は認められず, 異型核分裂像をみた場合には悪性の可能性を十分考慮すべきである. まれには神経鞘腫や子宮平滑筋腫のように変性異型(pseudoanaplasia)を伴うことがあり, 核内偽封入体や泥状クロマチンを呈するが, 異型が変性性であるかどうか確実に判断することは, とくに生検では難しい[6](図6). 類骨や骨形成を認めることも多く, その大部分は腫瘍内の線維性組織に一致して生じる反応骨であるが, 一部腫瘍組織の中心部に位置するようにみえる場合もある. 壊死や脈管侵襲像を伴う

ことがあるが, これらは悪性化を示唆する所見ではない. 出血, 黄色肉芽腫性変化, 線維性組織球腫様変化, 動脈瘤様骨囊腫様変化などの多彩な二次性変化を伴い, 非骨化性線維腫や動脈瘤様骨囊腫といった他の病変との鑑別が問題となる(図7, 8). 腫瘍性の軟骨組織を伴う例はまれである. 切除検体では周囲骨との境界は鮮明で, 骨梁間に浸潤することはほとんどみられず, 腫瘍組織の中に既存の骨梁が取り込まれることもほぼ経験されない. 軟部進展部や肺転移巣では, 辺縁に殻状の骨形成を認めることがある.

デノスマブ投与後には, 抗RANKL作用により破骨細胞の分化や活性化が抑制され, 破骨細胞型多核巨細胞が目立たなくなり, 紡錘形細胞の束状増殖と, 比較的均等な間隔で網目状に相互接続する特徴的な

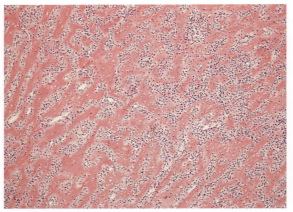

図9 | 骨巨細胞腫
破骨細胞型多核巨細胞が目立たなくなり，相互吻合する骨形成が認められる．デノスマブ投与後の典型的な組織像．

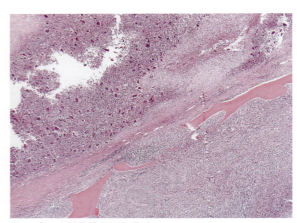

図10 | 一次性悪性骨巨細胞腫
骨巨細胞腫の像（左上）および肉腫の像（右下）が混在している．

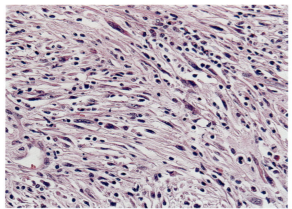

図11 | 一次性悪性骨巨細胞腫（図10の肉腫成分の拡大像）
異型紡錘形細胞が増殖する肉腫成分．

骨形成が目立つようになる（図9）．こうした症例の組織像は線維性骨異形成や低悪性度中心性骨肉腫と類似するため，注意が必要である[7]．

悪性骨巨細胞腫における肉腫の組織像は未分化肉腫や骨肉腫の像を呈することがほとんどで，核異型の強い紡錘形細胞からなり，核分裂像が多く，壊死を伴う（図10, 11）．核の多形性が強い症例が多いが，比較的均一な類上皮細胞からなる例もある．肉腫組織内に破骨細胞型多核巨細胞が多いとは限らない．一次性悪性骨巨細胞腫では通常型の骨巨細胞腫が隣接して認められる．

6. 分子病理学的所見

2013年，Behjatiらにより骨巨細胞腫を特徴づける *H3F3A* の変異が報告された[8]．*H3F3A* はヒストン H3 のバリアント H3.3 をコードする遺伝子で，1q42.12 に位置する．この遺伝子変異は H3F3A G34 のアミノ酸置換を引き起こす．90％以上の骨巨細胞腫がこの変異を有し，その変異のほとんどが G34W であり，その他 G34V, G34R, G34L, G34M などが報告されている．遺伝子変異は単核細胞にのみ存在し多核巨細胞には存在せず，巨細胞が非腫瘍性成分であることがわかる．実際の変異解析にあたっては，巨細胞をはじめとする多数の非腫瘍性細胞によって変異アレルが希釈されてしまうので，感度の高い手法を用いないと偽陰性となりやすい[9]．H3F3A G34W は傍神経節腫・褐色細胞腫で，H3F3A G34V, G34R は小児神経膠腫でも報告されている[10,11]が，骨巨細胞腫の鑑別で問題となることはなく，骨腫瘍の診断文脈においては H3F3A G34 変異の感度・特異度は高い．

悪性骨巨細胞腫では，一次性および二次性のいずれにおいても，肉腫成分において *H3F3A* の変異が保たれている場合もあれば，消失している場合もあり[12]，*H3F3A* 変異があるから悪性でないとはいえないし，*H3F3A* 変異がないから悪性骨巨細胞腫でないともいえない．なお，臨床的・組織学的に骨巨細胞腫の既往や組織像を伴わない肉腫（未分化肉腫や骨肉腫など）において，H3F3A G34 や H3F3B G34 の変異を有する症例が散発的に報告されている．

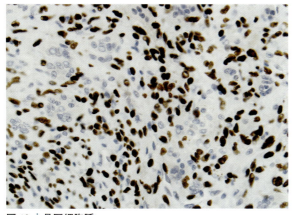

図 12 | 骨巨細胞腫
H3.3 G34Wの免疫染色では，腫瘍細胞が陽性となる．背景の破骨細胞型多核巨細胞は陰性となる．

図 13 | 二次性悪性骨巨細胞腫
肺転移巣で行ったH3.3 G34Wの免疫染色．陽性（左）および陰性（右）の領域が明瞭な境界で接する．いずれも肉腫の像を呈する．

このような病変は従来の一次性悪性骨巨細胞腫の定義を満たさないが，ほとんどの症例が成人の骨端部を侵す点で骨巨細胞腫と類似性があるため，このような病変も一次性悪性骨巨細胞腫に含めようとする動きがある[13]．つまり，前駆病変である骨巨細胞腫が速やかに悪性成分によって置換されたと考えるわけであるが，こうした一次性悪性骨巨細胞腫概念の遺伝子的拡張には反対意見もあり，仮説の妥当性については今後検証する必要がある．

7．免疫組織化学的特徴

前項で述べた変異のうち，H3F3A G34W，G34V，G34Rの3つの変異に関しては，変異特異的抗体（H3.3 G34W，G34V，G34R）を用いた免疫染色で検出が可能である．なお，H3.3をコードしている遺伝子はH3F3A以外にもH3F3Bがあるから，免疫染色陽性が必ずしもH3F3Aの変異を意味するわけではない．免疫染色では腫瘍性単核細胞の核がびまん性に陽性となり，破骨細胞型多核巨細胞は陰性となる（図12）．骨巨細胞腫でしばしば認められる類骨や線維骨，さらにはデノスマブ投与後に形成される特徴的な骨組織においても，H3.3 G34 免疫染色では陽性となる細胞がしばしばみられることから，従来反応性とされてきた骨形成の一部は腫瘍性であることが判明している（デノスマブ治療後の骨巨細胞腫 post-denosumab treatment giant cell tumour of bone）[14,15]．軟骨を伴う骨巨細胞腫で，軟骨成分にH3F3Aの変異が検出された症例も報告されている[16]．悪性骨巨細胞腫の肉腫成分におけるH3.3 G34変異の有無は症例によりさまざまで，1つの肉腫の中に変異陽性と変異陰性の領域が混在する症例もある（図13）．

8．鑑別診断

骨巨細胞腫の鑑別は臨床病理学的に十分可能な場合が多く，その要領を簡単に述べる．古典的な手法では鑑別が困難な場合，H3F3A変異特異的免疫染色や変異解析はきわめて有用性が高い．H3.3 G34免疫染色が陰性の場合，骨巨細胞腫の診断は慎重に行うことが望ましい．一方，組織像からは一見して（一次性）動脈瘤様骨嚢腫のようにみえる病変であっても，H3.3 G34 陽性細胞が明らかな場合には，骨巨細胞腫の二次性変化と解釈することが推奨される[14,17]．

軟骨芽細胞腫 chondroblastoma：骨巨細胞腫と同様に骨端を侵す病変であるが，骨巨細胞腫と比べて好発年齢は若く，腫瘍細胞の核にはくびれや核溝が認められ，組織像では chicken-wire calcification と呼ばれる特徴的な石灰化がみられる．画像では辺縁硬化像を伴うことが多く，周囲に浮腫を伴う．免疫染色では，腫瘍細胞は軟骨系のマーカーであるS-100蛋白やSOX9に陽性となることが多い．また，骨巨細胞腫と同様に特異的な遺伝子変異（H3F3B K36M/H3F3A K36M）が報告されており[8]，免疫染色による変異の検出が可能であり鑑別に有用である[18]．

淡明細胞型軟骨肉腫 clear cell chondrosarcoma：

骨巨細胞腫と同様に骨端を侵す病変である．好発部位は上腕骨頭や大腿骨頭で，画像では境界明瞭な骨透亮像を呈することが多い．腫瘍細胞は，明瞭な細胞境界，明瞭な核小体を伴う円形核，淡明ないしは淡好酸性の豊富な細胞質を有する特徴的な像を示す．腫瘍細胞はシート状に増殖し，腫瘍細胞間には反応性の線維骨形成が目立つ．破骨細胞型多核巨細胞も高頻度にみられるが，骨形成部周囲に分布する．免疫染色では，腫瘍細胞は軟骨系のマーカーであるS-100蛋白やSOX9に陽性となる．

動脈瘤様骨嚢腫 aneurysmal bone cyst：骨巨細胞腫が二次性動脈瘤様骨嚢腫様変化を伴うことがあり，鑑別が問題となる．好発年齢は20歳以下と骨巨細胞腫に比べて若く，画像では長管骨の骨幹端に偏心性骨透亮像を呈する．動脈瘤様骨嚢腫における破骨細胞型多核巨細胞は，嚢胞周囲の嚢胞壁に分布する．また，blue boneと呼ばれる特異な基質もみられることが多い．多くの症例が*USP6*遺伝子融合を有し，FISH法などによる検出が可能である．

巨細胞修復性肉芽腫 giant cell reparative granuloma：手足の短管骨や顎骨に好発する．骨巨細胞腫では同部位での発生はまれである．組織学的には紡錘形細胞が増殖する病変で，破骨細胞型多核巨細胞も出現するが，出血巣や小嚢胞部に集簇する傾向がある．短管骨病変では*USP6*遺伝子再構成がみられ，WHO分類第5版（2020年）では動脈瘤様骨嚢腫と分類されるが，顎骨病変では*USP6*遺伝子再構成は認められない[19]．

非骨化性線維腫 non-ossifying fibroma：5～10歳代に多く，骨幹端から骨幹端と骨幹の移行部に好発する．辺縁硬化像を伴う境界明瞭な骨透亮像を呈する．紡錘形細胞が増殖し，線維性組織球腫様変化を示す骨巨細胞腫に類似するが，臨床像や画像所見から鑑別は容易である．なお，非骨化性線維腫と同様の組織像を示す病変が非典型的な臨床像・画像で出現した場合，WHO分類第4版（2013年）では良性線維性組織球腫 benign fibrous histiocytomaの名称が用いられていた．しかし，そのうち成人の骨端部を侵す症例は，骨巨細胞腫の組織像が明らかでない場合でも一般に*H3F3A* G34変異陽性であり，骨巨細胞腫の二次性変化と考えられる．

富巨細胞性骨肉腫・未分化肉腫 giant cell-rich osteosarcoma, giant cell-rich undifferentiated sarcoma：この鑑別が診断上は最も重要で，また厄介なことが多い．骨肉腫では好発年齢は10～20歳代と骨巨細胞腫に比べて若く，骨幹端を侵すことが多い．未分化肉腫の臨床像はさまざまである．画像上は，骨肉腫では内部の石灰化や骨膜反応を伴う．腫瘍細胞が形成する類骨はレース状のことがあり，その場合は一般に梁状で成熟傾向のある骨巨細胞腫の骨形成と対照的である．また核異型は一般に強く，多形が認められ，この点も骨巨細胞腫とは大きく異なる．ただ，まれには核異型や骨形成が目立たない症例もあり，診断が難しい．生検検体では骨形成部が含まれていないことがあり，病変全体を反映していない可能性もあるため，画像所見などと併せて総合的に判断する必要がある．悪性骨巨細胞腫が肉腫や未分化肉腫の組織像を呈するときには破骨細胞型多核巨細胞に富むことが多いが，逆に破骨細胞型多核巨細胞に富む骨肉腫や未分化肉腫のうち*H3F3A*変異を有する症例はごく一部である．

褐色腫 brown tumour：副甲状腺機能亢進症による反応性病変である．境界明瞭な溶骨像を示し，長管骨の骨幹端や骨幹に好発する．多発する場合がある．組織学的には紡錘形細胞が増殖する病変で，破骨細胞型多核巨細胞を多数伴うが，骨巨細胞腫とは異なり出血部に集簇する傾向にある．組織像のみでは鑑別が難しいこともあり，発生部位，副甲状腺機能亢進症の有無，血清カルシウム値や副甲状腺ホルモン（PTH）値などの臨床情報が診断に必須となる．

リン酸塩尿性間葉系腫瘍 phosphaturic mesenchymal tumour：腫瘍性骨軟化症（oncogenic osteomalacia）を引き起こすまれな病変で，およそ半数が骨を侵す．多彩な組織像を呈し，grungy calcificationと呼ばれる異栄養性石灰化がみられる．破骨細胞型多核巨細胞が目立つ病変では，骨巨細胞腫との鑑別が問題となる．腫瘍の分泌する線維芽細胞増殖因子 fibroblast growth factor（FGF）23により，尿中リン値の上昇，血中リン値の低下が起こり，軟骨化症を引き起こす．臨床情報が診断に重要である．約半数の症例では*FN1-FGFR1*や*FN1-FGF1*の融合遺伝子が報告されている[20]．

〔吉田研一，吉田朗彦〕

文献

1) Fletcher CDM, Bridge JA, Hogendoorn PCW, et al："World Health Organization Classification of Tumours of Soft Tissue and Bone"（4th ed），IARC Press, Lyon, 2013
2) Al-Ibraheemi A, Inwards CY, Zreik RT, et al：Histologic spectrum of giant cell tumor（GCT）of bone in patients 18 years of age and below：A study of 63 patients. Am J Surg Pathol 40：1702-1712, 2016

3) Czerniak B : Dorfman and Czerniak's Bone Tumors (2nd ed), Elsevier, Philadelphia, 2016
4) Palmerini E, Picci P, Reichardt P, et al : Malignancy in giant cell tumor of bone : A review of the literature. Technol Cancer Res Treat 18 : 1533033819840000, 2019
5) Domovitov SV, Healey JH : Primary malignant giant-cell tumor of bone has high survival rate. Ann Surg Oncol 17 : 694-701, 2010
6) Bahk WJ, Mirra JM : Pseudoanaplastic tumors of bone. Skeletal Radiol 33 : 641-648, 2004
7) Wojcik J, Rosenberg AE, Bredella MA, et al : Denosumab-treated giant cell tumor of bone exhibits morphologic overlap with malignant giant cell tumor of bone. Am J Surg Pathol 40 : 72-80, 2016
8) Behjati S, Tarpey PS, Presneau N, et al : Distinct H3F3A and H3F3B driver mutations define chondroblastoma and giant cell tumor of bone. Nat Genet 45 : 1479-1482, 2013
9) Ogura K, Hosoda F, Nakamura H, et al : Highly recurrent H3F3A mutations with additional epigenetic regulator alterations in giant cell tumor of bone. Genes Chromosom Cancer 56 : 711-718, 2017
10) Toledo RA, Qin Y, Cheng ZM, et al : Recurrent mutations of chromatin-remodeling genes and kinase receptors in pheochromocytomas and paragangliomas. Clin Cancer Res 22 : 2301-2310, 2016
11) Bjerke L, Mackay A, Nandhabalan M, et al : Histone H3.3 mutations drive pediatric glioblastoma through upregulation of MYCN. Cancer Discov 3 : 512-519, 2013
12) Yoshida KI, Nakano Y, Honda-Kitahara M, et al : Absence of H3F3A mutation in a subset of malignant giant cell tumor of bone. Mod Pathol 32 : 1751-1761, 2019
13) Amary F, Berisha F, Ye H, et al : H3F3A (histone 3.3) G34W immunohistochemistry : A reliable marker defining benign and malignant giant cell tumor of bone. Am J Surg Pathol 41 : 1059-1068, 2017
14) Yamamoto H, Iwasaki T, Yamada Y, et al : Diagnostic utility of histone H3.3 G34W, G34R, and G34V mutant-specific antibodies for giant cell tumors of bone. Hum Pathol 73 : 41-50, 2018
15) Kato I, Furuya M, Matsuo K, et al : Giant cell tumours of bone treated with denosumab : histological, immunohistochemical and H3F3A mutation analyses. Histopathology 72 : 914-922, 2018
16) Brčić I, Yamani F, Inwards CY, et al : Giant cell tumor of bone with cartilage matrix : A clinicopathologic study of 17 cases. Am J Surg Pathol 44 : 748-756, 2020
17) Lüke J, von Baer A, Schreiber J, et al : H3F3A mutation in giant cell tumour of the bone is detected by immunohistochemistry using a monoclonal antibody against the G34W mutated site of the histone H3.3 variant. Histopathology 71 : 125-133, 2017
18) Amary MF, Berisha F, Mozela R, et al : The H3F3 K36M mutant antibody is a sensitive and specific marker for the diagnosis of chondroblastoma. Histopathology 69 : 121-127, 2016
19) Agaram NP, LeLoarer FV, Zhang L, et al : USP6 gene rearrangements occur preferentially in giant cell reparative granulomas of the hands and feet but not in gnathic location. Hum Pathol 45 : 1147-1152, 2014
20) Lee JC, Su SY, Changou CA, et al : Characterization of FN1-FGFR1 and novel FN1-FGF1 fusion genes in a large series of phosphaturic mesenchymal tumors. Mod Pathol 29 : 1335-1346, 2016

第2部　組織型と診断の実際

Ⅴ. 脊索性腫瘍

1 良性脊索細胞腫および脊索腫

benign notochordal cell tumour and chordoma

はじめに

脊索組織は脊椎の原基であり，ヒトでは胎齢3週頃に形成され出生時までには消失する．2002年のWHO分類第3版では脊索腫だけであった脊索性腫瘍には，2013年の第4版では良性脊索細胞腫や脱分化型脊索腫が加わり，2020年の第5版では低分化型脊索腫が加わった[1~3]．本項では脊索性腫瘍の概要を紹介するとともに，しばしば問題となる良性脊索細胞腫と脊索腫との鑑別に焦点を当てる．

1. 良性脊索細胞腫（BNCT）

1）定義・概念

良性脊索細胞腫 benign notochordal cell tumour（BNCT）は脊索分化を示す良性腫瘍であり，軸骨格に発生し，脊索腫の前駆病変とも考えられている[3]．この名称は2004年に初めて紹介されたが，それより以前に ecchordosis physaliphora vertebralis, intraosseous chordoma, giant notochordal hamartoma, giant notochordal rest などの名称で散発的な症例報告がなされていた病変と同じものと考えられる[4~8]．

BNCTには部検例などで偶発的にみつかるmm単位の小病変（**図1a**）と，臨床的に同定されるcm単位の大きな病変（**図1b**）が知られているが，両者を区別する臨床病理学的意義はない[4,9]．部検例でのBNCTは仙尾椎・斜台・頸椎に多く，脊索腫と同様の分布を示すが，臨床例では頸椎・腰椎に多い．日常診療でしばしば頸椎・腰椎が撮像されること，腰

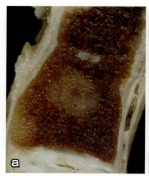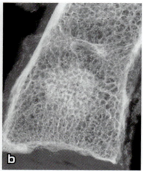

図1 | 良性脊索細胞腫（BNCT）
a：肉眼像．椎体内に，比較的境界明瞭な淡黄褐色で粘液様の光沢を有する病変を認める．b：単純X線像．病変に一致して硬化像を認める．

椎は仙尾椎に比し椎体が大きく異常所見が同定しやすいことなどから，臨床的に頸椎・腰椎に多く病変がみつかると考えられる．また，外科的に摘出された脊索腫を丁寧に観察すると，脊索腫内あるいはその近傍にBNCTがみつかることも多い[10,11]．

2）臨床的事項

病変は小児から高齢者まで幅広い年齢層にみられ，30歳以降に多い．多発することもあり，多発例は年齢とともに若干増加する傾向がある．胎児や乳幼児の脊椎を観察すると，しばしば椎間板内に遺残脊索組織がみられるが，椎体内に認めることはない[12]．そのため，遺残脊索 notochordal rest と呼ばれる病変は椎間板内にみられる脊索組織を指すと考えられる．発生途上の脊索組織の最大径は2mm程度とされることからも，椎体全体を占めるようなBNCTは

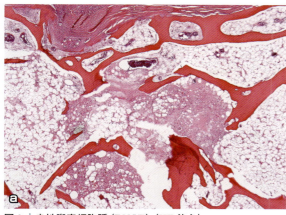
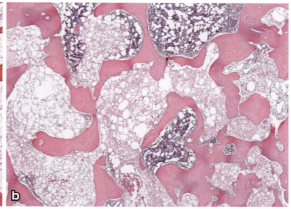
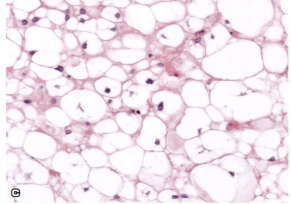

図2 | 良性脊索細胞腫（BNCT）（HE染色）
a：剖検例で偶然みつかったBNCT．骨梁間内に，細胞質内空胞を有する淡好酸性細胞の充実性増殖を認める．病変はmm単位の大きさで，既存骨梁は保たれている．b：臨床的に同定されたBNCT．骨梁間に，空胞状あるいは好酸性細胞のシート状増殖を示す．分葉構造や被膜を形成することはない．罹患骨梁は軽度に肥厚し，病変内には骨髄組織が島状に取り残されている．c：腫瘍細胞は単空胞状あるいは多空胞状で，核は小型でN/C比は低い．中心性に位置する類円形核に異型は乏しく，核分裂像をみることはない．分葉構造を示すことはなく，腫瘍細胞間に粘液基質を認めない．

単なる遺残脊索組織という概念では説明できず，腫瘍性増殖を示す病変といえる．

脊椎BNCTは通常骨内に限局し，椎体全体を置換するほど増大するものの，骨外に進展することはほとんどない．2014年のInternational Skeletal Society Members' Meetingにて，Larousserieらにより椎体外に進展するBNCTの症例報告があったが，このような症例は例外的であり，その診断のためには十分に脊索腫の可能性を否定する必要がある[13]．また，脊索腫症例で他椎体に脊索細胞性病変がみられる場合，BNCTでありながら脊索腫の脊椎転移と誤って診断されることもあるので注意を要する[14,15]．

3）組織学的所見

肉眼的に，腫瘍割面は周囲の骨髄組織とは色調がやや異なり，比較的境界明瞭で粘液様の光沢を有する淡黄褐色病変としてみられる（図1a）．

組織学的には，脂肪細胞類似の空胞状腫瘍細胞と空胞の乏しい淡好酸性細胞質を有する腫瘍細胞のシート状増殖を特徴とする（図2a, b）．核細胞質比（N/C比）は低く，核は類円形で異型は目立たず，核分裂像をみることはない（図2c）．粘液の小貯留腔がみられることはあっても，細胞間粘液性基質を有しない．好酸性の小硝子球を腫瘍細胞内外にみることがある．罹患骨の骨梁は変化に乏しいか硬化を示すことが多い．骨梁の骨芽細胞の縁どりは乏しく，骨代謝活性は高くない．病変内に，しばしば既存骨髄組織が島状に残る（図2b）．

免疫染色にて，cytokeratin, EMA, vimentin, S-100蛋白，brachyuryに対し陽性を示す．brachyuryは脊索の分化を示す特異性の高い抗体であり，BNCT・脊索腫のどちらの腫瘍細胞核にも陽性を示す[16]．よって，良悪性の鑑別には寄与しない．脱灰切片ではbrachyuryの染色性が著しく低下するため，非脱灰標本を用意する必要がある．また，抗体濃度が高いと非特異的に核が偽陽性を示すことがあるので，陰性コントロールを用意するなど免疫染色とその評価には慎重を期す必要がある．

4）鑑別診断

画像上あるいは組織学的に鑑別を要する疾患は以下のとおりである．

a）既存脂肪髄 fatty bone marrow

単空胞状細胞がシート状に増殖する BNCT は成熟脂肪組織に類似するため，針生検検体では既存脂肪髄組織と誤認されてしまうことがある．BNCT 細胞の空胞は脂肪のような張りに乏しく，脂肪細胞は免疫染色にて上皮性マーカーや brachyury に陰性である．

b）骨島 bone island

X 線，CT にて硬化像を示すため，ivory vertebra を呈する BNCT と鑑別を要する．骨島の骨硬化は皮質骨様の骨を反映するが，BNCT では添加骨形成による骨硬化のため骨濃度の程度が異なる．組織学的には，骨島には腫瘍細胞増殖を認めない．

c）血管腫 haemangioma

X 線，CT 所見が類似する．MRI でも T1 強調像や T2 強調像での鑑別は難しいが，造影 MRI ではよく強調される．

d）骨褐色脂肪腫 hibernoma of bone

椎体の褐色脂肪腫はまれであるが，X 線や CT などの画像所見が BNCT にきわめて類似する．しかし，褐色脂肪腫はフルオロデオキシグルコース（FDG-）PET にて高集積を示す特徴がある．組織学的に，褐色脂肪細胞では細胞質内を多数の微細空胞が占め，免疫染色では上皮性マーカーや brachyury に陰性である．

e）淡明細胞型軟骨肉腫 clear cell chondrosarcoma

長管骨の骨端部に好発する軟骨肉腫の亜型で，淡明細胞が BNCT に類似する．brachyury に対する免疫染色は陰性である．

f）転移性癌腫 metastatic carcinoma

画像上は造骨性転移を示す病変と，組織学的には淡明細胞からなる腫瘍と鑑別を要する．転移性癌腫は多発することが多く，骨病変は進行性に増大する．鑑別診断には臨床情報が不可欠であり，組織学的には brachyury に対する免疫染色が有用である．

5）治療・予後

症状が強くない限り治療は必要なく，経過観察でよい．脊索腫への悪性転化のリスクがあるものの，そのリスクはきわめて低いと考えられるため，脊索腫との鑑別が困難な症例を除き摘出する必要はない．患者にそのリスクをよく説明し，症状に変化がないようであれば数年に一度程度の画像検査による経過観察が望ましい．進行性の場合，あるいは画像検査にて骨破壊や軟部腫瘤形成がみられる場合には，脊索腫あるいは BNCT の悪性転化が考えられるため詳細な検査が必要となる．

6）発生メカニズム

まとまった研究報告はなく，発症機序は明らかでない．

7）関連疾患

a）骨外性良性脊索細胞腫 extraskeletal benign notochordal cell tumour（骨外性 BNCT）

骨外に発生する BNCT が散発的に報告されており，そのすべてが肺に発生している[17〜19]．X 線や CT では肺野の末梢に境界明瞭な小腫瘤としてみられ，転移性腫瘍との鑑別を要する．組織学的には骨の BNCT と同様であり，免疫染色にて brachyury に陽性を示す．数年の経過観察では腫瘤の増大はみられないか，あってもわずかであり，予後は良好である．肺 BNCT の診断時には，常に不顕性脊索腫の転移である可能性を考慮した原発巣の検索を行い，転移性脊索腫の可能性を否定する必要がある．骨外性 BNCT の発症機序は不明であり，今後の臨床研究が待たれる．

b）異型脊索細胞腫 atypical notochordal cell tumour（ANCT）

2017 年，Mayo Clinic から "atypical notochordal cell tumor" という病名で論文が発表された[20]．BNCT と脊索腫の診断基準に完全には当てはまらない病態とされる．すなわち，BNCT を疑う所見でありながら，画像検査にて椎体の皮質骨にわずかな骨破壊や軽微な骨外進展を示したり，組織学的に限局的な粘液性変化を示す症例である（図 3）．予後はきわめて良好なため，画像検査による注意深い経過観察を行う．「2）臨床的事項」で述べた椎体外に進展する BNCT は，ANCT に相当すると考えられる．BNCT の悪性転化は多段階発がんと考えられることから，BNCT の活動性がやや高まったものの脊索腫には至らない病態が ANCT に相当するのではないかと筆者は考えている．

c）ecchordosis physaliphora sphenooccipitalis（EPSO）

EPSO は，斜台部に発生する硬膜内腔に突出する

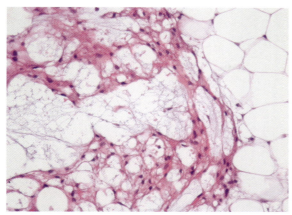

図3 | 異型脊索細胞腫（ANCT）（HE染色）
BNCTに類似する異型の乏しい空胞状あるいは淡好酸性腫瘍細胞がシート状に増殖しているが，腫瘍細胞間にわずかながら粘液を有している．隣接する骨髄脂肪組織との境界に線維性被膜形成はない．

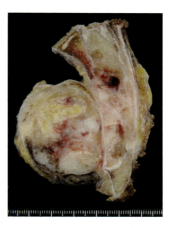

図4 | 脊索腫の肉眼像
仙椎前面に境界明瞭な軟部腫瘤を形成し，仙椎の破壊性腫瘍増殖を認める．腫瘍割面は灰白色調で，出血・壊死・粘液腫様変化を示し多彩である．

ポリープ状病変で，基部は斜台と連続していることが多い．大きな病変は神経症状を生じるため治療を要することもあるが，多くは剖検時あるいは画像検査で偶発的に発見される．教科書には遺残脊索組織と記載されている．しかし，組織所見はBNCTと同様であることから，筆者は骨外性に発生したBNCT類縁疾患ではないかと考えている．

2. 脊索腫

1）定義・概念

脊索腫 chordoma は脊索細胞分化を示す悪性腫瘍であり，通常型脊索腫 conventional chordoma のWHO 骨腫瘍分類での悪性度（3段階分類）は grade 2 とされる[3]．後述の低分化型脊索腫が新たに亜型として加わり，脱分化型脊索腫とともに grade 3 とされる．

2）臨床的事項

乳幼児を含む全年齢層に発生するが，中高年者の軸骨格，とくに仙尾椎や頭蓋底に好発する．可動脊椎では上位頸椎に多く，次いで腰椎，まれながら胸椎にも発生する．症状は痛みのほか，発生部位に依存する神経症状を生じる．骨破壊性に増大し，骨外に軟部腫瘤を形成する．腫瘍は緩徐進行性に増大し，しばしば隣接する椎体へ連続性に浸潤する．まれに椎体表面の皮質骨に接して発生することがあり，このような例では骨破壊がないか，あってもわずかである[21]．遺残脊索組織がみつかりやすいとされる椎間板に発生する症例は知られていない．この事実は，脊索腫が遺残脊索組織に生じるという古典的な仮説に矛盾する．

3）組織学的所見

肉眼的には境界明瞭な分葉状腫瘍で，割面は粘液状を呈する．骨破壊性に増殖し，しばしば大きな軟部腫瘤を形成する（図4）．

組織学的には，physaliphorous cell と呼ばれる担空胞腫瘍細胞の分葉状増殖と豊富な粘液基質を特徴とするが，細胞密度や核異型の程度はさまざまで，BNCTに類似するものから紡錘形細胞肉腫や多形肉腫に類似するものまで多様である（図5a〜c）．腫瘍細胞は上皮様で淡好酸性の細胞質を有し，粘液を背景に索状の胞巣様構造を示す（図5d）．充実性増殖を示すと，胞巣間に細血管形成がみられる（図5e）．免疫染色では，cytokeratin, EMA などの上皮性マーカー，S-100蛋白，vimentin, brachyury に陽性を示す（図5f）．核の異型・多形の目立つ腫瘍は，atypical chordoma や sarcomatoid chordoma と呼ばれる．これらの腫瘍は脱分化型脊索腫と異なり，定型的な脊索腫と多形腫瘍成分が混在し，多形腫瘍細胞であっても細胞質内空胞がみられ，免疫染色では brachyury に陽性を示す．

脊索腫は一般的に境界明瞭であるが，被膜外に孤在性腫瘍細胞の浸潤を示すことがあるため，切除縁の設定あるいは評価時に注意を要する[22]（図6）．脊

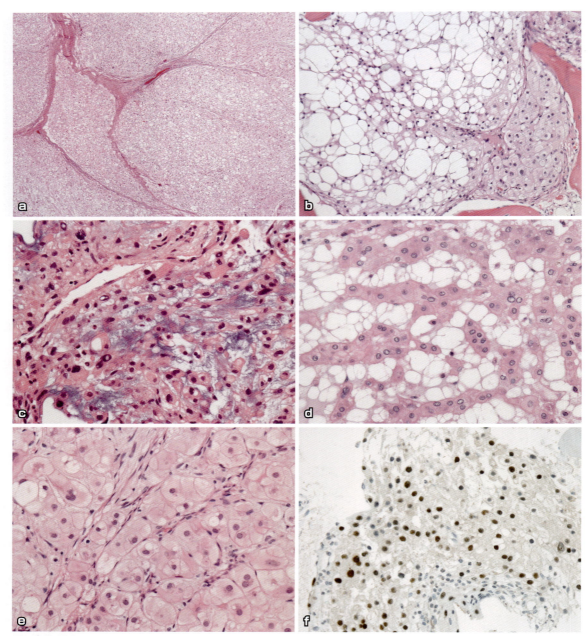

図5｜脊索腫

a：薄い線維性隔壁に区画され分葉状を呈する（HE染色）．b：粘液基質を欠き，空胞状腫瘍細胞がシート状に増殖していることからBNCTを思わせる．しかし，通常の脊索腫に相当する大型核を有する上皮様腫瘍細胞に移行し，細血管を含む薄い線維性隔壁に区画された分葉状構築を呈している．よく分化した脊索腫はBNCTと似た組織所見を示すことから，両者の組織学的鑑別には注意を要する（HE染色）．c：腫瘍細胞核はクロマチンに富み多形性を示し，腫瘍細胞間には粘液基質を認める（HE染色）．d：上皮様腫瘍細胞が索状を呈し，肝細胞癌に類似する．腫瘍細胞間には粘液が貯留している．類円形の腫瘍細胞核は腫大し，N/C比はBNCTに比し高い（HE染色）．e：粘液基質産生が乏しく，腫瘍細胞が充実性に増殖している．核異型がみられるとともに，腫瘍胞巣間に細血管がみられる（HE染色）．f：brachyuryに対して腫瘍細胞核が陽性所見を示す（brachyury免疫染色）．

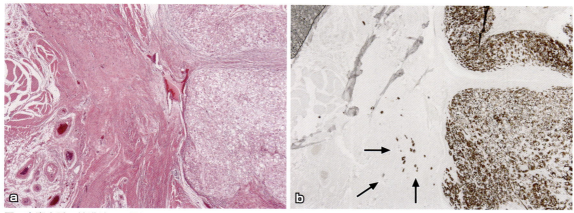

図6 | 脊索腫の被膜外への浸潤
a：疎な線維組織に接して分葉状を呈し境界明瞭な脊索腫（右）を認める（HE染色）．b：cytokeratin（AE1/AE3）に対し陽性を示す孤在性腫瘍細胞が，被膜を越え隣接する線維組織内に浸潤している（矢印）（cytokeratin免疫染色）．

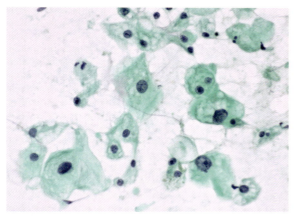

図7 | 脊索腫の細胞像（Papanicolaou染色）
粘液を背景に，大型異型核と豊富で空胞形成性の細胞質を有する腫瘍細胞が小集塊あるいは孤在性に出現する．発生部位などの臨床情報を加味すれば，細胞診での診断も可能である．

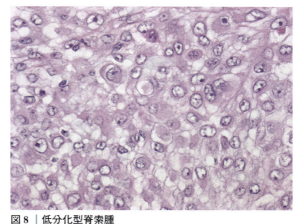

図8 | 低分化型脊索腫
腫大核と細胞質内空胞を有する腫瘍細胞がシート状に増殖している．細胞形態はrhabdoidであり，通常型脊索腫の所見とは異なる．（九州大学形態機能病理 孝橋賢一先生ご提供）

索腫の細胞所見は特徴的で，画像所見と併せ穿刺吸引細胞診での診断も可能である（図7）．

4）脊索腫の亜型

a）軟骨様脊索腫 chondroid chordoma

軟骨分化を示す脊索腫で，斜台部に多いとされる．組織学的には，通常型脊索腫の所見に加え軟骨様所見を示す．粘液基質内に腫瘍細胞が散在すると軟骨様にみえることもあるため，軟骨分化を示す脊索腫が実在するかどうか議論の余地がある．

b）低分化型脊索腫 poorly differentiated chordoma

WHO分類第5版で初めて亜型として認められた脊索腫で，単に組織学的分化が乏しいというだけでなく，SMARCB1遺伝子の欠失を特徴とし，悪性度はgrade 3とされる[3]．通常型脊索腫と異なり，小児から若年成人の頭蓋底あるいは頸椎に好発する．仙尾椎発生はまれである．組織学的には上皮様腫瘍細胞がシート状に増殖し，しばしば好酸性細胞質を有するrhabdoid細胞様あるいは印環細胞様形態を示す（図8）．地図状壊死もみられる．免疫染色では，brachyuryや上皮性マーカー陽性に加え，SMARCB1（INI1）に陰性を示す（図9）．予後は，通常型脊索腫より悪いとされる．

c）脱分化型脊索腫 dedifferentiated chordoma

通常型脊索腫に脊索分化を失った低分化肉腫が続

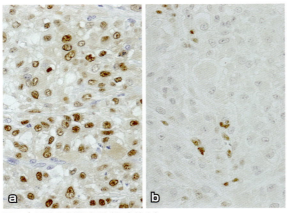

図9 | 低分化型脊索腫（免疫染色）
a：brachyury 抗体に対する免疫染色は，介在する血管内皮細胞が陰性であるのに対し，核に陽性を示す．b：INI1 抗体に対する免疫染色は，介在する血管内皮細胞の核が陽性なのに対し，陰性を示す．（九州大学形態機能病理 孝橋賢一先生ご提供）

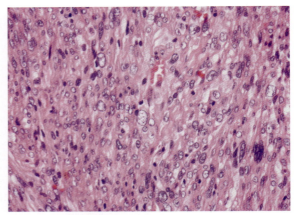

図10 | 脱分化型脊索腫（HE 染色）
脱分化腫瘍は，脊索分化を欠く異型多形の目立つ紡錘形腫瘍細胞増殖を示している．

発する腫瘍であり，通常型脊索腫の腫瘤と連続，あるいは接して脱分化腫瘍を形成する．悪性度はgrade 3 とされる[3]．脱分化腫瘍領域は骨肉腫や未分化多形肉腫の形態を示すことが多い（図10）．免疫染色では brachyury の染色性が失われることも多い．転移を生じやすく，予後は不良である．

5）鑑別診断

a）軟骨肉腫 chondrosarcoma

組織学的に，grade 2 の軟骨肉腫はしばしば粘液腫様基質を有し，脊索腫に類似する．しかし，脊索腫の腫瘍細胞が上皮様性格を有するのに対し，軟骨肉腫の腫瘍細胞は孤在性に増殖し，免疫染色にて上皮性マーカーや brachyury に陰性を示す．

b）骨外性粘液軟骨肉腫 extraskeletal myxoid chondrosarcoma

かつて脊索様腫瘍 chordoid tumour と呼ばれたほど組織の形態所見は類似するが，免疫染色にて brachyury に陰性であり，*EWSR1-NR4A3* 融合遺伝子を代表とする特異的染色体相互転座を有する．

c）筋上皮腫 myoepithelioma／筋上皮癌 myoepithelial carcinoma

かつて parachordoma と呼ばれた腫瘍で，軟部および骨に発生する．組織所見は脊索腫に類似するが，免疫染色にてさまざまな程度に GFAP, p63, SOX10, 平滑筋系マーカーに陽性を示し，brachyury には陰性である．しばしば *EWSR1* 遺伝子を含む融合遺伝子を有する．

d）脊索様髄膜腫 chordoid meningioma

髄膜腫と頭蓋底発生脊索腫は，画像検査での鑑別は比較的容易である．しかし，組織所見が類似することから組織検査のみでの診断には注意を要する．脊索様髄膜腫は免疫染色にて brachyury に対し陰性である．

e）転移性癌腫 metastatic carcinoma

軸骨格は癌骨転移の好発部位であり，画像診断上鑑別を要することが多い．癌腫は巨大な軟部腫瘤を形成することは少なく，多発する傾向がある．組織学的には，淡明細胞型腎細胞癌など淡明細胞増殖を示す癌との鑑別が問題となる．鑑別には癌の既往歴など臨床情報が重要であり，加えて免疫染色にて癌腫は brachyury に陰性である．

6）治療・予後

治療は外科的な完全切除が望ましいが，発生部位による観血的治療の困難さから，わが国では重粒子線による治療が主流になってきた[23～26]．不完全な外科的治療では高率に再発をきたし，最終的には肺や骨に転移を生じる．針生検の瘢痕部からの再発も知られている．チロシンキナーゼ阻害薬による補助療法も試みられているが，治癒を得るには至っていない．生存期間中央値は 7 年で，長期生命予後は不良である．

表1 | 良性脊索細胞腫（BNCT）と脊索腫の臨床病理学的特徴

	良性脊索細胞腫（BNCT）	脊索腫
好発部位	頸椎，腰椎	仙尾椎／斜台＞頸椎
症　状	なし～軽度の痛み	痛み，圧迫症状，神経症状
Ｘ　線	なし～硬化像	溶骨・骨破壊像
Ｃ　Ｔ	硬化像・骨外病変なし	骨破壊像・骨外腫瘤形成
MRI	T1強調像：低信号，T2強調像：高信号，ガドリニウム造影T1強調像：低信号・骨外病変なし	T1強調像：低信号，T2強調像：高信号，ガドリニウム造影T1強調像：さまざま・骨外病変あり
骨シンチグラフィ	陰性	陽性
組織所見	脂肪様空胞細胞のシート状増殖 非分葉状で被膜なし 核異型に乏しく核分裂像なし 粘液背景なし 罹患骨梁硬化	担空胞細胞の索状・コード状・充実性増殖 分葉状で細血管を含む被膜形成あり 核異型はさまざまで核分裂像あり 粘液基質あり 骨破壊
治　療	画像検査による経過観察	手術・重粒子線

7）発生メカニズム

　個々の症例における遺伝子異常は報告されているが，いまだに脊索腫の発生機序は明らかになっていない[27]．家族性脊索腫例には，7q，12p，17q，20q，22qの増幅や，1p，3p，4q，9p，10q，13qの欠失の報告があり，なかでも脊索分化を司る転写因子であるbrachyury（T）遺伝子の重複が注目されている．脊索腫孤発例にも，T遺伝子の重複やPI3Kシグナル伝達系の変異が報告されている．結節性硬化症患者の脊索腫には，$TSC1$あるいは$TSC2$遺伝子変異を認める．低分化型脊索腫では，$SMARCB1$遺伝子の欠失がしばしばみられる．$EGFR$，$PDGFR$，$VEGF$，$IGF1R$，$PTEN$などの異常が報告されており，それらに対する分子標的治療の開発が試みられている．

3. extra-axial chordoma

　脊索腫は，軸骨格以外に四肢長管骨や軟部組織にも発生することが知られており，extra-axial chordoma，chordoma peripheticumと呼ばれる．組織所見は通常型脊索腫に準じ，確定診断にはbrachyury免疫染色の陽性所見が有用である[28]．

4. 良性脊索細胞腫（BNCT）と脊索腫の鑑別（表1）

1）画像所見

　BNCTは，X線やCTにてしばしば硬化像を示し病変は骨内に限局する（図1b）．骨破壊を生じることはない．まれにmarginal sclerosisを伴う囊胞を形成することがある．脊索腫は骨破壊性の溶骨像を示すことが多く，通常軟部腫瘤を形成する．脊索腫の病変内あるいはその周辺に骨内硬化所見がみられるときには，先行するBNCTである可能性もある．MRIでは，BNCTはT1強調像にて低信号，T2強調像で高信号を呈し（図11），造影にて陽性所見を示さない．病変内に残存する島状の脂肪髄を反映し，T1強調像にて低信号の病変内に霜降り状の高信号を示すことがある[29]．脊索腫のMRI所見はBNCTに類似するが，軟部に腫瘤を形成する（図12）．造影MRIでは，腫瘍境界部あるいは分葉隔壁に沿った強調像を示し，T1強調像やT2強調像でも出血や壊死を反映し不規則な像を示すことが多い．骨シンチグラフィでは，BNCTは取り込みの亢進はみられず，脊索腫では亢進することが多い．

2）組織学的所見

　BNCTと脊索腫の所見は類似しており，部分像での鑑別はほぼ不可能である．そのため，とくに生検検体での鑑別診断にしばしば困難を生じる．BNCTの特徴とされる乏しい核異型，粘液基質の欠如，既存骨梁の硬化像といった所見は脊索腫でもみられることがある（図5b）．しかし，BNCTは囊胞形成例を除き骨破壊を示すことはなく，線維性被膜や分葉隔壁を形成しない（図2b）．一方，脊索腫は薄い線維性被膜を有し各分葉間に血管を含む線維性隔壁を形成する（図5a）．MRIでは主にこれらの線維性被膜・隔壁が造影される．腫瘍と骨髄組織の境界をみると，BNCTでは腫瘍細胞と隣接する骨髄細胞や脂肪細胞

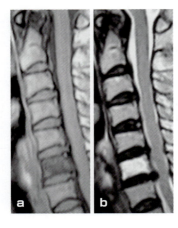

図11 第6頸椎良性脊索細胞腫（BNCT）のMR像
a：T1強調像では，椎体全体が均一な低～中等度信号を呈し，軟部への浸潤を認めない．b：T2強調像では，骨内に限局する均一な高信号を示している．

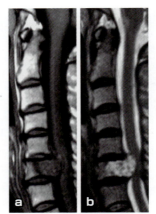

図12 第6頸椎脊索腫のMR像
a：T1強調像では，椎体のほぼ全体が低信号を示している．b：T2強調像では，腫瘍は低信号が混在する高信号を示し，脊柱管内に浸潤し脊髄を圧迫している．

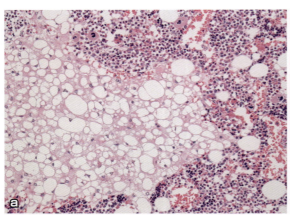

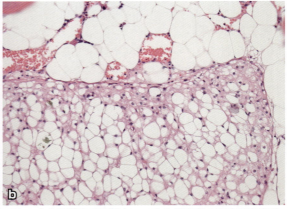

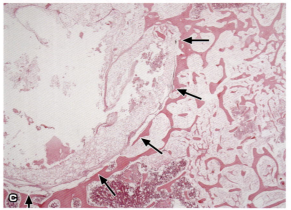

図13 良性脊索細胞腫（BNCT）と脊索腫の組織学的鑑別
a：腫瘍境界に被膜形成はなく，腫瘍細胞と既存骨髄組織は直接接し，なじんでいるようにみえる．b：BNCTに類似した脊索腫は，腫瘍境界に薄い線維性被膜が形成され，既存骨髄組織との境界は直線状で明瞭である．c：BNCT（右）と脊索腫（左）の境界部（矢印）．BNCTも脊索腫も粘液を欠き，空胞状細胞のシート状増殖を示しているため，細胞所見からの鑑別は困難である．しかし，BNCTは分葉構造や被膜形成を欠き，罹患骨梁が保たれている．一方，脊索腫は溶骨性で，境界面の線維性被膜や，分葉を区画する線維性隔壁を形成している．

はなじんでおり，直線的な線引きをすることは難しい（**図13a**）．一方，脊索腫では腫瘍境界に薄い線維性被膜が形成され，隣接する骨髄組織との境界は直線的で明瞭である（**図13b**）．これらの所見に留意すれば，BNCTと脊索腫の合併例であっても両者の鑑別は可能と考える（**図13c**）．

（山口岳彦）

文　献

1) Fletcher CDM, Unni KK, Mertens F (eds)：World Health

Organization Classification of Tumours, Pathology and Genetics of Tumours of Soft Tissue and Bone (3rd ed), IARC Press, Lyon, 2002
2) Fletcher CDM, Bridge JA, Hogendoorn PCW, et al (eds): World Health Organization Classification of Tumours of Soft Tissue and Bone (4th ed), IARC Press, Lyon, 2013
3) WHO Classification of Tumours Editorial Board (ed): WHO Classification of Tumours, Soft Tissue and Bone Tumours (5th ed), IARC Press, Lyon, 2020
4) Yamaguchi T, Suzuki S, Ishiiwa H, et al: Intraosseous benign notochordal cell tumours: overlooked precursors of classic chordomas? Histopathology 44: 597-602, 2004
5) Ulich TR, Mirra JM: Ecchordosis physaliphora vertebralis. Clin Orthop Relat Res (163): 282-289, 1982
6) Darby AJ, Cassar-Pullicino VN, McCall IW, et al: Vertebral intra-osseous chordoma or giant notochordal rest? Skeletal Radiol 28: 342-346, 1999
7) Mirra JM, Brien EW: Giant notochordal hamartoma of intraosseous origin: a newly reported benign entity to be distinguished from chordoma. Report of two cases. Skeletal Radiol 30: 698-709, 2001
8) Kyriakos M, Totty WG, Lenke LG: Giant vertebral notochordal rest: a lesion distinct from chordoma: discussion of an evolving concept. Am J Surg Pathol 27: 396-406, 2003
9) Yamaguchi T, Iwata J, Sugihara S, et al: Distinguishing benign notochordal cell tumors from vertebral chordoma. Skeletal Radiol 37: 291-299, 2008
10) Yamaguchi T, Yamato M, Saotome K: First histologically confirmed case of a classic chordoma arising in a precursor benign notochordal lesion: differential diagnosis of benign and malignant notochordal lesions. Skeletal Radiol 31: 413-418, 2002
11) Deshpande V, Nielsen GP, Rosenthal DI, et al: Intraosseous benign notochord cell tumors (BNCT): further evidence supporting a relationship to chordoma. Am J Surg Pathol 31: 1573-1577, 2007
12) 飯田　俊, 山口岳彦, 今田浩生, 他：胎児・小児脊椎にみられる遺残脊索組織の存在部位に関する組織学的検討. 日本病理学会会誌 107: 383, 2018
13) Larousserie F, Drape JL, Chevrot A, et al: Case 32. International Skeletal Society Members' Meeting 2014
14) Ahmed SK, Murata H, Draf W: Clivus chordoma: Is it enough to image the primary site? Skull Base 20: 111-113, 2010
15) Yamaguchi T: On "clivus chordoma: Is it enough to image the primary site?" (Skull Base 2010: 20: 111-113). Skull Base 21: 277-278, 2011
16) Vujovic S, Henderson S, Presneau N, et al: Brachyury, a crucial regulator of notochordal development, is a novel biomarker for chordomas. J Pathol 209: 157-165, 2006
17) Kikuchi Y, Yamaguchi T, Kishi H, et al: Pulmonary tumor with notochordal differentiation: report of 2 cases suggestive of benign notochordal cell tumor of extraosseous origin. Am J Surg Pathol 35: 1158-1164, 2011
18) Takahashi Y, Motoi T, Harada M, et al: Extraosseous benign notochordal cell tumor originating in the lung: a case report. Medicine (Baltimore) 94: e366, 2015
19) Shintaku M, Kikuchi R: Benign notochordal cell tumor of the lung: Report of a case. Pathol Int 70: 871-875, 2020
20) Carter JM, Wenger DE, Rose PS, et al: Atypical notochordal cell tumors: a series of notochordal-derived tumors that defy current classification schemes. Am J Surg Pathol 41: 39-48, 2017
21) Matsubayashi J, Sato E, Nomura M, et al: A case of paravertebral mediastinal chordoma without bone destruction. Skeletal Radiol 41: 1641-1644, 2012
22) Akiyama T, Ogura K, Gokita T, et al: Analysis of the infiltrative features of chordoma: the relationship between micro-skip metastasis and postoperative outcomes. Ann Surg Oncol 25: 912-919, 2018
23) Imai R, Kamada T, Sugahara S, et al: Carbon ion radiotherapy for sacral chordoma. Br J Radiol 84: S48-S54, 2011
24) Nishida Y, Kamada T, Imai R, et al: Clinical outcome of sacral chordoma with carbon ion radiotherapy compared with surgery. Int J Radiat Oncol Biol Phys 79: 110-116, 2011
25) Matsumoto T, Imagama S, Ito Z, et al: Total spondylectomy following carbon ion radiotherapy to treat chordoma of the mobile spine. Bone Joint J 95B: 1392-1395, 2013
26) Imai R, Kamada T, Araki N, et al: Carbon ion radiation therapy for unresectable sacral chordoma: an analysis of 188 cases. Int J Radiat Oncol Biol Phys 95: 322-327, 2016
27) Yamaguchi T, Imada H, Iida S, et al: Notochordal tumors: An update on molecular pathology with therapeutic implications. Surg Pathol Clin 10: 637-656, 2017
28) Tirabosco R, Mangham DC, Rosenberg AE, et al: Brachyury expression in extra-axial skeletal and soft tissue chordomas: a marker that distinguishes chordoma from mixed tumor/myoepithelioma/parachordoma in soft tissue. Am J Surg Pathol 32: 572-580, 2008
29) Lalam R, Cassar-Pullicino VN, McClure J, et al: Entrapped intralesional marrow: a hitherto undescribed imaging feature of benign notochordal cell tumour. Skeletal Radiol 41: 725-731, 2012

Ⅵ. 血管性腫瘍

1 血管腫および類上皮血管腫

haemangioma and epithelioid haemangioma

1. 血管腫

1）定義・概念

血管腫 haemangioma は，さまざまな大きさの毛細血管様血管から構成された単発の良性腫瘍または奇形性疾患である．広範囲の領域を巻き込むものは血管腫症 angiomatosis と呼称される[1,2]．

2）臨床的事項

比較的発生頻度が高く，剖検例では成人椎体骨の約10％にみられるが，臨床的に重要となる症候性の腫瘍は少なく，原発性骨腫瘍の1％未満である．椎体骨，頭蓋骨の順で好発し，まれながら他部位に生じることもある．疫学的には，どの年齢層でも発症しうるが，中高年，とくに40歳代に多く，女性優位である[1]．予後は非常に良好で，再発頻度も低い．

3）画像所見

特徴的な単純CT所見として，低吸収域に残存する高吸収域が水玉状にみえる polka-dot sign が挙げられる（図1）．これは単純X線写真で垂直方向に配列する骨透亮像として観察されるものである[2]．臨床的には，無症候性の病変はCTおよびMRIで脂肪や硬化性の骨梁を含む場合が多い．他方，症候性の腫瘍では脂肪が消失し，T1強調像で低信号，T2強調像で高信号を呈する傾向にある．

4）肉眼所見

境界明瞭な暗赤色の病変であり，骨梁と血液の充満した腔の散在からなる蜂巣状の外観を呈することもある．

5）組織学的所見

毛細血管性または海綿状血管腫は，正常に近い1層の内皮細胞で縁どられた壁の薄い血管から構成されており，骨髄を貫いて既存の骨髄を取り巻いている（図2）．免疫染色では，内皮細胞が第Ⅷ因子関連抗原，CD31，CD34，FLI1，ERGなどの血管内皮マーカーが陽性となる[1]．

6）鑑別診断

類似した組織像を示すリンパ管腫との鑑別は重要であるが，こちらは骨発生の頻度が高くない．鑑別点として，リンパ管腫では管腔内には血液成分が乏しいこと，内皮細胞が podoplanin 陽性であることが挙げられる．類上皮血管腫は，内皮細胞が上皮様の腫大を呈する．類上皮血管内皮腫は，上皮様の内皮細胞に加えて，粘液硝子様基質の存在および索状，胞巣状配列が特徴的である．

2. 類上皮血管腫

1）定義・概念

類上皮血管腫 epithelioid haemangioma は，上皮様形態および内皮細胞分化を呈する細胞からなる局所侵襲性の血管腫瘍病変と定義される[3]．同義語として，histiocytoid haemangioma, haemorrhagic epithelioid and spindle cell haemangioma などがあるが，いずれも積極的には用いられない．

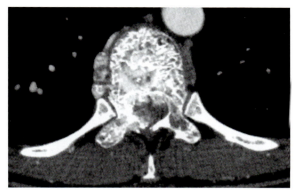

図1｜血管腫のCT像
腰椎血管腫の造影CT像．本疾患に特徴的なpolka-dot signを呈している．

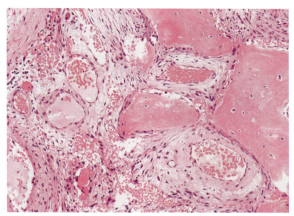

図2｜血管腫
骨梁間に毛細血管様血管が集簇している．血管内皮細胞は異型に乏しい．

2）臨床的事項

まれな腫瘍で，幅広い年代で生じうるが，成人に多くやや男性優位である．長管骨に最も多く発生し（40％），足骨，扁平骨，脊椎骨，手指骨がそれに続く．18～25％の症例は多病巣性で，骨外病変を認めることもある．しばしば腫瘍部に疼痛があり，偶発的に発見されることは少ない[3]．予後は良好で，局所再発率は1割程度である．

3）画像所見

境界明瞭な溶骨性病変として認められ，隔壁を有し骨皮質に浸潤性の膨張性腫瘤を呈する（**図3**）．小児例では骨端に達することも多い．MRIではT2強調像で高信号を示すことが多いものの，特徴的とされる所見はない[4]．

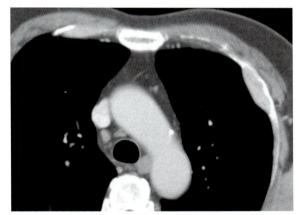

図3｜類上皮血管腫のCT像
左肋骨に等～低吸収の膨張性腫瘤が認められる．（国立病院機構九州がんセンター整形外科 横山良平先生ご提供）

4）肉眼所見

数mm～7cm程度のものが多く，境界明瞭，結節状，充実性，出血を伴うなどの特徴が認められる（**図4a**）．膨張して骨皮質を侵し，周囲の軟部組織にまで広がることもある．

5）組織学的所見

分葉状構造を呈して髄腔を置換する腫瘍であり，骨梁間への進展もみられる．中心部では上皮様細胞が管腔様または充実性の増殖を呈する（**図4b**）のに対し，辺縁部では扁平な内皮細胞に縁どられた小動脈様血管が増生している（**図4c**）．腫瘍細胞は，卵円形～そら豆状の核および好酸性の豊富な細胞質を有し，細胞質の空胞内には赤血球を容れている（**図4d**）．類上皮細胞に裏装された分化度の高い血管を形成する症例がほとんどであり，しばしば管腔内に墓石状の突出を呈する．微小壊死がみられることはあるが，核分裂像は目立たない．間質は疎な線維性結合組織からなり，好酸球浸潤を呈して骨髄炎様の所見をとることもある[3,5]（**図4e**）．

免疫染色では，第Ⅷ因子関連抗原，CD31，CD34，FLI1，ERGなどの血管内皮マーカーが陽性となる（**図4f**）ほか，cytokeratin，EMAが発現する例もある．また，α-SMAは周皮細胞に陽性像を示し，血管構造の確認に役立つ．FOSまたはFOSBの発現の確認も有用である[6]．

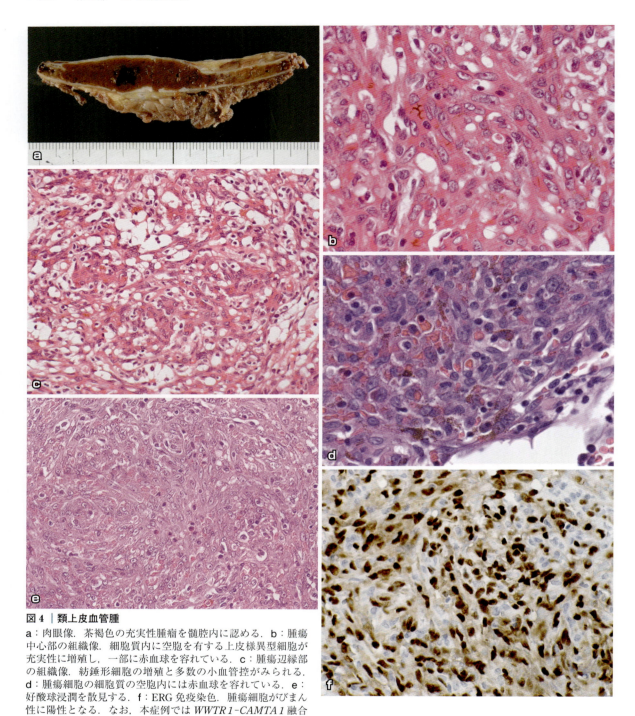

図4 | 類上皮血管腫

a：肉眼像．茶褐色の充実性腫瘤を髄腔内に認める．b：腫瘍中心部の組織像．細胞質内に空胞を有する上皮様異型細胞が充実性に増殖し，一部に赤血球を容れている．c：腫瘍辺縁部の組織像．紡錘形細胞の増殖と多数の小血管腔がみられる．d：腫瘍細胞の細胞質の空胞内には赤血球を容れている．e：好酸球浸潤を散見する．f：ERG 免疫染色．腫瘍細胞がびまん性に陽性となる．なお，本症例では WWTR1-CAMTA1 融合遺伝子が検出されなかった．（国立病院機構九州がんセンター病理診断科 田口健一先生ご提供）

6）鑑別診断

類上皮血管内皮腫 epithelioid haemangioendothelioma と類上皮血管腫との鑑別についてはさまざまな議論が行われてきたが，近年類上皮血管腫で *FOS* 関連融合遺伝子の検出が報告されており[7]，両者は異なる腫瘍であるとする見方が強まっている．組織学的な鑑別点としては，上皮様内皮細胞の増殖がみられる点は同様であるが，類上皮血管内皮腫は類上皮血管腫に比較して腫瘍細胞の異型が強い点，粘液様間質を伴って索状・巣状配列を呈する点，硝子様基質の沈着が認められる点などが異なるとされている．また，類上皮血管内皮腫では *WWTR1-CAMTA1* 融合遺伝子が高率に検出される．

その他の鑑別疾患として挙げられる血管肉腫 angiosarcoma は，分葉状構造を欠く点，細胞異型の強さ，核分裂像の多さから鑑別可能である．また，転移性腫瘍との鑑別は，CD31，CD34，ERG などの血管内皮マーカーの発現を調べることが重要である．

謝辞：類上皮血管腫の CT 画像および組織画像をご提供いただいた，国立病院機構九州がんセンター整形外科 横山良平先生，同病理診断科 田口健一先生の両先生方に深謝申し上げます．

（毛利太郎，小田義直）

文献

1) Hameed M, Bloem JL, Righi A：Haemangioma of bone. in WHO Classification of Tumours Editorial Board（ed）："WHO Classification of Tumours, Soft Tissue and Bone Tumours"（5th ed），IARC Press, Lyon, 2020, pp426-427
2) 石田 剛：骨腫瘍の病理，文光堂，2012, pp281-285
3) Bovée JVMG, Rosenberg AE：Epithelioid haemangioma of bone. in WHO Classification of Tumours Editorial Board（ed）："WHO Classification of Tumours, Soft Tissue and Bone Tumours"（5th ed），IARC Press, Lyon, 2020, pp428-430
4) Errani C, Zhang L, Panicek DM, et al：Epithelioid hemangioma of bone and soft tissue：a reappraisal of a controversial entity. Clin Orthop Relat Res 470：1498-1506, 2012
5) Nielsen GP, Srivastava A, Kattapuram S, et al：Epithelioid hemangioma of bone revisited：A study of 50 cases. Am J Surg Pathol 33：270-277, 2009
6) Hung YP, Fletcher CD, Hornick JL：FOSB is a useful diagnostic marker for pseudomyogenic hemangioendothelioma. Am J Surg Pathol 41：596-606, 2017
7) van IJzendoorn DG, de Jong D, Romagosa C, et al：Fusion events lead to truncation of FOS in epithelioid hemangioma of bone. Genes Chromosomes Cancer 54：565-574, 2015

Ⅵ. 血管性腫瘍

2 類上皮血管内皮腫および血管肉腫

epithelioid haemangioendothelioma and angiosarcoma

1. 類上皮血管内皮腫

1）定義・概念

類上皮血管内皮腫 epithelioid haemangioendothelioma は，上皮様の形態を示す血管内皮細胞の増殖と硝子化，軟骨様ないし好塩基性の間質を特徴とする低ないし中間悪性度の骨腫瘍である[1]．

2）臨床的事項

骨に限局する場合と，骨のみならず肝，肺，軟部組織などとの多臓器発生がある．いずれの年代にも発生し，10歳代，20歳代に好発する．男女の発生頻度に明らかな差はない．いずれの骨にも発生するが50〜60％は長幹骨に発生する．とくに下肢骨，骨盤骨，肋骨，脊椎に好発する．50〜64％では多発し，1つの骨に群発する傾向がある[2,3]．初発症状は限局性の疼痛，腫大のことが多い．無症候性のこともある．画像上では境界明瞭または不明瞭な骨融解像，膨張性発育を示し，皮質骨のびらんを伴うこともある．

3）肉眼所見

最大10cm大までの弾力性を有する腫瘍で，褐色，球状を示し，ときに出血性腫瘍のこともある．

4）組織学的所見

組織学的には軽度ないし中等度の異型を示す上皮様細胞，組織球様細胞がコード状，索状，小胞巣状，ときには管腔状に増殖する．腫瘍細胞による明らかな，あるいは整然とした血管腔の形成はまれである．間質は粘液腫状，硝子様，好塩基性または軟骨基質様である．腫瘍細胞の核は類円形，不整形で細胞質は好酸性ないし淡明である．最も特徴的なのは細胞質内に境界明瞭な空胞を有することで（図1〜4），しばしばその中に赤血球を容れる．primitiveな血管形成が示唆される．また印環細胞癌にも類似する．核分裂像は少数である．約1/3の症例では高度の核異型，核分裂像（2/10HPF以上），紡錘形の腫瘍細胞の出現，壊死巣，また小型細胞の充実性増殖よりなる血管肉腫様部分の混在がみられ，臨床的にaggressiveな経過を示す傾向がある（いわゆる異型ないし悪性類上皮血管内皮腫 atypical（malignant）epithelioid haemangioendothelioma）（図5）．

5）免疫組織化学的特徴

血管内皮マーカーが陽性である．CD31（図6），CD34, FLI1, ERGなどは第Ⅷ因子関連抗原より感度が高い．D2-40は一部の症例で陽性である．注意すべき点として，約25％の症例でcytokeratinやEMAが陽性であり，癌と誤診されやすい．Shibuyaらは CAMTA1 抗体はこの腫瘍に特異性が高いと報告している[3]（図7）．

6）分子病理学的特徴

t(1;3)(p36;q25) 転座がみられ，1p36の*WWTR1*と3q25の*CAMTA1*の融合が認められる[4]．この融合遺伝子は類上皮血管内皮腫に特異的とされている．

7）鑑別診断

癌（主として腺癌）：異型がより強く核分裂像も多

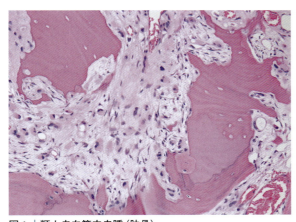

図1 | 類上皮血管内皮腫（肋骨）
上皮様細胞の増殖と骨梁への浸潤像を示す．

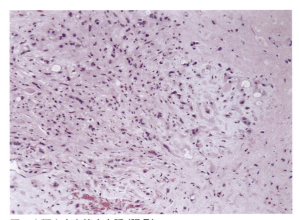

図2 | 類上皮血管内皮腫（腸骨）
類円形，不整形の核を有する細胞の索状の増殖を示す．

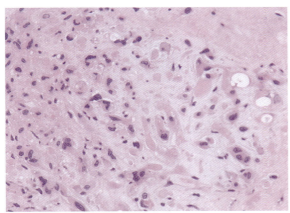

図3 | 類上皮血管内皮腫（腸骨）（図2の強拡大像）
軽度の異型を示す上皮様細胞がコード状，小胞巣状に増殖し，間質は粘液腫状で硝子化を呈する．細胞質内に血管腔様の空胞がみられる．

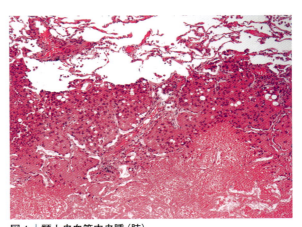

図4 | 類上皮血管内皮腫（肺）
骨と肺に多発した症例．上皮様細胞の充実性増殖と間質の硝子化がみられる．血管腔の形成は明らかではない．

い．壊死，間質の線維化，炎症性細胞の浸潤がみられる．血管内皮マーカーが陰性で，種々の上皮性マーカーが陽性であり，粘液も証明されることがある．

類上皮血管腫 epithelioid haemangioma：異型に乏しい細胞の上皮様血管内皮細胞の増殖がみられる．核分裂像はまれである．間質は疎な線維性組織よりなり，好酸球を主体とする炎症性細胞浸潤を伴うことが多い．類上皮血管内皮腫では，種々の程度の細胞異型を示し，間質は chondromyxoid，硝子化を示し，炎症細胞浸潤は比較的まれである．類上皮血管内皮腫との鑑別が困難な症例があり，類上皮血管腫の存在に懐疑的な報告もある[5,6]．富細胞性や異型を示す類上皮血管腫では類上皮血管内皮腫との鑑別が

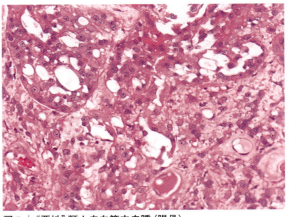

図5 | "悪性"類上皮血管内皮腫（腸骨）
中等度の異型を示す細胞が管腔状，小胞巣状に増殖する．腺癌や類上皮血管肉腫と類似する．

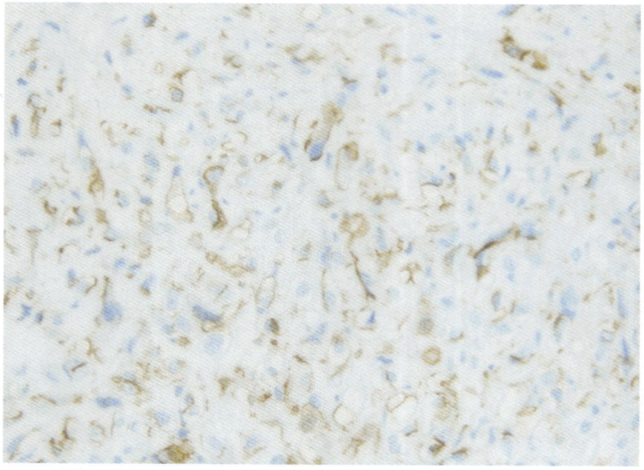

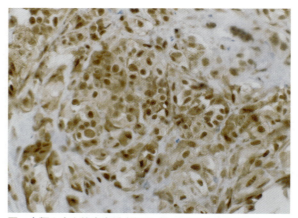

図6 | 類上皮血管内皮腫（肋骨）（CD31免疫染色）
多くの腫瘍細胞が陽性を示す．

図7 | 類上皮血管内皮腫（肋骨）（CAMTA1免疫染色）
腫瘍細胞の核がびまん性陽性を示す．

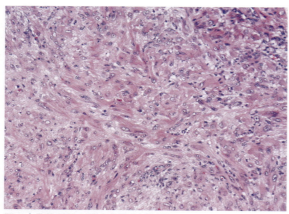
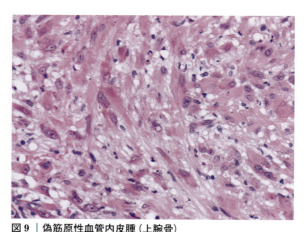

図8 | 偽筋原性血管内皮腫（上腕骨）
長紡錘形の核，好酸性の細胞質を有する細胞の錯綜状の増殖，リンパ球浸潤を伴う線維性間質よりなる．同領域の皮膚，真皮にも同様の腫瘍を認める．

図9 | 偽筋原性血管内皮腫（上腕骨）
腫瘍細胞は顆粒状の核，小型の核小体と好酸性の豊富な細胞質を有し，横紋筋芽細胞様である．軽度の炎症性細胞浸潤を伴う．

容易ではない．前者では分葉状の発育，明瞭な血管腔の形成，周皮細胞の存在がみられる．*FOSB*遺伝子再構成や*FOS*遺伝子再構成を有することが多い．後者では類上皮細胞の索状，コード状の増殖，印環細胞様細胞の存在が特徴的で，明瞭な血管腔の形成を欠く[7]．

偽筋原性（類上皮肉腫様）血管内皮腫 pseudomyogenic (epithelioid sarcoma-like) haemangioendothelioma：皮膚，皮下組織に病変をみることが多く，約50％の症例では筋層内にみられ，約20％の症例では骨にも融解性の腫瘍をみる[8]．肉眼的には境界不明瞭な灰白色ないし白色硬の腫瘍である．1ないし2.5cm大のことが多く，組織学的には浸潤性の増殖を示し，筋原性腫瘍や類上皮肉腫に類似する．紡錘形細胞のシート状，錯綜状，束状の増殖よりなる（図8）．腫瘍細胞は顆粒状の核，小型の核小体と好酸性の豊富な細胞質を有し横紋筋芽細胞様である（図9）．一部で類上皮様細胞の増殖像を認める．細胞異型は軽度で核分裂像はまれである．約10％の症例では多形性を認める．間質は線維性でときに粘液腫状を呈し，約半数の症例で好中球の浸潤をみる．免疫組織化学的には，cytokeratin AE1/AE3，FLI1がびまん性に陽性である．約50％の症例でCD31が陽性で，約30％では一部でα-SMA陽性である．cytokeratin MNF116，EMA，S-100蛋白，CD34，desminは陰性であり，INI1は陽性である[8]．CAMTA1は陰性である．また，特異的な融合遺伝子*SERPINE1-FOSB*ならびに*ACTB-FOSB*が知られており，

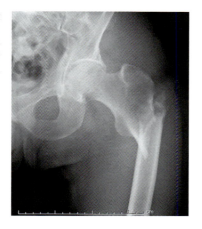

図10 | 血管肉腫(大腿骨)の単純X線像
大腿骨近位部の境界不明瞭な骨融解性病変で軟部組織に及ぶ.

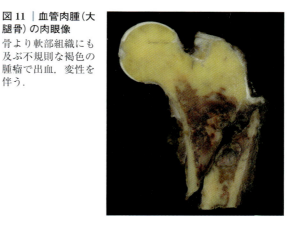

図11 | 血管肉腫(大腿骨)の肉眼像
骨より軟部組織にも及ぶ不規則な褐色の腫瘤で出血, 変性を伴う.

FOSBの免疫染色の有用性も報告されている[9].

8) 治療・予後

広範切除の適応となる. 種々の臨床経過を示すが, 2個以上の骨病変の症例は予後不良の傾向がある. 腫瘍死は約20%である[10]. 組織学的予後因子は不明である[11].

2. 血管肉腫

1) 定義・概念

血管肉腫 angiosarcoma は, 血管内皮細胞への分化を示す高悪性度の骨腫瘍である.

2) 臨床的事項

悪性骨腫瘍の1%以下の頻度である. 10歳代～80歳代に発生し, 男性に多い. 多くは原因不明であるが, 一部の症例は放射線被曝後や骨梗塞に関連して発生する. 大腿骨, 骨盤骨, 脊椎骨が好発部である. 約1/3の症例は多発病変を示す.

画像上は孤立性ないし一定の領域での多発性の骨融解像を呈し, 境界明瞭なことも境界不明瞭なこともある[12](図10). 皮質骨の破壊, 軟部組織への浸潤像をしばしば認めるが, 骨膜反応をみることはまれである. MRIでは heterogeneous 病変で, 約60%では広範な反応性変化を伴う[13].

3) 肉眼所見

通常5cm大以上のことが多く, 脆弱性, 出血性で褐色の腫瘤である. 骨皮質を破壊し軟部組織に浸潤する(図11).

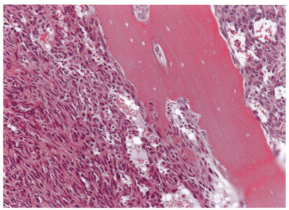

図12 | 血管肉腫(大腿骨)
紡錘形細胞の充実性, スリット状, 血管腔状の増殖を示す.

4) 組織学的所見

組織学的には浸潤性増殖を示し, 吻合状, スリット状, 乳頭状, 管腔状の血管腔の形成が特徴で, 血管への分化像をみる(図12～16). 分け入るような浸潤増殖, 内皮細胞の異型, 重層化が診断のポイントとなる. また充実性増殖, 上皮様の配列, スリット状の血管形成を示す紡錘形細胞の増殖もしばしば認める(図16). 核分裂像も多く, 壊死, 出血をみる. 大部分の像が腺癌様の像を示す場合には, 類上皮血管肉腫 epithelioid angiosarcoma と呼ばれる(図17).

5) 免疫組織化学的特徴

CD31(図18), CD34, ERG(図19), FLI1が陽性のことが多く, 第Ⅷ因子関連抗原は感度が低くその陽性率は低い. D2-40は上皮様の像を示す症例で陽

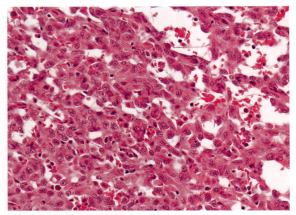

図 13｜血管肉腫（大腿骨）
中等度の異型を示す細胞が吻合状，スリット状の血管腔を形成する．

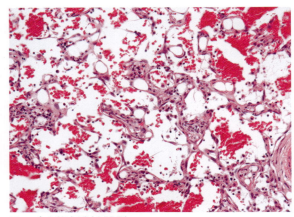

図 14｜血管肉腫（大腿骨）
腫瘍細胞の類洞状，吻合状の増殖を示す．

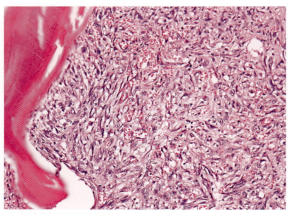

図 15｜血管肉腫（腸骨）
紡錘形細胞によるスリット状の血管腔の形成がみられる．

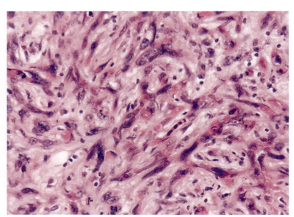

図 16｜血管肉腫（大腿骨）（図 15 の強拡大像）
異型紡錘形細胞の吻合状，スリット状の血管形成を認める．

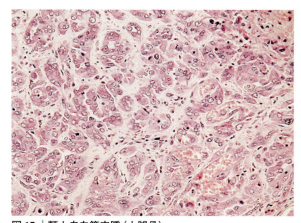

図 17｜類上皮血管肉腫（大腿骨）
上皮様で異型の目立つ細胞の管状の増殖を認める．転移性腺癌との鑑別を要する．

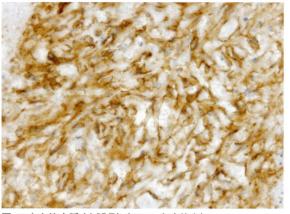

図 18｜血管肉腫（大腿骨）（CD31 免疫染色）
多数の腫瘍細胞の細胞質が陽性を示す．

性になる傾向がある．複数の血管内皮マーカーによる検討が肝要である．類上皮血管肉腫では 40〜50％の例で cytokeratin や EMA が陽性となり，転移性腺癌との鑑別が肝要である．

6）分子病理学的特徴

t(1;14)(p21;q24) 転座が報告されている[14]．多くの放射線照射後の血管肉腫では *MYC* 遺伝子増幅がみられる[15]．

7）鑑別診断

類上皮血管内皮腫と類上皮血管肉腫：前者は索状，小胞巣状，印環細胞様細胞の増殖，chondromyxoid な間質が特徴的である．類上皮血管肉腫では壊死，変性像を認める．細胞異型は症例によって異なり両者の鑑別点とはなりにくい．

転移性腺癌：組織学的に腫瘍性血管形成はみられず，血管内皮マーカーは陰性である．

8）予　後

一般的に高悪性度で，急速な進行を示す．1年，2年，5年の生存率は，各々55％，43％，33％である[16]．組織学的予後不良因子は，大型核，核分裂像が 3/10PHF 以上，好酸球が 5/10HPF 以下である．D2-40 陽性でリンパ管への分化像がみられた場合にも予後不良となる[16]．

（福永真治）

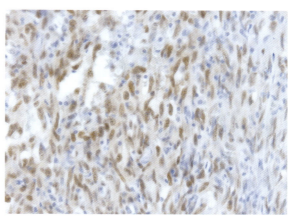

図 19 血管肉腫（大腿骨）の（ERG 免疫染色）
多数の腫瘍細胞の核が陽性を示す．

文　献

1) Bovée, JVMG, Antonescu CR, Rosenberg AE：Epithelioid haemangioendothelioma of bone. in WHO Classification of Tumours Editorial Board (ed)："WHO Classification of Tumours, Soft Tissue and Bone Tumours"(5th ed), IRAC Press, Lyon, 2020, pp431-433
2) Weissferdt A, Moran CA：Epithelioid hemangioendothelioma of the bone：a review and update. Adv Anat Pathol 21：254-259, 2014
3) Shibuya R, Matsuyama A, Shiba E, et al：CAMTA1 is a useful immunohistochemical marker for diagnosing epithelioid haemangioendothelioma. Histopathology 67：827-335, 2015
4) Mendlick MR, Nelson M, Pickering D, et al：Translocation t(1;3)(p36.3;q25) is a nonrandom aberration in epithelioid hemangioendothelioma. Am J Surg Pathol 25：684-687, 2001
5) 石田　剛：骨脈管性腫瘍の臨床病理．病理と臨床 27：156-168, 2009
6) Evans HL, Raymond AK, Ayala AG：Vascular tumors of bone：a study of 17 cases other than ordinary hemangioma, with an evaluation of the relationship of hemangioendothelioma of bone to epithelioid hemangioma, epithelioid hemangioendothelioma, and high-grade angiosarcoma. Hum Pathol 34：680-689, 2003
7) Huang SC, Zhang L, Sung YS, et al：Frequent FOS gene rearrangements in epithelioid hemangioma：A molecular study of 58 cases with morphologic reappraisal. Am J Surg Pathol 39：1313-1321, 2015
8) Honick JL, Fletcher CD：Pseudomyogenic hemangioendothelioma：a distinctive, often multicentric tumor with indolent behavior. Am J Surg Pathol 35：190-201, 2011
9) Hung YP, Fletcher CDM, Hornick JL：FOSB is a useful diagnostic marker for pseudomyogenic hemangioendothelioma. Am J Surg Pathol 41：596-606, 2017
10) Lau K, Massad M, Pollack C, et al：Clinical patterns and outcome in epithelioid hemangioendothelioma with or without pulmonary involvement：insights from an internet registry in the study of a rare cancer. Chest 140：1312-1318, 2011
11) Kleer CG, Unni KK, McLeod RA：Epithelioid hemangioendothelioma of bone. Am J Surg Pathol 20：1301-1311, 1996
12) 福永真治：類上皮血管内皮腫および血管肉腫．野島孝之，小田義直編：腫瘍病理鑑別診断アトラス 骨腫瘍．文光堂，2016, pp109-114
13) Bovée JVMG, Rosenberg AE：Angiosarcoma. in Fletcher CDM, Bridge JA, Hogendoorn PCW, et al (eds)："World Health Organization Classification of Tumours of Soft Tissue and Bone"(4th ed), IRAC Press, Lyon, 2013, pp337-338
14) Dunlap JB, Magenis RE, Davis C, et al：Cytogenetic analysis of a primary bone angiosarcoma. Cancer Genet Cytogenet 194：1-3, 2009
15) Manner J, Radlwimmer B, Hohenberger P, et al：MYC high level gene amplification is a distinctive feature of angiosarcomas after irradiation or chronic lymphedema. Am J Pathol 176：34-39, 2010
16) Verbeke SL, Bertoni F, Bacchini P, et al：Distinct histological features characterize primary angiosarcoma of bone. Histopathology 58：254-264, 2011

第2部 組織型と診断の実際

Ⅶ. その他の腫瘍

1 単純性骨嚢腫

simple bone cyst (solitary bone cyst)

はじめに

単純性骨嚢腫 simple bone cyst (SBC) または孤発性骨嚢腫 solitary bone cyst は，別名 単房骨嚢腫 unicameral bone cyst とも称されるように，薄い壁で囲まれた単房性の骨内嚢胞性病変である．とくに問題のない典型的な症例では，臨床像や画像所見から診断は容易であるが，骨折などによる二次的な修飾が加わることが多く，その場合，動脈瘤様骨嚢腫 aneurysmal bone cyst (ABC) などとの鑑別が難しくなるので注意が必要である．

1. 臨床的事項

約85％は小児から若年者に発生し，発症年齢は3～14歳（平均9歳）に多いとされている．男性に多く，女性の約2倍とされる[1,2]．多くは無症状であるが，骨折をきたすと疼痛を伴うことがある[1]．あらゆる骨に発生するが，95％以上は長管骨に発生し，上腕骨近位，大腿骨近位が最も多く，この2ヵ所でおよそ90％を占める[1,2]．踵骨の発生も比較的多く[2-4]，頻度は非常に低いが，腸骨（寛骨臼），肩甲骨，手根骨，中手骨，中足骨や指趾骨などの発生も報告されている[3]．90～95％は骨幹端に発生するが（図1），骨端軟骨に近接する（<0.5cm）場合を「活動性 active」と称し，骨端線（骨端の成長軟骨板）より遠位方向に進展し骨端線と分離されている場合を「非活動性 inactive」または「潜在性 latent」と称する．活動性の単純性骨嚢腫は大きくなりやすく，骨折の危険性が高いとともに，骨端線を圧排・破壊し骨幹に波及することがあり，成長障害や発育不全をきたす危険性がある[1,3-5]．

単純X線などの画像上は多房性にみえることがあるが，unicameral と称されるように真に多房性のことはほとんどなく，多くは残存する骨梁が隔壁様にみえるためとされる．骨折をきたすと破壊された骨片が嚢胞内に浮遊し，"fallen fragment sign"という像を示すことがある[3]．また嚢胞内の気泡が上昇し"rising bubble sign"という像を呈することがあり，いずれも SBC を示唆する所見である[1,3]．骨折などの影響が加わると，充実部分の出現や出血，骨膜反応などをきたすことがあるので注意を要する．

2. 発生メカニズム

SBC の成因は明確ではないが，真の腫瘍ではなく，髄内出血と血腫の被包化，外傷による亀裂，骨幹端の骨化不全，海綿骨の静脈還流障害による細胞間質液の貯留などが要因として考えられている[6]．また16番染色体短腕と20番染色体長腕の相互転座（t(16;20)(p11.2;q13)）や，複数の遺伝子の複雑な異常などが少数例で報告されており，遺伝学的な要因の可能性も想定されている[1,6]．

3. 肉眼所見・組織学的所見

骨折などの修飾の加わらない SBC は，漿液性の内容物を容れた単房性嚢胞であるが，骨折の影響が加わると壁の肥厚や出血などを示し，肉眼的にも ABC と鑑別が難しくなる[1,3]．

図1 | 単純性骨嚢腫の単純X線像
骨幹端に境界明瞭な透亮像が観察される．

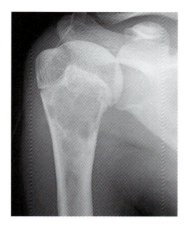

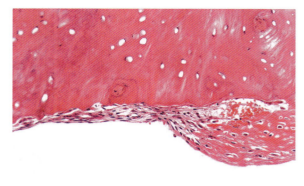

図2 | 単純性骨嚢腫の嚢胞壁
薄い線維性組織よりなり，反応性の類骨や未熟骨形成を伴う．

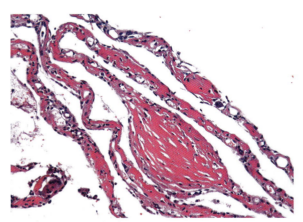

図3 | 単純性骨嚢腫の嚢胞壁
細胞成分の乏しい薄い線維性組織よりなり，反応性類骨や未熟骨形成を伴う．

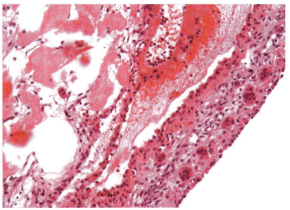

図4 | 単純性骨嚢腫
嚢胞内面はときに中皮様〜上皮様の間葉系細胞により単層性に覆われる．破骨細胞型多核巨細胞の出現を伴うことがある．

二次的変化の加わらない病変では，組織学的に嚢胞壁は薄い膠原線維性組織より構成され，反応性の未熟骨形成を観察する（図2,3）．嚢胞内面は中皮様ないし上皮様を呈する多稜形〜扁平化した間葉系細胞が単層性に覆うことがある[7]（図4）．また嚢胞壁に好酸性フィブリン様でセメント質様の石灰化物がしばしば観察され（図5），SBCの診断上有用な所見の一つである[1,3,7]．骨折などの二次的変化や出血などをきたすと，嚢胞壁は細胞成分の多い肉芽組織様の厚い膜状構造を呈し，炎症細胞の浸潤や多数の破骨細胞型多核巨細胞，組織球，泡沫細胞の出現，ヘモジデリン沈着，コレステリン結晶の析出とコレステロール肉芽腫形成などを伴い，ABCとの鑑別の難しい様相を呈し，注意を要する[3]．

4．予後

SBCは通常長管骨の骨幹端に発生するが，成長とともに骨幹に移動し，最終的には嚢胞が充満し骨化に至るとされている[1,3]．成人の骨幹部発生のSBCは，骨幹端のSBCが骨幹部に移動したことによるresidual diaphyseal cystと考えられている[3]．SBCの成人発生がまれであるのは自然消滅するためと考えられている[3]．10〜20％の症例で再発が報告されており，若年者や嚢胞が大きい症例に再発例が多いとされる[1]．嚢胞が骨端方向に進展し成長軟骨板が圧迫されると，下肢の成長障害をきたし，脚長差や軸偏位を引き起こすこともある[1,3,5]．

（渡辺みか）

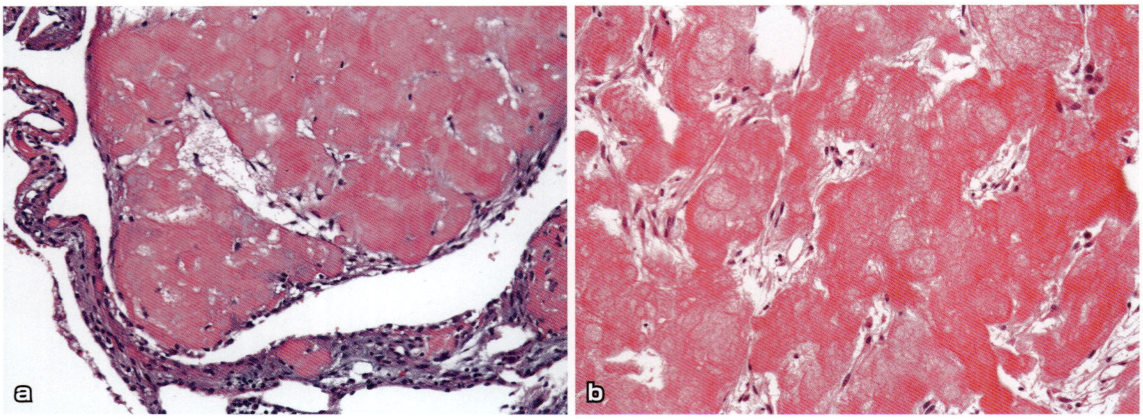

図5｜単純性骨囊腫
囊胞壁に好酸性フィブリン様でセメント質様の石灰化物がみられることが特徴的である．a：弱拡大像，b：強拡大像．

文　献

1) Noordin S, Allana S, Umer M, et al：Unicameral bone cysts：Current concepts. Ann Med Surg（Lond）34：43-49, 2018
2) Aycan OE, Çamurcu İY, Özer D, et al：Unusual localizations of unicameral bone cysts and aneurysmal bone cysts：A retrospective review of 451cases. Acta Orthop Belg 81：209-212, 2015
3) Mascard E, Gomez-Brouchet A, Lambot K：Bone cysts：unicameral and aneurysmal bone cyst. Orthop Traumatol Surg Res 101：S119-S127, 2015
4) Takada J, Hoshi M, Oebisu N, et al：A comparative study of clinicopathological features between simple bone cysts of the calcaneus and the long bone. Foot Ankle Int 35：374-382, 2014
5) Liu Q, He H, Zeng H, et al：Active unicameral bone cysts：control firstly, cure secondly. J Orthop Surg Res 14：275, 2019
6) Miu A：Etiological aspects of solitary bone cysts：comments regarding the presence of the disease in two brothers. Is the genetic theory sustainable or is it pure coincidence? -Case report. J Med Life 8：509-512, 2015
7) Doğanavşargil B, Ayhan E, Argin M, et al：Cystic bone lesions：histopathological spectrum and diagnostic challenges. Turk Patoloji Derg 31：95-103, 2015

第2部　組織型と診断の実際

Ⅶ. その他の腫瘍

2　線維性骨異形成

fibrous dysplasia

1. 定義・概念

　線維性骨異形成 fibrous dysplasia（FD）は，既存の骨および骨髄組織を置換しながら，線維骨からなる不規則な骨梁と線維組織が増生する良性線維骨性病変 benign fibro-osseous lesion である．単骨性 monostotic と多骨性 polyostotic に分類され，まれに他の随伴症状を伴って症候群として発症する．単骨性症例が多骨性に比し6～10倍多い[1～3]．
　1938年に Lichtenstein により多骨性 FD が初めて報告され[4]，1942年には Lichtenstein と Jaffe により単骨性の病変を含めた疾患の全体像が報告された[5]．FD は，幼若な骨が成熟した層板骨に作り替えられるリモデリング過程の異常と考えられており，不十分な石灰化による強度不足，骨形態異常のために力学的負荷に耐えられず，疼痛，変形，病的骨折が発生する．良性病変であり，悪性転化はきわめてまれである[1]．
　軟骨成分が目立つ病変は線維軟骨性異形成 fibro-cartilaginous dysplasia（FCD）と呼ばれ，FD のおよそ10％を占める．FD と好発する年齢や部位が一致すること，後述する GNAS 遺伝子の変異を有することから FD の亜型と考えられている[6]．

2. 臨床的事項

　発生頻度は良性骨腫瘍の5～7％である．すべての年齢に発生しうるが，多くは30歳までに発見され，なかでも思春期から20歳以下に多く，性差はない．全身のどの骨にも発生しうるが，好発部位は大腿骨，脛骨，肋骨，頭蓋および顔面骨，骨盤骨であり，脊椎や手足の小骨にはまれである．中年期以降では肋骨発生の頻度が高い傾向がある．症状は疼痛，変形，病的骨折などである．成長に伴って病変は増大し，骨成長の停止とともに病変の増大は停止する．多骨性の場合，一肢あるいは片側に限局することが多く，単骨性に比し変形の程度は高度である[1,7]．
　McCune-Albright 症候群ではカフェオレ斑，内分泌機能亢進（思春期早発症，甲状腺機能亢進症，Cushing 症候群など）を合併し，Mazabraud 症候群では筋肉内粘液腫を合併する[1]．

3. 画像所見

　単純Ｘ線では，骨中心性に発生し，通常すりガラス状の骨透亮像を呈するが，骨梁の多寡により溶骨性から骨硬化性までさまざまな像が混在する．辺縁硬化像の内縁は明瞭で，外縁はなだらかに周囲の骨組織に移行する．骨内膜の波状削り取り（scalloping）が種々の程度にみられるが，外骨膜は平滑で，骨新生などの反応は骨折を伴わない限りみられない（図1a, b）．大腿骨近位部発生例では，特徴的な羊飼いの杖状変形 shepherd's crook deformity をきたすことがある（図1c）．MRI では，線維骨性の性状を反映して，T1強調像で低信号，T2強調像で低～中等度信号を呈する（図2）．囊胞化や軟骨への分化により，T2強調像で高信号を混じる[2,7]．

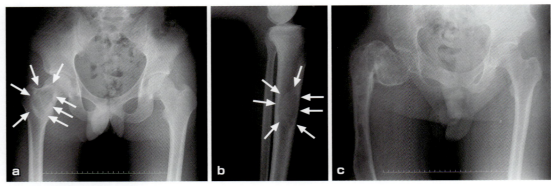

図1 │ 線維性骨異形成の単純X線像
a：右大腿骨近位部に辺縁硬化像を伴う骨透亮像を認め，すりガラス状陰影を呈する（矢印）．b：左脛骨近位1/3の部分にすりガラス状陰影の骨透亮像を認める（矢印）．骨皮質の圧排，菲薄化を認めるが外骨膜反応はない．c：右大腿骨近位部の羊飼いの杖状変形．

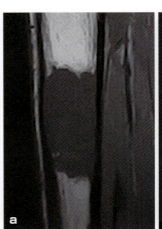
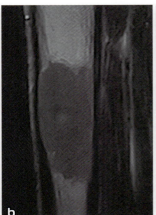
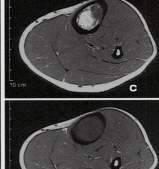

図2 │ 線維性骨異形成のMR像（a, b：矢状断，c, d：水平断）（図1bと同一症例）
骨皮質の菲薄化を伴う境界明瞭な病変がみられ，T1強調像にて低信号（a, c），T2強調像にて低〜中等度信号（b, d）を呈する．cでは正常な骨髄組織が高信号を示している．

図3 │ 線維性骨異形成の肉眼像（搔爬術による摘出病変）
灰白色調，ざらざらとした砂状の外観を呈する．

4．肉眼所見

灰白色ないし黄褐色を呈する砂状のざらざらした病変が骨組織を置換する（図3）．en bloc切除検体では，しばしば骨皮質の膨隆や侵食が観察される．また，後述する二次性変化により出血性や黄色肉芽腫様の外観を呈する[1,2]．

5．組織学的所見

繊細な網目状の骨梁および骨梁間に線維組織が増生する．骨成分と線維成分の割合は症例によりさまざまである．骨成分は，alphabet soup あるいは Chinese character と形容される不規則な分岐・彎曲を呈し（図4a, b），小球状の骨組織として認められることもある（図4c）．骨組織は未熟な線維骨（woven

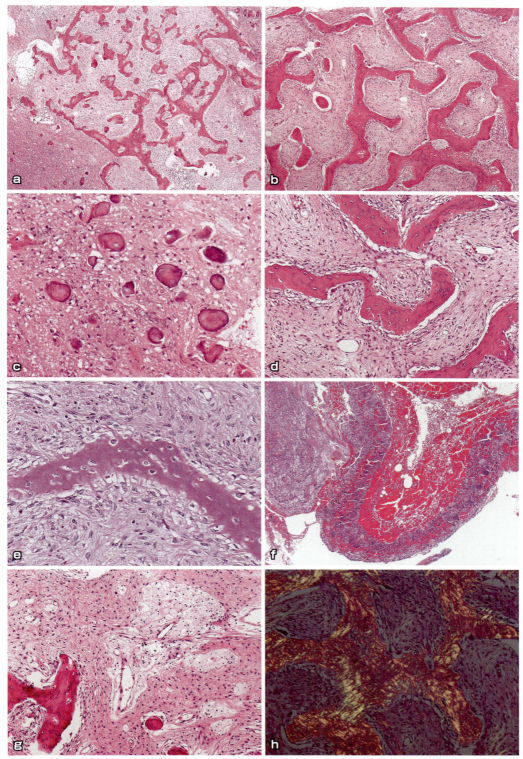

図 4 | 線維性骨異形成（a～g：HE 染色，h：偏光観察）
a, b：不規則に分岐，彎曲した骨梁と線維組織の増生がみられる．c：小球状の骨組織．d：骨梁を縁どる骨芽細胞は認めない．e：骨梁から Sharpey 線維が伸びている．f：血腫を容れた囊胞壁に破骨細胞型多核巨細胞がみられ，動脈瘤様骨囊腫様変化である．g：泡沫細胞の集簇を認める．h：簡易偏光観察にて線維のランダムな走行が認められ，線維骨の所見である．

表1 | 線維性骨異形成（FD）と骨線維性異形成（OFD）の臨床病理学的鑑別点

	線維性骨異形成	骨線維性異形成
発症年齢	通常10歳以上	10歳以下
好発部位	大腿骨，骨盤骨，肋骨，他	脛骨，腓骨
多発性	多骨性：単骨性＝6：1	ときに脛骨と腓骨に発生
脛骨の前彎	ない	しばしばある
画像所見	髄腔内に発生	骨皮質に発生
自然消退	単骨性でまれにある	しばしば自然消退ないし安定化する
組織学的所見	線維骨による骨梁 骨芽細胞の縁どりがない 豊富な膠原線維	zoning architecture あり 骨芽細胞の縁どりがある まばらな膠原線維
免疫組織化学的特徴	cytokeratin 陰性 骨梁周囲の細胞に PCNA 陰性	cytokeratin 陽性細胞が散在 骨梁周囲の細胞に PCNA 陽性
遺伝子異常	GNAS 遺伝子変異	GNAS 遺伝子変異なし

bone）であり（図4h），骨芽細胞による縁どりに乏しく，ときに Sharpey 線維様の毛羽立ちが認められる（図4d, e）．線維組織には異型のない紡錘形細胞が束状に増殖し，核分裂像はほとんど認識できない．内軟骨性骨化を伴う硝子軟骨がみられることもあり，とくに目立つ場合は本症の亜型として線維軟骨性異形成と称される．動脈瘤様骨嚢腫様変化，泡沫細胞，破骨細胞型多核巨細胞，粘液変性などの二次的変化もしばしば認められる[1,2]（図4f, g）．

悪性転化はまれで 0.4～4％と報告によって幅があるが，1％未満と推測される．多骨性の症例に多く，骨肉腫，線維肉腫，軟骨肉腫，未分化多形肉腫の発生が報告されている[1,7]．

6. 分子病理学的特徴

FD では，GNAS の遺伝子変異が 50～70％で検出され[6,7]，R201H，続いて R201C の変異が多く，Wnt/β-catenin 系を異常に活性化させることにより骨芽細胞の最終分化が抑制される[8,9]．20番染色体 q13.2 に位置する GNAS 遺伝子は G 蛋白の α サブユニットをコードしており，本来，α サブユニットは細胞外リガンドに応じてアデニル酸シクラーゼを活性化させ，cAMP を産生する．FD では GNAS 変異によりリガンド非依存性に cAMP 過剰状態となっている．過剰な cAMP は，骨髄間質細胞の増殖促進，骨芽細胞への不完全な分化，および破骨細胞分化誘導により線維骨性病変を形成する．変異の時期や変異した細胞の種類や数によって病変の広がりが左右される．

また，GNAS 遺伝子変異を有する FD 患者の骨芽細胞や間質細胞では，低リン血症性くる病・骨軟化症の原因因子である線維芽細胞増殖因子 fibroblast growth factor（FGF）23 の産生が亢進しており，尿中リン排泄増加を介した骨形成不全への関与が示唆されている[10,11]．

7. 鑑別診断

組織学的な鑑別診断としては，骨線維性異形成 osteofibrous dysplasia（OFD），低悪性度中心性骨肉腫が挙げられる．

骨線維性異形成（OFD）：FD と同じく線維骨性病変であり，通常10歳以下の脛骨，腓骨に発生する．X線像では FD と同様に骨透亮像を呈するが，FD が髄内発生であるのに対し，OFD は偏心性で前方の骨皮質に発生する．組織学的にも骨成分と線維成分からなる点で FD に類似するが，鑑別点は骨梁周囲に骨芽細胞の縁どりがある点，膠原線維がやや疎である点，病変の辺縁は層板骨からなり中心は線維骨からなるいわゆる zoning architecture（phenomenon）を認める点である．また，OFD では線維組織内に散在する cytokeratin 陽性細胞[12]や骨梁周囲の細胞に proliferating cell nuclear antigen（PCNA）の陽性所見[13]を認める（表1）．

低悪性度中心性骨肉腫：骨肉腫の約1％を占めるまれな腫瘍である．X線像での骨膜反応，腫瘍辺縁の浸潤像，密な石灰化，増大傾向などは，中心性骨肉腫を支持する所見である．組織学的には，低悪性度であるため異型は目立たないが，軽度の核異型，

少数の核分裂像が認められることが多い．また，MDM2 や CDK4 の過剰発現が鑑別に有用である[14]．

8. 治療・予後

保存的治療が原則であるが，疼痛，高度な変形，病的骨折などに対して観血的治療が行われる．手術は掻爬・骨移植あるいは en bloc 切除が行われ，機能温存の側面から掻爬術が選択されることが多いが，再発のリスクが残る．悪性転化はまれで，予後良好である[3,7]．

（内橋和芳）

文献

1) Siegal GP, Bloem JL, Cates JMM, et al：Fibrous dysplasia. in WHO Classification of Tumours Editorial Board (ed)："WHO Classification of Tumour, Soft Tissue and Bone Tumours" (5th ed), IARC Press, Lyon, 2020, pp472-474
2) Vigorita VJ：Orthopaedic Pathology (2nd ed), Lippincott Williams & Wilkins, Philadelphia, 2007, pp319-328
3) 石田 剛：骨腫瘍の病理．文光堂，2012, pp260-274
4) Lichtenstein L：Polyostotic fibrous dysplasia. Arch Surg 36：874-898, 1938
5) Lichtenstein L, Jaffe HL：Fibrous dysplasia of bone. A condition affecting one, several or many bones, the graver cases of which may present abnormal pigmentation of skin, premature sexual development, hyperthyroidism or still other extraskeletal abnormalities. Arch Path 33：777-816, 1942
6) Ishida T, Dorfman HD：Massive chondroid differentiation in fibrous dysplasia of bone (fibrocartilaginous dysplasia). Am J Surg Pathol 17：924-930, 1993
7) DiCaprio MR, Enneking WF：Fibrous dysplasia. Pathophysiology, evaluation, and treatment. J Bone Joint Surg Am 87：1848-1864, 2005
8) Weinstein LS, Shenker A, Gejman PV, et al：Activating mutations of the stimulatory G protein in the McCune-Albright syndrome. N Engl J Med 325：1688-1695, 1991
9) Lee SE, Lee EH, Park H, et al：The diagnostic utility of the GNAS mutation in patients with fibrous dysplasia：meta-analysis of 168 sporadic cases. Hum Pathol 43：1234-1242, 2012
10) Park YK, Unni KK, Beabout JW, et al：Oncogenic osteomalacia：a clinicopathologic study of 17 bone lesions. J Korean Med Sci 9：289-298, 1994
11) Riminucci M, Collins MT, Fedarko NS, et al：FGF-23 in fibrous dysplasia of bone and its relationship to renal phosphate wasting. J Clin Invest 112：683-692, 2003
12) Ishida T, Iijima Y, Kikuchi F, et al：A clinicopathological and immunohistochemical study of osteofibrous dysplasia, differentiated adamantinoma, and adamantinoma of long bones. Skeletal Radiol 21：493-502, 1992
13) Maki M, Saitoh K, Horiuchi H, et al：Comparative study of fibrous dysplasia and osteofibrous dysplasia：histopathological, immunohistochemical, argyrophilic nucleolar organizer region and DNA ploidy analysis. Pathol Int 51：603-611, 2001
14) Yoshida A, Ushiku T, Motoi T, et al：Immunohistochemical analysis of MDM2 and CDK4 distinguishes low-grade osteosarcoma from benign mimics. Mod Pathol 23：1279-1288, 2010

第 2 部　組織型と診断の実際

Ⅶ. その他の腫瘍

3　Langerhans 細胞組織球症

Langerhans cell histiocytosis

1. 定義・概念

　リンパ球に抗原を提示し特異的免疫反応を惹起する細胞は抗原提示細胞と呼ばれるが，この一つである Langerhans 細胞が異常に増殖する腫瘍性病変が Langerhans 細胞組織球症 Langerhans cell histiocytosis(LCH)と呼ばれる病変であり，多くの例は骨に発生する．Langerhans 細胞の増殖が共通の病態であるという立場から，多発性・多臓器性で 2 歳以下に急性発症し致死的な Letterer-Siwe 病(LSD)，それよりやや慢性経過を示すが予後不良で 3 歳以下に発症する Hand-Schüller-Christian 病(HSCD)，5〜30 歳が多いが高齢者でもまれにみられる予後良好な好酸球性肉芽腫 eosinophilic granuloma(EG)の 3 疾患を総称して histiocytosis X [1] とする提案がなされた．これには複数の反対意見があり，LCH は 3 疾患に共通する病態ではあるが，LSD は別の病態が加わっており他の 2 疾患とは異なるとされ，別の疾病として記載[2]されていることが多かった．しかし 2020 年の WHO 分類第 5 版[3]では，疾患名として LCH のみが推奨され，histiocytosis X，EG(単発病変)，HSCD(多発病変)，LSD(多発ないし多臓器病変)は推奨されておらず，これらは同一の遺伝子変異(後述)により生じる一連の腫瘍性疾患と理解されている．なお，WHO 分類第 4 版では本疾患は Tumours of undefined neoplastic nature に分類されていたが，第 5 版[3]では Haematopoietic neoplasms of bone に分類が変更された．

2. 臨床的事項

　骨病変を有する例のほとんどは 5 歳以下で発症するが，1/3 は成人例である．症状は通常痛みであり，多くみられる顎頭蓋病変の例では，頭痛や歯牙の緩みや脱落が症状となることもある．骨病変は頭蓋骨，顎骨，肋骨，椎骨，大腿骨の順に多い．骨以外では，所属リンパ節のほかに肺，胸膜，皮膚，中枢神経，胃，肝，肛門，女性生殖器，甲状腺にみられる．男女比は 2：1[4]ないし 1.2：1(フランス小児例のデータ[5])で男性に多い．
　X 線では多くの病変は溶骨性で，境界明瞭な骨の打ち抜き像(punched-out lesion)としてみつかる(図1)．骨皮質に近い病変では骨膜反応が生じることがある．骨シンチグラフィ，PET で多発病変が容易にみつけられる(図2)．単発病変であることが多く，EG に相当し予後はよい．3 病変以上の多発の場合や，出血を伴う場合，脾腫を合併する場合は予後不良とされている．

3. 肉眼所見

　骨に囲まれ，多くは境界明瞭で軟らかく，黄褐色から暗赤色ないし灰白色でみずみずしい．

4. 組織学的所見

　特徴的な所見は，淡いクロマチン，薄い核膜と深い切れ込みを複数有し，核小体の比較的目立たない長楕円形核をもつ腫瘍細胞が増殖している点である．

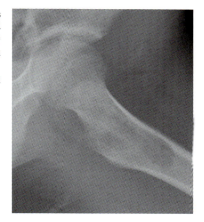

図1 | Langerhans細胞組織球症の単純X線像（大腿骨頸部，Lauenstein肢位）
境界明瞭な骨透亮像がみられる．

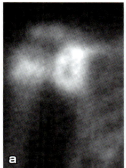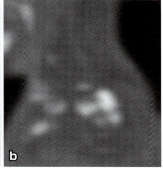

図2 | Langerhans細胞組織球症の骨シンチグラム（a）および PET像（b）
a：骨シンチグラム．肩甲骨病変部への集積がみられる．b：PET像．胸椎椎体骨病変部への取り込みがみられる．

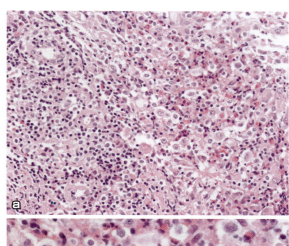
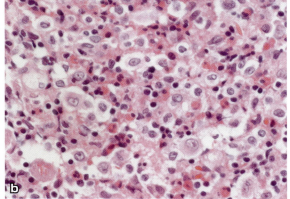
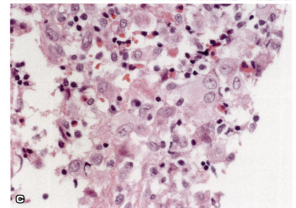

図3 | Langerhans細胞組織球症
a：リンパ球，好酸球と混在して浸潤する淡いクロマチンの卵円形核と淡い細胞質を有する組織球の浸潤を多数認める．b：aの強拡大像．c：病変の一部では組織球の核にくびれや核溝が明瞭である．

腫瘍細胞は症例や病変により密な集簇を作ることもあるが，一般には密度は低く，結合性は示さず，好酸球浸潤の中に散在しているような場合が多い（図3）．多核巨細胞がみられることがある．背景には好酸球のほかにリンパ球，形質細胞，好中球の浸潤もみられる．

免疫染色でS-100蛋白は核，CD1aは細胞膜，langerin（CD207）は細胞質に陽性となる（図4）．ほかに vimentin，fascin，CD74，HLA-DR が陽性となるが，日常診療では必ずしも必要な染色ではない．捺印細胞診ではLangerhans細胞の形態を容易に観察でき，形態の特徴がわかりやすく，診断の参考になる（図5）．

電子顕微鏡では，細胞質内にテニスラケット状，ジッパー様の構造を示すいわゆるBirbeck顆粒がみられることが特徴である（図6）．

5．鑑別診断

急性ないし慢性骨髄炎，リンパ腫（とくにHodgkinリンパ腫），Langerhans細胞肉腫（核分裂像があり，クロマチンは粗で核小体が目立つ）が鑑別疾患とな

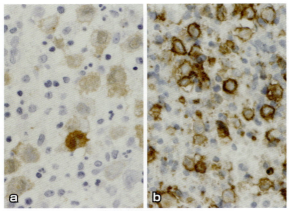

図4 | Langerhans細胞組織球症（免疫染色）
組織球は，免疫染色にてS-100蛋白陽性（a），CD1a陽性（b）である．

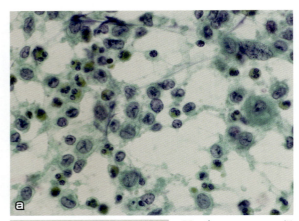

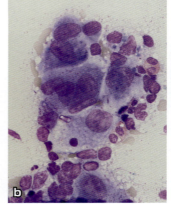

図5 | Langerhans細胞組織球症（捺印細胞診）
a：捺印細胞診では核のくびれを小型組織球細胞でも容易に観察でき，診断的価値がある．黄褐色調の顆粒と分葉核を有する細胞は好酸球である．b：May-Giemsa染色標本でも大型細胞の核形と好酸球がよくわかる．

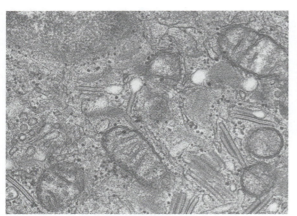

図6 | Langerhans細胞組織球症の電子顕微鏡像
細胞質内にジッパー型およびテニスラケット型構造物が多数みられる（ウラン鉛染色，×30,000）．

る．特徴的な切れ込み核を有する大型でクロマチンの淡い腫瘍細胞を探し，疑われる場合は積極的にS-100蛋白，CD1aの免疫染色を行うことで診断に到達できる．

6．発生メカニズム

この疾患のLangerhans細胞はモノクローナルであるとする報告[6,7]に始まり，LCHの57％の例に*BRAF* V600E変異がみられた[8]など，同様の報告が相次ぎ，腫瘍性と考えられるに至った．加えて，*BRAF*変異のないLCH例でsomatic *MAP2K1* mutationがみられたとする報告[9]や，他の*BRAF*変異，*NRAS*，*KRAS*，*ERBB3*などの変異の報告[5]もあり，これらの変異のcommon pathwayであるmitogen-activated protein kinase（MAPK）pathwayがLCHの腫瘍発生に重要と考えられる．一方，30％の例にリンパ球受容体遺伝子*IGH*，*IGK*，*TCR*のクローナルな変異がみられたとする報告[10]もあり，腫瘍細胞の由来として一部の例にリンパ球が関連する可能性は除外されていない．

7．予　後

単発骨病変および臓器障害の軽度な多発骨病変の症例は予後良好であり，多臓器障害を伴う多発骨病変の例および2歳未満で診断される乳幼児例は予後不良とされている[3]．

8. 治療方針

単発骨病変は掻爬が行われることが多いが, 経過観察される場合もある. MAPK 系路の阻害薬であるベムラフェニブ投与で約 40％の例に効果があると報告されている[5]. 次世代シークエンサーによる遺伝子診断と分子標的治療薬により, 予後不良例を対象とした今後の臨床試験の展開が期待される.

（伊藤以知郎）

文　献

1) Lichtenstein L：Histiocytosis X (eosinophilic granuloma of bone, Letterer-Siwe disease, and Schueller-Christian disease). Further observations of pathological and clinical importance. J Bone Joint Surg Am 46：76-90, 1964
2) Unni KK, Inwards CY：Dahlin's Bone Tumors (6th ed), Lippincott Williams & Wilkins, Philadelphia, 2010, pp358-361
3) Pileri AA, Cheuk W, Picarsic J：Langerhans cell histiocytosis. in WHO Classification of Tumours Editorial Board (ed)："WHO Classification of Tumours, Soft Tissue and Bone Tumours" (5th ed), IARC Press, Lyon, 2020, pp492-494
4) Wester SM, Beabout JW, Unni KK, et al：Langerhans' cell granulomatosis (histiocytosis X) of bone in adults. Am J Surg Pathol 6：413-426, 1982
5) Allen CE, Merad M, McClain KL：Langerhans-cell histiocytosis. N Engl J Med 379：856-868, 2018
6) Willman CL, Busque L, Griffith BB, et al：Langerhans'-cell histiocytosis (histiocytosis X) ― a clonal proliferative disease. N Engl J Med 331：154-160, 1994
7) Yu RC, Chu C, Buluwela L, et al：Clonal proliferation of Langerhans cells in Langerhans cell histiocytosis. Lancet 343：767-768, 1994
8) Badalian-Very G, Vergilio JA, Degar BA, et al：Recent advances in the understanding of Langerhans cell histiocytosis. Br J Haematol 156：163-172, 2012
9) Brown NA, Furtado LV, Betz BL, et al：High prevalence of somatic MAP2K1 mutations in BRAF V600E-negative Langerhans cell histiocytosis. Blood 124：1655-1658, 2014
10) Chen W, Wang J, Wang E, et al：Detection of clonal lymphoid receptor gene rearrangements in Langerhans cell histiocytosis. Am J Surg Pathol 34：1049-1057, 2010

第2部 組織型と診断の実際

Ⅶ. その他の腫瘍

4 骨線維性異形成

osteofibrous dysplasia

1．定義・概念

骨線維性異形成 osteofibrous dysplasia（OFD）は良性の線維骨性腫瘍でアダマンチノーマとの関連が示唆されている．Campanacci が 1976 年に報告，提唱した[1]．WHO 分類第 5 版（2020 年）では「小児期に長幹骨に生じる良性の線維骨性腫瘍 fibro-osseous tumour で，通常は脛骨あるいは腓骨の前方皮質骨内に発生する．自己限定性 self-limited の経過をとるが，いくつかの症例でアダマンチノーマへの進行 progress が報告されている」と定義されている[2]．Kempson が ossifying fibroma of the long bones として同様の病変を 1966 年に報告している[3]．WHO 分類第 4 版（2013 年）には OFD の synonym として Kempson-Campanacci lesion が記載されていたが，第 5 版ではこの名称の使用は推奨されていない．

2．臨床的事項

15 歳以下，とくに 5 歳以下で診断されることが多い[2,4]．出生時に病変が認められることもある[5,6]．部位は脛骨が主で腓骨にも発生する．脛骨骨幹部前側の皮質骨内の発生が多い．前方への弓状の変形（anterior tibial bowing），無痛性の腫脹，病的骨折などがみられる．多発の病変，両側性の病変をみることもあり，脛骨および同側あるいは対側の腓骨に病変をみることもある[2]．他の部位の報告もあるが，きわめてまれである．無症状のことが多く正確な頻度は不明である．

病変は緩徐に進行し，思春期以降は進行が停止し消退傾向を示すこともある[2,5]．保存的な治療が推奨されており，手術適応については慎重な判断が望まれている[4,5,7]．15 歳以下では手術後の再発が多いとの報告がある[7,8]．

3．画像所見

単純 X 線写真（図 1a）では，脛骨骨幹部骨皮質に長軸方向に広がる多房性の透亮像を認める．しばしば前方への弓状の変形を呈する[1]．すりガラス状の像を示すこともある．骨皮質の肥厚，硬化像をみることが多い．多巣性の病変を呈することもある．ときには骨全体に病変が及ぶこともある[1]．通常，骨膜反応や軟部組織への進展は認めない．CT，MRI は病変の局在，発生部位の同定に有用である[5,6]（図 1b）．

4．肉眼所見

OFD の検体が病理検査に提出されることはまれである．肉眼的には OFD は白色〜黄白色ないし褐色調で，割面はざらざらしている．

5．組織学的所見

組織学的には，線維性結合織を背景に骨芽細胞の縁どりを伴う幼若な骨梁（woven bone）を散在性に認める（図 2a, b）．線維性結合織には異型のない紡錘形細胞と膠原線維を認め，疎な花むしろ状配列を呈する．核分裂像は目立たない．cytokeratin AE1/AE3

図1 | 骨線維性異形成の単純X線およびMR像
a：単純X線像．脛骨骨幹部骨皮質に長軸方向に広がる多房性の透亮像を認める．硬化像もみられる．b：MRI T2強調像．皮質骨に発生した病変を認める（矢印）．

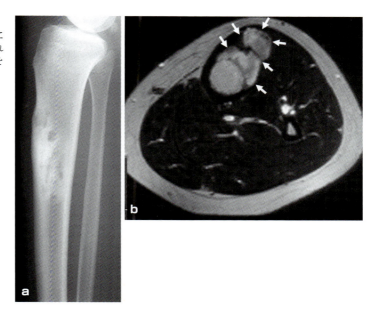

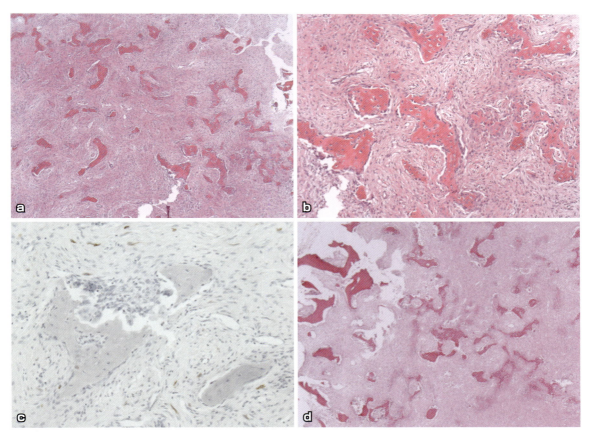

図2 | 骨線維性異形成
a, b：骨芽細胞の縁どりをみる幼若な骨梁を散在性に認める．背景には異型のない紡錘形細胞をみる．c：cytokeratin AE1/AE3染色．陽性となる細胞を散在性に認める．これらの細胞をHE染色標本で同定することは困難である．d：搔爬検体でみられたzoning architectureに相当する部分．

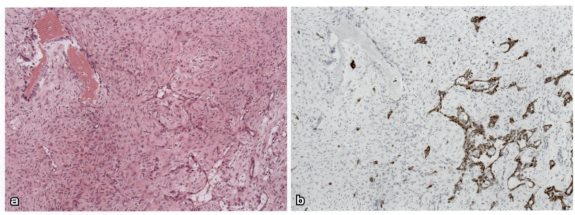

図3 骨線維性異形成様アダマンチノーマ
a：骨線維性異形成に類似しているが上皮様の構造がみられる．b：cytokeratin AE1/AE3染色．上皮様の構造に一致して多くの細胞が陽性を示す．

の免疫染色で陽性となる細胞を散在性に認めるが，これらをHE染色標本で同定することは困難である（図2c）．cytokeratin陽性細胞を認めないこともあるとされる[2]．骨梁には，病巣中心部から辺縁に向かうにつれ，幼若なwoven boneから次第に層板状構造を示す成熟傾向のある骨梁への移行（zoning architecture (phenomenon)）がみられ，OFDに特徴的とされる[5,6]（図2d）．

6．鑑別診断

線維性骨異形成 fibrous dysplasia（FD）：FDは髄内に発生し，皮質骨に発生するOFDとは異なる．組織学的にはFDでは骨梁周囲に骨芽細胞の縁どりをみないこと，zoning architectureをみないことより，OFDと鑑別することが可能である．

アダマンチノーマ adamantinoma（図3）：OFDと同様に脛骨骨幹部前方側に多くが発生する．若年成人に多く，年少児にもみられ鑑別対象となる．HE染色標本で上皮細胞を同定できないが，cytokeratin陽性細胞を豊富に認めた場合は骨線維性異形成様アダマンチノーマ osteofibrous dysplasia-like adamantinomaを考慮する[2]．また，容易に上皮細胞の集塊を同定できる場合は通常型のアダマンチノーマを考える必要がある[2]．

OFDでアダマンチノーマと同様の染色体異常が報告されており，発生部位，病理学的所見と併せてその関連性が示唆されている[2]．

（鈴木宏明）

文 献

1) Campanacci M：Osteofibrous dysplasia of long bones. A new clinical entity. Ital J Orthop Traumatol 2：221-237, 1976
2) Nielsen GP, Hogendoom PCW：Osteofibrous dysplasia. in WHO Classification of Tumours Editorial Board（ed）："WHO Classification of Tumours, Soft Tissue and Bone Tumours"（5th ed），IARC Press, Lyon, 2020, pp460-462
3) Kempson RL：Ossifying fibroma of the long bones. A light and eloctron microscopic study. Arch Pathol 82：218-233, 1966
4) Unni KK, Inwards CY, Bridge JA, et al：AFIP Atlas of Tumour Pathology, Series 4, Tumours of the Bones and Joints, AFIP, Washington DC, 2005
5) 石田　剛：骨腫瘍の病理，文光堂，2012
6) Dorfman HD, Czerniak B：Bone Tumors, Mosby, St Louis, 1998
7) Campanacci M, Laus M：Osteofibrous dysplasia of the tibia and fibula. J Bone Joint Surg Am 63：367-375, 1981
8) Nakashima Y, Yamamuro T, Fujiwara Y, et al：Osteofibrous dysplasia（ossifying fibroma of long bones）. A study of 12 cases. Cancer 52：909-914, 1983

第2部 組織型と診断の実際
Ⅶ. その他の腫瘍

5 アダマンチノーマ

adamantinoma

1. 定義・概念

アダマンチノーマ adamantinoma（AD）は，1913年 Fischer により初めて報告され，比較的緩徐に増殖する低悪性度のまれな骨腫瘍である．多くの症例は脛骨発生で，ときに腓骨も同時に侵す．病理組織学的に上皮様構造を示すことが特徴的で，上皮様構造に免疫組織化学的，電子顕微鏡的にも上皮性性格を有することが示されている．

一方，骨線維性異形成 osteofibrous dysplasia（OFD）もまた，主に脛骨に発生し上皮性性格をもつ細胞が出現する点でADと共通している．ADとOFDの間には境界病変である骨線維性異形成様アダマンチノーマ osteofibrous dysplasia-like adamantinoma（OFD-like AD）がある．AD，OFD-like AD，OFDの三者は同一スペクトラムの病変とされている．

2. 臨床的事項

発症年齢は4～74歳（平均32.9歳）である．20～50歳の成人に多く，20歳以下ではまれである．わずかに男性に多い．Mayo Clinic の統計では，40例中34例が脛骨発生で，うち2例は腓骨も同時に侵されていた．腓骨単独，尺骨，橈骨，大腿骨，上腕骨に発生することもある．症状は局所の腫脹が多く，痛みを伴うこともある．治療として化学療法や放射線療法は有効ではなく，掻爬では再発率が高いため，広範切除術が行われる．ADにおいては局所再発は30～35％，遠隔転移は15～30％にみられ，5年生存率は88～94％である．OFD-like AD の生物学的態度は症例の蓄積が少ないため不明であるが，ADとOFDの中間と推察される[1,2]．

3. 画像所見

単純X線では，骨皮質から髄内にわたる多房性の骨透亮像（soap-bubble appearance）が特徴的である（図1）．骨皮質を破壊して軟部進展を示すことがあるが，骨膜反応は目立たないことが多い．CT，MRIは病変の広がりを評価するのに役立つ[1,2]．

4. 肉眼所見

黄白色，弾性硬の境界鮮明な分葉状の腫瘍で，大きな病変では出血，嚢胞を伴うこともある．骨皮質に存在することが多いが，髄腔に進展することもある．また髄腔のみに存在することもある[1,2]．

5. 組織学的所見

ADは，上皮様構造とそれを取り囲む異型の乏しい線維性の組織からなる二相性の組織構築を示す．上皮様構造には，エナメル上皮腫に似た，辺縁に柵状の細胞配列を伴う上皮様胞巣を形成する basaloid pattern（図2），腺管様構造や血管腔様の裂隙を形成する tubular pattern（図3，4），角化を伴う扁平上皮癌様像を示す squamoid pattern（図5a），紡錘形細胞肉腫様の像を示す spindle cell pattern（図5b）がある．spindle cell pattern は一見肉腫様であるが，子細に観

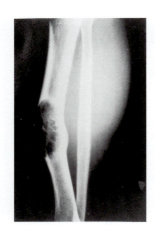

図1｜アダマンチノーマの単純X線像（51歳，女性，脛骨骨幹部）
骨皮質から髄内にわたる多房性の骨透亮像がみられる．

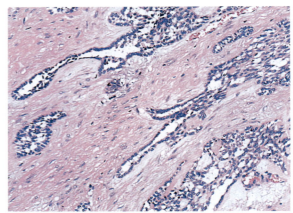

図2｜アダマンチノーマ（basaloid pattern）
basaloid patternの典型例では図のように胞巣周囲を柵状に核が取り囲み，胞巣中心にはまばらに細胞が存在する像を示す．

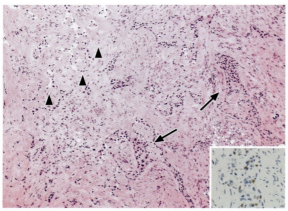

図3｜アダマンチノーマ
やや不明瞭なtubular pattern（矢頭）と典型4パターンのどれにも当てはまらない上皮様胞巣（矢印）．inset：cytokeratin AE1/AE3染色陽性．

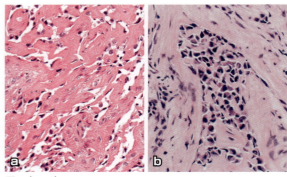

図4｜アダマンチノーマ
a：tubular pattern．本例は腺管様構造よりも血管腔様構造を示す．b：図3の強拡大像．上皮様胞巣に柵状配列が乏しくbasaloid patternとはいえない．このように典型像の4パターンに当てはまらない組織構築もしばしばみられる．

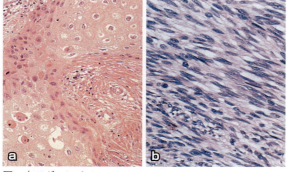

図5｜アダマンチノーマ
a：squamoid pattern．b：spindle cell pattern．

察すると上記の上皮様構造に連続しており，また免疫染色でcytokeratin陽性細胞がみられ上皮様性格を有している．以上の複数のパターンが1つの腫瘍内に出現しうる．通常，いずれのパターンにも高度な細胞異型はみられない．免疫染色ではいずれのパターンにおいても，上皮様構造でcytokeratin，EMA，vimentin，p63，podoplaninが陽性となる[1,2]．

特殊型としては，OFD様病変の中に微小な上皮様胞巣が散在性にみられるOFD-like AD（図6），Ewing肉腫様の小円形細胞が上皮様胞巣を形成して増殖するEwing-like AD（後述，図7参照），WHO分類第5版（2020年）から記載されるようになったdedifferentiated ADが挙げられる．dedifferentiated AD

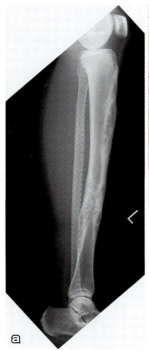
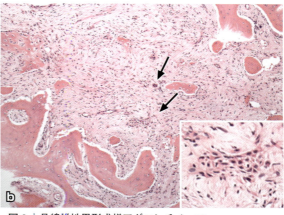

図6｜骨線維性異形成様アダマンチノーマ
a：単純X線像．皮質から髄質に多房性の骨透亮像がみられる．b：微小な上皮様胞巣（矢印）が散見される．inset：上皮様胞巣の拡大像．

は，通常型ADから，多形性があり核分裂像の増加した脱分化成分に徐々に移行する組織像を示し，軟骨分化や類骨形成を伴うこともある．

6. Ewing肉腫様アダマンチノーマ/アダマンチノーマ様Ewing肉腫

　Ewing肉腫に似た小円形細胞が索状，胞巣状構造を示して上皮様に増殖し，免疫染色で上皮形質と神経形質を示す悪性骨腫瘍が少数報告されている．これらをEwing肉腫に似たADの亜型（Ewing肉腫様アダマンチノーマ Ewing-like adamantinoma）とするか，ADに似たEwing肉腫の亜型（アダマンチノーマ様Ewing肉腫 adamantinoma-like Ewing sarcoma）とするかが問題である．報告例のうちいくつかはt(11;22)転座や*EWSR1-FLI1*融合遺伝子が検出されていることから，Ewing肉腫の亜型であり，形態学的にAD-likeになったと考えられる[3]．一方でこれらの遺伝子異常が検出されず，さらに術後化学療法を施行されないにもかかわらず長期生存する，Ewing肉腫にしては予後良好な例もある．筆者らの施設でもそのような例を1例経験した（**図7**）．このような症例のために，Ewing-like ADという診断名を残しておくべきと考える．

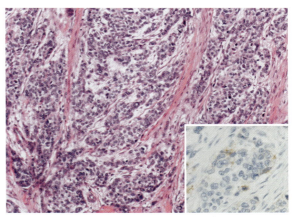

図7｜Ewing肉腫様アダマンチノーマ/アダマンチノーマ様Ewing肉腫
inset：EMA染色陽性．CD99（MIC2）は陰性であった．

7. 分子病理学的特徴

　OFDでは7，8，12番染色体，OFD-like ADとADでは7，8，12，19番染色体の数の増加が報告されている．さらにADのみで染色体の構造異常が報告されている．染色体の数の増加は，骨成分ではみられず紡錘形細胞成分から検出されることから，紡錘形細胞成分が腫瘍の本体で，骨成分は反応性に出現し

たものと考えられる[4]．近年の報告では，ADにおいて遺伝子のコピー数変化や融合遺伝子が検出されている（TOPICS 参照）．

8．鑑別診断

癌腫の転移との鑑別は，臨床経過，本症に特徴的な発生部位，画像所見から行う．一般的にADの細胞異型は癌腫よりも弱い．

滑膜肉腫，線維肉腫：spindle cell pattern は滑膜肉腫，線維肉腫との鑑別を要する．滑膜肉腫との鑑別は難しい場合もあるが，臨床経過，発生部位，画像所見に加えて，可能であれば融合遺伝子の検索により行う．線維肉腫は原則的に上皮様構造をとらないことと，免疫染色で cytokeratin，EMA が陰性であることにより鑑別できる．

血管性腫瘍：tubular pattern は血管性腫瘍との鑑別を要することがあるが，血管性腫瘍は免疫染色でCD31，CD34，ERG が陽性になることにより鑑別できる．

（杉浦善弥，町並陸生）

文　献

1）町並陸生，石田　剛，菊地文史，他：骨アダマンチノーマの病理．とくに骨線維性異形成との関連に注目して．病理と臨床 10：1374-1384, 1992
2）Unni KK, Inwards CY, Bridge JA, et al：AFIP Atlas of Tumor Pathology, Series 4, Tumors of the Bones and Joints, AFIP, Washington DC, 2005 pp299-307
3）Kikuchi Y, Kishimoto T, Ota S, et al：Adamantinoma-like Ewing family tumor of soft tissue associated with the vagus nerve：a case report and review of literature. Am J Surg Pathol 37：772-779, 2013
4）Gleason BC, Liegl-Atzwanger B, Kozakewich HP, et al：Osteofibrous dysplasia and adamantinoma in children and adolescents：a clinicopathologic reappraisal. Am J Surg Pathol 32：363-376, 2008
5）Ali NM, Niada S, Morris MR, et al：Comprehensive molecular characterization of adamantinoma and OFD-like adamantinoma bone tumors. Am J Surg Pathol 43：965-974, 2019

TOPICS

アダマンチノーマと類縁疾患における遺伝子異常

OFD，OFD-like AD，AD は同一スペクトラムの腫瘍と考えられるが，近年の生物学的知見の蓄積により OFD から AD に至る multistep transformation process の機構が浮かび上がりつつある．

「7．分子病理学的特徴」で述べたとおり，もともと OFD，OFD-like AD，AD の順に染色体の核型異常が高度になることが知られていた．これに加え，2019年の報告では，AD 8 例と OFD-like AD 4 例について次世代シークエンサーを用いた解析を行った結果，AD では *KMT2D*（クロマチンリモデリング因子），*BRAF*，*TP53*，*KRAS*，*EGFR*，*JAK2* のコピー数変化の頻度がOFD-like AD より高いことが明らかになった．また AD 1 例で融合遺伝子 *EPHB4-MARCH10* が検出されたが，OFD-like AD では融合遺伝子は検出されなかった．なお，有意な点突然変異の頻度は両者とも低かった[5]．dedifferentiated AD では核型についての報告はないが，より複雑な核型をもつことが推察される．OFD，OFD-like AD，AD，dedifferentiated AD の順に遺伝子異常が蓄積し，悪性度が高まる multistep transformation process が想定される．

第2部 組織型と診断の実際
Ⅶ. その他の腫瘍

6 Ewing 肉腫と Ewing 様肉腫

Ewing sarcoma and Ewing-like sarcoma

1. 定義・概念

Ewing 肉腫 Ewing sarcoma は，WHO 分類第5版（2020年）[1]によると「FET family 遺伝子の1つ（通常は EWSR1）と ETS family 転写因子との融合遺伝子を有する小円形細胞肉腫である」と定義されている．1921年に Ewing が骨原発性のびまん性内皮腫として報告して以来，「原始神経外胚葉性腫瘍 primitive neuroectodermal tumor（PNET）」や「Askin 腫瘍」として報告された症例を含んだ臨床病理学的な一群として認識されてきたが，現在では，特異的な融合遺伝子に定義づけられる間葉系腫瘍として疾患単位を形成している．具体的な融合遺伝子としては EWSR1-FLI1 が85％ほどを占め，EWSR1-ERG（10％）が次ぎ，他の融合 EWSR1-FEV，EWSR1-ETV1，EWSR1-ETV4，FUS-ERG はまれである．一方，Ewing 肉腫にやや類似した組織像や免疫形質を示すものの，EWSR1/FUS-ETS 融合を有しないような肉腫も古くから認識され，Ewing 様肉腫 Ewing-like sarcoma と呼ばれてきた．近年の網羅的解析の発展に伴い，Ewing 様肉腫は Ewing 肉腫とは大きく異なる原因遺伝子に特徴づけられる複数の疾患単位を含むことが明らかになってきた．

WHO 分類第5版ではこうした「Ewing 様肉腫」のなかに，① CIC 遺伝子再構成肉腫 CIC-rearranged sarcoma，② BCOR 遺伝子異常を有する肉腫 sarcoma with BCOR genetic alterations，③ EWSR1-非 ETS 融合を有する円形細胞肉腫 round cell sarcoma with EWSR1-non-ETS fusions の3種類が認識されている．① CIC 遺伝子再構成肉腫はその名のとおり CIC 遺伝子の再構成により定義される肉腫であり，融合パートナーとしては DUX4，FOXO4，NUTM1 などが知られている．大部分が軟部原発であり，骨原発例はほとんどない．② BCOR 遺伝子異常を有する肉腫は BCOR 遺伝子の融合，BCOR 遺伝子の遺伝子内縦列重複 internal tandem duplication（ITD），YWHAE-NUTM2A/B 融合のいずれかを有する肉腫である．BCOR の融合パートナーとしては CCNB3 遺伝子が最も頻度が高い．その他，ZC3H7B，MAML3，CIITA などが同定されている．③ EWSR1-非 ETS 融合を有する円形細胞肉腫では EWSR1 の融合パートナー遺伝子として NFATC2 や PATZ1 が有名で，まれなものとしては SMARCA5，SP3 が報告されている．

本項では，Ewing 肉腫に加えて，②のなかからとくに骨に発生しやすい BCOR-CCNB3 肉腫と，③のなかからとくに報告数が多く骨に発生しうる EWSR1-NFATC2 肉腫について解説する．「Ewing 様肉腫」はあくまでも，異なる複数の疾患単位を含む不均一なグループの総称であるから，診断名としては推奨されず，可能な限り具体的な疾患名で診断することが望ましい．

2. Ewing 肉腫

1）臨床的事項

Ewing 肉腫のおよそ80％は20歳以前に発生するが，中高年の成人にも発生しうる．男女比は約1.4：1である．発生部位としては，大腿骨や脛骨，上腕骨などの長管骨の骨幹部や骨幹端部，骨盤骨，肋骨

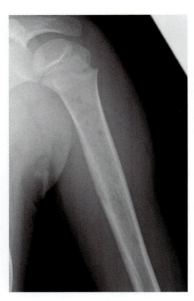

図1｜Ewing肉腫の単純X線像
上腕骨骨幹部を主座とする辺縁不明瞭な溶骨性病変．玉ねぎの皮状の骨膜反応を示すが，骨外病変は不明瞭である．

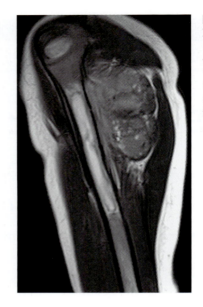

図2｜Ewing肉腫のMRI T2強調像（図1と同一症例）
骨幹部骨病変に加えて骨外に大きな腫瘤を形成している．この平面では骨皮質は保たれている．

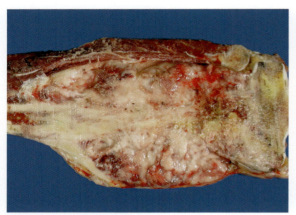

図3｜Ewing肉腫の肉眼像
脛骨の髄腔を中心として軟部に浸潤する，白色で軟らかく大きな腫瘍である．

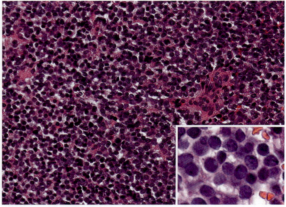

図4｜Ewing肉腫
個々の腫瘍細胞は非常に均一な円形核をもち，クロマチンは繊細で，核小体は目立たないか，ごく小さなものが複数個みられる．

に多い．その他，あらゆる骨，軟部組織や臓器にも発生しうる．成人例では骨外原発が多い傾向がある．疼痛をきたすことが多く，発熱，貧血，病的骨折などの臨床症状を示す場合もある．化学療法，放射線療法，手術療法などを組み合わせた集学的治療が行われる．化学療法の感受性は比較的高く，ドキソルビシン，シクロホスファミド，ビンクリスチン，イホスファミド，エトポシド，アクチノマイシンなどが用いられる．5年生存率は局所例で約75％，転移例で約30％である．術前化学療法による完全奏効は予後良好因子である．

2）肉眼・画像所見

骨原発のEwing肉腫は，画像上は髄腔を主座とする境界不明瞭な浸潤性あるいは虫食い状の溶骨性病変で，骨外へ大きく進展することが多い（図1）．骨外へ進展する際には玉ねぎの皮状～棘状の骨膜反応を示す場合もあれば，ほとんど骨膜反応を示さない場合もある．MRIでは骨内から骨外へ進展した大きな腫瘤を認識できる（図2）．骨膜下発生例もある．反応性骨形成のため硬化が目立つ症例もまれにみられる．肉眼的にEwing肉腫は白色で軟らかく大きな腫瘍である（図3）．生検ではしばしば膿様にもみえる．

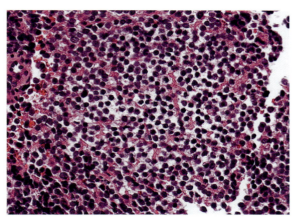

図5 | Ewing 肉腫
淡明な細胞質が目立つ．

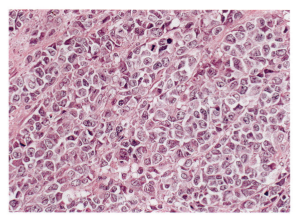

図6 | Ewing 肉腫
核小体の目立つ大型の細胞から構成される大細胞亜型．

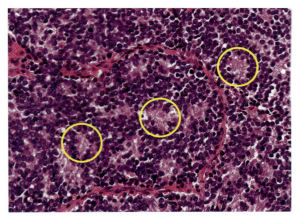

図7 | Ewing 肉腫
Homer Wright ロゼット（○印）が目立ち，このような症例は従来，原始神経外胚葉性腫瘍として知られてきた．

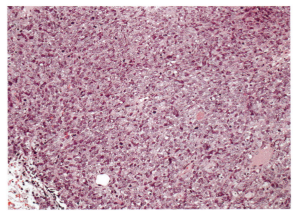

図8 | Ewing 肉腫
EWSR1-ETV1 陽性例．

3）組織学的所見

核細胞質比（N/C 比）の高い小円形細胞のびまん性増殖からなり，浸潤性である．個々の腫瘍細胞は非常に均一な円形核をもち，クロマチンは繊細で，核小体は目立たないか，ごく小さなものが複数個みられる（図4）．細胞質は両染性で乏しいが，グリコーゲンが豊富で淡明な細胞質が目立つ場合がある（図5）．しばしば壊死や出血が認められる．核小体の目立つ大型の細胞から構成される大細胞亜型 large cell variant はまれである（図6）．Homer Wright ロゼットがみられることもあり，それが目立つ症例は従来 PNET として知られてきた（図7）．まれな融合遺伝子を有する症例も，その組織像は *EWSR1-FLI1* や *EWSR1-ERG* 融合を有する例と同様である（図8）．頭頸部では扁平上皮への分化の目立つ例がアダマンチノーマ様 Ewing 肉腫としてまれに報告されるが，こうした腫瘍と Ewing 肉腫との異同についてはいまだ議論がある[2]．

4）免疫組織化学的特徴

Ewing 肉腫は，ほとんどの症例において CD99 が細胞膜にびまん性強陽性になる（図9）．また，CD56, synaptophysin, chromogranin A などの神経内分泌マーカーも陽性になることがあるが，診断に必須ではない．NKX2.2（図10）や PAX7 が感度，特異度ともに高く診断に有用であるが，いずれのマーカーもその精度は完全ではないので注意が必要である．とくに NKX2.2 は小細胞癌，消化管の神経内分泌腫

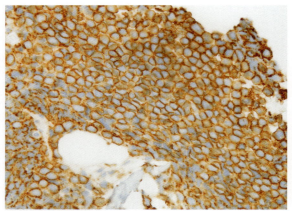

図9 | Ewing 肉腫
CD99 が細胞膜にびまん性強陽性である.

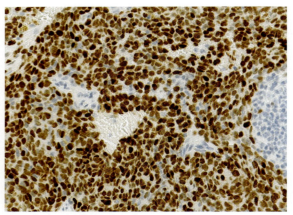

図10 | Ewing 肉腫
NKX2.2 が核に陽性である.

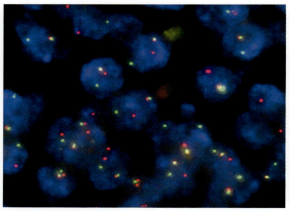

図11 | Ewing 肉腫
EWSR1 split FISH にて，1対の融合シグナルと1対の分離シグナルを認める（赤：5′側，緑：3′側）．

瘍，間葉性軟骨肉腫，嗅神経芽腫でしばしば陽性となる[3〜6]．Ewing 肉腫の25％ほどの症例では cytokeratin が陽性となる．

5）分子病理学的特徴

Ewing 肉腫で頻度が高いのは，*EWSR1*（exon 7, 10）と *FLI1*（exon 5, 6）の融合である[7]．融合遺伝子の証明は診断に有用であり，場合によっては必須である．しかしながら全例について遺伝子検索を行うことは現実的でなく，組織像や免疫形質から確定診断が困難であった症例に限って遺伝子検索が行われていることが多い．融合遺伝子を証明する方法としては，FISH 法，RT-PCR 法，次世代シークエンスなどが挙げられる．

一般に RT-PCR 法は特異度が高い一方で，感度には限界がある．融合パートナーだけでなく，融合するエクソンにもバリエーションがあり，これらすべてを RT-PCR 法でカバーするのは困難である．近年では次世代シークエンサーの発達が目覚ましいが，設備やコストの点から，現在これを診断に用いている施設は限られている．

FISH 法は実地の診断に適していると思われ，実際に診断に用いている施設も多い．たとえば，Ewing 肉腫において *EWSR1* 遺伝子の split FISH を行い，1対の融合シグナルに加えて1対の分離シグナルを確認できると，診断が補強される（図11）．*EWSR1/FUS* 遺伝子の融合はほとんどの場合5′側が別の転写因子と融合し腫瘍原性の融合転写因子を形成するから，5′側の単独シグナルパターンもまた一般に *EWSR1* 遺伝子の再構成を示唆する所見といえる．ただし，5′側単独シグナルの場合には偽陽性の可能性もある．逆に RT-PCR 法などでは融合遺伝子を同定できるにもかかわらず FISH 法では偽陰性となる場合もある．なお，*EWSR1/FUS* 再構成自体は Ewing 肉腫以外にもさまざまな肉腫，癌腫，中皮腫においてみられるので，組織像との対比は不可欠である．

6）鑑別診断

骨原発 Ewing 肉腫の鑑別診断としては多種多様な小円形細胞腫瘍が挙げられる．詳しくは第3部-Ⅳ「骨小円形細胞腫瘍の鑑別」を参照されたい．**小細胞型骨肉腫**は画像上でしばしば雲状の石灰化を認識すること，組織学的に腫瘍性類骨/骨形成を確認することが診断上重要であるが，Ewing 肉腫でも反応性骨

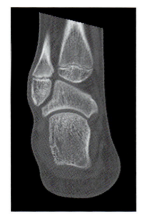

図12 | *BCOR-CCNB3*肉腫の単純CT像
踵骨内に境界不明瞭な溶骨性病変がみられる．骨膜反応は乏しく，骨外病変は不明瞭である．

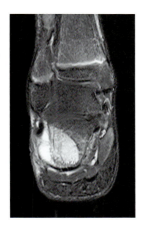

図13 | *BCOR-CCNB3*肉腫のMRI T2強調STIR像（図12と同一症例）
踵骨内病変に加えて骨外進展がみられる．

形成をきたすことがあるため注意が必要である．小細胞型骨肉腫はよく観察すると少なくとも部分的には核の多形を有し，この点がEwing肉腫とは異なる．免疫染色では，Ewing肉腫と異なり，NKX2.2やPAX7が陰性でSATB2が陽性である．**間葉性軟骨肉腫**は分化のよい軟骨成分が採取されていれば診断は容易であるが，小円形細胞成分のみの採取では鑑別が問題となる．画像上で軟骨性の石灰化がみられるか確認したい．組織学的には粗顆粒状クロマチンや血管周皮腫様血管が特徴的である．Ewing肉腫と同様にCD99とNKX2.2が陽性となるが，PAX7は陰性で，またNKX3.1陽性である．ほぼ全例において特異的な*HEY1-NCOA2*融合遺伝子を有する．**リンパ芽球性リンパ腫**はEwing肉腫と組織像が酷似する場合や，LCA陰性，CD99陽性の場合があり，注意すべきである．Ewing肉腫と異なりNKX2.2陰性であり，またCD43やTdTなどが陽性となる．

小児における転移性骨腫瘍として，胞巣型横紋筋肉腫と神経芽腫は鑑別が問題となりうる．**胞巣型横紋筋肉腫**は横紋筋芽細胞や花冠状多核巨細胞が特徴的であるが，これらがみられない場合も多い．PAX7や神経内分泌マーカーは横紋筋肉腫でも陽性となりうるが，Ewing肉腫と異なりmyogenin陽性，NKX2.2陰性である．**神経芽腫**はneuropil様間質が特徴的であるが，未分化型では間質が乏しい．Ewing肉腫と異なり，NKX2.2陰性，CD99陰性，PHOX2B陽性である．

7）発生メカニズム

融合蛋白においてFLI1蛋白のDNA結合ドメインは保たれている．通常のFLI1蛋白はGGAAという塩基配列に結合し周囲の遺伝子の転写を活性化する．それに対してEWSR1-FLI1蛋白はGGAA配列が数個〜数十個繰り返すような配列に結合し，周囲の遺伝子の転写を活性化する[8,9]．通常のFLI1蛋白とは全く異なる遺伝子群を活性化することで腫瘍化に関わる．この活性化される遺伝子群には*NKX2-2*や*PAX7*が含まれる[5,9]．

3. *BCOR-CCNB3*肉腫

1）臨床的事項

男女比が7:1〜8:1と男性に多い．10歳代の骨に好発するが，幅広い年齢層で軟部組織や臓器に発生しうる[10〜12]．骨発生の場合，骨盤骨，長管骨，脊椎〜傍脊椎などに多い[10,13]．腫瘤や痛みで発症する．遠隔転移先は肺，骨，軟部が多い．現時点ではEwing肉腫と同様かやや良好な予後が報告されており，Ewing肉腫と同じ化学療法に対する反応性は良好と考えられている[11]．

2）肉眼・画像所見

通常5cmを超える大きな腫瘍で，比較的境界明瞭，弾性軟，ゼラチン状ないし線維性，充実性の性状を示す．骨皮質を破壊して，軟部に進展する（図12〜14）．

3）組織学的所見

分葉状に増殖し骨外へ浸潤する（図15）．粘液性〜線維性の基質と分岐する繊細な毛細血管網を背景に，腫瘍細胞が疎密を呈して増殖する（図16）．個々の腫瘍細胞は，クロマチン繊細で非常に均一な核をもつ

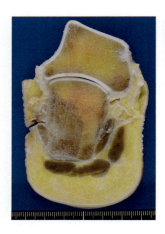

図14 │ *BCOR-CCNB3*肉腫の肉眼像（図12と同一症例）
髄内で骨梁間に浸潤する病変と骨外病変がみられる．骨膜反応に乏しい．

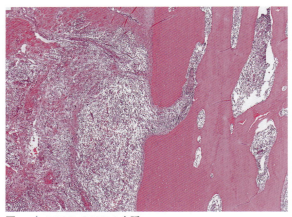

図15 │ *BCOR-CCNB3*肉腫
分葉状に増殖し骨外へ浸潤する．

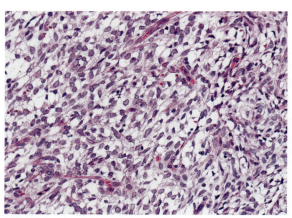

図16 │ *BCOR-CCNB3*肉腫
粘液性の基質と分岐する繊細な毛細血管網を背景に小円形〜卵円形細胞が増殖する．

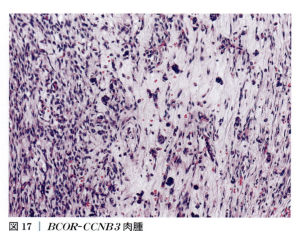

図17 │ *BCOR-CCNB3*肉腫
紡錘形細胞の疎な増殖や，小集塊の形成，渦巻き状配列などがみられる．

小円形〜紡錘形細胞であり，むしろ紡錘形細胞からなる症例のほうが多い．ときに壊死や出血を伴う．小円形細胞の密な増殖はEwing肉腫に類似するが，紡錘形細胞の疎な増殖や，小集塊の形成，渦巻き状配列（図17）が目立つ場合はEwing肉腫とは類似しない．

4）免疫組織化学的特徴

BCOR（図18）やSATB2が高率に陽性となる[11,12,14]．しかし，それぞれのマーカー単独では特異度が十分でなく，たとえばBCORは滑膜肉腫や孤立性線維性腫瘍でしばしば陽性であり，SATB2はほとんどの骨肉腫で陽性である．CCNB3免疫染色は，*BCOR-CCNB3*肉腫で陽性となる（図19）が，CCNB3以外の遺伝子との*BCOR*融合や*BCOR*にITDを有する肉腫では陰性である[14]．

5）分子病理学的特徴

ほぼ決まって*BCOR*（exon 15）と*CCNB3*（exon 5）との融合が認められる[10,13]．FISH法は近い距離の逆位の検出が不得意で，これは*BCOR-CCNB3*融合にも当てはまるが，プローブ設計を工夫することで有用な検査系を確立することはできる（図20）．

6）鑑別診断

円形細胞肉腫との鑑別も重要であるが，多くの症

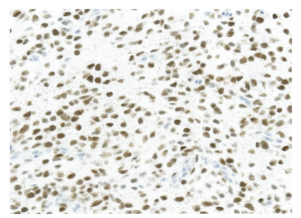

図 18 | *BCOR-CCNB3* 肉腫
BCOR が核に陽性である．

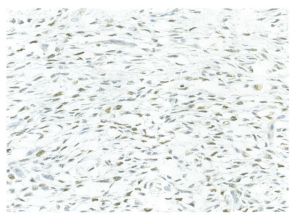

図 19 | *BCOR-CCNB3* 肉腫
CCNB3 が核に陽性である．

例が紡錘形細胞のうねるような増殖からなるため，滑膜肉腫や悪性末梢神経鞘腫瘍と誤診されることがある．**滑膜肉腫**との鑑別がとくに難しく，組織像は類似し，BCOR 蛋白の発現も共通しているが，滑膜肉腫では cytokeratin 陽性となることが多く，しばしば免疫染色で SMARCB1（INI）染色性の減弱がみられる．また骨原発滑膜肉腫はきわめてまれである．**悪性末梢神経鞘腫瘍**では少なくとも部分的な核の多形がみられ，約半数の症例では免疫染色で H3K27me3 の消失が認められる．

4. *EWSR1-NFATC2* 肉腫

1）臨床的事項

男性に多く，幅広い年齢に発生するが成人に多い．長管骨の骨幹部〜骨幹端部が好発部位であるが，軟部組織にも発生する [15,16]．腫瘍の増大が緩徐で，術前の経過が長い症例もある [17,18]．切除後には局所再発や遠隔転移が報告されているが，ほとんどの報告症例では切除により病勢コントロールがなされている．腫瘍死も少数例で報告がある [15]．

2）肉眼所見

比較的境界明瞭で，黄色〜灰白色の充実性腫瘍である．サイズは小さなものから 10 cm を超えるものまである．

3）組織学的所見

粘液硝子性あるいは膠原線維性の豊富な基質を背

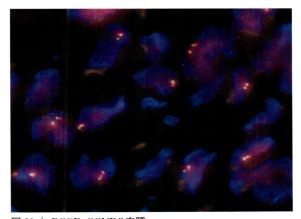

図 20 | *BCOR-CCNB3* 肉腫
BCOR-CCNB3 fusion FISH にて，両融合シグナルを認める（黄色：*BCOR-CCNB3* 融合シグナル）．

景に，腫瘍細胞が索状，偽腺腔状，巣状に増殖し（**図 21**），筋上皮腫のような形態を示すことが多い．個々の腫瘍細胞は概ねクロマチン繊細な核を有し，N/C 比が高い（**図 22**）．核は比較的均一であるが，軽度の多形性を有する例もある．種々の程度に好酸球浸潤が認められる．細胞密度を増し基質の乏しい領域は Ewing 肉腫に類似する．

4）免疫組織化学的特徴

CD99，NKX2.2，PAX7 は一般にいずれも陽性であり，この点は Ewing 肉腫と共通しているが，多くの症例が NKX3.1 にも陽性（**図 23**）であり Ewing 肉腫との鑑別に有用である [15,16]．ただし NKX3.1 は前立

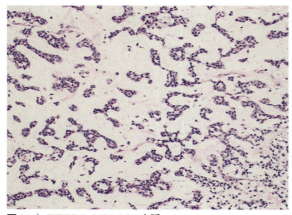

図21 | *EWSR1-NFATC2*肉腫
粘液硝子性あるいは膠原線維性の豊富な基質を背景に、腫瘍細胞が索状、偽腺腔状、巣状に増殖する．

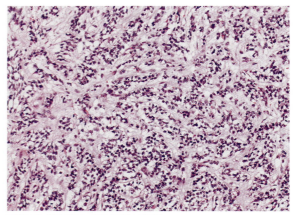

図22 | *EWSR1-NFATC2*肉腫
個々の腫瘍細胞は概ねクロマチン繊細な核を有し、N/C比が高い．

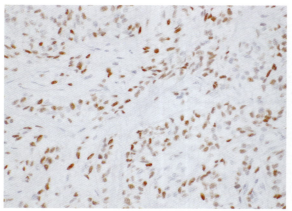

図23 | *EWSR1-NFATC2*肉腫
NKX3.1が核に陽性である．

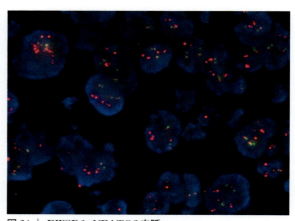

図24 | *EWSR1-NFATC2*肉腫
EWSR1 split FISHにて、5′側の単独シグナルの増幅を認める（赤：5′側、緑：3′側）．

腺癌のほか間葉性軟骨肉腫でも陽性となる．またしばしばcytokeratinが核周囲にドット状に陽性となる．

5）分子病理学的特徴

EWSR1（exon 7, 8, 10）と*NFATC2*（exon 3）との融合が報告されている[15, 17, 19]．この融合は、典型的にはunbalancedでかつ増幅しており、この融合遺伝子がder（22）のリング染色体上に位置する[20, 21]．これを反映して、*EWSR1*の分離プローブを用いたFISH解析を行った場合、*EWSR1*の5′側プローブが単独で増幅するというきわめて特徴的な所見を示し、診断上有用である（図24）．

6）鑑別診断

小円形細胞腫瘍一般が鑑別になるが、加えて、特徴的な組織像から**筋上皮性腫瘍**やossifying fibromyxoid tumour（OFMT）が挙がる．*EWSR1-NFATC2*肉腫もcytokeratin陽性のことがあるが、筋上皮性腫瘍とは異なりS-100蛋白やGFAPは陰性である．筋上皮性腫瘍もその半数ほどで*EWSR1*遺伝子再構成を伴うが、融合遺伝子の増幅はみられない．OFMTは一部でS-100蛋白やdesminが陽性となり、50％ほどの症例では*PHF1*遺伝子再構成が認められる．索状〜巣状の配列がはっきりしない場合、**Ewing肉腫**との鑑別が問題となりうる．NKX3.1はEwing肉腫では陰性であり、*EWSR1*のFISHで5′側の単独

シグナル増幅もみられない．線維性背景に巣状に増殖するパターンやcytokeratin陽性像から，癌の転移という誤診にも注意したい．

（牧瀬尚大，吉田朗彦）

文　献

1) WHO Classification of Tumours Editorial Board (ed)： "WHO Classification of Tumours, Soft Tissue and Bone Tumours" (5th ed), IARC Press, Lyon, 2020
2) Rooper LM, Jo VY, Antonescu CR, et al： Adamantinoma-like Ewing sarcoma of the salivary glands： a newly recognized mimicker of basaloid salivary carcinomas. Am J Surg Pathol 43： 187-194, 2019
3) Yoshida A, Sekine S, Tsuta K, et al： NKX2.2 is a useful immunohistochemical marker for Ewing sarcoma. Am J Surg Pathol 36： 993-999, 2012
4) Charville GW, Varma S, Forgó E, et al： PAX7 expression in rhabdomyosarcoma, related soft tissue tumors, and small round blue cell neoplasms. Am J Surg Pathol 40： 1305-1315, 2016
5) Charville GW, Wang WL, Ingram DR, et al： EWSR1 fusion proteins mediate PAX7 expression in Ewing sarcoma. Mod Pathol 30： 1312-1320, 2017
6) Toki S, Wakai S, Sekimizu M, et al： PAX7 immunohistochemical evaluation of Ewing sarcoma and other small round cell tumours. Histopathology 73： 645-652, 2018
7) Hornick JL, Fletcher CD： Pseudomyogenic hemangioendothelioma： a distinctive, often multicentric tumor with indolent behavior. Am J Surg Pathol 35： 190-201, 2011
8) Gangwal K, Sankar S, Hollenhorst PC, et al： Microsatellites as EWS/FLI response elements in Ewing's sarcoma. Proc Natl Acad Sci U S A 105： 10149-10154, 2008
9) Riggi N, Knoechel B, Gillespie SM, et al： EWS-FLI1 utilizes divergent chromatin remodeling mechanisms to directly activate or repress enhancer elements in Ewing sarcoma. Cancer Cell 26： 668-681, 2014
10) Pierron G, Tirode F, Lucchesi C, et al： A new subtype of bone sarcoma defined by BCOR-CCNB3 gene fusion. Nat Genet 44： 461-466, 2012
11) Kao YC, Owosho AA, Sung YS, et al： BCOR-CCNB3 fusion positive sarcomas： a clinicopathologic and molecular analysis of 36 cases with comparison to morphologic spectrum and clinical behavior of other round cell sarcomas. Am J Surg Pathol 42： 604-615, 2018
12) Matsuyama A, Shiba E, Umekita Y, et al： Clinicopathologic diversity of undifferentiated sarcoma with BCOR-CCNB3 fusion： analysis of 11 cases with a reappraisal of the utility of immunohistochemistry for BCOR and CCNB3. Am J Surg Pathol 41： 1713-1721, 2017
13) Puls F, Niblett A, Marland G, et al： BCOR-CCNB3 (Ewing-like) sarcoma： a clinicopathologic analysis of 10 cases, in comparison with conventional Ewing sarcoma. Am J Surg Pathol 38： 1307-1318, 2014
14) Yoshida A, Arai Y, Hama N, et al： Expanding the clinicopathologic and molecular spectrum of BCOR-associated sarcomas in adults. Histopathology 76： 509-520, 2020
15) Wang GY, Thomas DG, Davis JL, et al： EWSR1-NFATC2 translocation-associated sarcoma clinicopathologic findings in a rare aggressive primary bone or soft tissue tumor. Am J Surg Pathol 43： 1112-1122, 2019
16) Yoshida KI, Machado I, Motoi T, et al： NKX3-1 is a useful immunohistochemical marker of EWSR1-NFATC2 sarcoma and mesenchymal chondrosarcoma. Am J Surg Pathol 44： 719-728, 2020
17) Cohen JN, Sabnis AJ, Krings G, et al： EWSR1-NFATC2 gene fusion in a soft tissue tumor with epithelioid round cell morphology and abundant stroma： a case report and review of the literature. Hum Pathol 81： 281-290, 2018
18) Diaz-Perez JA, Nielsen GP, Antonescu C, et al： EWSR1/FUS-NFATc2 rearranged round cell sarcoma： clinicopathological series of 4 cases and literature review. Hum Pathol 90： 45-53, 2019
19) Sadri N, Barroeta J, Pack SD, et al： Malignant round cell tumor of bone with EWSR1-NFATC2 gene fusion. Virchows Arch 465： 233-239, 2014
20) Szuhai K, IJszenga M, de Jong D, et al： The NFATc2 gene is involved in a novel cloned translocation in a Ewing sarcoma variant that couples its function in immunology to oncology. Clin Cancer Res 15： 2259-2268, 2009
21) Szuhai K, M IJszenga Tanke HJ, et al： Detection and molecular cytogenetic characterization of a novel ring chromosome in a histological variant of Ewing sarcoma. Cancer Genet Cytogenet 172： 12-22, 2007

第2部 組織型と診断の実際
Ⅶ. その他の腫瘍

7 骨未分化多形肉腫と骨平滑筋肉腫

undifferentiated pleomorphic sarcoma and leiomyosarcoma of bone

1. 未分化多形肉腫

1) 定義・概念

未分化多形肉腫 undifferentiated pleomorphic sarcoma (UPS) は，軟部における UPS と同様に，特定の分化を示さず多形性を有する高悪性度の肉腫である．多形性に乏しい未分化な紡錘形細胞腫瘍は線維肉腫と診断され，UPS とは区別される．他の多くの腫瘍が部分的に UPS と同様の組織像を示す場合があるため，他の腫瘍が除外されることにより診断される．したがって，形態学的検索や免疫組織化学で細胞分化を捉えることのできないきわめて分化度の低い骨肉腫や平滑筋肉腫などを含んでいる可能性のある疾患概念であると理解される．

2) 臨床的事項

原発性骨悪性腫瘍の2％未満のまれな腫瘍である[1]．高齢者に好発し，40歳以下の発生はまれである．男性例がやや多い．約1/4の例は骨の梗塞性病変，放射線照射，骨 Paget 病や線維性骨異形成などに関連して発生する二次性 UPS とされている[1～3]．また，常染色体優性遺伝を示す diaphyseal medullary stenosis では，骨 UPS 発生の頻度が高いことが知られている[4,5]．好発部位は長管骨，とくに大腿骨遠位・脛骨近位の骨幹端，上腕骨で，体幹では骨盤骨への発生が最も多い．本腫瘍に特徴的な症状はなく，他の悪性骨腫瘍と同様に疼痛，腫脹や病的骨折により見出される．

3) 画像所見

境界の不明瞭な地図状の溶骨性病変を形成し，辺縁硬化は通常みられない．骨皮質は菲薄化・膨隆し，しばしば骨皮質を破壊して軟部組織にまで浸潤する．骨肉腫と異なり，骨膜反応はみられないか，あっても軽度である（図1）．

4) 肉眼所見

腫瘍は充実性で，灰白色ないし出血を伴って褐色を呈する部位，壊死や泡沫細胞の集簇により黄色を呈する部位が混在する．骨皮質を破壊して周囲軟部組織へ進展する（図2）．

5) 組織学的所見

組織像は軟部 UPS と同様で，異型性，多形性の強い紡錘形ないし類円形の腫瘍細胞が出血，壊死を伴いながら緩い束状，花むしろ状，渦巻き状に増殖する（図3）．腫瘍細胞密度は一般に高いが，症例により，あるいは部位によりさまざまである．多核巨細胞が混在し，奇怪な核を有する腫瘍性巨細胞のみならず，破骨細胞型多核巨細胞が出現することがあり，骨巨細胞腫に類似する組織像を示す場合もある．核分裂像は容易に見出され，異常核分裂像も混在する．間質はしばしば膠原線維性の硬化を伴い（図4），基質が類骨に類似する場合もある（図5）．種々の程度に炎症細胞浸潤，泡沫細胞の集簇を認めることもある（図6）．軟部に発生する粘液線維肉腫のような粘液腫状の基質を伴うことは少ない．骨を破壊しながら圧排性に浸潤し，骨皮質を破って骨外にしばしば浸潤する（図7）．骨梁間を置換するような浸潤像

図1 | 未分化多形肉腫の単純X線像

大腿骨遠位の正面像にて骨幹端を主体とする虫食い状の溶骨性病変を認め，骨皮質は断裂しているが，骨膜反応はみられない．

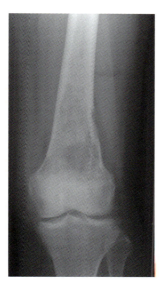

図2 | 未分化多形肉腫の肉眼像

脛骨近位の腫瘍で，骨幹端から骨幹に白色の腫瘍を認める．出血を伴うとともに，骨皮質は一部破綻している．

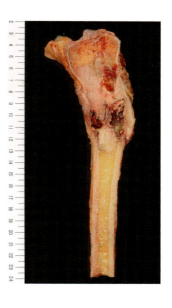

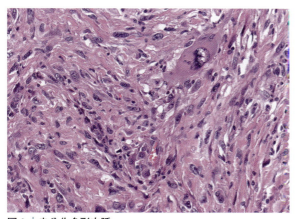

図3 | 未分化多形肉腫

異型性・多形性の強い紡錘形腫瘍細胞が緩い束状に密に増殖している．

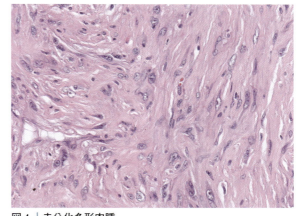

図4 | 未分化多形肉腫

線維性硬化の強い間質を伴いながら，多形性の強い腫瘍細胞が比較的疎に増殖している．

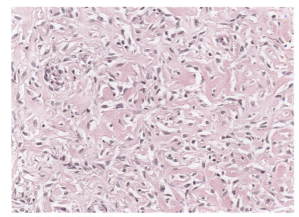

図5 | 未分化多形肉腫

類骨に類似する基質の沈着が認められる．

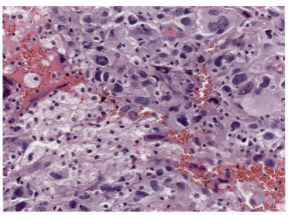

図6 | 未分化多形肉腫

泡沫細胞の集簇を伴っている．

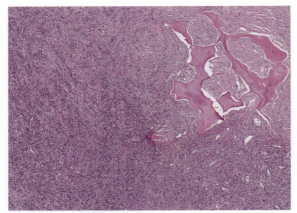

図7｜未分化多形肉腫
既存の骨梁を破壊しながら増殖している.

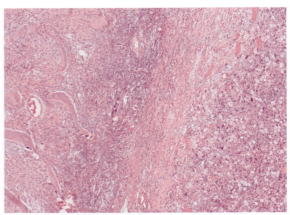

図8｜線維性骨異形成に関連して発生した未分化多形肉腫
線維性骨異形成（左）と未分化多形肉腫（右）が隣接している.

を示す場合もある．辺縁に反応性の骨・類骨形成を伴うこともあるが，腫瘍細胞が直接骨や類骨を形成することはなく，そのような像がみられれば骨肉腫と診断すべきである．二次性UPSの場合，前駆病変を背景に認める（図8）．

6）免疫組織化学的特徴

本腫瘍に特異的な診断マーカーはないが，本腫瘍は他腫瘍を除外した上で診断が確定されることから，十分な免疫組織化学的検索を行う必要がある．α-smooth muscle actin（α-SMA），desmin，cyto-keratin，S-100，RUNX2やSATB2などさまざまな分化マーカーが単独で部分的に陽性となりうるため，細胞形態や発現パターン，特異性などを考慮し，特定の分化と判定するに足るかを検討する必要がある．

7）分子病理学的特徴

軟部UPSと同様に，染色体異数性を含む複雑な染色体核型異常を示し，さまざまな染色体領域で多彩な欠失や増幅がみられる．UPSに特異的な遺伝子変異は知られていないが，特発性ならびにdiaphyseal medullary stenosisに関連して発生したUPSに9p21-22領域の欠失が見出されることが報告されている[4,5]．

8）鑑別診断

UPSと類似する所見は多くの腫瘍で出現しうるが，UPSは特定の分化を示さない腫瘍と定義されているため，十分な数の標本作製，免疫組織化学的検索を行って分化を確認し，鑑別診断を進める必要がある．他の骨腫瘍と同様に，年齢や発生部位などの臨床所見，画像所見を考慮することも重要である．

骨肉腫：まれながら骨肉腫が高齢者に発生することがあり，UPSの診断時には必ず鑑別すべきである．腫瘍細胞が直接骨や類骨を産生しているかが鑑別のポイントとなるが，類骨に類似した線維性間質や反応性骨・類骨形成がUPSに出現する場合があるため注意を要する．RUNX2やSATB2が骨芽細胞分化マーカーとして参考になりうる[6,7]．

脱分化型傍骨性骨肉腫，脱分化型軟骨肉腫：脱分化成分がしばしばUPSの組織像を示すが，先行する低悪性度骨肉腫成分，軟骨性腫瘍成分の存在を丹念に検索する必要がある．脱分化成分でも，前者ではMDM2やCDK4[8]が，後者では軟骨分化マーカーであるSOX9発現がみられると報告されている[6]．

線維肉腫：UPSと同様に明らかな細胞分化のみられない悪性腫瘍であるが，UPSと異なり細胞の多形性に乏しい．

骨巨細胞腫：UPSに破骨細胞型巨細胞が多数出現し骨巨細胞腫に類似する場合があるが，細胞の異型性や異常核分裂像の認識が重要である．H3.3をはじめとする骨巨細胞腫に特異的なヒストン蛋白の免疫染色が鑑別に有用であるとともに，以前は骨UPSと考えられていた例のなかに，悪性骨巨細胞腫とすべき症例が含まれている可能性を考慮する必要がある．

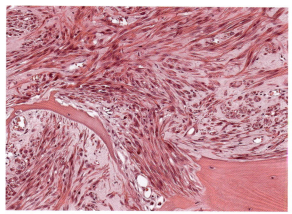

図9 │ 平滑筋肉腫
好酸性の強い紡錘形細胞が骨を破壊しながら増殖している.

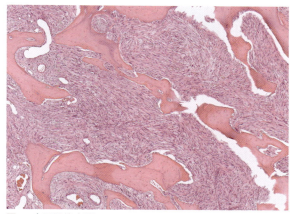

図10 │ 平滑筋肉腫
既存の骨梁を比較的保ちながら，腫瘍が骨梁間を進展している.

非骨化性線維腫（良性線維性組織球腫）：骨に発生する分化に乏しい紡錘形細胞腫瘍で，泡沫細胞の集簇や出血を伴うことから UPS に類似しうるが，紡錘形細胞に異型性はみられず，核分裂像も通常少ない.

平滑筋肉腫，類上皮血管内皮腫，血管肉腫，転移性癌・黒色腫，悪性リンパ腫などとの鑑別には，臨床情報とともに形態学的・免疫組織化学的に腫瘍細胞の分化を検討する.

9）治療・予後

骨肉腫に準じた術前化学療法を併用した広範切除を行うことが一般的となり，化学療法が奏効する例では以前に比し予後が改善されている[9,10]．初診時に遠隔転移がない例は60〜70％で長期生存が見込めるとされる[10]．

2．平滑筋肉腫

1）定義・概念

平滑筋肉腫 leiomyosarcoma は，腫瘍細胞が形態学的ならびに免疫組織化学的に平滑筋分化を示す悪性腫瘍である．骨に発生する平滑筋肉腫はきわめてまれで，その診断においては他臓器からの転移を十分に除外する必要がある．

2）臨床的事項

中高年の成人に好発し，小児例はきわめてまれである．性差はほとんどない．大腿骨遠位や脛骨近位の骨幹端に最も多く，その他の長管骨，顎顔面骨などにも発生しうる．本腫瘍に特徴的な症状はなく，他の悪性骨腫瘍と同様に疼痛や病的骨折で発症することが多い．放射線治療後に postradiation sarcoma として，あるいは免疫不全者に Epstein-Barr（EB）ウイルス関連腫瘍として発生する場合がある[11,12]．

3）画像所見

非特異的な悪性腫瘍を示唆する溶骨性病変を形成する．通常境界不明瞭で，虫食い状の病変を形成するが，比較的境界の明瞭な場合もある．しばしば骨皮質を破壊し，軟部組織に進展する．骨膜反応がみられることもある．

4）肉眼所見

灰白色で弾性硬の腫瘍を形成し，出血壊死を伴う場合もある．

5）組織学的所見

組織学的には他部位の平滑筋肉腫と同様である．分化度の高い腫瘍では，両切りタバコ状の核と好酸性の強い細胞質を有する紡錘形腫瘍細胞が錯綜する束状配列を示して増殖し（図9），少なくとも部分的ないし軽度の異型性，多形性がみられる．核分裂像，壊死や間質の硝子化がしばしばみられる．通常は既存の骨梁を破壊しながら増殖するが，骨梁間を広範に浸潤する場合もある（図10）．

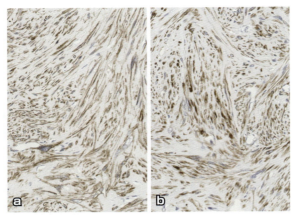

図11｜平滑筋肉腫
免疫組織化学的に腫瘍細胞はα-SMA（a），desmin（b）が陽性である．

6）免疫組織化学的特徴

α-SMA，muscle specific actin（HHF35），calponinなどがびまん性あるいは領域性に発現するとともに，desminやh-caldesmonが少なくとも部分的に陽性である（図11）．

7）鑑別診断

骨に発生する平滑筋肉腫はきわめてまれであるため，他部位に発生した平滑筋肉腫や平滑筋分化を示す腫瘍の転移，子宮平滑筋腫の転移（転移性平滑筋腫），肉腫様癌の転移などを臨床所見も併せて十分に除外する必要がある．UPSや線維肉腫，骨形成に乏しい線維芽細胞型骨肉腫などが鑑別に挙げられる．

8）治療・予後

治療はUPSと同様である．低分化な腫瘍では肺などへの転移の頻度が高く，5年生存率は50％未満とされる[13]．

（松山篤二）

文献

1) Unni KK, Inwards CY：Dahlin's Bone Tumors（6th ed），Lippincott Williams & Wilkins, Philadelphia, 2010, pp184-190
2) Domson GF, Shahlaee A, Reith JD, et al：Infarct-associated bone sarcomas. Clin Orthop Relat Res 467：1820-1825, 2009
3) Huvos AG, Woodard HQ, Heilweil M：Postradiation malignant fibrous histiocytoma of bone. A clinicopathologic study of 20 patients. Am J Surg Pathol 10：9-18, 1986
4) Martignetti JA, Gelb BD, Pierce H, et al：Malignant fibrous histiocytoma：inherited and sporadic forms have loss of heterozygosity at chromosome bands 9p21-22-evidence for a common genetic defect. Genes Chromosomes Cancer 27：191-195, 2000
5) Tarkkanen M, Larramendy ML, Böhling T, et al：Malignant fibrous histiocytoma of bone：analysis of genomic imbalances by comparative genomic hybridisation and C-MYC expression by immunohistochemistry. Eur J Cancer 42：1172-1180, 2006
6) Horvai AE, Roy R, Borys D, et al：Regulators of skeletal development：a cluster analysis of 206 bone tumors reveals diagnostically useful markers. Mod Pathol 25：1452-1461, 2012
7) Conner JR, Hornick JL：SATB2 is a novel marker of osteoblastic differentiation in bone and soft tissue tumours. Histopathology 63：36-49, 2013
8) Yoshida A, Ushiku T, Motoi T, et al：MDM2 and CDK4 immunohistochemical coexpression in high-grade osteosarcoma：correlation with a dedifferentiated subtype. Am J Surg Pathol 36：423-431, 2012
9) Bielack SS, Schroeders A, Fuchs N, et al：Malignant fibrous histiocytoma of bone：a retrospective EMSOS study of 125 cases. European Musculo-Skeletal Oncology Society. Acta Orthop Scand 70：353-360, 1999
10) Campanacci M：Bone and Soft Tissue Tumors（2nd ed），Springer, Wien, 1999, pp161-173
11) Abdelwahab IF, Kenan S, Hermann G, et al：Radiation-induced leiomyosarcoma. Skeletal Radiol 24：81-83, 1995
12) Deyrup AT, Lee VK, Hill CE, et al：Epstein-Barr virus-associated smooth muscle tumors are distinctive mesenchymal tumors reflecting multiple infection events：a clinicopathologic and molecular analysis of 29 tumors from 19 patients. Am J Surg Pathol 30：75-82, 2006
13) Adelani MA, Schultenover SJ, Holt GE, et al：Primary leiomyosarcoma of extragnathic bone：clinicopathologic features and reevaluation of prognosis. Arch Pathol Lab Med 133：1448-1456, 2009

第2部 組織型と診断の実際

Ⅷ. 関節腫瘍

1 腱滑膜巨細胞腫

tenosynovial giant cell tumour

はじめに

膝関節などの大きな関節腔内に好発し，滑膜組織が褐色調の絨毛状増殖を示す腫瘍性病変を色素性絨毛結節性滑膜炎 pigmented villonodular synovitis（PVNS）と呼んでいた．滑膜炎の名称が適切ではなく，現在は腱鞘巨細胞腫 giant cell tumour of tendon sheath とともに，腱滑膜巨細胞腫 tenosynovial giant cell tumour として線維組織球性の良性腫瘍に分類される[1]．

1. 定義・概念

WHO分類第5版（2020年）[1]では，関節腫瘍のPVNSは腱鞘巨細胞腫，びまん型巨細胞腫とともに「いわゆる線維組織球性腫瘍 so-called fibrohistiocytic tumours」の腱滑膜巨細胞腫の項目に集約された．発生部位から関節内 intra-articular と関節外 extra-articular に，発育様式からびまん型 diffuse type と結節型 localized type に分けられる．関節内・びまん型が従来のPVNS，関節外・結節型が従来の腱鞘巨細胞腫である．

悪性腱滑膜巨細胞腫は悪性腱鞘巨細胞腫 malignant giant cell tumour of tendon sheath と呼ばれていたもので，良性の腱滑膜巨細胞腫と明らかな肉腫が同一腫瘍内に共存するか，最初明らかな良性の腱滑膜巨細胞腫であったものが再発時に肉腫の像を示す腫瘍を指す[1,2]．

2. 臨床的事項

すべての年齢層にみられるが，40歳以下の若年成人に好発し，小児には少ない．男性よりも女性にやや多い．関節内・びまん型では75％が膝関節に，次いで股，足，肘，肩などの大関節に発生し，顎関節や脊椎の椎間関節にもみられる．指趾の小関節はまれである．症状は痛みと腫脹，関節の可動域制限で，期間はしばしば数年にも及ぶ．関節穿刺で褐色ないし血性の関節液が吸引される[1~3]．

放射線画像所見は軟部腫瘤陰影として認められ，関節の両側の骨に侵食像や関節軟骨下嚢腫が出現することもある．滑膜へのヘモジデリン沈着のため，MRIではT1，T2強調像とも低信号を呈することが多い[1,4]．

関節外・結節型は手指，とくに指節間関節の腱鞘周囲に好発し，無痛性の腫脹であることが多い．まれに近傍の骨の侵食や皮膚に及ぶことがある[1,2]．

治療は切除術で予後良好であるが，びまん型ではしばしば局所再発がみられる．きわめてまれに良性の組織像で肺やリンパ節に転移をきたした報告がある[1,2,5]．

3. 肉眼所見

関節内・びまん型では関節腔内の滑膜表面がびまん性の肥厚を示し，褐色～黄白色調のスポンジ様あるいは充実・硬の絨毛結節状の病変がみられる（図1）．関節内の孤在性の結節性病変を関節内・結節型として区別するが，本質的には関節内・びまん型と

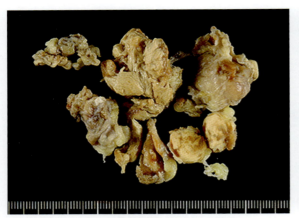

図 1│関節内・びまん型腱滑膜巨細胞腫の肉眼像
40 歳代，女性，膝関節．黄色〜褐色を呈した乳頭状ないし多結節状の滑膜組織をみる．

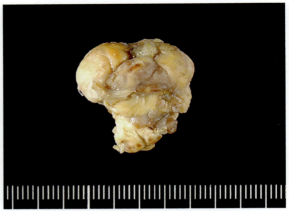

図 2│関節外・結節型腱滑膜巨細胞腫の肉眼像
60 歳代，男性，示指．2cm 大の凹凸不整の癒合結節性腫瘤を認める．

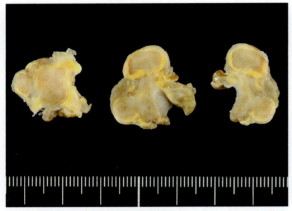

図 3│関節外・結節型腱滑膜巨細胞腫の肉眼像（図 2 の割面）
分葉状結節の辺縁部は黄色調を呈し，褐色，白色部分をまだら状に混じる．

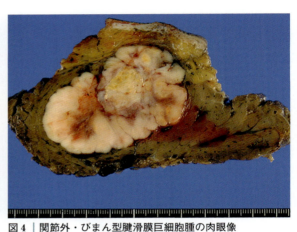

図 4│関節外・びまん型腱滑膜巨細胞腫の肉眼像
40 歳代，女性，殿部．大殿筋内に 6.5×4.0cm 大の白色の分葉状の充実性腫瘤を認め，黄色部，赤褐色部を混じる．（北海道がんセンター 鈴木宏明先生ご提供）

変わらない．有茎性の結節性病変ではしばしば捻転を起こし，壊死に陥ることがある[1〜3]．

　関節外・結節型は充実・硬の分葉状の結節で，0.5cm 大から 4cm 大まで，とくに 1〜2cm 前後のサイズが多い（図 2）．割面は黄白色調で，褐色調の部分をまだら状に混じる[1]（図 3）．関節外・びまん型は関節包周囲，骨格筋内や皮下組織に発生し，関節内・びまん型にみられる絨毛状構造を欠き，黄白色・充実性の多分葉状腫瘤としてみられることが多い（図 4）．腫瘍のサイズは通常 5cm を超える．

4．組織学的所見

　単層あるいは多層性の滑膜細胞に覆われた分葉状の結節を作り，裂隙や偽腺腔構造をもち，絨毛結節状構造を示す（図 5）．間質には類円形の組織球様単核細胞，線維芽細胞様細胞，破骨細胞型多核巨細胞が混在する（図 6）．腫瘍の本体は組織球様の単核細胞で，やや好酸性の大型細胞質と腫大化した核をもつ（図 7, 8）．核分裂像は比較的容易に観察され，通常 3〜5/10HPF 認められるが，異常分裂像はみられない．リンパ球，形質細胞などの炎症細胞が出現し，出血後のヘモジデリンを貪食した組織球（担鉄細胞）や脂質を含む泡沫細胞の集簇像もみられる．担鉄細胞が多いと腫瘍は肉眼的に褐色調に，また泡沫細胞が多いと黄色調となる[1〜3,6]．

　線維性結合織がこれらの細胞を分画状に包んで，多結節状あるいは胞巣状構造を示す（図 6）．胞巣状

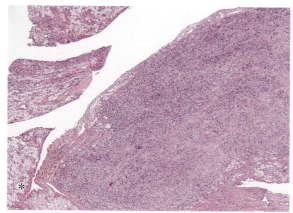

図5 | 関節内・びまん型腱滑膜巨細胞腫
滑膜の絨毛状増生，間質内に多数の単核細胞の増殖と左下に泡沫細胞の集簇像（＊）をみる．

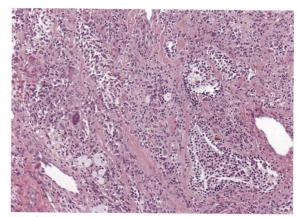

図6 | 関節内・びまん型腱滑膜巨細胞腫
線維性隔壁を伴った胞巣状構造内に多核巨細胞と単核細胞の増殖をみる．

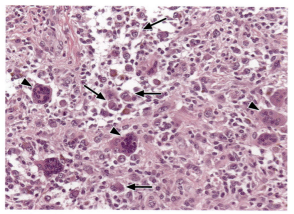

図7 | 関節内・びまん型腱滑膜巨細胞腫
破骨細胞型多核巨細胞（矢頭），リンパ球浸潤とともに組織球様のやや大型の単核細胞（矢印）をみる．

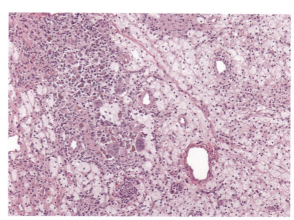

図8 | 関節内・びまん型腱滑膜巨細胞腫
多数の泡沫細胞の集簇間に多核巨細胞，単核細胞の増殖をみる．

構造の内部は膠原線維成分が少なく，裂隙状から浮腫状であるが，膠原線維が豊富になると硝子化し，ときには基質が類骨様にみえる．間質成分はまれに軟骨化生をきたし（図9, 10），軟骨性腫瘍との鑑別に苦慮することがある[7,8]．

側頭骨の軟骨芽細胞腫と報告された症例は，顎関節部に発生した軟骨化生を伴った腱滑膜巨細胞腫の可能性がある．その他，hydroxyapatite の石灰沈着巣，まれに明らかな類骨や骨を形成する．

免疫組織化学的には，組織球様のやや大型の単核細胞は clusterin 陽性（図11）となり，desmin は50％の症例で陽性を示す[9,10]．desmin 陽性細胞の多くは樹状突起様構造を示す．小型の組織球や担鉄細胞，泡沫細胞，破骨細胞型多核巨細胞は組織球系のマーカーである CD68，CD45，CD163 に陽性を示すが，clusterin, desmin は陰性である．担鉄細胞のヘモジデリンが鉄染色で確認できる（図12）．

5．分子病理学的特徴

腱滑膜巨細胞腫では染色体解析により1番染色体短腕の構造異常が報告されており，多くの症例で1p13 の CSF1 遺伝子の変異が見出されている．いくつかの症例では2q37に位置する COL6A3 と融合遺伝子 COL6A3-CSF1 の形成が明らかになっている[1,2]．

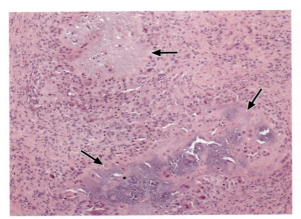

図9 | 関節外・結節型腱滑膜巨細胞腫
島状に石灰化を伴った軟骨状基質（矢印）がみられ，軟骨化生を示す．

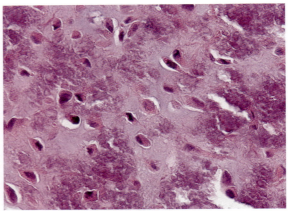

図10 | 関節外・結節型腱滑膜巨細胞腫
石灰化を伴った軟骨化生組織で，核に異型があるが，軟骨肉腫と誤ってはならない．

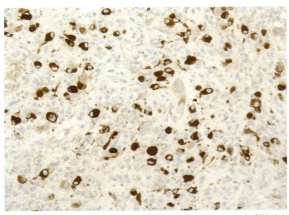

図11 | 関節内・びまん型腱滑膜巨細胞腫（clusterin 免疫染色）
大型の組織球様単核細胞の細胞質に陽性所見をみる．

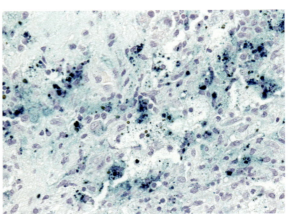

図12 | 関節内・びまん型腱滑膜巨細胞腫（Berlin blue 染色）
多量のヘモジデリン顆粒が青く染色される．

6. 鑑別診断

ヘモジデリン沈着性滑膜炎 haemosiderotic synovitis：外傷，血友病などに伴う関節血腫後のヘモジデリン沈着性滑膜炎との鑑別は重要である（図13, 14）．ヘモジデリンを貪食した組織球，リンパ球や形質細胞などの炎症細胞浸潤，線維化が共通してみられるが，関節内・びまん型では大型の組織球様の単核細胞の集簇を確認できる[3]．また，血腫後の滑膜炎では破骨細胞型多核巨細胞や泡沫細胞の出現が目立たないことが鑑別の参考になる．

軟部巨細胞腫 giant cell tumour of soft tissue：骨巨細胞腫に相当するまれな軟部腫瘍である[1,2]．腱滑膜巨細胞腫，腱鞘巨細胞腫と名称が紛らわしいが，軟部巨細胞腫は低頻度転移性の中間群に属する．骨巨細胞腫と同様の組織像を示し，単核細胞と破骨細胞型多核巨細胞からなる．円形〜卵円形核を有する単核細胞が細胞境界不明瞭に配列し，単核細胞と多核巨細胞の核は類似する（図15）．核分裂像は目立つが単核細胞の核の腫大化，不整形，異常核分裂像はみられない．多核巨細胞は病変全体に均一・びまん性に出現し，核の数も腱滑膜巨細胞腫に比べて多い．二次的な変性の結果として，動脈瘤様骨嚢腫様変化，線維化，泡沫細胞の集簇像がみられる．腱滑膜巨細胞腫では絨毛結節状構造，線維性結合織の分画による胞巣状構造がみられ，多核巨細胞の不均一な分布と巨細胞の核の数の少なさ，組織球様の大型単核細胞の存在が軟部巨細胞腫との鑑別の指標となる．

破骨細胞型多核巨細胞の目立つ未分化多形肉腫 undifferentiated pleomorphic sarcoma：従来，巨細

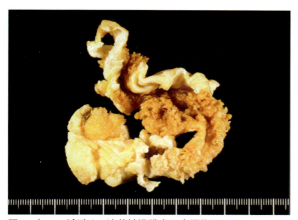

図13 | ヘモジデリン沈着性滑膜炎の肉眼像
60歳代，女性，足関節．絨毛状に増生を示す滑膜組織は著明なヘモジデリンの沈着により褐色を呈する．

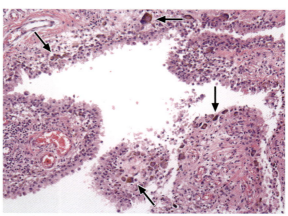

図14 | ヘモジデリン沈着性滑膜炎（図13と同一症例）
絨毛状滑膜組織に褐色色素（矢印）がみられる．間質は疎な線維・血管成分と炎症細胞からなり，腱滑膜巨細胞腫にみられる単核細胞の増殖像はない．

胞型悪性線維性組織球腫と呼ばれていた[1,2]．紡錘形細胞が不規則な花むしろ状構造を示す低分化で多形性の肉腫で，多数の破骨細胞型多核巨細胞を伴う．腱滑膜巨細胞腫に比べ，異型性の強い線維芽細胞様紡錘形細胞と奇怪な不整核がみられる．花むしろ模様，慢性炎症細胞浸潤がより目立ち，明らかな細胞異型，異常核分裂像が観察される．

（野島孝之）

文　献

1) de Saint-Aubain Somerhausen N, van de Rijn M：Tenosynovial giant cell tumour. in WHO Classification of Tumours Editorial Board (ed)："WHO Classification of Tumours, Soft Tissue and Bone Tumours"(5th ed), IARC Press, Lyon, 2020, pp133-136
2) Goldblum JR, Folpe AL, Weiss SW：Enzinger & Weiss's Soft Tissue Tumors (7th ed), Elsevier, Philadelphia, 2020, pp863-884
3) Vigorita VJ：Orthopaedic Pathology (2nd ed), Lippincott Williams & Wilkins, Philadelphia, 2008, pp610-620
4) 江原　茂：骨・関節のX線診断．金原出版，1995, pp235-236
5) Osanai T, Suzuki H, Hiraga H, et al：Extra-articular diffuse-type tenosynovial giant cell tumor with benign histological features resulting in fatal pulmonary metastases：A case report. J Orthop Surg 25：2309499017690323, 2017
6) Liegl-Atzwanger B, Hornick JL：Giant cell-rich tumours. in Hornick JL (ed)："Practical Soft Tissue Pathology：A Diagnostic Approach", Elsevier Saunders, Philadelphia, 2013, pp279-292
7) Oda Y, Izumi T, Harimaya K, et al：Pigmented villonodular synovitis with chondroid metaplasia, resembling chondroblastoma of the bone：A report of three cases. Mod Pathol 20：545-551, 2007

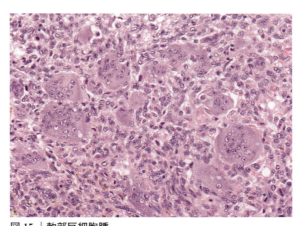

図15 | 軟部巨細胞腫
多数の破骨細胞型多核巨細胞と単核細胞からなる．巨細胞の核と単核細胞の核が類似する．

8) Fisher M, Biddinger P, Folpe AL, et al：Chondroid tenosynovial giant cell tumor of the temporal bone. Otol Neurotol 34：e49-e50, 2013
9) Boland JM, Folpe AL, Hornick JL, et al：Clusterin is expressed in normal synoviocytes and in tenosynovial giant cell tumors of localized and diffuse types：diagnostic and histogenetic implications. Am J Surg Pathol 33：1225-1229, 2009
10) Grogg KL, Lae ME, Kurtin PJ, et al：Clusterin expression distinguishes follicular dendritic cell tumors from other dendritic cell neoplasms：Report of a novel follicular dendritic cell marker and clinicopathologic data on 12 additional follicular dendritic cell tumors and 6 additional interdigitating dendritic cell tumors. Am J Surg Pathol 28：988-998, 2004

第2部 組織型と診断の実際

Ⅷ. 関節腫瘍

2 滑膜軟骨腫症

synovial chondromatosis

1. 定義・概念

　滑膜軟骨腫症 synovial chondromatosis は，関節内もしくは関節周囲滑膜下に硝子軟骨性の結節が多発する腫瘍性疾患である．関節外の腱滑膜に発生することがあり，その場合は関節外型 extra-articular subtype（または腱滑膜軟骨腫症 tenosynovial chondromatosis）という．多くは良性であるが，骨の侵食や関節の破壊を認める症例や，悪性転化（二次性軟骨肉腫）する症例があり，WHO 分類第5版（2020年）では局所侵襲性中間群腫瘍に分類された[1]．

　かつて，先行する関節疾患のないものを原発性滑膜軟骨腫症 primary synovial chondromatosis，関節リウマチや変形性関節症などの関節疾患に伴って生じるものを二次性滑膜軟骨腫症 secondary synovial chondromatosis としていたが，後者は関節疾患に伴って化生性に生じる病変であり，滑膜軟骨腫症と診断すべきではない．

2. 臨床的事項

　比較的まれな疾患で，通常は単関節性に発生する．30〜50歳代の中年成人に多く，男女比は約2：1[2]である．大関節，とくに膝関節に好発するが，股，肩，足，肘，顎関節などすべての関節に生じうる．関節外型の多くは手足にみられる[3]．

　症状は，痛みや関節の腫脹，関節可動域の制限，腫瘤触知などで，関節遊離体（関節鼠）の嵌頓により激痛を生じることがある．

3. 画像所見

　70〜95％の症例では石灰化や骨化を伴い[4]，単純X線写真で関節周囲に多数の小石灰化結節が確認できる（図1）．CTでは，単発ないしは多発性に石灰化した球状の小腫瘤が関節内に高吸収域として描出される．ただし軟骨成分は画像で捉えにくいため，石灰化を伴わない症例では見逃されることがある．MRIでは，石灰化部分はT1，T2強調像ともに低信号，軟骨成分は関節液と同様にT2強調像で高信号を呈するため，あたかも関節液中に石灰化物が散在しているようにみえる．良悪性の鑑別は難しいが，繰り返す再発や骨髄浸潤像が悪性の診断に役立つ[4]．

4. 肉眼所見

　関節遊離体として，あるいは滑膜に付着して硝子軟骨性結節が多発する（図2）．数個〜数十個，ときに無数にみられ，大きさは2〜3mmから1cmまでが多い．灰白色調で光沢があり，形状は球状，類円形，桑実状，金平糖状などを呈する．同一症例内で関節遊離体の大きさや形状が類似する点が滑膜軟骨腫症の特徴であり，他の疾患で生じる関節遊離体（骨軟骨性関節遊離体）との鑑別に役立つ．滑膜病変では，多結節癒合状あるいは分葉状の大きな一塊の腫瘤を形成し（図3），ときに10cmを超える．

5. 組織学的所見

　結節は硝子軟骨よりなり，関節遊離体として（図

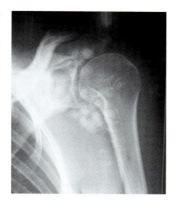

図1｜滑膜軟骨腫症（肩関節）の単純X線像
関節周囲に円形の骨化病変を多数認める．（信州大学整形外科 吉村康夫先生ご提供）

図2｜滑膜軟骨腫症の関節遊離体の肉眼像
灰白色調で形状の似た軟骨性結節が多数みられる．（信州大学整形外科 吉村康夫先生ご提供）

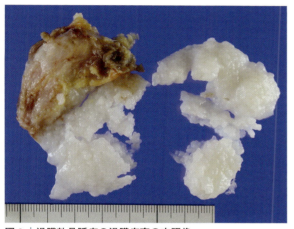

図3｜滑膜軟骨腫症の滑膜病変の肉眼像
割面は灰白色調充実性で光沢があり，大きさのそろった小結節が癒合している．

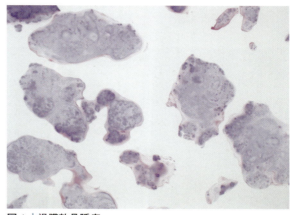

図4｜滑膜軟骨腫症
関節遊離体．硝子軟骨性結節が多発している．

4），あるいは大小さまざまな軟骨島の集簇として存在する（図5）．結節の表面を一部滑膜組織が覆い（図6），軟骨基質は分葉状を呈する．軟骨細胞は数個集まって小胞巣状に分布し（clustering），「軟骨細胞の集合化（chondrocytic cloning）」[5]とも呼ばれる特徴的な配列を示す（図7）．軟骨細胞には核の腫大や二核がしばしば認められ，約半数の症例で中等度以上の核異型や細胞密度の上昇がみられる（図8）．間質には粘液腫状変性や石灰化，ときに軟骨内骨化を伴う．

悪性転化は非常にまれであり，軟骨細胞にかなりの異型を認めても軟骨肉腫と誤診しないことが重要である．また骨表面の侵食像や関節の破壊のみでは悪性（二次性軟骨肉腫）とは診断しない．悪性を疑わせる所見として，軟骨細胞が集合化せずにシート状に密に増殖すること，粘液腫状基質，壊死，核分裂

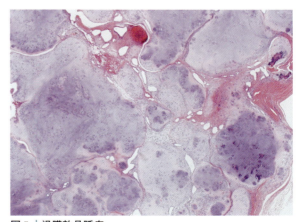

図5｜滑膜軟骨腫症
滑膜病変．大小の硝子軟骨島が集簇し，一部にスリット状の裂隙を認める．

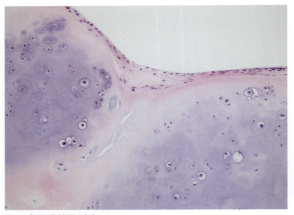

図6 ｜ 滑膜軟骨腫症
硝子軟骨結節の表面を滑膜細胞が覆う．軟骨細胞に核の腫大がみられる．

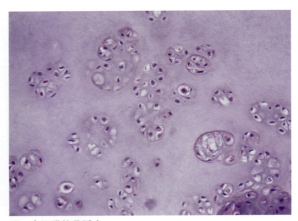

図7 ｜ 滑膜軟骨腫症
軟骨細胞の集合化（clustering）．軟骨細胞が数個集まって小胞巣状に分布する．

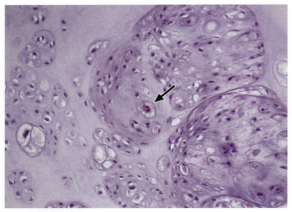

図8 ｜ 滑膜軟骨腫症
細胞密度が上昇し，軟骨細胞に核の腫大や二核（矢印）を認める．

像の増加などが挙げられている[6]．しかしながら，悪性転化の最も確実な診断は骨梁破壊性の浸潤像（permeation）か転移を確認することである．

6．分子病理学的特徴

良悪性いずれの症例にも *FN1-ACVR2A* と *ACVR2A-FN1* の融合遺伝子が報告されており[7]，FISH 法によって半数以上の症例で確認されている[8]．*IDH1*，*IDH2* の遺伝子変異は認めない[9,10]．

7．予　後

術後の再発は，近年の報告では 15％あるいはそれ以下であるが[2,11]，関節外に発生する腱滑膜軟骨腫症では再発が高頻度である[3]．悪性転化は約 5％で，通常腫瘤は大きく，長い経過で再発を繰り返し，低悪性度の軟骨肉腫となって骨梁破壊性の浸潤や遠隔転移をきたす[2,6,12]．

8．鑑別診断

関節遊離体が多発する症例においては，骨軟骨性関節遊離体と鑑別診断する必要がある．また滑膜病変のみの場合や関節外発生の場合は，軟部軟骨腫や軟骨肉腫など他の軟骨形成性腫瘍との鑑別に苦慮することがある．

骨軟骨性関節遊離体 osteochondral loose bodies：かつて二次性滑膜軟骨腫症としていた病変である．関節リウマチ，変形性関節症，離断性骨軟骨炎，骨壊死など，骨・関節疾患に伴って生じる関節遊離体を指す．関節腔内に剝離した骨・軟骨片を含んで化生性の骨・軟骨を形成する．症例によっては多数の関節遊離体を認めるが（multiple osteochondral loose bodies），滑膜軟骨腫症（原発性）に比較して結節が大きいことが多く（通常≧1.5cm），また軟骨細胞の集合化は目立たず，軟骨細胞が比較的均一に分布する傾向がある[13]．基質は硝子軟骨と線維軟骨との中間的な性状を示し，しばしば軟骨結節中央部の骨の壊死や輪状の石灰化を伴う．

軟部軟骨腫 chondroma of soft tissue：軟部に発生する硝子軟骨よりなる良性腫瘍で，多くは指趾の関節包や腱鞘から生じ，境界明瞭な孤立性腫瘤を形成する．分葉状構造を示し，軟骨細胞の集合化や種々の程度の細胞異型，軟骨内骨化を伴い，滑膜軟骨腫症，とくに関節外型（腱滑膜軟骨腫症）と発生部位や組織像が類似する．軟部軟骨腫でしばしばみられる広範な石灰化は（腱）滑膜軟骨腫症でも認めることがあり，鑑別には役立たない[3]．一般的に，単発で境界明瞭な腫瘤の場合には軟部軟骨腫の可能性が高く，腫瘤が複数個存在する場合や再発症例においては滑膜軟骨腫症を考慮する．それでも鑑別が難しい場合には，近年軟部軟骨腫において *FN1-FGFR2* および *FN1-FGFR1* の融合遺伝子が報告されており，遺伝子異常が両者の鑑別に役立つ[8]．

軟骨肉腫 chondrosarcoma：滑膜原発の軟骨肉腫は非常にまれである．滑膜軟骨腫症が悪性転化した症例（二次性軟骨肉腫）が多いが，*de novo* 発生や，骨原発の軟骨肉腫が関節内に浸潤することがある．鑑別は前述のとおりで，滑膜軟骨腫症では良性でも軟骨細胞に異型を伴うため，細胞異型のみでは軟骨肉腫と診断しないことに注意する．

（福島万奈）

文　献

1) Flanagan AM, Bloem JL, Cates JMM. Synovial chondromatosis. in WHO classification of tumours editorial board (ed)："WHO Classification of Tumours, Soft Tissue and Bone tumours"(5th ed), IARC Press, Lyon, pp368-369, 2020
2) Davis RI, Hamilton A, Biggart JD：Primary synovial chondromatosis：a clinicopathologic review and assessment of malignant potential. Hum Pathol 29：683-688, 1998
3) Fetsch JF, Vinh TN, Remotti F, et al：Tenosynovial (extraarticular) chondromatosis：an analysis of 37 cases of an underrecognized clinicopathologic entity with a strong predilection for the hands and feet and a high local recurrence rate. Am J Surg Pathol 27：1260-1268, 2003
4) Murphey MD, Vidal JA, Fanburg-Smith JC, et al：Imaging of synovial chondromatosis with radiologic-pathologic correlation. Radiographics 27：1465-1488, 2007
5) 石田　剛，今村哲夫：非腫瘍性骨関節疾患の病理．文光堂，2003, pp54-61
6) Bertoni F, Unni KK, Beabout JW, et al：Chondrosarcomas of the synovium. Cancer 67：155-162, 1991
7) Totoki Y, Yoshida A, Hosoda F, et al：Unique mutation portraits and frequent COL2A1 gene alteration in chondrosarcoma. Genome Res 24：1411-1420, 2014
8) Amary F, Perez-Casanova L, Ye H, et al：Synovial chondromatosis and soft tissue chondroma：extraosseous cartilaginous tumor defined by FN1 gene rearrangement. Mod Pathol 32：1762-1771, 2019
9) Amary MF, Bacsi K, Maggiani F, et al：IDH1 and IDH2 mutations are frequent events in central chondrosarcoma and central and periosteal chondromas but not in other mesenchymal tumours. J Pathol 224：334-343, 2011
10) Damato S, Alorjani M, Bonar F, et al：IDH1 mutations are not found in cartilaginous tumours other than central and periosteal chondrosarcomas and enchondromas. Histopathology 60：363-365, 2012
11) de Sa D, Horner NS, MacDonald A, et al：Arthroscopic surgery for synovial chondromatosis of the hip：a systematic review of rates and predisposing factors for recurrence. Arthroscopy 30：1499-1504.e2, 2014
12) Sah AP, Geller DS, Mankin HJ, et al：Malignant transformation of synovial chondromatosis of the shoulder to chondrosarcoma. A case report. J Bone Joint Surg Am 89：1321-1328, 2007
13) O'Connell JX：Pathology of the synovium. Am J Clin Pathol 114：773-784, 2000

第2部 組織型と診断の実際
Ⅷ. 関節腫瘍

3 滑膜脂肪腫

synovial lipoma

1. 定義・概念

滑膜脂肪腫 synovial lipoma あるいは樹枝状脂肪腫 lipoma arborescens は絨毛状に増生した滑膜組織間質の成熟脂肪細胞の増殖からなる病変で，1904年にドイツの外科医である Hoffa によって初めて述べられている．脂肪腫全体の1％以下であるとされる[1]．正確な発生原因は不明であるが，外傷や慢性炎症に対する滑膜の脂肪成分の増殖性病変であると考えられている[2]．

2. 臨床的事項

罹患年齢は10歳以下の小児期から高齢者にまで及び，男女差はない．発生原因は不明であるが，臨床的に原発性・続発性に分けられ，続発性が多い．続発性は通常中年～高齢者にみられ，変形性膝関節症，半月板損傷，外傷などによる慢性的な刺激によって起こるとされる．一方，原発性は10～20歳代の若年者にみられ，小児期の関節水腫の原因となることもあるが，病変の発生原因は不明であるものが多い．

好発部位は上記に関連し膝関節，とくに膝関節上嚢が最も多いが，そのほかにも肩関節，股関節，肘関節，足関節，手関節にも発生することがある．また，まれではあるが，関節周囲の関節包や腱鞘に発生することもある．通常は単関節性であることが多いが，とくに続発性のものでは多関節性や両側性に発生することもあり，両側の膝関節に起こる症例も20％に上るという報告もある[3]．

赤血球沈降速度，リウマトイド因子，尿酸値といった臨床検査データには異常はみられず，また関節液にも結晶や細菌はみられない．しかしながら，臨床的には関節リウマチとの鑑別が困難であり，それとして治療される例もみられる．

臨床症状としては，発症時期のよくわからない罹患関節の無痛性の腫脹から始まり，通常数年続いてから病態に気づくことが多く，次第に痛みを伴う関節水腫を繰り返すことになる．罹患関節の間欠的に悪化する痛みや腫脹は，肥厚した脂肪成分を含む滑膜組織が関節間隙に挟まれることによって生じると考えられており，ときにロッキングを起こすこともある．

3. 治療

治療としては，緩徐な増大を示す病変であることもあり，とくに症状がなければ手術となることは少ない．しかしながら，腫瘍の存在が関節の荷重部位に変化をきたし，関節症が進行するとの報告もある[4]．手術としては滑膜切除術が施行されるが，切除後の再発は通常みられない．若年者の原発性膝関節発症例では，症状発現から1年後以降に滑膜切除術を施行した場合には，1年以内に滑膜切除術を施行した群に比べ，進行性の関節変性所見がみられたとの報告もある[5]．

4. 画像所見

MRIが画像診断に有効であるとされ，軟部組織の

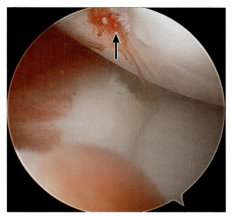

図1 | 原発性滑膜脂肪腫（15歳，女性）の関節鏡像
関節内に絨毛状に増生する小腫瘤（矢印）を認める．

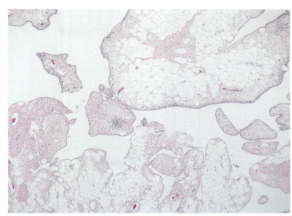

図2 | 続発性滑膜脂肪腫
滑膜上皮細胞に覆われた絨毛状の増生を示す滑膜組織を認める．

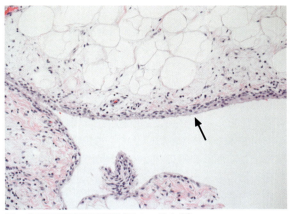

図3 | 続発性滑膜脂肪腫（図1の拡大像）
滑膜被覆上皮（矢印）下の結合織には異型のない成熟した脂肪細胞の増殖を認める．

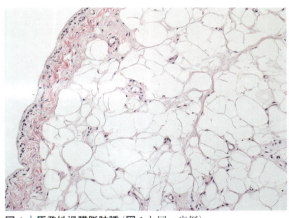

図4 | 原発性滑膜脂肪腫（図1と同一症例）
続発性と組織像は変わらない．

脂肪腫と同様にT1，T2強調像で絨毛状あるいは結節状の高信号域を呈する．また，T2強調像でヘモジデリン沈着による低信号域がないことが，関節内腱滑膜巨細胞腫や滑膜血管腫などとの鑑別に有用とされる．また，X線写真は診断的価値は小さいとされるが，関節周囲病変では軟部に透亮像を呈することから本腫瘍が疑われることも少なくない．

5. 肉眼所見

肉眼的には黄色調で結節状あるいは乳頭状を呈する（図1）．

6. 組織学的所見

組織学的には原発性・続発性の間に違いはないとされる．絨毛状の増生を示す滑膜組織を認め，滑膜被覆上皮下の結合織には異型のない成熟した脂肪細胞の増殖を認め，毛細血管の増生も種々の程度に伴う（図2〜5）．また，炎症細胞浸潤もみられ，部分的に滑膜間質の線維化を伴う部分もみられる（図5）．

7. 鑑別診断

腱滑膜巨細胞腫，リウマチ性滑膜炎が挙げられる．
腱滑膜巨細胞腫：肉眼的にも滑膜組織へのヘモジデリンの沈着により褐色調を呈することから，鑑別

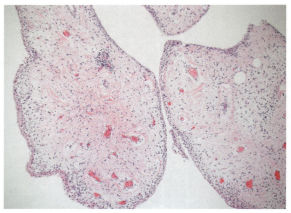

図5｜続発性滑膜脂肪腫
毛細血管の増生も種々の程度に伴い，炎症細胞浸潤もみられ，部分的に滑膜間質の線維化を伴う．

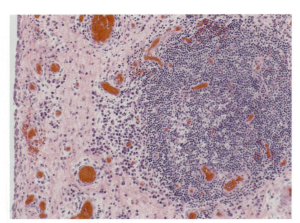

図6｜リウマチ性滑膜炎
形質細胞を主体とした炎症細胞浸潤とリンパ濾胞の形成がみられる．

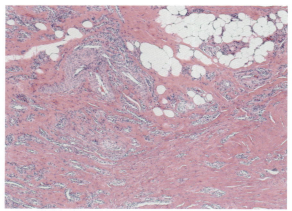

図7｜滑膜血管腫
膠原線維の増生を背景に，大小さまざまな血管の増生を認め，脂肪組織成分もみられる．

は容易である．組織学的にも組織球様の卵円形〜短紡錘形核を有する細胞の増殖からなり，破骨細胞型多核巨細胞の出現や泡沫細胞の集簇，リンパ球を主体とした炎症細胞浸潤を伴う．

リウマチ性滑膜炎：滑膜の絨毛状の増生に加え，滑膜被覆上皮細胞の腫大がみられ，滑膜間質にはリンパ球・形質細胞を主体とした炎症細胞浸潤が目立ち，リンパ濾胞の形成も伴う（図6）．免疫組織化学的には浸潤している形質細胞はIgG陽性であるものが多い．

滑膜血管腫：滑膜脂肪腫で間質の毛細血管の増生の強いものは滑膜血管腫との鑑別を要するが，滑膜血管腫では毛細血管に加え，海綿状・静脈様の血管も増生することが多いため，増生している血管に大小不同がみられる（図7）ことや，全体的に肉芽組織様を呈し，脂肪組織は少なく，局所的には腱滑膜巨細胞腫様にもみえることがある．

（齋藤　剛）

文　献

1) Amarjit KS, Budhiraja S, Chandramouleeswari K, et al：Knee locking in osteoarthritis due to synovial lipoma：a case report. J Clin Diagn Res 7：1708-1709, 2013
2) Sanamandra SK, Ong KO：Lipoma arborescens. Singapore Med J 55：5-11, 2014
3) Bejia I, Younes M, Moussa A, et al：Lipoma arborescens affecting multiple joints. Skeletal Radiol 34：536-538, 2005
4) Kim S, Lee GY, Ha YC：An intra-articular synovial lipoma of the hip, possibly causing osteoarthritis：a case report and review of the literature. Skeletal Radiol 47：717-721, 2018
5) Natera L, Gelber PE, Erquicia JI, et al：Primary lipoma arborescens of the knee may involve the development of early osteoarthritis if prompt synovectomy is not performed. J Orthop Traumatol 16：47-53, 2015

第3部
鑑別ポイント

I. 骨肉腫との鑑別を要する骨形成性腫瘍

はじめに

一口に骨肉腫といってもバリエーションがあるので，骨肉腫の亜型ごとに鑑別診断を考える必要がある．いうまでもなく，臨床所見や画像所見と病理所見を総合して診断することが肝要である[1]．

1．骨肉腫の亜型と特徴

骨肉腫の亜型ごとの特徴を以下に簡潔に述べる．各々の詳細な臨床所見や病理所見は，第2部-II「骨形成性腫瘍」の各項を参照されたい．

1）低悪性度中心性骨肉腫

低悪性度中心性骨肉腫 low-grade central osteosarcoma は20～30歳代の長管骨の骨幹端に好発し，大腿骨遠位と脛骨近位に多い．組織学的には異型が軽微で均一な形状の紡錘形細胞が線維性間質を伴いながら束状に増殖し，類骨ならびに骨形成を認める．MDM2，CDK4 遺伝子増幅があり，免疫染色でもMDM2，CDK4 が陽性となる[2]．

2）通常型骨肉腫

骨芽細胞型骨肉腫 osteoblastic osteosarcoma，軟骨芽細胞型骨肉腫 chondroblastic osteosarcoma，線維芽細胞型骨肉腫 fibroblastic osteosarcoma：これらの通常型骨肉腫 conventional osteosarcoma は10歳代の長管骨の骨幹端に好発し，大腿骨遠位，脛骨近位，上腕骨近位に多い．組織学的に腫瘍細胞は高度の核異型と多形性を呈し，核分裂像も多数観察される．腫瘍細胞がレース状の類骨を直接産生し，種々の程度に石灰化や骨形成を伴う．骨芽細胞型骨肉腫は主に類円形，短紡錘形あるいは多角形の細胞からなる．軟骨芽細胞型骨肉腫は軟骨基質の産生が目立つ．線維芽細胞型骨肉腫は主に異型紡錘形細胞からなる．

3）血管拡張型骨肉腫

血管拡張型骨肉腫 telangiectatic osteosarcoma は，10歳代の大腿骨など長管骨の骨幹端に発生する．出血を伴う多嚢胞性病変である．嚢胞壁に高度の核異型を示す腫瘍細胞を認める．類骨形成が目立たないこともある．

4）小細胞型骨肉腫

小細胞型骨肉腫 small cell osteosarcoma は，10歳代の長管骨の骨幹端に発生する．細胞質が乏しく円形核を有する腫瘍細胞からなり，腫瘍性類骨を伴う．

5）傍骨性骨肉腫

傍骨性骨肉腫 parosteal osteosarcoma は，20～30歳代の長管骨の骨幹端や骨幹端骨幹移行部に発生する．広基性に骨表面に付着して発育する．組織学的には軽度異型の紡錘形細胞が主体で，低悪性度中心性骨肉腫に類似する．ときに軟骨帽を認める．脱分化（高悪性転化）し，異型が高度になることがある．

6）骨膜性骨肉腫

骨膜性骨肉腫 periosteal osteosarcoma は10～20歳代の長管骨の骨幹部や骨幹端骨幹移行部に好発

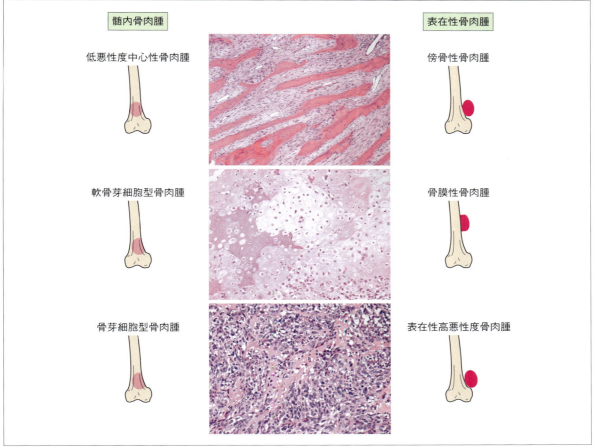

図 1 | 髄内骨肉腫と表在性骨肉腫の関係
傍骨性骨肉腫は低悪性度中心性骨肉腫と，骨膜性骨肉腫は軟骨芽細胞型骨肉腫と，表在性高悪性度骨肉腫は通常型骨肉腫（骨芽細胞型骨肉腫）と共通した組織像を呈する．組織写真はいずれも髄内骨肉腫のものである．

し，骨盤骨，顎骨にも発生する．異型軟骨細胞が主体で，軟骨芽細胞型骨肉腫に類似する．

7）表在性高悪性度骨肉腫

　表在性高悪性度骨肉腫 high-grade surface osteosarcoma は，10〜20 歳代の長管骨の骨幹や骨幹端に好発する．組織学的には通常型骨肉腫（とくに骨芽細胞型骨肉腫）に類似した像を呈する．

2. 髄内骨肉腫と表在性骨肉腫の関係

　骨肉腫のうち，上記 1.1)〜4) は髄内（骨皮質より内部）に主座があり髄内骨肉腫と総称され，5)〜7) は骨表面に発生し表在性骨肉腫と呼ばれる．傍骨性骨肉腫は低悪性度中心性骨肉腫と，骨膜性骨肉腫は軟骨芽細胞型骨肉腫と，表在性高悪性度骨肉腫は通常型骨肉腫（とくに骨芽細胞型骨肉腫）とそれぞれきわめて類似した組織像を呈する（図 1）．表在性骨肉腫は髄内病変がないことを原則とするが，髄内と髄外にまたがっている場合は優勢像をもって診断する．

3. 組織所見からみた骨肉腫の鑑別診断

　骨肉腫と鑑別を要する病変は増殖している細胞と基質が複雑に混在していることが多いので，まずはどのような細胞と基質の組み合わせでできているか，構成要素を列挙してみるとよい．そして病変の主座が髄内か髄外かによって鑑別すべき疾患が絞られてくる．代表的な骨肉腫の亜型と鑑別を要する主な病変を以下に述べる．

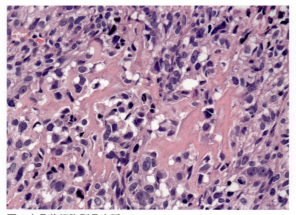

図2｜骨芽細胞型骨肉腫
高度の異型を有する腫瘍細胞とレース状の類骨を認める．腫瘍細胞は類骨周囲に不規則に配列している．

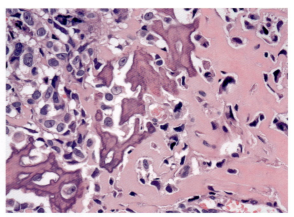

図3｜骨芽細胞型骨肉腫
類骨（右）の一部に石灰化（左）が認められる．類骨内の腫瘍細胞に高度の異型を認める．

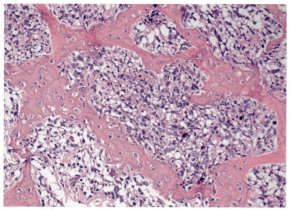

図4｜骨芽細胞型骨肉腫
骨梁状の骨基質を認める．骨基質内の腫瘍細胞の核は周囲の腫瘍細胞に比べてやや小型である．

1）類骨および骨形成を伴う病変の鑑別（骨芽細胞型骨肉腫の鑑別）

a）髄内が主体の病変

骨芽細胞型骨肉腫：通常型骨肉腫の最も代表的な所見は，異型細胞に加え類骨（腫瘍性類骨）を認めることである．一方，良性骨形成性腫瘍やさまざまな反応性病変でも類骨が出現するため，診断を難しくさせている．通常型骨肉腫では腫瘍細胞が不整形でレース状の類骨（腫瘍性類骨）を直接産生する（図1，2）．骨肉腫細胞は類骨周囲に不規則に配列し，1列に整然と並ぶことはない．類骨にはさまざまな程度の石灰化を伴う（図3）．本来，「類骨」の定義は石灰化する前の状態の骨基質を指すが，骨肉腫では「石灰化した類骨」という表現がしばしば用いられる．腫瘍性類骨が成熟傾向を示し，骨梁状の骨基質が形成されることがあるが，形状は不規則で不整形である（図4）．この骨基質内の腫瘍細胞は周囲の腫瘍細胞に比べて小型化する傾向があるが（normalization），良性所見ではないことに注意が必要である[1]．

類骨骨腫 osteoid osteoma と骨芽細胞腫 osteoblastoma：類骨骨腫は10歳代の長管骨の骨皮質内に好発する．画像所見が非常に特徴的で，nidusと呼ばれる腫瘍本体と周囲の反応性骨硬化を特徴とする．通常nidusは1cm以下の小さな病変である．骨芽細胞腫は組織学的には類骨骨腫と区別し難いが，10～30歳代の脊椎・仙骨や頭蓋顔面骨に好発する，大きさが1.5cmを超える，周囲の反応性骨形成がやや軽度であるといった点が異なる[3]．組織学的には，類骨や線維骨からなる骨梁と，疎な線維性結合組織を認める（図5）．骨梁間には毛細血管が豊富で，しばしば破骨細胞型多核巨細胞が認められる．骨梁は相互に吻合した不規則な形状であり，種々の程度の石灰化を伴う．周囲は腫大した骨芽細胞に縁どられているが，比較的規則的に1列に並ぶ点は骨肉腫と異なる．レース状の類骨形成はない．骨芽細胞に核分裂像を認めることがあるが，直ちに悪性所見としないよう注意されたい．異常核分裂像は認められない．また通常は骨芽細胞がシート状に骨梁間を埋め尽くすことはない．もしそのような所見があれば，侵襲性骨芽細胞腫 aggressive osteoblastoma（類上皮型骨

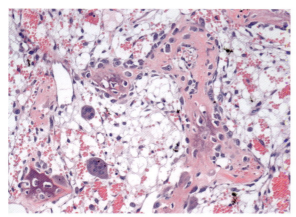

図5 | 骨芽細胞腫
石灰化を伴う線維骨の周囲を腫大した骨芽細胞が取り囲んでいる．骨梁間には毛細血管が豊富で浮腫状の間質を認める．また破骨細胞型多核巨細胞も観察される．

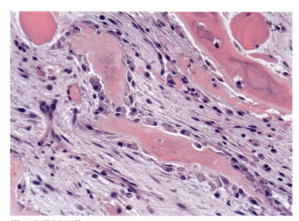

図6 | 骨折仮骨
類骨の周囲を骨芽細胞が1列に整然と取り囲んでいる．骨芽細胞に核異型を認めない．間質には線維芽細胞とリンパ球を認める．

芽細胞腫 epithelioid osteoblastoma）や骨肉腫の可能性があるが，その両者の鑑別もしばしば難しい[4]．

淡明細胞型軟骨肉腫 clear cell chondrosarcoma：淡明な腫瘍細胞を特徴とする．軟骨性腫瘍でありながら類骨や骨形成を示すため，組織像からは骨肉腫や骨芽細胞腫と紛らわしいことがある（後述）．

骨折仮骨 fracture callus：骨の破壊性病変の修復像では幼若な類骨，核腫大した骨芽細胞，軟骨形成や肉芽組織様の旺盛な線維芽細胞の増殖を認め，骨肉腫と鑑別を要する．骨芽細胞の核は腫大していても核形不整は示さず，骨梁周囲に規則的に配列する[5]（図6）．また類骨，線維骨から層板骨へ一定方向の段階的な成熟が認められる．骨芽細胞が核分裂像を示すことがあるが，異常核分裂像はない．さまざまな骨腫瘍で二次的に骨折を伴うと組織像が複雑になるので，本来の腫瘍成分と，反応性骨形成・仮骨の区別を意識して標本を観察することが重要である．

b）髄外が主体の病変

表在性高悪性度骨肉腫 high-grade surface osteosarcoma：組織像は通常型骨肉腫と同じであるが，発育様式が異なり，骨外性増殖を基本とする．ときに髄内（骨内）進展を伴う．

骨形成を伴う軟部肉腫：骨外性骨肉腫が骨の近くに発生した場合は組織像のみでは骨肉腫と区別し難く，画像上の病変の主座が重要である．また脱分化型脂肪肉腫が腫瘍性骨・軟骨形成を示すことがあり，免疫染色でMDM2陽性という点でも骨肉腫と区別

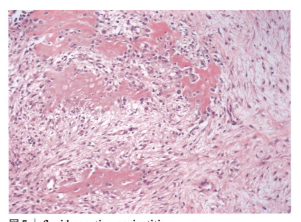

図7 | florid reactive periostitis
結節性筋膜炎に類似した線維粘液腫状間質を伴う紡錘形細胞の増殖と類骨形成が認められる．

が紛らわしいことがあるかもしれないが，実際には骨に接して発生する例はまれである．

florid reactive periostitis：指趾の短管骨の表面に発生する反応性線維性・骨形成性病変である[6]．幅広い年齢に発生するが，若年成人に好発する．外傷の既往を有するものが多く，数日〜数週間で病変が急速に成長することがある．画像所見では，初期には境界不明瞭な軟部陰影がみられ，時間経過とともに石灰化像が出現する．組織学的には結節性筋膜炎 nodular fasciitis に類似した線維芽細胞や筋線維芽細胞の増殖と，反応性の類骨ならびに骨形成が認められる（図7）．筋線維芽細胞には軽度の核腫大や核分

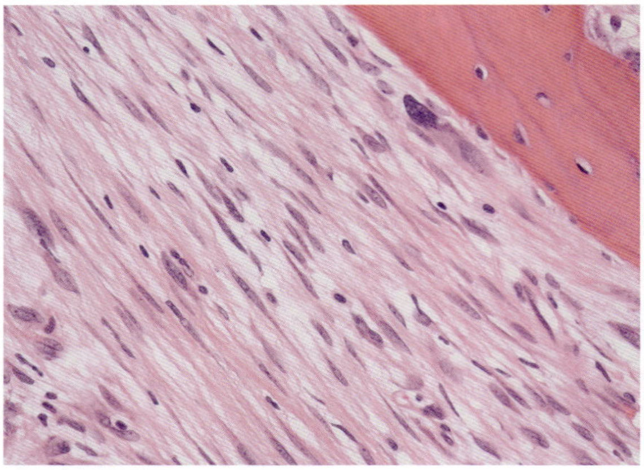

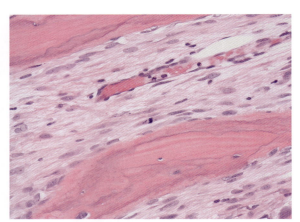

図8 | 低悪性度中心性骨肉腫
異型の乏しい紡錘形細胞が束状に増殖する．大半の腫瘍細胞は均一な紡錘形であるが，ごく一部にやや大型の腫瘍細胞を認める．

図9 | 低悪性度中心性骨肉腫
少数の核分裂像を認める．

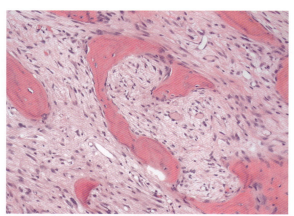

図10 | 低悪性度中心性骨肉腫
不整な形状の骨梁（線維性骨）を認め，一見すると線維性骨異形成に似ている．

裂像を認めることがあるが，異常核分裂は認めない．出血や多核巨細胞を伴うことがある．幼若な類骨や，腫大した骨芽細胞に縁どられた幼若な骨が認められ，組織像だけみると骨肉腫と紛らわしい．また成熟傾向を示す骨梁や軟骨形成を認めることがある．なお，florid reactive periostitis と同様の組織像を示す病変であるが，骨から離れて指趾の軟部組織に存在するものが fibro-osseous pseudotumour of digits，深部軟部組織に存在するものが骨化性筋炎に相当する．

骨化性筋炎 myositis ossificans：大腿など深部軟部組織に発生し，骨とはやや離れて存在する．病変の中心部は骨形成が乏しく，辺縁に向かって次第に骨が成熟傾向を示す zoning architecture（phenomenon）が特徴的である．画像上，シェル状の石灰化として認められる．組織像は florid reactive periostitis と類似しているが，より zoning が秩序立っている．florid reactive periostitis にも共通していえるが，幼若な類骨形成や核分裂像のみで安易に骨肉腫と診断しないことが重要である．急速な臨床経過はむしろ反応性病変を示唆する．

2）異型の乏しい紡錘形細胞病変の鑑別（低悪性度骨肉腫の鑑別）

a）髄内が主体の病変

低悪性度中心性骨肉腫 low-grade central osteosarcoma：異型が乏しい紡錘形細胞が線維性間質を伴って束状に増殖する（図1, 8）．核の多形性はほとんどなく，大小不同は軽度で，軽度の核腫大を呈しており，一見すると類腱線維腫や線維性骨異形成の紡錘形細胞と似ている．注意深く観察すると核分裂像が少数散見される（図9）．傍骨性骨肉腫に類似した平行に配列する骨梁や，線維性骨異形成に類似した不整な形状の線維骨が認められる（図1, 10）．レース状の類骨はみられない．層板骨を形成することはほとんどない．免疫染色では MDM2 や CDK4 が陽性になり，診断の補助になる（図11）．

類腱線維腫 desmoplastic fibroma：組織学的ならびに分子病理学的に軟部組織のデスモイド型線維腫症と類縁関係の腫瘍である．通常は病変内に骨形成を伴わないが，既存の骨梁が索状に残存しているのが観察されることがある．本腫瘍の紡錘形腫瘍細胞は低悪性度中心性骨肉腫のそれと形態的に類似して

I．骨肉腫との鑑別を要する骨形成性腫瘍　183

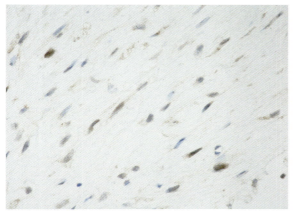

図11｜低悪性度中心性骨肉腫
免疫染色で紡錘形細胞の核にMDM2発現を認める．

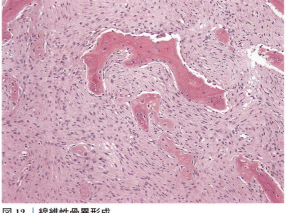

図12｜線維性骨異形成
異型の乏しい紡錘形細胞が膠原線維を伴って増殖し，骨芽細胞の縁どりが乏しい線維骨の形成を伴っている．

いる．免疫染色では軟部組織に発生するものと同様にβ-cateninの核内蓄積が認められることがある．MDM2やCDK4は陰性であり，診断の補助になる．

線維性骨異形成 fibrous dysplasia（FD）：全身のあらゆる骨に生じうるが，頭蓋顔面骨と大腿骨にとくに多く発生する．多発することもある．単純X線では骨透亮像を示し，辺縁硬化 marginal sclerosis像を伴う（一般的に辺縁硬化像を呈する病変は良性のことが多い）．組織学的には異型の乏しい線維芽細胞様の紡錘形細胞が膠原線維を伴って増殖し，"Chinese character"や"C-shaped（C字状）"と表現される特徴的な形状で，骨芽細胞の縁どりがない線維骨（未熟骨）の形成が認められる（**図12**）．ただし，円形または直線的な形状の骨も散見される．またFDでも骨芽細胞の縁どりや成熟傾向を示す層板骨が認められることがあるが，ごく一部に限られ，FDの診断の妨げにはならない．本病変は高頻度にGNAS遺伝子変異を有しており，免疫染色ではMDM2やCDK4は陰性であるので，診断の補助になる[2,7]．まれに悪性転化し，二次性骨肉腫が発生することがある．

骨線維性異形成 osteofibrous dysplasia（OFD）：若年者の脛骨の骨皮質内に好発する．単純X線では辺縁硬化像を伴う多房性の骨透亮像を呈する．組織学的にはFDと類似した像を呈するが，骨芽細胞の縁どりも認められる．免疫染色ではMDM2，CDK4陰性である．また，cytokeratin陽性細胞が散在性に認められることがあり，長管骨アダマンチノーマとの関連が示唆される．GNAS遺伝子変異はない．

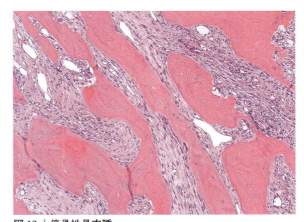

図13｜傍骨性骨肉腫
平行に配列する骨梁間に紡錘形細胞が膠原線維を伴って増殖しており，低悪性度中心性骨肉腫に類似している．

デノスマブ治療後の骨巨細胞腫 post-denosumab treatment giant cell tumour of bone：通常の骨巨細胞腫と異なり，紡錘形細胞の増殖と未熟骨や成熟骨の形成が著明に観察される．デノスマブ治療の病歴の確認が非常に重要である．加えて，*H3F3A* 遺伝子変異解析やH3.3 G34W変異蛋白に対する免疫染色が有用である．

b）髄外が主体の病変

傍骨性骨肉腫 parosteal osteosarcoma：前述のように組織学的には低悪性度中心性骨肉腫に類似しており，平行に配列する骨梁間に多形性の乏しい紡錘形細胞が膠原線維を伴って増殖する（**図13，14**）．両者は分子病理学的にも類似しており，免疫染色で

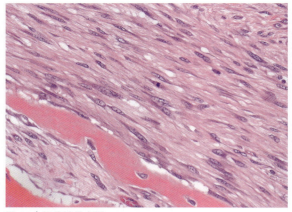

図14｜傍骨性骨肉腫
紡錘形細胞の核異型や多形性は目立たない．注意深く観察すると少数の核分裂像を認める．

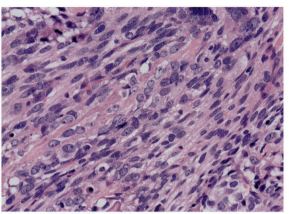

図15｜線維芽細胞型骨肉腫
核異型を示す紡錘形細胞が束状に増殖し，その間に繊細な腫瘍性類骨が認められる．

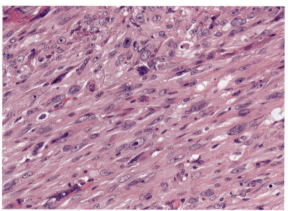

図16｜脱分化型傍骨性骨肉腫
通常の傍骨性骨肉腫（**図14**）と比較すると，腫瘍細胞に核異型や多形性が目立つ．

MDM2やCDK4が陽性となる[2]．両者の鑑別には画像所見が重要である．まれに脱分化することが知られているので，病変内に異型の強い領域がないか注意を払うことも重要である（後述）．

3）異型を有する紡錘形細胞病変の鑑別（線維芽細胞型骨肉腫の鑑別）

a）髄内が主体の病変

線維芽細胞型骨肉腫：線維肉腫に類似し，明らかな核異型を示す紡錘形細胞が優勢に増殖する．腫瘍性類骨や膠原線維を伴う．類骨形成が乏しいことがあり，多数切片を作製してようやくみつけられることがある（**図15**）．

線維肉腫 fibrosarcoma：膠原線維の増生を伴いながら，紡錘形細胞が束状あるいはherringbone patternで増殖する．部分的に著明な核異型や多形性が観察されることがある．腫瘍性類骨・骨形成は認められないという点で骨肉腫と区別される．

未分化多形肉腫 undifferentiated pleomorphic sarcoma（UPS）：核異型や多形性を示す紡錘形細胞や多角形細胞が増殖するが，腫瘍性類骨形成はない．類骨形成の乏しい骨肉腫との鑑別が問題となり，とくに生検標本ではしばしば鑑別が難しい．

b）髄外が主体の病変

脱分化型傍骨性骨肉腫 dedifferentiated parosteal osteosarcoma：傍骨性骨肉腫が脱分化すると異型が明らかとなり，通常型骨肉腫（線維芽細胞型，骨芽細胞型）に類似した像になる（**図16**）．病変内に共存する異型が乏しい紡錘形細胞の領域（本来の傍骨性骨肉腫に合致する成分）を同定することにより，確定診断が得られる．

軟部肉腫 soft tissue sarcoma：滑膜肉腫などで骨形成を伴うことがあるが，反応性（化生性）の骨であり，骨芽細胞に異型は認められない点で骨肉腫と異なる．また，骨外性骨肉腫では異型細胞と骨・類骨形成が認められるので，骨肉腫との鑑別には画像所見が重要である．

4）軟骨細胞が主体の病変の鑑別（軟骨芽細胞型骨肉腫の鑑別）

a）髄内が主体の病変

軟骨芽細胞型骨肉腫：軟骨基質の産生が顕著な通

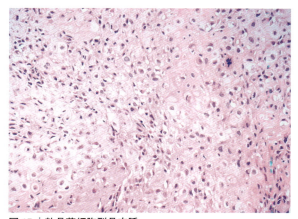

図17 │ 軟骨芽細胞型骨肉腫
軟骨基質の産生と強い核異型を有する腫瘍性軟骨細胞を認める．

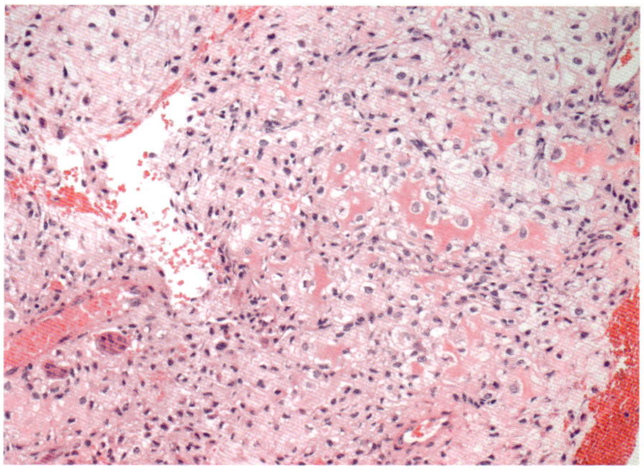

図18 │ 淡明細胞型軟骨肉腫
豊富な淡明細胞質を有する腫瘍細胞の増殖と類骨形成を認める．破骨細胞型多核巨細胞や毛細血管を伴っている．

常型骨肉腫の亜型である（図1）．形成される軟骨は硝子軟骨から粘液腫状軟骨までさまざまである．軟骨肉腫と比べて分葉構造が不完全で核異型が強い傾向がある（図17）．腫瘍細胞が直接，類骨または骨基質を形成する像を見出すことが骨肉腫の診断の決め手となる．内軟骨性骨化も観察される．

　軟骨肉腫 chondrosarcoma：grade 3の軟骨肉腫と軟骨芽細胞型骨肉腫の鑑別点は上述のとおりである．内軟骨性骨化は軟骨を介して骨形成が生じるものであり，軟骨肉腫でも認められるので，この所見だけでは骨肉腫の根拠としては不十分である．

　淡明細胞型軟骨肉腫 clear cell chondrosarcoma：淡明な細胞質を有する腫瘍細胞を特徴とする低悪性度の軟骨肉腫の亜型である．長管骨の骨端部に好発するのが特徴的であり，画像所見が重要である．組織学的には豊富な淡明細胞質を有する大型円形細胞がシート状に増殖する（図18）．細胞質に比して核は比較的小型で異型は強くなく，核分裂数は少ない．類骨や骨芽細胞の縁どりを伴う線維骨がしばしば観察される．また破骨細胞型多核巨細胞や毛細血管もよく観察される．種々の程度に硝子軟骨基質も認められる．したがって，採取された組織内に存在する骨・軟骨基質の量次第では，骨形成性腫瘍（骨肉腫，骨芽細胞腫），通常型軟骨肉腫のいずれにも類似しうる．

b）髄外が主体の病変

　骨膜性骨肉腫 periosteal osteosarcoma：軟骨芽細胞型骨肉腫に類似した組織像であるが，骨表在性発育が特徴的であり，画像所見が診断の決め手となる．

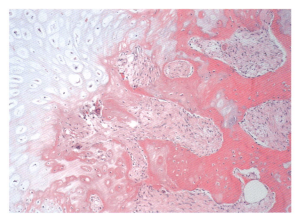

図19 │ 軟骨形成を伴う傍骨性骨肉腫
不規則な骨梁形成を伴い紡錘形細胞が増殖している領域（右）から腫瘍性軟骨組織（左）への移行像を認める．軟骨細胞の異型は軽度である．

　傍骨性骨肉腫 parosteal osteosarcoma：軽度異型の紡錘形細胞が主体であるが，半数程度の症例は一部に軟骨形成（軟骨帽）を伴い，軟骨細胞に軽度の異型を認める（図19）．

　骨膜性軟骨肉腫 periosteal chondrosarcoma：骨表面に発生するまれな軟骨肉腫で，髄内進展を伴わない．組織学的にはgrade 1～2の通常型軟骨肉腫と同じである．内軟骨性骨化を伴い，骨肉腫との鑑別が必要である．本腫瘍がgrade 3の異型を示すことはきわめてまれなので，異型が強い場合は骨膜性骨肉腫の可能性をまず念頭に置く．

　傍骨性骨軟骨異形増生 bizarre parosteal osteo-

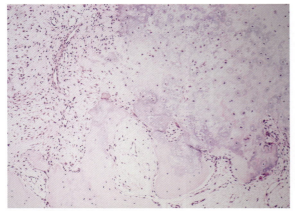

図20｜傍骨性骨軟骨異形増生
軟骨帽(右上)から内軟骨性骨化を経て骨梁(左下)に移行している．軟骨細胞は核腫大や二核を示す．骨梁周囲には骨芽細胞の縁どりが認められる．骨梁間には，異型の乏しい紡錘形細胞と毛細血管からなる疎な線維性結合組織を認める．

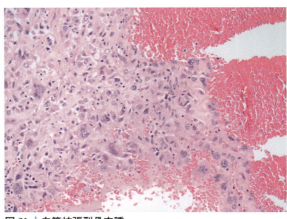

図21｜血管拡張型骨肉腫
嚢腫内には血液が貯留し，隔壁には核異型や多形性が著明な腫瘍細胞を認める．

chondromatous proliferation (BPOP)：その名が示すとおり骨表面(parosteal)に発生し，骨軟骨腫 osteochondroma に類似した組織からなる良性病変である．Nora らにより初めて報告され，Nora 病変 Nora's lesion とも呼ばれる[8]．若年成人の手や足の短管骨に好発する．0.5〜2cm 程度の比較的小さな病変である．画像上，骨表面に突出した境界明瞭な骨形成性病変として認められる．ただし，骨軟骨腫とは異なり，骨皮質自体には病変がなく，髄腔との連続性を欠く．組織学的に骨・類骨，軟骨，紡錘形細胞の増殖からなる(図20)．軟骨組織は表面近くの軟骨帽として認められる．軟骨細胞の密度が高く，二核や核腫大を示す．軟骨と連続して，成熟過程を示す骨組織への移行，すなわち内軟骨性骨化が認められる．骨梁の配列は骨軟骨腫と比べてやや不規則であり，骨梁周囲に骨芽細胞の縁どりが認められる．骨梁間には，異型の乏しい紡錘形細胞と毛細血管からなる疎な線維性結合組織を認める．紡錘形細胞に核分裂像を認めることがあるが，異常核分裂像はない．軟骨細胞の核腫大や紡錘形細胞の核分裂像をもって悪性骨・軟骨形成性腫瘍と混同しないことが重要である．これらの悪性腫瘍が短管骨に発生することはきわめてまれである．なお BPOP は反応性病変と考えられてきたが，染色体異常も報告されている[9]．

5) 血腫様の成分が主体の病変の鑑別（血管拡張型骨肉腫の鑑別）

血管拡張型骨肉腫 telangiectatic osteosarcoma：内部に血液が貯留している多房性嚢胞性病変である．隔壁には高度の核異型を示す腫瘍細胞が認められる（図21）．加えて腫瘍性類骨を見出せれば本腫瘍の診断が得られるが，類骨・骨形成が乏しいことが多い．血液成分や線維化，破骨細胞型多核巨細胞などの反応性変化に目を奪われると，動脈瘤様骨嚢腫や骨巨細胞腫と誤診されるおそれがあるので異型細胞を見逃さないよう注意する．

動脈瘤様骨嚢腫 aneurysmal bone cyst：血管拡張型骨肉腫と同様に血液が貯留した嚢胞性病変を呈し，画像上，特徴的な鏡面像を呈する．一次性，あるいは骨巨細胞腫や FD など先行する骨病変の二次性変化として形成される．嚢腫壁に反応性骨形成がみられることがあるが，異型はない（図22）．

6) 小円形細胞が主体の病変の鑑別（小細胞型骨肉腫の鑑別）

小細胞型骨肉腫，Ewing 肉腫，未分化小円形細胞腫瘍，悪性リンパ腫，転移性癌などが鑑別に挙がる．未分化小円形細胞腫瘍の一部は，*CIC-DUX4* や *BCOR-CCNB3* などの融合遺伝子を有することが近年報告されている．詳細はⅣ「骨小円形細胞腫瘍の鑑別」の項を参照されたい．

（山元英崇）

文　献

1) 石田　剛：骨腫瘍の病理．文光堂，2012, pp55-118
2) Yoshida A, Ushiku T, Motoi T, et al：Immunohistochemical analysis of MDM2 and CDK4 distinguishes low-grade osteosarcoma from benign mimics. Mod Pathol 23：1279-1288, 2010
3) Yalcinkaya U, Doganavsargil B, Sezak M, et al：Clinical and morphological characteristics of osteoid osteoma and osteoblastoma：a retrospective single-center analysis of 204 patients. Ann Diagn Pathol 18：319-325, 2014
4) Dorfman HD, Weiss SW：Borderline osteoblastic tumors：problems in the differential diagnosis of aggressive osteoblastoma and low-grade osteosarcoma. Semin Diagn Pathol 1：215-234, 1984
5) 石田　剛，今村哲夫：非腫瘍性骨関節疾患の病理．文光堂，2003, pp177-201
6) Spjut HJ, Dorfman HD：Florid reactive periostitis of the tubular bones of the hands and feet. A benign lesion which may simulate osteosarcoma. Am J Surg Pathol 5：423-433, 1981
7) Tabareau-Delalande F, Collin C, Gomez-Brouchet A, et al：Diagnostic value of investigating GNAS mutations in fibro-osseous lesions：a retrospective study of 91 cases of fibrous dysplasia and 40 other fibro-osseous lesions. Mod Pathol 26：911-921, 2013
8) Nora FE, Dahlin DC, Beabout JW：Bizarre parosteal osteochondromatous proliferations of the hands and feet. Am J Surg Pathol 7：245-250, 1983
9) Nilsson M, Domanski HA, Mertens F, et al：Molecular cytogenetic characterization of recurrent translocation breakpoints in bizarre parosteal osteochondromatous proliferation (Nora's lesion). Hum Pathol 35：1063-1069, 2004

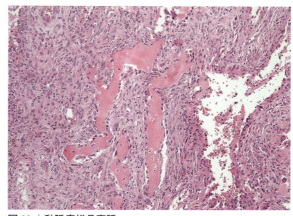

図 22 動脈瘤様骨嚢腫
嚢腫構造（右）に接する線維性隔壁に反応性骨形成（中央）を認める．間質細胞に異型はない．

Ⅱ．軟骨肉腫との鑑別を要する軟骨形成性腫瘍

はじめに

　軟骨形成性腫瘍・病変は多岐に及んでいる．一般的に骨腫瘍の診断は，臨床情報（年齢や病変部位），画像（X線，CT，MRI）所見を前提として，組織学的な検討を行うことで成立しうる．このことは，軟骨形成性腫瘍・病変でも同じで，良性病変から悪性病変に至るまで，組織学的異型度がオーバーラップしているものも少なくないからである．したがって，画像を含めた臨床情報に乏しい場合や，検体量が過小な場合には無理な確定診断を行わず，鑑別診断を挙げるにとどめるようにすることも大切である．
　本項では軟骨肉腫と軟骨形成性腫瘍との鑑別診断について解説する．なお，各腫瘍の詳細については第2部「組織型と診断の実際」の各項も参照されたい．

1．軟骨芽細胞型骨肉腫

　通常型骨肉腫は10歳代の長管骨の骨幹端に認められ，大腿骨遠位，脛骨近位，上腕骨近位に好発する．単純X線では境界不明瞭な髄内病変で，溶骨および硬化性変化が混在した所見を呈する．また，spiculaやsunburst，hair-on-endといわれる骨膜反応やCodman三角が認められる．
　組織学的には骨芽細胞型，軟骨芽細胞型，線維芽細胞型の3つに大別され，軟骨肉腫との鑑別が必要となるのは軟骨芽細胞型となる．軟骨芽細胞型骨肉腫 chondroblastic osteosarcoma は細胞外基質としての軟骨形成が著明で，それらはよく分化した硝子軟骨から粘液腫状の未熟な軟骨基質までさまざま認められる（図1a）．また，石灰化も認められる．
　軟骨肉腫との鑑別のポイントは類骨ないし骨基質の形成の有無で，これらが認められる場合には骨肉腫を考えることになる（図1b）．なお，軟骨内骨化は双方に認められるので注意が必要となる．また，軟骨性腫瘍で *IDH1/IDH2* の遺伝子変異が報告されているが，軟骨芽細胞型骨肉腫には *IDH1/IDH2* 遺伝子変異は認められない[1]．

2．内軟骨腫

　内軟骨腫 enchondroma は10～30歳代に多いが，高齢者にも認められ，手足の短管骨，とくに手の基節骨や中手骨に多い．また長管骨にも認められ，上腕骨近位や大腿骨近位および遠位の骨幹端部に中心性に発育する．単純X線では境界明瞭な骨透亮像を示し，内部には点状やリング状，弓状の軟骨性石灰化を伴う．膨張性発育を示すことがあり，その場合には骨皮質の膨隆と菲薄化が認められる．MRIではT1強調像で低～等信号を，T2強調像では著明な高信号を呈する．なお，内部の石灰化はT1，T2強調像ともに低信号となる．
　組織学的には好酸性の細胞質をもつ硝子軟骨細胞様の腫瘍細胞が分葉状に増殖する．細胞密度は低く，腫瘍細胞の核は小型，クロマチン濃染である．二核細胞は少なく核分裂像はほとんどない（図2）．軟骨基質に石灰化や軟骨内骨化をしばしば伴う．しかし，手足の短管骨発生例では他の部位に比べて細胞密度が高く，二核細胞も目立ち，軽度の細胞異型を示す傾向がある（図3a）．また，基質の粘液腫状変化も伴

II．軟骨肉腫との鑑別を要する軟骨形成性腫瘍

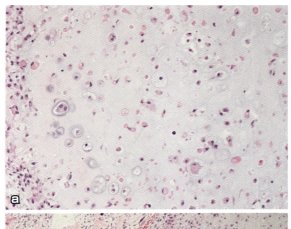

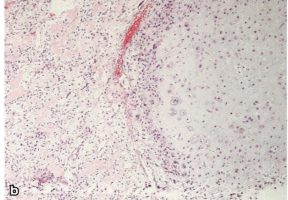

図1 ｜ 軟骨芽細胞型骨肉腫（10歳代，男性，大腿骨）
a：軟骨肉腫を思わせるような二核細胞や核の大小不同を認める．b：異型を伴う軟骨成分に付随して不整な類骨形成を認める．

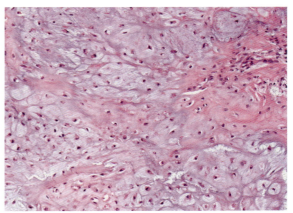

図2 ｜ 内軟骨腫（40歳代，女性，第3趾中足骨）
比較的均一なクロマチン濃染核を有する小型の軟骨細胞様の腫瘍細胞を認める．

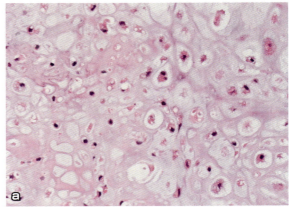

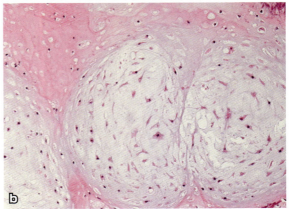

図3 ｜ 内軟骨腫（20歳代，男性，第4指基節骨）
a：二核細胞や核形不整な腫瘍細胞を認める．b：軟骨基質の粘液腫状変化を認める．

う（図3b）．

　鑑別診断として low-grade の軟骨肉腫が問題になるが，臨床情報と画像が最も重要で，軟骨肉腫の場合には20歳以下の発生はまれである．なお，*IDH1/IDH2* 遺伝子変異の割合は孤発性腫瘍では内軟骨腫56％，軟骨肉腫38％，骨膜性軟骨肉腫100％，また Ollier 病や Muffucci 症候群に付随した軟骨性腫瘍ではそれぞれともに86％と報告されており，内軟骨腫と軟骨肉腫との鑑別には有用ではない[2]．

3．軟骨芽細胞腫

　軟骨芽細胞腫 chondroblastoma は10歳代の長管骨骨端に発生する．大腿骨遠位や脛骨近位に最も好発し，上腕骨近位や大腿骨近位にも多い．なお，側頭骨発生例は30歳代に多い．単純X線では骨端部に楕円形の境界明瞭な骨透亮像を呈する．辺縁には薄い骨硬化を伴い，内部に石灰化や隔壁様構造を伴うこともある．また一部の症例では骨膜反応を伴う．MRIではT1強調像で低～中等度信号を，T2強調像

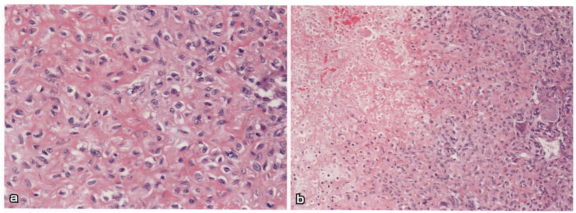

図4｜軟骨芽細胞腫（10歳代，男性，大腿骨）
a：単核の細胞間に類骨類似の好酸性の軟骨基質が網目状に認められる．b：軟骨島内の腫瘍細胞が変性し脱落している（左）．

では低～高信号とさまざまな信号強度を呈する．周囲には広範な浮腫性変化を伴う．二次性の動脈瘤様骨囊腫を合併することが多いため，液面形成を認めることもある．

組織学的には軟骨芽細胞様の腫瘍細胞がシート状に増殖し，破骨細胞型多核巨細胞や島状の類骨に類似した好酸性から好塩基性に染色される軟骨基質を伴う（図4a）．また，個々の細胞を区画するようなchicken-wire calcificationと呼ばれる石灰化をしばしば認める．核分裂数はさまざまであるが，異常核分裂像は認めない．軟骨島内の腫瘍細胞が変性し脱落する所見も認められ，これらを悪性所見と誤認してはならない（図4b）．悪性軟骨芽細胞腫では周囲組織への浸潤傾向を伴い，比較的強い細胞異型を伴う[3]．

分子病理学的には*H3F3B* K36Mの点突然変異を約95％の症例で認め，免疫組織化学染色でH3 K36Mが陽性となる．悪性を含め，軟骨芽細胞腫の鑑別ツールとして有用である[3,4]．

発生部位や画像所見が類似している淡明細胞型軟骨肉腫が鑑別に挙げられるが，発症年齢が20～40歳とやや高い．また，軟骨芽細胞腫には淡明で豊富な細胞質は伴わない．

4．軟骨粘液線維腫

軟骨粘液線維腫 chondromyxoid fibromaは10～20歳代の長管骨の骨幹端部に発生する．好発部位は脛骨近位，脛骨遠位，大腿骨遠位，腓骨遠位で，腸骨や足趾の短管骨にも生じる．単純X線では偏在性，境界明瞭な骨透亮像を呈する．辺縁には薄い骨硬化を伴う．膨張性発育を示し，骨皮質の菲薄化，ときには軟部組織へ浸潤することもある．石灰化はまれである．MRIではT1強調像で低～中等度信号を，T2強調像では不均一な信号強度を呈する．二次性の動脈瘤様骨囊腫を合併することもあり，その場合には液面形成を認める．

組織学的には豊富な粘液あるいは軟骨様基質を背景に紡錘形あるいは星芒状の腫瘍細胞が分葉状に増殖する（図5a）．これら腫瘍細胞はクロマチン濃染核を有し，核の大小不同や二核細胞も認めることがあるなど，悪性を疑わせるほどの高い細胞異型度を示す（図5b）．核分裂像はまれである．また，分葉間は紡錘形～円形の細胞が比較的密に増殖し，破骨細胞型多核巨細胞，軽度の炎症細胞浸潤，ヘモジデリン沈着を伴う．

軟骨肉腫との鑑別のポイントは臨床所見と画像所見である．組織学的には非常に類似することがあり，それのみでは鑑別が難しいことがある．

5．線維軟骨性異形成

線維軟骨性異形成 fibrocartilaginous dysplasiaは線維性骨異形成のまれな亜型の一つで，軟骨形成が優勢に認められるものを指す．10歳代の通常の線維性骨異形成と同じ好発部位にも発生するが，長管骨の骨幹部や骨幹端に多い．とくに大腿骨近位や脛骨，また顎骨や肋骨，頭蓋骨にも好発する．単純X線では境界明瞭な病変で，溶骨性で均一なすりガラス状

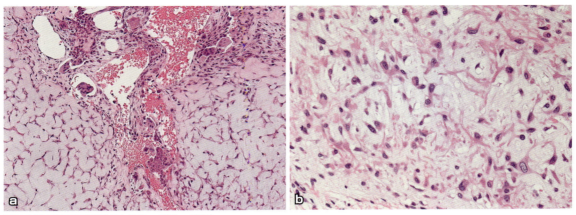

図5 | 軟骨粘液線維腫（10歳代，男性，鎖骨）
a：軟骨様基質を伴う紡錘形あるいは星芒状の腫瘍細胞が分葉状に増殖し，その間には紡錘形細胞や破骨細胞型多核巨細胞が認められる．b：二核細胞や紡錘形腫瘍細胞の大小不同も認める．

のものから不整な石灰沈着や骨硬化を示すものまでさまざまである．軟骨形成を伴う場合には点状ないしリング状の石灰化像を呈する．通常，辺縁の骨硬化像を認める．

組織学的には線維性間質を伴う紡錘形細胞の増殖と骨芽細胞の縁どりのない C-shaped あるいは Y-shaped と形容される特徴的な線維性骨から形成される．それらの所見に加えて優勢な結節状の硝子軟骨組織を認める（図6）．これら軟骨細胞には大小不同や核腫大，二核細胞を伴うことがあり，また粘液腫状変化をきたすこともあるため，軟骨肉腫が鑑別に挙がることもある．

鑑別のポイントとしては画像所見が最も重要である．組織学的には線維性骨異形成の所見の有無で容易に鑑別できる．また，分子病理学的に線維性骨異形成は GNAS 遺伝子異常を伴っているが，画像と組織所見で鑑別は可能である[5]．

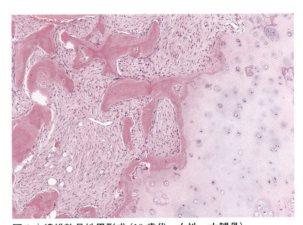

図6 | 線維軟骨性異形成（10歳代，女性，大腿骨）
不規則に彎曲した骨梁と軟骨島，紡錘形細胞の増殖を認める．

6. 線維軟骨性間葉腫

線維軟骨性間葉腫 fibrocartilaginous mesenchymoma は，若年者（平均13歳）の長管骨骨幹端や骨盤骨に好発する．単純X線やCTでは石灰化を伴う膨張性の溶骨性病変として認められ，皮質骨の菲薄化や破壊，軟部組織への進展を伴うこともある．組織学的には低異型度の紡錘形細胞肉腫類似の成分を背景に，軟骨島と骨形成を認める（図7a）．その軟骨島はさまざまな大きさを示すが，しばしば骨端成長軟骨板様の形態を呈する（図7b）．紡錘形細胞成分や

軟骨成分は既存骨を侵食し，軟部組織に進展することもある．そのため，軟骨肉腫と見誤らないことが重要であるが，発症年齢や腫瘍の組織学的な構成成分，また骨端成長軟骨板類似の形態に気がつけば鑑別は容易である．

7. 滑膜軟骨腫症

滑膜軟骨腫症 synovial chondromatosis は30〜50歳に多く，単関節性に発生する．好発部位は膝関節で，その他，股関節や肘関節，足関節，肩関節などに生じる．単純X線では関節周囲の軟部腫脹を呈し，石灰化や骨化を伴う場合には少数から多数の点状あるいは輪状石灰化を認める．MRIでは，活動期

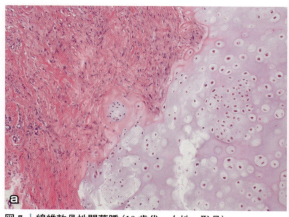 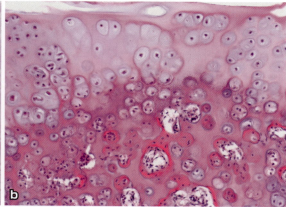

図7｜線維軟骨性間葉腫（10歳代，女性，恥骨）
a：低異型度の紡錘形細胞成分と軟骨島を認める．b：骨端成長軟骨板様の軟骨島．

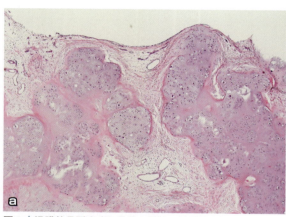 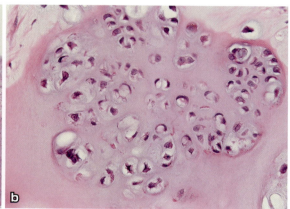

図8｜滑膜軟骨腫症（70歳代，男性，膝関節部）
a：滑膜表層下に軟骨島が散在している．b：二核細胞や軟骨細胞の大小不同を認める．

の場合は軟骨成分を反映してT1強調像で低信号，T2強調像で高信号に，また非活動期ではT1，T2強調像ともに低信号を呈する．

　組織学的には滑膜表層下あるいは間質結合織に軟骨島が認められる（図8a）．また，関節内には最外層を薄い線維性組織で被覆された軟骨性遊離体を多数伴っている．これら軟骨細胞は核腫大や明瞭な核小体，二核細胞の出現など，悪性を疑わせるほどの高い細胞異型度を示す（図8b）．軟骨内石灰化や骨化，骨化に骨髄組織を伴うこともある．軟骨基質に粘液腫状変化をきたすことはまれである．

　軟骨肉腫との鑑別のポイントは画像および肉眼所見である．とくに肉眼所見は特徴的で，滑膜内に白色の軟骨結節が認められ，多数の関節遊離体を伴う．

軟骨細胞の異型という点では鑑別は難しい．また，活動期に不完全な滑膜切除を施行されると再発するので，それを悪性所見としてはならない．

8．ピロリン酸カルシウム結晶沈着症

　ピロリン酸カルシウム結晶沈着症 calcium pyrophosphate dihydrate crystal deposition disease の頻度は加齢に伴い増加し，高齢者に多い．線維軟骨への沈着が多いが，硝子軟骨や関節周囲結合組織にも認められる．好発部位としては膝関節，椎間板，恥骨結合，手関節部が挙げられる．単純X線では関節周囲に淡い石灰沈着を認める．

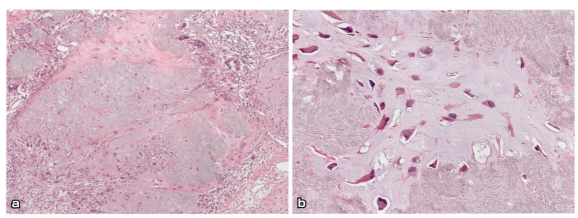

図9 | ピロリン酸カルシウム結晶沈着症(60歳代,男性,顎関節部)
a:結晶沈着周囲に軟骨化生領域が広がっている.また,その周囲には異物反応を認める.b:大小不同を伴う軟骨細胞を認める.

　肉眼では関節周囲組織に白色チョーク様の結節を認める.組織学的には好塩基性紫色の結晶物が島状に認められ,その周囲に軟骨化生や異物反応を伴う(**図9a**).なお,関節軟骨などの無血管領域では組織反応を呈さない.本疾患は腫瘍性ではないが,軟骨化生領域の軟骨細胞が異型を示すため(**図9b**),鑑別に挙げられることがある.軟骨肉腫との鑑別のポイントは,石灰化物の存在やその周囲の異物反応の存在である.

　　　　　　　　　　　　(孝橋賢一,小田義直)

文　献

1) Kerr DA, Lopez HU, Deshpande V, et al：Molecular distinction of chondrosarcoma from chondroblastic osteosarcoma through IDH1/2 mutations. Am J Surg Pathol 37：787-795, 2013
2) Pansuriya TC, van Eijk R, d'Adamo P, et al：Somatic mosaic IDH1 and IDH2 mutations are associated with enchondroma and spindle cell hemangioma in Ollier disease and Maffucci syndrome. Nat Genet 43：1256-1261, 2011
3) Papke DJ, Hung YP, Schaefer IM, et al：Clinicopathologic characterization of malignant chondroblastoma：a neoplasm with locally aggressive behavior and metastatic potential that closely mimics chondroblastoma-like osteosarcoma. Mod Pathol 33：2295-2306, 2020
4) Amary MF, Berisha F, Mozela R, et al：The H3F3 K36M mutant antibody is a sensitive and specific marker for the diagnosis of chondroblastoma. Histopathology 69：121-127, 2016
5) Bianco P, Riminucci M, Majolagbe A, et al：Mutations of the GNAS1 gene, stromal cell dysfunction, and osteomalacic changes in non-McCune-Albright fibrous dysplasia of bone. J Bone Miner Res 15：120-128, 2000

Ⅲ. 巨細胞の出現する腫瘍の鑑別

はじめに

巨細胞，とくに破骨細胞型多核巨細胞 osteoclastic multinucleated giant cell が出現する骨病変は，良性腫瘍・悪性腫瘍・非腫瘍性病変を含め多数存在する．さまざまな腫瘍で反応性に多核巨細胞の増殖がみられるが，とくに多く出現する疾患は限定される．しかし，多核巨細胞が出現する骨病変には組織学的類似点があり，鑑別診断が難しいことが少なくない．本項ではWHO分類第5版（2020年）に従って，以下の疾患について鑑別ポイントを中心に記載する[1]．WHO分類にはないが，巨細胞が出現する疾患との鑑別が問題となる巨細胞修復性肉芽腫と褐色腫をその他の項目として記載した．

- 破骨細胞型巨細胞に富む腫瘍 osteoclastic giant cell-rich tumours
  1) 動脈瘤様骨嚢腫 aneurysmal bone cyst（ABC）
  2) 骨巨細胞腫 giant cell tumour of bone（GCTB）
  3) 非骨化性線維腫 non-ossifying fibroma（NOF）
- 軟骨形成性腫瘍 chondrogenic tumours
  4) 軟骨芽細胞腫 chondroblastoma（CB）
  5) 軟骨粘液線維腫 chondromyxoid fibroma（CMF）
  6) 淡明細胞型軟骨肉腫 clear cell chondrosarcoma（CCCS）
- 骨形成性腫瘍 osteogenic tumours
  7) 富巨細胞腫型骨肉腫 giant cell-rich osteosarcoma（OS）
- その他の間葉系腫瘍 other mesenchymal tumours of bone
  8) 未分化多形肉腫 undifferentiated pleomorphic sarcoma（UPS）
- その他
  9) 巨細胞修復性肉芽腫 giant cell reparative granuloma（GCRG）
  10) 褐色腫 brown tumour（BT）

WHO分類第4版（2013年）から第5版（2020年）での変更点として，fibrohistiocytic tumoursに分類されていたNOFがosteoclastic giant cell-rich tumours（破骨細胞型巨細胞に富む腫瘍）の項目内に入り，ABC・GCTB・NOFの3疾患がこれに分類された[1,2]．

第4版では，指趾骨巨細胞性病変 giant cell lesion of the small bones（GCLSB）という疾患単位があり，同義語としてGCRGが記載されていた．その後，ABCでみられるUSP6遺伝子再構成が手足の指趾骨発生のGCRGにはみられ，顎骨発生のGCRGではみられず，GCLSB/GCRGと充実型ABCは同様の細胞で構成されることから，手足の指趾骨発生のGCLSB/GCRGは充実型ABCに分類し，GCRGは顎骨病変に限定すべきとの見解が報告された[3]．第5版では疾患単位としてのGCLSBはなくなっている．

また，NOFと類似した組織所見で，NOFとしては非典型的な年齢や部位（骨盤骨や長管骨の骨端）に発生した疾患を良性線維性組織球腫 benign fibrous histiocytoma（BFH）と呼んでいたが，その多くは変性したGCTBだと考えられており，第4版でNOFと併記されていたBFHの名称がなくなった[1,2]．

骨腫瘍の病理組織診断は，骨という組織の特性によりさまざまなアーチファクトが加わり，診断が困難になることが少なくない．とくに生検など観察に十分な量が採取されていない場合，アーチファクトで組織が挫滅している場合，壊死や熱変性が加わっている場合など，さまざまな問題で組織診断に影響が出る可能性がある．できるだけ多くの組織を丁寧に観察することと，必要に応じて免疫染色やFISH法を行うこと，アーチファクトがある場合や組織が小さい場合には無理な診断をしないことが重要である．診断に際しては，Jaffe's triangle として述べられたとおり，それぞれの基本的な臨床像，画像，病理組織像を理解して診断に臨めば，典型例であれば多くの症例は診断可能と考えられる．典型像と異なる場合は無理な診断をせず，鑑別に挙げられる腫瘍を絞り込み，臨床医，放射線科医，病理医との話し合いで対応していくことが重要である．

1．臨床的事項

臨床的事項の把握は非常に重要であり，年齢と発生部位を必ず確認する必要がある．小児から若年成人に好発する疾患として ABC, NOF, CB, CMF が挙げられる．OS は小児から若年成人に多くみられるが，それ以降の年齢にもみられることがある．成人あるいは中高年以降に好発する疾患として GCTB, CCCS, UPS が挙げられる．

発生部位では，長管骨発生か扁平骨発生か，また長管骨であった場合は骨端なのか骨幹端・骨幹なのかを確認する必要がある．皮質骨の破壊，周囲軟部組織への浸潤の有無もみる必要がある．骨腫瘍の鑑別診断をする際には，少なくとも単純X線は確認する必要がある．骨端部に発生する代表的な病変として GCTB, CB, CCCS の3疾患が挙げられ，まれに骨端発生の OS がある．また，骨幹端部あるいは骨幹部に発生する疾患としては NOF, CMF, ABC, OS, UPS および BT が挙げられる．骨折による修飾が加わる場合や，非典型的な画像所見の場合もあるが，腫瘍の発生部位とその広がりを把握することは骨腫瘍診断において非常に重要である．疾患の代表的臨床および組織学的特徴を表1に要約した．例外も少なからず存在することから参考程度にみていただきたい．

2．組織学的診断時の注意事項

病変内で多核巨細胞が一部にのみみられる場合は，非特異的な反応性出現である可能性がある．全体に広がっている場合は本項で扱う腫瘍の可能性があり，腫瘍全体に均一に広がっているか，不均一に集まってみられるかを観察する．重要な組織所見としては，類骨，線維骨，骨または軟骨などの基質産生の有無・嚢胞形成，組織球集簇巣・単核細胞の増殖様式（花むしろ状増殖）と核形態，核異型性の程度・核分裂像，とくに異常核分裂像の有無を観察する必要がある．臨床所見および画像所見から推測される疾患と組織像に矛盾がなければ診断可能であるが，当てはまらない場合は他疾患の所見との比較が必要である．細胞異型が乏しくみえる場合でも，悪性疾患の可能性を常に考慮し，臨床所見および画像所見を確認する必要がある．組織での鑑別が実質困難となることがあり，その場合は年齢，部位，画像所見をもとに臨床医，放射線科医との話し合いで診断および治療方針の決定をすることになる．

3．多核巨細胞の出現する骨疾患の組織学的特徴

1）動脈瘤様骨嚢腫（ABC）

血液で満たされる複数の嚢胞腔を形成する良性の骨腫瘍である．線維性隔壁には紡錘形の線維芽細胞および筋線維芽細胞が増殖し，多核巨細胞が出血部とその周囲に散在性にみられる（図1）．線維性隔壁に沿って，骨芽細胞で囲まれた反応性線維骨が形成されることがある．充実性領域が混在していることがあり，嚢胞形成が目立たず充実部が多い場合は充実型 ABC と呼ばれる（図2）．核分裂像はしばしばみられるが，異常核分裂像はみられない．

出血を伴う嚢胞様変化である ABC 様変化をきたす骨腫瘍として，GCTB，CB，骨芽細胞腫，線維性骨異形成，OS が挙げられ，これら疾患との鑑別が必要である．最も重要な鑑別疾患としては血管拡張型骨肉腫が挙げられ，生検検体では腫瘍性類骨形成に乏しい場合があるため，線維性隔壁内の細胞異型，異常核分裂像の観察が重要となる．GCTB との鑑別では，好発部位が異なることや，間質の単核細胞が GCTB に比較して紡錘形であること，多核巨細胞の分布が不均等であることで鑑別を行う．H3.3 G34W の免疫染色は ABC 様変化をきたした GCTB に陽性

表1 | 破骨細胞型多核巨細胞の出現する疾患の鑑別

		動脈瘤様骨嚢腫 (ABC)	骨巨細胞腫 (GCTB)	非骨化性線維腫 (NOF)	軟骨芽細胞腫 (CB)
	好発年齢	<20歳（約80％）	20〜45歳	10〜20歳代	10〜25歳
代表的発生部位	長管骨	大腿骨，脛骨，上腕骨／骨幹端部	大腿骨，脛骨，橈骨，上腕骨／骨端部	大腿骨，脛骨／骨幹端部	大腿骨，脛骨，上腕骨／骨端部
	扁平骨	腸骨，肩甲骨	腸骨	×	寛骨臼，腸骨
	その他	椎骨後弓	仙骨，椎骨（体部）		距骨，踵骨，膝蓋骨
組織	細胞の形態	紡錘形	類円形，短紡錘形	紡錘形	類円形，核溝
	異常核分裂像	×	×	×	×
	多核巨細胞の分布	出血部とその周囲	均一	不均一	不均一
	骨形成　腫瘍性	×	△	×	×
	反応性	○	○	○	○
	軟骨形成	×	△	×	◎
	花むしろ状配列	○	△	○	○

		軟骨粘液線維腫 (CMF)	淡明細胞型軟骨肉腫 (CCCS)	富巨細胞腫型骨肉腫 (OS)	未分化多形肉腫 (UPS)
	好発年齢	10〜20歳代	25〜50歳	10〜20歳代	>40歳
代表的発生部位	長管骨	脛骨，大腿骨／骨幹端部	大腿骨，上腕骨／多くは骨頭部	大腿骨，脛骨／骨幹端部	大腿骨，脛骨，上腕骨／骨幹端部，骨幹部
	扁平骨	腸骨	△	頭蓋骨，骨盤骨	頭蓋骨，骨盤骨
	その他	足趾短管骨	△	肋骨	△
組織	細胞の形態	紡錘形，星芒状	淡明細胞	多形，紡錘形異型細胞	多形，紡錘形異型細胞
	異常核分裂像	×	×	○	○
	多核巨細胞の分布	小葉周辺	反応骨周囲	不均一	不均一
	骨形成　腫瘍性	×	×	◎（少量の場合あり）	×
	反応性	×石灰化が多い	○〜◎（腫瘍内）	○	△（軟部組織進展時）
	軟骨形成	△（硝子軟骨）	○	○（腫瘍性）	×
	花むしろ状配列	×	×	○	○

×：ほとんどみられない，△：まれにみられる，○：みられる，◎：必ずみられる．

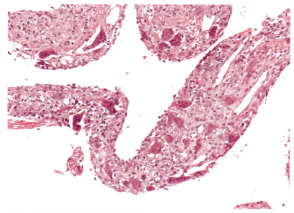

図1｜動脈瘤様骨嚢腫（ABC）
嚢胞壁の一部に多核巨細胞が少数みられる．多くの細胞は紡錘形あるいは短紡錘形細胞である．

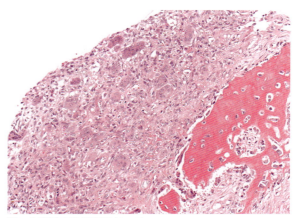

図2｜動脈瘤様骨嚢腫（ABC）
嚢胞の一部に充実部を認め，多核巨細胞が集簇している．右には嚢胞壁内の類骨を認める．

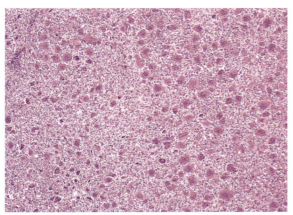

図3｜骨巨細胞腫（GCTB）
多核巨細胞が病変全体に比較的均等に分布している．

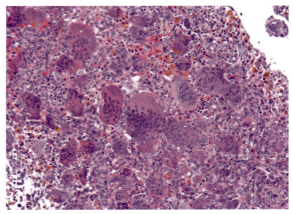

図4｜骨巨細胞腫（GCTB）
多核巨細胞の核はときに50個以上に達することもある．腫瘍細胞は多核巨細胞の間にみられる単核細胞で，均一で異型に乏しい．

であり，ABCでは陰性になることから鑑別に有用である[4,5]．USP6遺伝子再構成がABCの約70％にみられており，他の腫瘍のABC様変化ではみられないことから，FISH法によるUSP6遺伝子再構成の確認は他疾患との鑑別に有用と考えられる[6]．

2）骨巨細胞腫（GCTB）

局所侵襲性の腫瘍であり，まれに遠隔転移をきたす．単核の間質細胞増殖を伴い，多核巨細胞がちりばめられたように均等に観察される（図3）．単核細胞は好酸性胞体を有し，細胞境界は不明瞭である．核小体明瞭な単調な卵円形核をもつことが多いが，まれに多形性を示すことがある．核分裂像が散見されるが，異常核分裂像は基本的にみられない．異常核分裂像がみられた場合は，悪性骨巨細胞腫 malignant giant cell tumour of boneかその他の高悪性度肉腫である可能性が示唆される．多核巨細胞の核と単核細胞の核は類似しており，多核巨細胞の核は細胞中心性に集簇し，数個からときに20個または50個を超える場合がある（図4）．腫瘍内に反応性の類骨や骨形成を伴うことがあるが，腫瘍細胞が類骨・骨を直接形成する所見は目立たない（図5）．出血，壊死，嚢胞形成，線維組織球腫様反応，ABC様変化などの多彩な二次性変化がみられることがある．腫瘍周囲皮質骨が破壊されることがあり軟部組織への浸潤もまれにみられるが，線維性組織で覆われてい

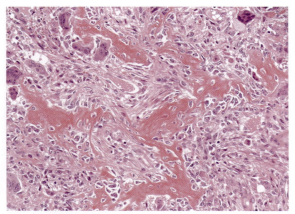

図5｜骨巨細胞腫（GCTB）
GCTBの病変の辺縁や骨の近傍に反応性の骨形成が観察されることがある．類骨では骨芽細胞の縁どりがみられる．骨肉腫のような異型細胞はみられない．

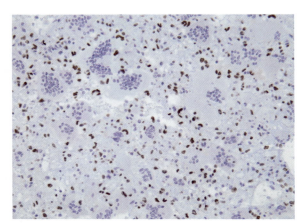

図6｜骨巨細胞腫（GCTB）
H3.3 G34W抗体を用いた免疫染色で，単核細胞の核が陽性となる．

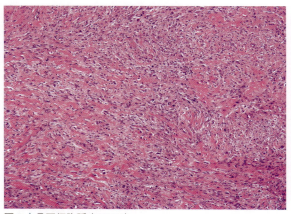

図7｜骨巨細胞腫（GCTB）
デノスマブ治療後．膠原線維を随伴して，線維芽細胞様の紡錘形細胞の増殖がみられる．多核巨細胞は消失している．

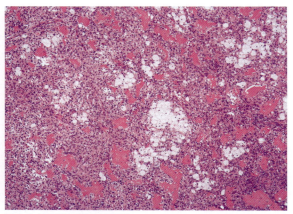

図8｜骨巨細胞腫（GCTB）
デノスマブ治療後．組織球の集簇巣がみられ，島状に骨形成を伴っている．

ることが多い．血管侵襲像をみることもある．悪性骨巨細胞腫として，通常型のGCTB内に高悪性度肉腫領域が併存する一次性と，過去に典型的なGCTBが存在し，同一部位に高悪性度肉腫が発生する二次性がある．悪性領域の組織型はさまざまであり，未分化多形肉腫，血管拡張型骨肉腫や骨芽細胞型骨肉腫などの所見を呈する．

　GCTBにはヒストンH3.3をコードする*H3F3A*遺伝子の変異がみられることが報告されており，最も多くみられる変異である*H3F3A* G34W変異を認識しているH3.3 G34W抗体を用いた免疫染色では，GCTBの90.6％が単核細胞に核陽性となると報告されている[4]（図6）．H3.3 G34Wの免疫染色はABC，CB，OSで陽性となることはほとんどないとされており，鑑別に有用なマーカーと考えられる[5]．しかし，骨肉腫の3.2％で陽性であったとの報告もあり，臨床所見，画像所見および組織所見の評価は重要である[5]．悪性骨巨細胞腫の一部でもH3.3 G34Wの陽性像がみられたとの報告があり，この変異の有無から一次性の悪性骨巨細胞腫の定義を広げようとする動きもある[4]．

　治療は，搔爬や腫瘍切除術などの手術療法が選択されているが，最近ではRANKLモノクローナル抗体であるデノスマブを用いた治療が始まっている．デノスマブ治療後は多核巨細胞や単核細胞の減少ないし消失がみられ，さまざまな割合で紡錘形細胞増

Ⅲ．巨細胞の出現する腫瘍の鑑別　　199

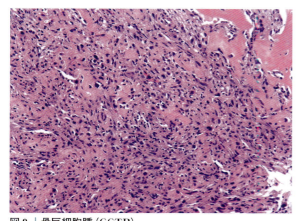

図9 ｜ 骨巨細胞腫（GCTB）
デノスマブ治療後．炎症細胞浸潤を伴い，紡錘形細胞に核異型がみられる．

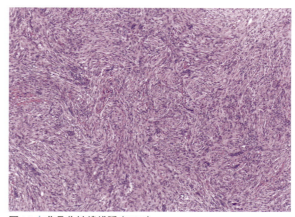

図10 ｜ 非骨化性線維腫（NOF）
紡錘形細胞が花むしろ状に増殖している．多核巨細胞が多数みられ，分布は不均一である．

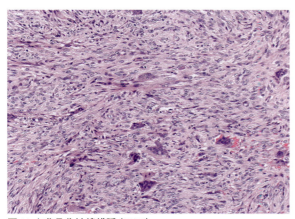

図11 ｜ 非骨化性線維腫（NOF）
腫瘍細胞は紡錘形細胞で，好酸性の胞体をもつ．多核巨細胞の分布は不均一である．

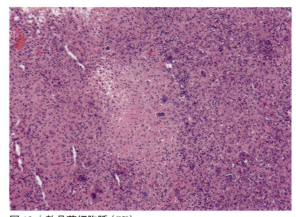

図12 ｜ 軟骨芽細胞腫（CB）
好酸性軟骨基質が島状に観察される．軟骨基質周囲に多核巨細胞を伴い，単核細胞が増殖している．

殖，線維骨形成，硝子化，線維化，炎症細胞浸潤がみられる（**図7，8**）．GCTB本来の組織所見とは大きく異なる像であり，変性による細胞異型がみられる場合がある（**図9**）．骨腫瘍診断の際には，デノスマブ治療の有無を確認する必要がある．

3）非骨化性線維腫（NOF）

　多核巨細胞を伴い，紡錘形細胞が花むしろ状に増殖する良性の骨腫瘍である（**図10**）．細胞密度が高く，核腫大をみることがあるが，多形性に乏しい．核分裂像は少なく，異常核分裂像はみられない．多核巨細胞は腫瘍全体に不均一に散見される（**図11**）．反応性にヘモジデリン沈着を伴う組織球集簇やリン

パ球，形質細胞浸潤がみられ，反応性の線維骨や囊胞形成がみられる領域がある．病的骨折をきたしている症例では壊死や出血がみられる．GCTBと異なりNOFは骨幹端発生であり，紡錘形細胞が主体の増殖性病変で，花むしろ状増殖を呈することが多い．

4）軟骨芽細胞腫（CB）

　単核の軟骨芽細胞が増殖し，好酸性軟骨基質が島状に観察される良性腫瘍である（**図12**）．多核巨細胞が不規則に散見され，単核細胞は淡明または好塩基性胞体を有する円形細胞であり，シート状に増殖し，核の長軸には切れ込みがみられる（**図13**）．核分裂像がみられることがあるが，異常核分裂像はみられな

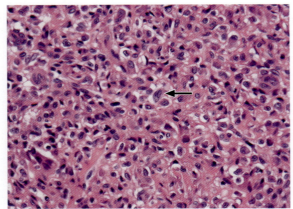

図13 | 軟骨芽細胞腫（CB）
均一な類円形の腫瘍細胞がシート状に増殖している．単核細胞には核溝がみられる（矢印）．

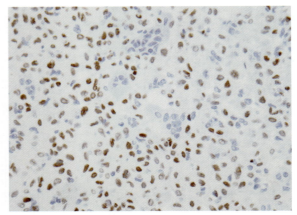

図14 | 軟骨芽細胞腫（CB）
H3 K36M抗体を用いた免疫染色．単核細胞の核陽性像がみられる．

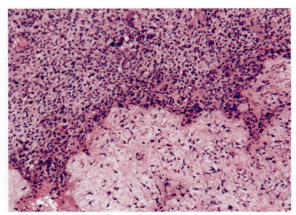

図15 | 軟骨粘液線維腫（CMF）
軟骨様基質に富む小葉（右下）の外側の，紡錘形細胞の増殖している部分（左上）に多核巨細胞の浸潤がみられる．

い．個々の細胞を区画するような"chicken-wire calcification"と呼ばれる細胞周囲の石灰化がみられることがあるが，典型像の頻度は少ない．しばしばABC様変化を伴うことがある．

発生部位はGCTBと同じであるが，組織学的には上記の特徴を捉え，必要であればH3.3 G34Wの免疫染色を行うことで鑑別する．OSとは発生部位が異なることから鑑別は比較的容易である．CMFは骨幹端発生が多く，粘液腫状間質を伴っており，分葉構造を呈する点がCBとは異なる．CCCSは発症年齢が20〜40歳とCBと比較してやや高く，淡明で豊富な胞体を伴う細胞像が異なる．

近年，CBはヒストンH3.3をコードする*H3F3B/H3F3A*遺伝子に変異があることが報告され，CBの95％でK36M変異がみられた[7]．この変異を標的とするH3 K36M抗体を用いた免疫染色ではCBの96％で核陽性所見がみられたとの報告がある[8]（図14）．CCCSの一部の症例で*H3F3B* K36Mの変異がみられたのと報告があるものの，GCTB，ABC，OSでは陰性とされており，CBの鑑別マーカーとして有用と考えられる[7〜9]．

5）軟骨粘液線維腫（CMF）

良性の分葉状軟骨性腫瘍である．領域性に軟骨成分，粘液腫成分と粘液線維性成分が混在する．不完全な大小不同の小葉構造を示し，粘液腫状間質を背景に紡錘形〜星芒状細胞が増殖している．小葉の中心部では細胞密度が低く，辺縁に向かうほど細胞密度が高くなるのが特徴である．小葉の境界は比較的明瞭であることが多い．小葉構造辺縁部に多核巨細胞が集簇して出現することが多く，腫瘍全体にわたって出現することはない（図15）．核分裂像がしばしばみられ，二核細胞や核の大小不同がみられることがあり，軟骨肉腫，grade 2との鑑別が重要である．軟骨肉腫は高齢者に多く，組織学的に核異型や核分裂像がCMFより目立つ傾向がある．また，周囲骨を巻き込むような増生をしている場合は軟骨肉腫を疑う必要がある．

6）淡明細胞型軟骨肉腫（CCCS）

骨端，とくに骨頭部に発生し，淡明な胞体を有する腫瘍細胞の分葉状増殖からなる低悪性度の軟骨形

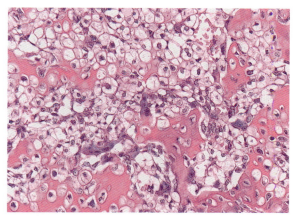

図16 ｜ 淡明細胞型軟骨肉腫（CCCS）
淡明な広い胞体をもつ腫瘍細胞が増殖し，反応性の新生骨を形成している．多核巨細胞は病変全体にみられるが，均等な分布ではなく，新生骨辺縁や近傍にみられることが多い．

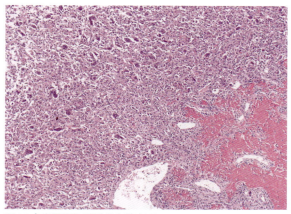

図17 ｜ 富巨細胞腫型骨肉腫（OS）
左に多核巨細胞が散在する腫瘍性病変を認める．弱拡大ではGCTBとの鑑別は困難である．右下に類骨の形成をみる．

成性腫瘍である．細胞境界明瞭な淡明〜淡好塩基性胞体を有する核異型の軽度な大型の類円形細胞が，多数の線維骨を伴い増殖する（**図16**）．多核巨細胞は線維骨の辺縁や周囲を中心に散在性にみられる．核分裂像はまれである．半数程度の症例で，病変内に通常型の低悪性度軟骨肉腫の像を認める．囊胞化やABC様変化を伴うことがある．CBとの鑑別が難しい場合があるが，年齢や組織学的な特徴により鑑別を行う．

7）富巨細胞腫型骨肉腫（OS）

骨肉腫に多数の多核巨細胞がみられることがあり，GCTBとの鑑別が必要な場合がある（**図17**）．骨幹端に好発するが，例外的に骨端に発生することが報告されている[10]．単核の間質細胞が骨あるいは類骨を直接形成する所見を確認することが重要である．骨肉腫は紡錘形細胞増殖を示すことが多いが，類上皮様細胞などの多彩な細胞形態を呈することがあり，高度な核異型を示すことが多く，異常核分裂像もみられる（**図18**）．

H3.3 G34Wの免疫染色では陰性を示すことが多く，GCTBとの鑑別に有用と考えられるが，細胞異型や多形性の有無，異常核分裂像の有無，腫瘍性の骨・類骨形成の所見を丁寧に観察することが大切である．難解な症例では，形態所見や免疫染色結果のみならず，臨床所見や画像所見を含めた総合的な判断が必要である．

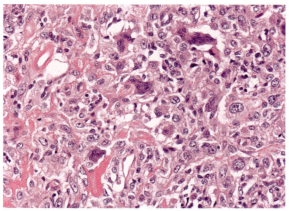

図18 ｜ 富巨細胞腫型骨肉腫（OS）
多核巨細胞の核の異型性は乏しいが，その間にみられる腫瘍細胞には核の大小不同や異型がみられる．

8）未分化多形肉腫（UPS）

多形性を示し，明らかな分化方向が不明な悪性骨腫瘍である．多くは著しい多形性を示す紡錘形または菱形細胞がびまん性，花むしろ状ないし束状に増殖する．大型細胞や異型を伴う多核巨細胞が混在し，核分裂像や異常核分裂像がみられる（**図19**）．膠原線維増生や硝子様基質の混在，組織球や炎症細胞浸潤を伴うことがある．腫瘍性骨・類骨形成や軟骨形成がみられないことが重要であり，OSや脱分化型軟骨肉腫の除外が必要である．α-SMA，desmin，h-caldesmonなどの複数の筋系マーカーを用いて平滑筋肉腫との鑑別をする必要がある．ただし，骨UPSの一部では筋系マーカーの一つが部分的に陽性とな

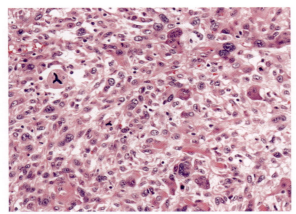

図19 | 未分化多形肉腫（UPS）
異型の強い紡錘形細胞の増殖がみられる．異型のある多核巨細胞も出現している．異常核分裂像がみられる．

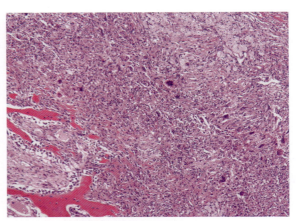

図20 | 巨細胞修復性肉芽腫（GCRG）
多核巨細胞は小型で，腫瘍内に不均一に分布している．間質細胞は紡錘形である．左下に反応性骨形成がみられる．

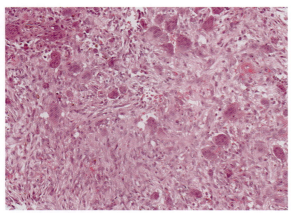

図21 | 褐色腫（BT）
多核巨細胞は小型で，病変の出血部近傍に不均一に分布している．間質細胞は紡錘形である．

ることがある[11]．また，横紋筋肉腫（desmin, myogenin, MyoD1），血管肉腫（CD31, CD34），一次性悪性骨巨細胞腫（H3.3 G34W），悪性黒色腫（Melan A, HMB45）などとは免疫染色を用いた除外診断をする必要がある．骨UPSではcytokeratinが部分的に陽性となることがあるが，陽性となった場合は転移性癌の可能性を考慮し，臨床情報の再確認が必要である．

9）巨細胞修復性肉芽腫（GCRG）

上下顎骨に好発する，充実型ABCと類似した組織像を示す腫瘍である．組織学的には紡錘形の線維性間質細胞の増殖がみられる．GCTBと異なり多核巨細胞の分布は均一ではなく，とくに出血部周囲に集簇する傾向があり，GCTBに比べ多核巨細胞に含まれる核の数は少ない．線維化，反応性骨形成，黄色腫細胞の集簇像などがみられ，多彩な組織像を認める（図20）．高度核異型や異常核分裂像がみられた場合は，OSなどの高悪性度腫瘍を鑑別に挙げる必要がある．

10）褐色腫（BT）

原発性あるいは二次性副甲状腺機能亢進症に伴い発症する反応性病変であり，汎発性線維性骨炎 generalized fibrous osteitis とも呼ばれる．副甲状腺ホルモンの過剰により骨吸収が促進され，吸収部には線維性組織の増生が起こる．

充実型ABCと類似の組織像であり，GCTBに比べ紡錘形がより目立つ間質細胞で構成されている．多くの多核巨細胞が出現するが，GCTBでは比較的均一に多核巨細胞が分布するのに比べ，BTでは小集簇を形成することが多い（図21）．また反応性骨形成の頻度が高い．長期病変では破骨細胞の活性が亢進した結果，長管骨内に再吸収による洞形成，いわゆる"tunneling"像がみられる．

鑑別点をまとめると，臨床背景として副甲状腺機能亢進状態が存在すること，発生部位が骨端部ではなく骨幹端部や骨幹部に多いこと，多発性であること，組織が多彩であることが挙げられる．ただし，副甲状腺機能亢進症における骨病変は臨床所見から診断が容易であることから，生検されることは少ない．

おわりに

　以上，多核巨細胞の出現する骨腫瘍の鑑別を記載した．実際の診断においては，年齢，発生部位，画像所見で推定診断を挙げ，組織で診断が正しいかを確認するという流れが一般的である．診断にあたっては，鑑別となるそれぞれの疾患の特徴を理解し，可能な限り標本を作り，作製標本を丁寧にみていくことが必要と考える．難解症例においては，H3.3 G34Wなどの免疫染色マーカーやFISH法を積極的に用いることが鑑別診断の一助となりうる．近年，GCTBに対するデノスマブを用いた治療など，治療方針にも変化がみられており，臨床情報がなければ診断を誤る危険性もあることから，より密な臨床医・放射線科医との連携が重要であると考える．

（鷲見公太，干川晶弘，高木正之）

文　献

1) WHO Classification of Tumours Editorial Board (ed)：WHO Classification of Tumours, Soft Tissue and Bone Tumours (5th ed), IARC Press, Lyon, 2020
2) Fletcher CDM, Bridge JA, Hogendoorn PCW, et al (eds)：World Health Organization Classification of Tumours of Soft Tissue and Bone (4th ed), IARC Press, Lyon, 2013
3) Agaram NP, LeLoarer FV, Zhang L, et al：USP6 gene rearrangements occur preferentially in giant cell reparative granulomas of the hands and feet but not in gnathic location. Hum Pathol 45：1147-1152, 2014
4) Amary F, Berisha F, Ye H, et al：H3F3A (histone 3.3) G34W immunohistochemistry：a reliable marker defining benign and malignant giant cell tumor of bone. Am J Surg Pathol 41：1059-1068, 2017
5) Bai YQ, Yang TT, Zhang HZ：The study of the value of H3F3A G34W immunohistochemical staining in the diagnosis of giant cell tumor of bone. Zhonghua Bing Li Xue Za Zhi 48：531-536, 2019
6) Oliveira AM, Perez-Atayde AR, Inwards CY, et al：USP6 and CDH11 oncogenes identify the neoplastic cell in primary aneurysmal bone cysts and are absent in so-called secondary aneurysmal bone cysts. Am J Pathol 165：1773-1780, 2004
7) Behjati S, Tarpey PS, Presneau N, et al：Distinct H3F3A and H3F3B driver mutations define chondroblastoma and giant cell tumor of bone. Nat Genet 45：1479-1482, 2013
8) Lu C, Ramirez D, Hwang S, et al：Histone H3K36M mutation and trimethylation patterns in chondroblastoma. Histopathology 74：291-299, 2019
9) Schaefer IM, Fletcher JA, Nielsen GP, et al：Immunohistochemistry for histone H3G34W and H3K36M is highly specific for giant cell tumor of bone and chondroblastoma, respectively, in FNA and core needle biopsy. Cancer Cytopathol 126：552-566, 2018
10) Nagata S, Nishimura H, Uchida M, et al：Giant cell-rich osteosarcoma of the distal femur：radiographic and magnetic resonance imaging findings. Radiat Med 24：228-232, 2006
11) Romeo S, Bovée JVMG, Kroon HM, et al：Malignant fibrous histiocytoma and fibrosarcoma of bone：a re-assessment in the light of currently employed morphological, immunohistochemical and molecular approaches. Virchows Arch 461：561-570, 2012

IV. 骨小円形細胞腫瘍の鑑別

はじめに

　骨に発生する小円形細胞腫瘍の鑑別は疾患単位の組み合わせの数だけあるが，ここでは現実的に問題となる状況に限定して診断のコツや落とし穴を紹介する．取り上げる疾患の一部は第2部「組織型と診断の実際」で詳細に解説されるため，本項では要点を述べるにとどめる．別途項目が立てられていない腫瘍については，本項で基礎的な点も含め簡単に解説する．

1. Ewing肉腫といわゆるEwing様肉腫

　Ewing肉腫の形態的認識で最も大切なことは核の均一性である．腫瘍細胞の核は形や大きさがそろっており，(化学療法後などにまれに出現する場合を除いては)一般に多形性を欠く(図1)．免疫染色では原則としてCD99陽性であるが，CD99はびまん性に強く細胞膜に陽性になることが期待され(図2)，(施設の染色条件や固定ムラにもよるが)局所的な陽性像や細胞質のみの陽性像，また弱い陽性像は，むしろEwing肉腫の診断に一定の疑念を抱かせる．FLI1免疫染色はしばしば陽性となるが，特異性が低く使用に耐えない．NKX2.2はほとんどのEwing肉腫が発現する優れたマーカーで(図3)，CD99と組み合わせて使用すると精度がさらに高い[1,2]．しかしNKX2.2は完全に特異的でもなく，とりわけ小細胞癌，消化管や膵の神経内分泌腫瘍，間葉性軟骨肉腫，嗅神経芽腫でしばしば陽性となる．PAX7もNKX2.2と同様の感度を有するが，滑膜肉腫，横紋筋肉腫，BCOR-CCNB3肉腫でしばしば陽性となる[3]．Ewing肉腫はWHO分類の定義上，FET family遺伝子(EWSR1かFUS)とETS family転写因子の遺伝子(FLI1やERGなど)との融合遺伝子(以下FET-ETSと総称する)を有する．全例で遺伝子検索を行うのは現実的でないが，もし遺伝子検索をした場合にEWSR1やFUSの再構成が期待されないような形質を示す症例をEwing肉腫と診断すべきでない．Ewing肉腫としての形態や免疫形質が妥当かどうかの判断には多数例の経験に基づく一定の習熟が必要である．非典型的な症例では速やかに専門家へのコンサルトを行いたい．

　小円形細胞肉腫のうち，Ewing肉腫にどことなく類似性があるがFET-ETS融合遺伝子を伴わない症例については，これまでEwing様肉腫と曖昧に分類されてきた．このうち一部の症例については亜分類が進み，Ewing肉腫とは異なる独立したグループとして確立され，WHO分類第5版に記載された．そのうち最も頻度が高いのはCIC-DUX4など，CIC遺伝子再構成を有する肉腫(CIC遺伝子再構成肉腫)[4〜7]であるが，これらは原則として軟部や実質臓器に発生し，骨原発例はきわめてまれである．しかし，軟部原発例が骨浸潤することもあるので簡単に触れるなら，小児から高齢者まで幅広い年齢に発生する高悪性度肉腫であり，比較的均一であるが軽度の多形性を有する小円形細胞のびまん性増殖から構成される(図4)．腫瘍辺縁部では線維性間質に分葉状増殖を呈するのが特徴的で(図5)，粘液変性や局所的な紡錘化，核小体の明瞭化がしばしばみられる．

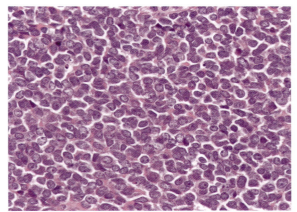

図1 | Ewing肉腫
繊細なクロマチンを有する均一な小型円形細胞からなる．

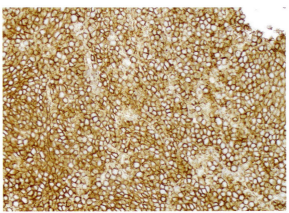

図2 | Ewing肉腫（CD99免疫染色）
びまん性で強い膜染色が特徴的である．

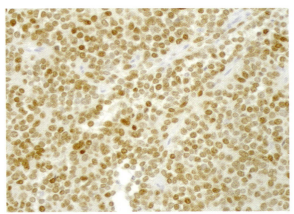

図3 | Ewing肉腫（NKX2.2免疫染色）
ほとんどのEwing肉腫で核に陽性像が認められ，診断に有用である．

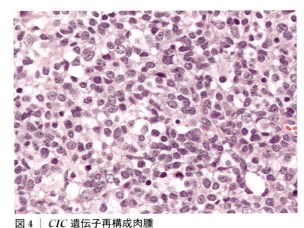

図4 | *CIC*遺伝子再構成肉腫
腫瘍細胞は軽度の多形性を有し，N/C比がやや低い．Ewing肉腫の細胞学的均一性（図1）と比較されたい．

免疫染色でもCD99がしばしば局所的で不均一な染色にとどまり，WT1やETV4の核陽性像が80〜90％の症例で認められるほか[8]，NKX2.2やPAX7染色は陰性であるなどEwing肉腫とは大きく異なる．

一方，*BCOR-CCNB3*融合遺伝子を有する肉腫[9〜11]は軟部のみならず骨にも原発しうる．多くの症例が10歳代に発生し，男性に多い．体幹骨，四肢長管骨，末端の小骨など侵される骨はさまざまである．組織学的には均一で多形性を欠く小型細胞がびまん性に増殖するが，細胞形態はEwing肉腫と異なり正円形であることはまれで，卵円形〜紡錘形細胞からなることが多い（図6）．滑膜肉腫や悪性末梢神経鞘腫瘍 malignant peripheral nerve sheath tumour（MPNST）に類似することもある．腫瘍組織内には血管が比較的豊富で，粘液性〜浮腫性間質を伴

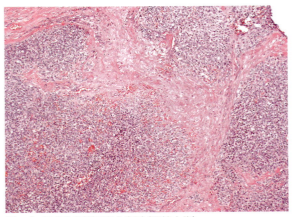

図5 | *CIC*遺伝子再構成肉腫（弱拡大像）
辺縁部で線維性背景に分葉状増殖するのが特徴的である．

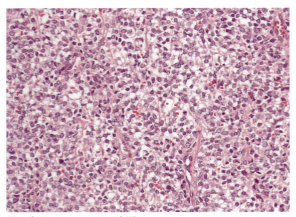

図6 │ *BCOR-CCNB3* 肉腫
均一な卵円形細胞がびまん性に増殖する．背景には血管が豊富である．

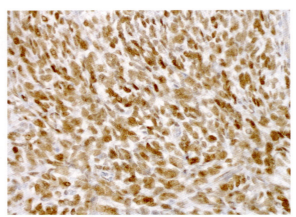

図7 │ *BCOR-CCNB3* 肉腫（CCNB3免疫染色）
CCNB3免疫染色が核に陽性となる．

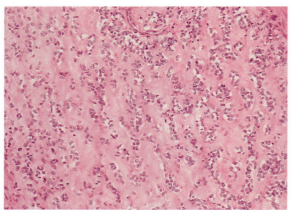

図8 │ *EWSR1-NFATC2* 肉腫
硝子化した基質を背景に小円形細胞が網目状に増殖し，筋上皮腫などに類似する．

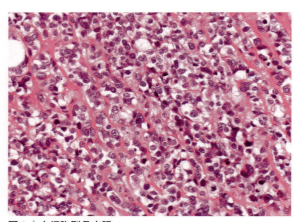

図9 │ 小細胞型骨肉腫
少なくとも軽度の多形性がみられる．

うこともある．一般的な免疫染色パネルでは未分化な形質を示し，CD99染色性もさまざまであるが，融合遺伝子を反映してほとんどの症例でBCORとCCNB3免疫染色がびまん性に中等度～強い陽性所見を示すのが診断上重要である（**図7**）．NKX2.2は一般に陰性であるが，PAX7は陽性のことがある．BCOR免疫染色は滑膜肉腫や悪性孤立性線維性腫瘍など，組織像の似た紡錘形細胞腫瘍で陽性となりうるため，それ自体ではあまり特異的でない．

*EWSR1*とETS転写因子遺伝子以外との融合を有する肉腫（*EWSR1*-非ETS融合を有する円形細胞肉腫）は一層まれであるが，このうち最も頻度が高く骨に好発するのは，*EWSR1-NFATC2*肉腫である．多くの症例ではEwing肉腫というよりむしろ筋上皮腫などに類似し，線維性～粘液性背景に小円形細胞が索状～巣状に増殖するパターンが主体であるが（**図8**），ときに間質が乏しくEwing肉腫と類似することがある[12]．この腫瘍はCD99，NKX2.2，PAX7が陽性となるが，Ewing肉腫と異なりNKX3.1が多くの症例で陽性となる[12]．

2. 小細胞型骨肉腫とEwing肉腫

Ewing肉腫は画像上非常に境界不明瞭な虫食い状～浸透性の透亮像を示し，しばしば著しく軟部進展し，速やかな増殖を反映する骨膜反応（玉ねぎの皮状，放射状）を伴う．一方，小細胞型骨肉腫も境界不明瞭であるがEwing肉腫よりはやや限局的なこ

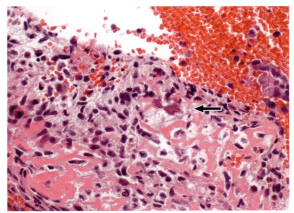

図10 | 小細胞型骨肉腫における類骨
微細な石灰化（矢印）が類骨の証明に有用である．

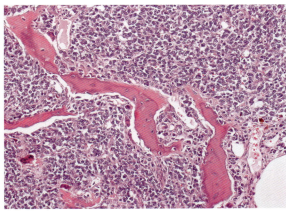

図11 | 反応性骨形成を伴うEwing肉腫
本例は肺転移巣である．

図12 | 反応性硬化の目立つEwing肉腫の単純X線像

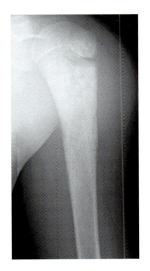

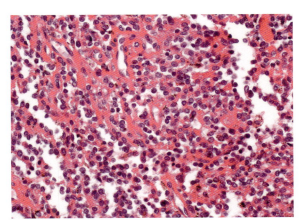

図13 | 腫瘍細胞間にフィブリン析出がみられるEwing肉腫
類骨形成と見誤ってはならない．

とが多く，通常型骨肉腫と同様に骨膜反応（Codman三角，放射状）を伴い，病変内部にはしばしば雲状の石灰化が認められる．ただし，両者の画像所見には重複がありうる．

　組織学的には，Ewing肉腫が均一な円形核を有し多形性を欠くのに対し，小細胞型骨肉腫はつぶさに観察すれば少なくとも形や大きさに関する軽度の不均一性が認められる（図9）．また骨肉腫では定義上必ず類骨形成が認められるが，Ewing肉腫は腫瘍自体による直接的な類骨形成を伴わない．骨肉腫の類骨は局所的で繊細なことが多く，発見には注意深い検索が必要とされる場合もあるし，生検体には含まれていない場合もある[13〜15]．一般に類骨特異的で信用に足る特殊染色は存在しないが，線維方向不明瞭なベッタリした沈着態度や微細な石灰化の出現が硝子化との鑑別に有用である（図10）．Ewing肉腫でも反応性の骨形成を伴うことがあり（図11），まれに画像上著しい硬化を示すこともある（図12）．またEwing肉腫で腫瘍細胞間にフィブリン析出が目立つ場合，とくに術中迅速診断などで類骨と見誤らないようにしたい（図13）．肉腫一般におけるCD99染色の非特異性についてはつとに知られているが，それでもやはりEwing肉腫特有のびまん性で強い膜染色像は診断に有用である．小細胞型骨肉腫はNKX2.2陰性，SATB2陽性であり，Ewing肉腫の染色パターンと逆である．

　骨肉腫とEwing肉腫は上記の点から概ね鑑別可能であり，遺伝子検索に頼ることはほとんどないが，

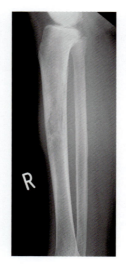

図14 │ 骨原発悪性リンパ腫の単純X線像
境界不明瞭な浸潤性病変が骨幹を侵し，一部反応性硬化を伴う．骨膜反応には乏しい．

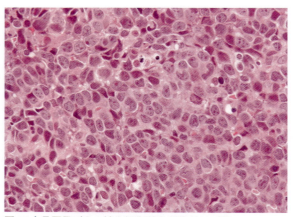

図15 │ 骨原発びまん性大細胞型B細胞リンパ腫
核膜の切れ込みや突起を伴う大型異型核を有する．

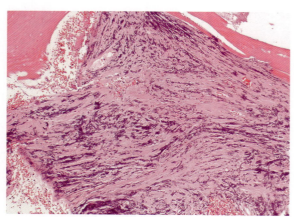

図16 │ 骨原発悪性リンパ腫の生検像
髄腔の強い線維化と細胞の挫滅が前景化することはまれではない．

Ewing肉腫は原則としてほぼ全例が*EWSR1*の遺伝子再構成を有するのに対し，一般に骨肉腫ではそうした異常を欠く[16]．ただし，ごくまれに小細胞型骨肉腫と診断された症例で*EWSR1-CREB3L1*融合が証明される文献報告があるが[17,18]，こうした症例が真に骨肉腫なのか骨原発硬化性類上皮線維肉腫のような別の腫瘍なのかについては議論がある．

3. 骨リンパ腫

骨原発の悪性リンパ腫は中高年の成人に発生し，男性にやや多い．大腿骨や骨盤骨に好発するが，どの骨も侵されうる．画像上は境界不明瞭な浸透性ないし虫食い状の溶骨性病変で，反応性の硬化を伴うこともある（図14）．骨膜反応は乏しい傾向がある．単純X線では指摘が難しい場合もあるが，そうした場合でもMRIでは軟部進展を含め描出が容易で，単純X線所見の乏しさと乖離することがある．骨シンチグラフィではしばしば異常集積を示す．

中高年の骨原発悪性リンパ腫は大部分がびまん性大細胞型B細胞リンパ腫である[19]．その組織像はリンパ節原発例と同様で，結合性に乏しい中〜大型の類円形細胞がびまん性に増殖する．核縁は不整で，切れ込みや小さな突起がみられ（図15），Ewing肉腫の整った核縁と対照的である．核分裂像，アポトーシス，壊死が目立ち，lymphoglandular bodyを伴う．腫瘍細胞は非常に挫滅しやすく，生検検体では挫滅組織が前景化（図16）して診断を困難にするが，こうした像それ自体がリンパ腫を疑わせる所見でもあるので，注意深く形態の保たれた領域を探し免疫染色を加えたい．骨梁間の強い線維化を背景としてリンパ腫細胞が流れるような配列を示すこともある．背景に反応性リンパ球が豊富な点も特徴的である．

一方，とくに若年者や小児においては未分化大細胞型リンパ腫やリンパ芽球性リンパ腫も経験される[20,21]．前者（図17）では典型的には馬蹄形の核を有するhallmark cellが出現し，一見結合性を有するようにもみえ，免疫染色でEMAが陽性となるなど癌腫との鑑別が必要となりうるし，小細胞型などまれな亜型の診断も難しい．リンパ芽球性リンパ腫では均一で繊細なクロマチンを有する正円形の核が典型である（図18）．

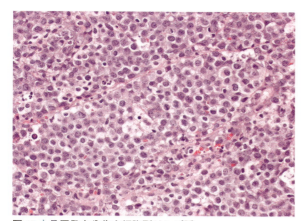

図 17 | 骨原発未分化大細胞型リンパ腫
中等大の円形細胞がびまん性に増殖する．この症例は ALK 陽性であった．

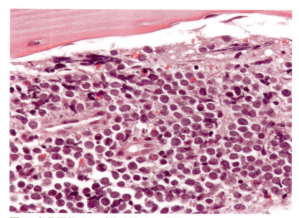

図 18 | 骨原発リンパ芽球性リンパ腫
繊細なクロマチンと均一な正円形核は Ewing 肉腫に酷似する．

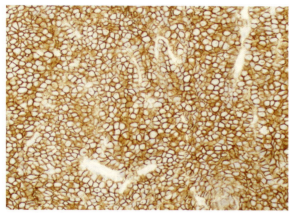

図 19 | 骨びまん性大細胞型 B 細胞リンパ腫（CD20 免疫染色）

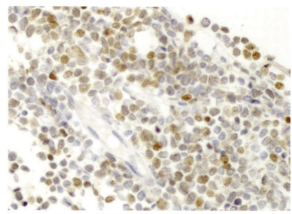

図 20 | 骨リンパ芽球性リンパ腫（TdT 免疫染色）

　一般にリンパ腫が鑑別に含まれる際の免疫染色パネルとしては，LCA, CD3, CD20 などがルーチンで行われることが多い．実際，通常のびまん性大細胞型 B 細胞リンパ腫であれば LCA 陽性，CD20 陽性，CD3 陰性であり，比較的容易に診断可能である（図 19）．一方，LCA, CD3, CD20 のパネルはすべてのリンパ腫をカバーしておらず，未分化大細胞型リンパ腫，Hodgkin リンパ腫，リンパ芽球性リンパ腫などでは陰性となりうる．したがって，このパネルのみでリンパ腫を除外したつもりになるのは危険で，組織像に応じた柔軟なパネルの構築が必要である．CD30 は前二者を染色するよいマーカーであり，未分化大細胞型リンパ腫の一部では遺伝子融合を反映し ALK 陽性となる．一方，リンパ芽球性リンパ腫の形態は Ewing 肉腫と酷似し，CD99 や FLI1 がしばしば陽性となるから誤診のリスクが高いが，TdT（図 20）や CD43 [22]，さらに B 細胞系では PAX5 が鑑別に有用である．なお，LCA, CD3, CD20 のパネルは顆粒球系腫瘍でも陰性となりうるが，この場合 myeloperoxidase などの染色が有用である [23]．

4．形質細胞腫瘍

　形質細胞腫瘍は中年〜高齢者の脊椎，肋骨，頭蓋骨などを侵すことが多い．単純 X 線では境界明瞭な punched-out lesion を呈することもあれば，骨皮質膨隆を伴う溶骨像を呈することもある（図 21）．骨シンチグラフィでは陰性となるのも特徴的である．多発性骨髄腫が多いが，骨に孤立性の病変を形成する場合もある．もっとも，孤立性病変の過半数が経過

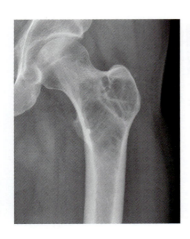

図21｜孤立性骨形質細胞腫瘍の単純X線像
比較的境界明瞭な溶骨性病変を認める.

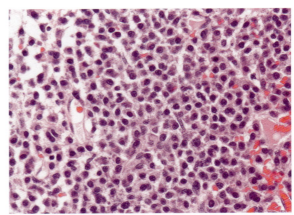

図22｜形質細胞腫瘍
成熟した形態を示す症例.

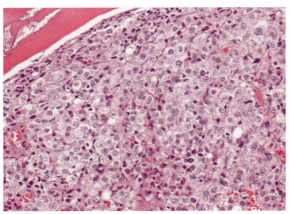

図23｜形質細胞腫瘍
未熟な形態を示す症例.

で多発性骨髄腫に進展する.

　形質細胞腫瘍の診断に難渋することは現実的には多くない. 骨髄腫であれば臨床像からその診断が強く疑われていることが多く, 成熟形態を示す例では車軸様クロマチン, 好塩基性細胞質, 核周囲明庭および免疫組織化学的な monotypia（κ/λ軽鎖制限）から比較的容易に診断に到達することができる（**図22**）. しかし, 未熟な形態を示す例（**図23**）や, 臨床的に疑われていない単発例（形質細胞腫）では診断に注意を要する. こうした場合, 形質細胞腫瘍がそもそも鑑別に入っていないことが誤診の要因となる. 形質細胞腫瘍は LCA, CD3, CD20 のパネルではすべて陰性となることもありうるため, これをもって造血系腫瘍はすべて除外されたと思い込まないよう気をつけたい. 形質細胞特有の CD79a 陽性, CD138 陽性という形質を証明することが診断の肝である. なお, 形質細胞が充実性に増殖する場合, 血管周囲に細胞が並び一見 organoid な像を呈し, 粗いクロマチンパターンや比較的均一で多形性に乏しい細胞像と併せ, 低悪性度の神経内分泌腫瘍と見誤られることがある. 形質細胞腫瘍は EMA 陽性であり, また7割ほどの症例が異常な CD56 高発現を呈している点もそうした誤りを助長しかねない. なお, CD138 は形質細胞マーカーとして有名であるが, 癌腫でもまれならず陽性となるので, 形態的文脈の上で用いるべきである. また形質細胞腫瘍の検体中にアミロイド沈着がみられれば, 忘れずに記載したい.

5. 間葉性軟骨肉腫と骨肉腫

　間葉性軟骨肉腫に出現する軟骨は, 軟骨形成性骨肉腫でみられるような強い異型を伴うことは少ない. 間葉性軟骨肉腫の未熟な成分では一般に核の多形性は乏しく, 比較的均一な様相を呈するが, 骨肉腫では少なくとも軽度の多形性がみられるのが普通である. また間葉性軟骨肉腫の腫瘍細胞は粗い顆粒状のクロマチンが特徴的である（**図24**）. 間葉性軟骨肉腫は骨肉腫とは異なり, 直接的に腫瘍骨を形成することはないが, 軟骨の二次的な骨化はしばしばみられる. 間葉性軟骨肉腫の基質は, 分化のよい青々とした硝子軟骨とは限らず, 好酸性で類軟骨様の場合もまれでなく, こうした基質が血管周囲などにレース状に沈着するのを類骨と見誤らないよう注意したい[24]（**図25**）.

　SOX9 免疫染色は間葉性軟骨肉腫の両成分におい

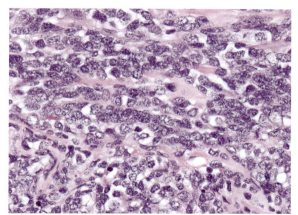

図24 | 間葉性軟骨肉腫の細胞像
均一な核所見と粗い顆粒状のクロマチンが認められる．

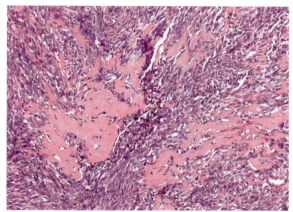

図25 | 間葉性軟骨肉腫
形成される基質は青々とした軟骨とは限らず，繊細で好酸性の場合もあり，これを類骨と見誤ってはならない．

てびまん性に陽性となるが[25]，骨肉腫においても軟骨形成能に応じさまざまな陽性像をとりうる．

間葉性軟骨肉腫のほとんどの症例は特異的な *HEY1-NCOA2* 融合遺伝子を有するが，遺伝子解析に頼る局面はまれである．

6．癌腫の転移

一般に，40歳以上の成人の骨腫瘍においては癌腫の転移を鑑別の筆頭に挙げるべきである．小円形細胞形態を呈する癌腫の転移としては小細胞癌が教科書的に最も有名ではあるが，そもそも小細胞癌の骨転移が生検されることはまれである．一方，ある種の非小細胞癌も細胞質の目立たない小円形細胞形態をとることがあり，非小細胞未分化癌，低分化な腺癌，basaloidな扁平上皮癌，神経内分泌腫瘍などがそうした例である（図26）．やや分化の保たれた癌腫であれば，よくみると細胞間に結合性がみられ，小さな塊状のパターンを指摘可能であるが，小細胞癌や他の未分化癌においては結合性が明らかでない場合もある．小細胞癌は一般にクロマチン濃染性で核小体が目立たず核は類円形のこともあるが，若干の卵円形化・紡錘形化をしばしば伴い，核形態には少なくとも軽度の不ぞろいがみられる．

癌腫は原則としてcytokeratin陽性であるが，局所的な場合もあるし，低悪性度神経内分泌腫瘍などでは陰性の場合もある．cytokeratinはまず広範囲スペクトラムのカクテルを使用すべきであり，CK7とCK20などをその代わりに用いることはできない．CK7陰性・CK20陰性の癌腫は，（扁平上皮癌をはじ

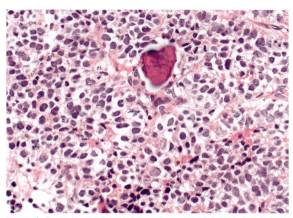

図26 | 小円形細胞腫瘍形態を示す胃原発低分化腺癌の骨転移

め）無数に存在する．CK7とCK20の古典的なコンビネーションは，あくまでも腺癌であることが確定した場合の原発巣推定のための（精度の低い）手法にすぎない．一方で，cytokeratin陽性所見は癌腫に特異的とはいえない．リンパ腫や白血病では期待されないものの，骨肉腫やEwing肉腫などさまざまな肉腫はcytokeratin陽性となりうる．これに関連してEwing肉腫ではまれに扁平上皮への分化が出現し，そうした症例では類基底様の形態をとりCK5/6やp40が陽性となって分類に難渋する．このような現象は頭頸部軟部で最も報告が多いが[26]，骨原発例も報告されアダマンチノーマ様Ewing肉腫 adamantinoma-like Ewing sarcomaと総称されている．小細胞癌や，消化管や膵の神経内分泌腫瘍ではNKX2.2が陽性のことがあり注意を要する．

7. その他の鑑別

　間葉性軟骨肉腫とEwing肉腫とは，放射線画像も異なるが，組織学的にも前者の成熟軟骨組織が証明されれば鑑別が容易である．間葉性軟骨肉腫の未熟な成分のみが採取されていた場合，細胞形態（間葉性軟骨肉腫で紡錘形の頻度が高い），クロマチンのパターン（間葉性軟骨肉腫では粗い顆粒状，Ewing肉腫では繊細）や血管パターン（間葉性軟骨肉腫で血管周皮腫様構造をとりがち）から区別できる．またEwing肉腫は結合性に乏しく，しばしば辺縁部で単一腫瘍細胞が離解するような所見を呈するが，間葉性軟骨肉腫ではそうした離解はまれである．CD99染色性は間葉性軟骨肉腫では顕著で，ときにEwing肉腫と同様の強いびまん性の膜染色像を呈する場合があり，またNKX2.2染色は少なからぬ間葉性軟骨肉腫で陽性である[2]．一方，間葉性軟骨肉腫はPAX7陰性，NKX3.1陽性であり，Ewing肉腫とは反対の形質を示す[12]．SOX9染色は論文上Ewing肉腫では陰性と報告されているが，陽性例の経験がある．間葉性軟骨肉腫（*HEY-NCOA2*）とEwing肉腫（FET-ETS）とは融合遺伝子も異なる．

　小円形細胞形態を示す肉腫には，このほか低分化型滑膜肉腫，高悪性度の粘液型脂肪肉腫，胞巣型横紋筋肉腫，線維形成性小円形細胞腫瘍などが含まれるが，これらが骨に原発することはきわめてまれである．しかしながら，こうした腫瘍の骨転移巣が生検対象となることはあり，鑑別となりうる．とくに胞巣型横紋筋肉腫ではしばしば骨転移・骨髄浸潤が早期に生じ，staging目的の骨髄生検はもちろんのこと，骨検体で確定診断が求められる場合もある．小さな検体では胞巣構造や横紋筋芽細胞がみられないことのほうが多く，そうした所見の有無に診断を依存すべきでない．横紋筋肉腫は免疫染色でactinやdesminが陽性となるが，それらの特異性は十分高いとはいえず，横紋筋特異的マーカーであるmyogeninやmyoD1の陽性像で診断を確定したい．なお，胞巣型横紋筋肉腫は決まってCD56陽性であり，ときにsynaptophysinやcytokeratin陽性ともなり，小細胞癌などと誤診される危険性がある．

　神経芽腫とEwing肉腫との鑑別は歴史的な議論の対象であったが，実際には今日，多くの場合困難を伴わない．神経芽腫の好発する乳幼児期にEwing肉腫はまれであるし，画像上副腎などの腫瘍が描出され，尿中バニリルマンデル酸（VMA）・ホモバニリン酸（HVA）値が高く，メタヨードベンジルグアニジン（MIBG）シンチグラフィ陽性となれば，神経芽腫の骨転移巣をわざわざ病理検査に提出したりしないからである．しかし，それでもまれに非典型的な臨床像を示す神経芽腫の骨転移が生検の対象となる場合がある．Schwann細胞様間質，神経節細胞への分化，豊富な背景neuropilが明瞭であればよいが，未分化ないし一部の低分化な神経芽腫の組織像は，とくに生検ではいわゆる原始神経外胚葉性腫瘍 primitive neuroectodermal tumour（PNET）パターンを呈するEwing肉腫と類似しうる．こうした場合，synaptophysinなど神経内分泌マーカーは鑑別能に乏しいが，Ewing肉腫が決まってCD99陽性であるのに対し，神経芽腫は原則としてCD99陰性であり，NKX2.2も陰性である．

　Langerhans細胞組織球症や軟骨芽細胞腫も腫瘍細胞が小円形であるが，特徴的な臨床病理像を呈し，本項で述べた疾患との鑑別は現実的な問題とはならない．

（吉田朗彦）

文　献

1) Shibuya R, Matsuyama A, Nakamoto M, et al：The combination of CD99 and NKX2.2, a transcriptional target of EWSR1-FLI1, is highly specific for the diagnosis of Ewing sarcoma. Virchows Arch 465：599-605, 2014
2) Yoshida A, Sekine S, Tsuta K, et al：NKX2.2 is a useful immunohistochemical marker for Ewing sarcoma. Am J Surg Pathol 36：993-999, 2012
3) Toki S, Wakai S, Sekimizu M, et al：PAX7 immunohistochemical evaluation of Ewing sarcoma and other small round cell tumours. Histopathology 73：645-652, 2018
4) Kawamura-Saito M, Yamazaki Y, Kaneko K, et al：Fusion between CIC and DUX4 up-regulates PEA3 family genes in Ewing-like sarcomas with t (4;19) (q35;q13) translocation. Hum Mol Genet 15：2125-2137, 2006
5) Specht K, Sung YS, Zhang L, et al：Distinct transcriptional signature and immunoprofile of CIC-DUX4 fusion-positive round cell tumors compared to EWSR1-rearranged Ewing sarcomas：further evidence toward distinct pathologic entities. Genes Chromosomes Cancer 53：622-633, 2014
6) Sugita S, Arai Y, Tonooka A, et al：A novel CIC-FOXO4 gene fusion in undifferentiated small round cell sarcoma：a genetically distinct variant of Ewing-like sarcoma. Am J Surg Pathol 38：1571-1576, 2014
7) Yoshida A, Goto K, Kodaira M, et al：CIC-rearranged sarcomas：a study of 20 cases and comparisons with Ewing sarcomas. Am J Surg Pathol 40：313-323, 2016
8) Le Guellec S, Velasco V, Pérot G, et al：ETV4 is a useful marker for the diagnosis of CIC-rearranged undifferentiated round-cell sarcomas：a study of 127 cases including mimicking lesions. Mod Pathol 29：1523-1531, 2016
9) Pierron G, Tirode F, Lucchesi C, et al：A new subtype of bone sarcoma defined by BCOR-CCNB3 gene fusion. Nat Genet 44：461-466, 2012

10) Shibayama T, Okamoto T, Nakashima Y, et al : Screening of BCOR-CCNB3 sarcoma using immunohistochemistry for CCNB3 : a clinicopathological report of three pediatric cases. Pathol Int 65 : 410-414, 2015
11) Matsuyama A, Shiba E, Umekita Y, et al : Clinicopathologic diversity of undifferentiated sarcoma with BCOR-CCNB3 fusion : analysis of 11 cases with a reappraisal of the utility of immunohistochemistry for BCOR and CCNB3. Am J Surg Pathol 41 : 1713-1721, 2017
12) Yoshida KI, Machado I, Motoi T, et al : NKX3-1 is a useful immunohistochemical marker of EWSR1-NFATC2 sarcoma and mesenchymal chondrosarcoma. Am J Surg Pathol 44 : 719-728, 2020
13) Nakajima H, Sim FH, Bond JR, et al : Small cell osteosarcoma of bone. Review of 72 cases. Cancer 79 : 2095-2106, 1997
14) Righi A, Gambarotti M, Longo S, et al : Small cell osteosarcoma : clinicopathologic, immunohistochemical, and molecular analysis of 36 cases. Am J Surg Pathol 39 : 691-699, 2015
15) Sim FH, Unni KK, Beabout JW, et al : Osteosarcoma with small cells simulating Ewing's tumor. J Bone Joint Surg Am 61 : 207-215, 1979
16) Machado I, Alberghini M, Giner F, et al : Histopathological characterization of small cell osteosarcoma with immunohistochemistry and molecular genetic support. A study of 10 cases. Histopathology 57 : 162-167, 2010
17) Debelenko LV, McGregor LM, Shivakumar BR, et al : A novel EWSR1-CREB3L1 fusion transcript in a case of small cell osteosarcoma. Genes Chromosomes Cancer 50 : 1054-1062, 2011
18) Wojcik JB, Bellizzi AM, Dal Cin P, et al : Primary sclerosing epithelioid fibrosarcoma of bone : analysis of a series. Am J Surg Pathol 38 : 1538-1544, 2014
19) Maruyama D, Watanabe T, Beppu Y, et al : Primary bone lymphoma : a new and detailed characterization of 28 patients in a single-institution study. Jpn J Clin Oncol 37 : 216-223, 2007
20) Nagasaka T, Nakamura S, Medeiros LJ, et al : Anaplastic large cell lymphomas presented as bone lesions : a clinicopathologic study of six cases and review of the literature. Mod Pathol 13 : 1143-1149, 2000
21) Ozdemirli M, Fanburg-Smith JC, Hartmann DP, et al : Precursor B-lymphoblastic lymphoma presenting as a solitary bone tumor and mimicking Ewing's sarcoma : a report of four cases and review of the literature. Am J Surg Pathol 22 : 795-804, 1998
22) Lin O, Filippa DA, Teruya-Feldstein J : Immunohistochemical evaluation of FLI-1 in acute lymphoblastic lymphoma (ALL) : a potential diagnostic pitfall. Appl Immunohistochem Mol Morphol 17 : 409-412, 2009
23) Meis JM, Butler JJ, Osborne BM, et al : Granulocytic sarcoma in nonleukemic patients. Cancer 58 : 2697-2709, 1986
24) Nakashima Y, Unni KK, Shives TC, et al : Mesenchymal chondrosarcoma of bone and soft tissue. A review of 111 cases. Cancer 57 : 2444-2453, 1986
25) Wehrli BM, Huang W, De Crombrugghe B, et al : Sox9, a master regulator of chondrogenesis, distinguishes mesenchymal chondrosarcoma from other small blue round cell tumors. Hum Pathol 34 : 263-269, 2003
26) Bishop JA, Alaggio R, Zhang L, et al : Adamantinoma-like Ewing family tumors of the head and neck : a pitfall in the differential diagnosis of basaloid and myoepithelial carcinomas. Am J Surg Pathol 39 : 1267-1274, 2015

V. 転移性骨腫瘍と上皮様骨腫瘍の鑑別

1. 定義・概念

「上皮様骨腫瘍」は病理組織学的に上皮性腫瘍に類似の形態を示す原発性骨腫瘍を指している．漠然とした概念であり，真の上皮性分化を示す腫瘍のほか，上皮性分化は示さないが腫瘍の全体または一部が上皮性腫瘍に類似している腫瘍を含んでおり，確立された定義はない．いずれの上皮様骨腫瘍も共通して癌腫の骨転移との組織学的鑑別が問題となる．なお，上皮様形態をとらないが免疫組織化学的に cytokeratin などの上皮性マーカーを発現する骨腫瘍がまれならずあり，このような腫瘍は通常は上皮様骨腫瘍として扱われていないことが多い．

2. 鑑別の要点

癌腫の骨転移は，原発性骨腫瘍よりもはるかに頻度が高い．骨転移巣の組織像は癌腫の組織型と分化度を反映しさまざまであるが，それに加えて転移性腫瘍に対する骨組織の反応パターンも造骨性，溶骨性，混合性，骨梁間型転移と腫瘍ごとに異なるため，これらの組み合わせにより形成された骨転移巣の組織像はきわめて多彩である．一方，上皮様骨腫瘍には分化方向の異なるさまざまな腫瘍が含まれており，これらに共通した臨床像や悪性度の特徴はない（表1）．したがって，癌腫の骨転移と上皮様骨腫瘍の鑑別診断の組み合わせは症例により大きく異なり，状況に応じて診断確定へのアプローチを模索する必要性がある．

一般的に骨転移を有する癌腫は進行した病期にあり，骨転移巣は通常多発性で他臓器にも転移巣がみられることが多いため，原発性骨腫瘍との鑑別診断が問題となることはきわめてまれである．実際の診断において両者の鑑別が問題となるのは原発不明癌や孤発性の骨転移巣などの特殊な症例に限られている．病理学的な鑑別に際しては形態的な情報量の少ない生検検体での診断を求められる場合が多いので，組織学的な部分像や免疫組織化学的な検索結果のみで安易な判断を行うことなく，病変の臨床・画像情報と原発巣に関する病歴や，画像などによる十分な全身検索を前提とした慎重な判断を行うことが肝要である．

3. 上皮様骨腫瘍の鑑別診断の実際

上皮様骨腫瘍は多種類にわたり，また鑑別対象となる癌腫もさまざまである．上皮様骨腫瘍は真の上皮性分化を示す腫瘍と，それ以外の腫瘍に大別することができる．前者は非常にまれであり，アダマンチノーマや筋上皮性腫瘍が代表的な腫瘍である．後者では脊索由来腫瘍や血管性腫瘍が含まれている．また，原発性骨腫瘍の組織像が特定の癌腫の組織像に偶然類似する場合がある．とくに淡明細胞の出現する原発性骨腫瘍は淡明細胞型腎細胞癌との鑑別が問題となる．Ewing肉腫のような神経外胚葉性の性格を有する原発性骨腫瘍では，小細胞癌をはじめとする神経内分泌分化を示す上皮性腫瘍の転移との鑑別を要する場合がある．

本項では鑑別の要点のみを解説するので，それぞれの原発性骨腫瘍の詳細については第2部「組織型

表1 | 代表的な原発性上皮様骨腫瘍（2020年WHO分類第5版に基づく）

真の上皮性分化	原発性上皮様骨腫瘍	腫瘍群（WHO 2020）	悪性度	鑑別すべき転移性癌
あり	アダマンチノーマ	その他	悪性	腺癌，扁平上皮癌（基底細胞様形態をとるさまざまな癌を含む）
	筋上皮性腫瘍（筋上皮腫，筋上皮癌，混合性腫瘍）	分化方向未定腫瘍	良性〜悪性	混合性腫瘍（皮膚，軟部），多形腺腫，多形腺腫由来癌（唾液腺），癌肉腫
なし	脊索腫	脊索性	悪性	低分化型腺癌，粘液腺癌，淡明細胞型腎細胞癌，肝細胞癌など
	類上皮血管肉腫	血管性	悪性	腺癌
	類上皮血管内皮腫	血管性	悪性	低分化型腺癌
	淡明細胞型軟骨肉腫	軟骨形成性	悪性	淡明細胞型腎細胞癌
	類上皮型骨肉腫	骨形成性	悪性	低分化，未分化な癌
	類上皮型骨芽細胞腫	骨形成性	中間群	低分化，未分化な癌
	Ewing肉腫	その他	悪性	小細胞癌・大細胞神経内分泌癌（肺など），神経内分泌腫瘍（膵臓，消化管など）

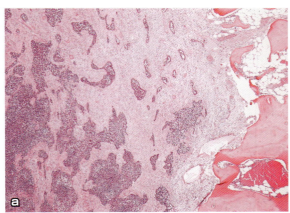 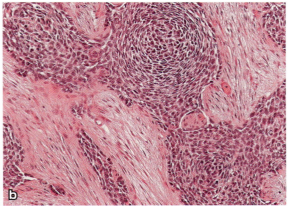

図1 | basaloidパターンをとるアダマンチノーマ
a：弱拡大像．線維増生を伴い大小の充実性腫瘍胞巣が散在する．b：強拡大像．胞巣内には同心円状配列があり胞巣辺縁の細胞は1列に配列する．（国立がん研究センター中央病院病理診断科 吉田朗彦先生ご提供）

と診断の実際」の各項を参照されたい．

1）真の上皮性分化を示す上皮様骨腫瘍

a）アダマンチノーマ

アダマンチノーマは，若年成人の脛骨あるいは腓骨に発生する起源不明のまれな悪性骨腫瘍である．古典的アダマンチノーマでは多彩な真の上皮様構造が出現する．代表的な組織パターンはbasaloid, tubular, spindle cell, squamousの4型であるが，これらのパターンが単独あるいは複合してみられる（図1）．また，骨線維性異形成様アダマンチノーマでは骨線維性異形成類似の骨梁間の線維性結合織内に小さな上皮性胞巣が出現する．免疫組織化学的には上皮細胞はAE1/AE3, CAM5.2などのcytokeratinとvimentinが同時に発現する．さらに，基底細胞への分化を反映しcytokeratin 5, 14, 19やp63などの発現がみられる．

アダマンチノーマはさまざまな分化度の扁平上皮癌や管状構造をとる腺癌との鑑別を要する．しかし，発生年齢と部位の特徴，骨皮質と髄内にまたがり骨硬化を伴う多房性の骨透亮像を形成する特徴的な画像所見，癌腫に比べて核異型や細胞異型に乏しい点，これらに加え骨線維性異形成様アダマンチノーマでは骨線維性異形成様の骨梁形態より鑑別が可能である．

b）筋上皮性腫瘍

筋上皮性腫瘍には，筋上皮腫，筋上皮癌，混合性腫瘍が含まれる．ごくまれに骨より発生する場合があるが，軟部発生の場合と同様の組織像を呈し，さまざまな割合で上皮成分，間葉成分を含み二相性が

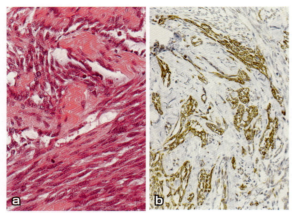

図2 ｜ 骨膜発生の筋上皮癌
a：組織学的な二相性があり，腺管形成を示す上皮成分と紡錘形細胞からなる間葉成分が互いに移行している．b：cytokeratin（AE1/AE3）染色像．上皮成分がびまん性，間葉成分が散在性に陽性．

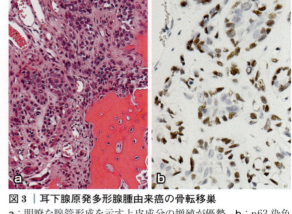

図3 ｜ 耳下腺原発多形腺腫由来癌の骨転移巣
a：明瞭な腺管形成を示す上皮成分の増殖が優勢．b：p63染色像．筋上皮細胞の核に陽性像を認め，腺管上皮に二層性がある．

みられる（図2a）．筋上皮性腫瘍の上皮成分のスペクトラムは広く，混合性腫瘍にみられる明瞭な導管構造から筋上皮腫や癌の索状あるいは管状，網状構造の配列など多彩である．また，上皮成分は紡錘形細胞と粘液，線維成分を有する間葉成分と移行像がある．ときに間葉成分に骨および軟骨形成を含むことがある．免疫組織化学的にcytokeratinおよびS-100蛋白の発現がみられ，さらにα-SMA，EMAやGFAPの発現がみられる場合がある（図2b）．

筋上皮性腫瘍は良性腫瘍がほとんどを占め，腫瘍の核異型は弱い症例が多いため，腫瘍の形態的な二相性や筋上皮性分化と併せて判断すれば腺癌や癌肉腫など転移性癌との鑑別上の問題は少ない．なお，唾液腺の多形腺腫や多形腺腫由来癌が骨転移を生じることがあり，組織像のみでは原発か転移かの鑑別は不可能である（図3）．骨転移巣は原発巣切除より長時間経過後にみつかる場合もあるので，既往歴に十分な注意が必要である．なお，分子病理学的にはEWSR1遺伝子再構成および融合遺伝子形成は軟部原発筋上皮腫・筋上皮癌では約50％で検出されるが，骨原発筋上皮腫・筋上皮癌でも70％程度にみられたという報告もあり，その検出が転移性癌との鑑別の補助診断となると思われる[1]．

2）真の上皮性分化を欠く上皮様骨腫瘍

a）脊索腫

脊索腫は発生期の脊索細胞への類似性を示す骨破壊性の悪性腫瘍で，若年成人の体軸に沿った仙骨，尾骨領域や頭蓋底部，頸椎に好発する．典型的な脊索腫では分葉構造があり，豊富な粘液基質を背景として索状，胞巣状あるいはシート状の配列をとる腫瘍細胞が増殖する．腫瘍細胞は細胞質が豊富で好酸性であり，核は概して小型で異型性は軽い．また泡沫状の細胞質を有する大型腫瘍細胞（担空胞細胞 physaliphorous cell）の出現が特徴的である（図4a）．脊索腫は組織形態のみならず，免疫組織化学的にも上皮細胞に酷似した性格を有しており，cytokeratinやEMAを発現するが，同時にvimentinやS-100蛋白も陽性となる．脊索腫は脊索細胞分化を制御する核内転写因子であるbrachyuryを強く発現するため，感度，特異性の高い免疫組織化学的マーカーとして診断上きわめて有用である（図4b）．

脊索腫は粘液腺癌のような腺癌や淡明細胞型腎細胞癌，肝細胞癌などとの鑑別が問題となる．ただし，上皮性マーカーは脊索腫でも陽性となるため鑑別上の有用性は乏しい．したがって脊索腫の特徴的な発生部位に留意し，組織学的に脊索腫が疑われる場合にはbrachyury染色による確認が望ましい[2]．なお，brachyuryはほとんどの癌腫で陰性であるため鑑別診断上の有用性が高いが，胎児性癌や肺小細胞癌では高率に発現するという報告があり，診断時に注意を要する[3]．

b）血管性腫瘍

血管性腫瘍は良悪性を問わず腫瘍の一部または全体が上皮様形態をとることがあり，類上皮血管肉腫，類上皮血管内皮腫が代表的である．

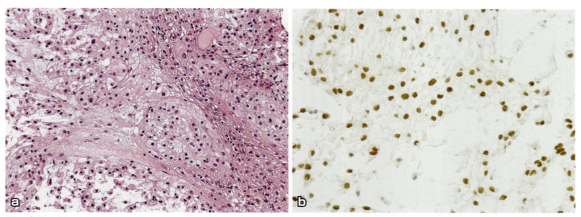

図4│脊索腫
a：粘液基質を背景に淡好酸性の細胞質を有する大型の腫瘍細胞が索状，胞巣状に増殖．b：brachyury染色像．腫瘍細胞の核にびまん性に強陽性．

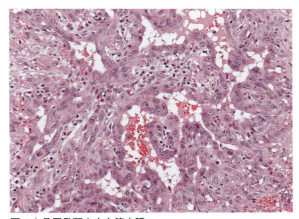

図5│骨原発類上皮血管肉腫
腺癌細胞に類似の上皮様腫瘍細胞が不整な腺管様の配列をとるが，赤血球を含む血管腔である．（国立がん研究センター中央病院病理診断科 吉田朗彦先生ご提供）

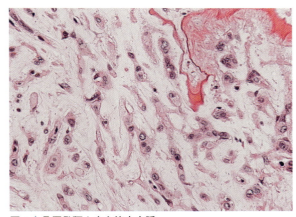

図6│骨原発類上皮血管内皮腫
粘液状基質を背景に上皮様腫瘍細胞が索状に配列し，細胞質内に小空胞形成がある．（国立がん研究センター中央病院病理診断科 吉田朗彦先生ご提供）

血管肉腫：骨原発の血管肉腫は非常にまれであるが，成人のさまざまな骨より発生するきわめて悪性度の高い腫瘍である．血管肉腫は同一骨内もしくは全身の骨に多発することがあり，転移性腫瘍を思わせる．組織学的には，多形性が強い血管内皮類似の腫瘍細胞が不整な吻合状の腫瘍血管や大小の血管腔を形成し増殖する．まれに大型で細胞質が豊かな上皮様の腫瘍細胞が充実性あるいは腺管様構造をとることがあり，それが目立つ腫瘍を「類上皮血管肉腫」と呼ぶ（図5）．高齢者で多発性，上皮様形態がみられる血管肉腫は転移性癌との鑑別がきわめて難しい場合があるが，形態的には赤血球を含む血管構造を注意深く見出し，免疫組織化学的に血管内皮マーカー（CD31，CD34，第VIII因子関連抗原，ERG，FLI1など）およびリンパ管内皮マーカー（D2-40）の発現を確認することが重要である．なお，上皮性マーカー（cytokeratinやEMA）は血管肉腫でしばしば陽性となるので注意が必要である．

類上皮血管内皮腫：類上皮血管内皮腫は低～中等度の悪性腫瘍であり，若年成人を中心にさまざまな臓器に発生する．骨発生例では下肢の長管骨の同一骨内に多発性病変を形成することがある．組織学的には明瞭な血管構築は通常みられず，細胞質が豊かな好酸性の腫瘍細胞が索状，胞巣状構造をとり増殖し，細胞質内血管腔の形成や背景に硝子様，粘液様の間質成分を伴うため一見血管性腫瘍にみえない（図6）．また血管肉腫にみられるような腫瘍細胞の強い異型性は通常ない．類上皮血管内皮腫では血管内皮

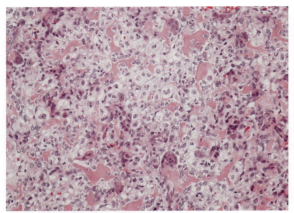

図7｜淡明細胞型軟骨肉腫
大型で淡明な細胞質を有する腫瘍細胞がシート状に増殖し，類骨や破骨細胞型多核巨細胞が介在している．（国立がん研究センター中央病院病理診断科 吉田朗彦先生ご提供）

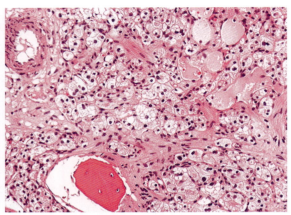

図8｜淡明細胞型腎細胞癌の骨転移巣
豊富で淡明な細胞質と小型類円形核を有する腫瘍細胞の胞巣状の増殖がみられる．

マーカーの発現がみられるが，同時に上皮性マーカーの発現がしばしばみられるので注意を要する．なお，類上皮血管内皮腫の多くは融合遺伝子 *WWTR1-CAMTA1* などを有しており，FISH法やCAMTA1の免疫染色を確認に用いることができる[4,5]．

その他の血管関連性腫瘍：中間群腫瘍である類上皮血管腫では上皮様の内皮細胞が出現し，血管内皮マーカーとともに上皮性マーカーが陽性となる場合がある．しかし，転移性癌とは明らかに異なった組織像であるため鑑別は問題となりにくいと思われる．

c）淡明細胞型軟骨肉腫

成人の長管骨骨端部に好発し，分葉状の腫瘤を形成するまれな低悪性度の軟骨肉腫である．細胞境界は明瞭で，淡明あるいは淡好酸性の細胞質と小型の類円形核を有する大型の腫瘍細胞がシート状に増殖し，破骨細胞型多核巨細胞が混在する．腫瘍細胞間の反応性骨形成や低悪性度の通常型軟骨肉腫成分を伴うことがある（図7）．

転移性癌のなかでは淡明細胞型腎細胞癌と組織学的な類似性があり，両者とも豊富なグリコーゲン顆粒を有するためPAS染色陽性となる．しかし，淡明細胞型腎細胞癌では核異型性は弱いことが多いものの骨や軟骨形成を欠き，明瞭な胞巣状構造がみられる（図8）．臨床像や画像所見から鑑別は難しくはないが，必要に応じてS-100蛋白による軟骨分化の確認および上皮性マーカー，PAX8などの腎細胞癌に比較的特異性の高いマーカーによる除外診断が有用である．

d）低分化・未分化癌の骨転移と原発性骨腫瘍

骨芽細胞由来の腫瘍細胞では細胞質の腫大が目立ち，上皮細胞様にみえる場合がある．通常型骨肉腫においては豊富な細胞質を有する腫瘍細胞が索状，胞巣状などの上皮様配列をとる場合があり，類上皮型骨肉腫と呼ばれる（図9）．また良性骨芽細胞性腫瘍である骨芽細胞腫では，大型で豊富な細胞質と偏在性の核を有する上皮様の骨芽細胞の出現する場合に類上皮型骨芽細胞腫と呼ばれることがある．これらは骨腫瘍としての画像所見に注意すれば，実際には転移性癌との鑑別上の問題は少ないと考えられる．

一方，さまざまな臓器に発生する低分化あるいは未分化な癌腫が肉腫様の形態をとることがあり，その骨転移巣は紡錘形細胞と多形細胞が出現するため，骨原発の高悪性度肉腫に類似した像を呈する（図10）．また，骨のみにしか腫瘍が指摘されていない原発不明腫瘍の場合，さまざまな上皮様骨腫瘍と転移性肉腫様癌の鑑別診断がきわめて困難なことがある（図11）．逆に骨原発の未分化多形肉腫，平滑筋肉腫，悪性末梢神経鞘腫瘍などは細胞質の豊富な上皮様腫瘍細胞の出現あるいは腫瘍細胞のシート状，索状配列などの上皮様配列がみられ，転移性癌との鑑別が問題となることがある．なお，原発不明腫瘍の手術切除検体の検索の際にはできるだけ多くの標本を作製し，明らかな癌腫成分の有無を注意深く検索する必要がある．また免疫組織化学的に転移性肉腫様癌では上皮性マーカーの発現が減弱あるいは消失し，一方，上皮様骨腫瘍ではcytokeratinなどの上皮性マーカーの発現がしばしば経験されるため，真の

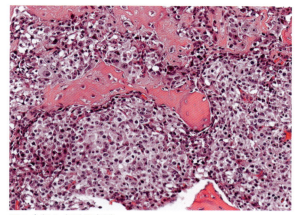

図9 | 類上皮型骨肉腫
淡好酸性の豊富な細胞質を有する腫瘍細胞の充実性増殖がみられるが，腫瘍性類骨形成を伴っている．（国立がん研究センター中央病院病理診断科 吉田朗彦先生ご提供）

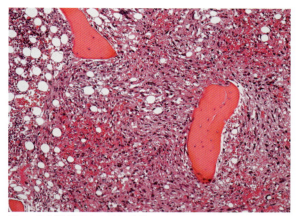

図10 | 肉腫様肝癌の骨転移巣
高悪性度の紡錘形および多形肉腫に酷似した組織像をとり，骨破壊性に増殖している．

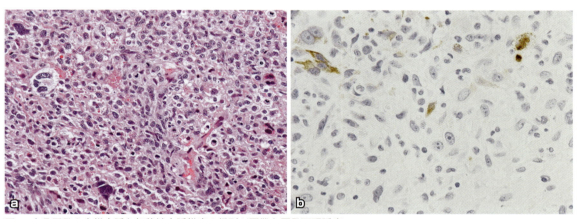

図11 | 骨原発上皮様肉腫と転移性肉腫様癌の鑑別が困難な原発不明腫瘍
a：シート状の増殖を示すものの形態的な上皮性分化を欠いている．大型の奇怪核を有する腫瘍細胞が混在する．b：cytokeratin（CAM 5.2）染色像．ごく少数の腫瘍細胞が陽性となるのみで，真の上皮性分化とは断定できない．

上皮性分化かどうかの判断は慎重に行う必要がある．

e）Ewing 肉腫

Ewing 肉腫は小児から若年成人に好発し，さまざまな程度の神経外胚葉性分化を示す高悪性度円形細胞肉腫である．神経外胚葉性分化の程度は腫瘍によりさまざまであり，核細胞質比（N/C 比）の高い均一な類円形腫瘍細胞が髄様に増殖する小円形細胞肉腫の像が基本であり，神経外胚葉性分化が目立つ腫瘍では Homer Wright ロゼット，血管周囲の偽ロゼット様構造，Flexner-Wintersteiner ロゼットなど，いくつかの種類のロゼット構造が出現する（図12）．このため，骨原発 Ewing 肉腫は肺小細胞癌をはじめとする諸臓器の神経内分泌性分化を示す腫瘍の骨転移との鑑別が問題となることがある（図13）．これらは形態像のみならず免疫組織化学的にも S-100 蛋白，synaptophysin，NSE，CD 56 などの神経外胚葉性/神経内分泌マーカーの発現が共通している．また，cytokeratin の発現は Ewing 肉腫でもしばしば認められるため，注意が必要である．

典型的な Ewing 肉腫の腫瘍細胞は細胞質が少量で，PAS 染色が陽性でジアスターゼで消化されるグリコーゲン顆粒を有する点も鑑別の手がかりとなる．肺小細胞癌の腫瘍細胞は Ewing 肉腫よりも核の不整や大小不同が目立ち，molding 像や木目込み配列がみられる（図14）．免疫組織化学的には，多くの Ewing 肉腫で CD 99 のびまん性の陽性像がみられる一方，肺小細胞癌でよく発現がみられる TTF-1 は陰性である．なお，神経内分泌マーカーの一つである

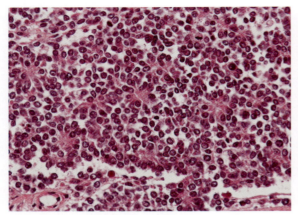

図 12 | ロゼット形成のみられる骨原発 Ewing 肉腫
均一な類円形の核を有する腫瘍細胞が髄様に増殖するが，神経外胚葉性分化を示唆するロゼット形成がみられる．

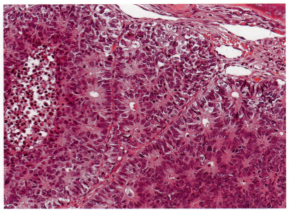

図 13 | ロゼット形成のみられる肺原発大細胞神経内分泌癌の骨転移巣
明瞭なロゼット形成のみられる胞巣構造がみられる．

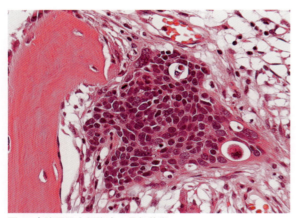

図 14 | 肺原発小細胞癌の骨転移巣
核が密在し，特徴的な molding 像がみられる．腫瘍細胞には核の不整と大小不同がある．

chromogranin A は Ewing 肉腫では常に陰性となる．近年 Ewing 肉腫に特異性の高いマーカーとして知られている NKX2.2 は，小細胞癌でも陽性となるので注意を要する[6,7]．鑑別が困難な症例では PAX7 染色[8] あるいは *EWSR1-FLI1* をはじめとする Ewing 肉腫に特異的な融合遺伝子の存在を FISH 法などにより証明することが有力な補助診断法となる．なお，まれな Ewing 様肉腫の一つである *EWSR1-NFATC2* 肉腫は Ewing 肉腫と同様に NKX2.2，PAX7，CD99 が多くの症例で陽性となるが，小円形細胞が吻合状索状配列と粘液硝子化・線維状基質を伴い増殖し，上皮性腫瘍に類似するため注意を要する．NKX3.1 染色がその診断に有用である[9]．

（元井　亨）

文　献

1) Kurzawa P, Kattapuram S, Hornicek FJ, et al：Primary myoepithelioma of bone：a report of 8 cases. Am J Surg Pathol 37：960-968, 2013
2) Vujovic S, Henderson S, Presneau N, et al：Brachyury, a crucial regulator of notochordal development, is a novel biomarker for chordomas. J Pathol 209：157-165, 2006
3) Miettinen M, Wang Z, Lasota J, et al：Nuclear brachyury expression is consistent in chordoma, common in germ cell tumors and small cell carcinomas, and rare in other carcinomas and sarcomas：an immunohistochemical study of 5229 cases. Am J Surg Pathol 39：1305-1312, 2015
4) Shibuya R, Matsuyama A, Shiba E, et al：CAMTA1 is a useful immunohistochemical marker for diagnosing epithelioid haemangioendothelioma. Histopathology 67：827-835, 2015
5) Doyle LA, Fletcher CD, Hornick JL：Nuclear expression of CAMTA1 distinguishes epithelioid hemangioendothelioma from histologic mimics. Am J Surg Pathol 40：94-102, 2016
6) Yoshida A, Sekine S, Tsuta K, et al：NKX2.2 is a useful immunohistochemical marker for Ewing sarcoma. Am J Surg Pathol 36：993-999, 2012
7) Shibuya R, Matsuyama A, Nakamoto M, et al：The combination of CD99 and NKX2.2, a transcriptional target of EWSR1-FLI1, is highly specific for the diagnosis of Ewing sarcoma. Virchows Arch 465：599-605, 2014
8) Toki S, Wakai S, Sekimizu M, et al：PAX7 immunohistochemical evaluation of Ewing sarcoma and other small round cell tumours. Histopathology 73：645-652, 2018
9) Yoshida KI, Machado I, Motoi T, et al：NKX3-1 is a useful immunohistochemical marker of EWSR1-NFATC2 sarcoma and mesenchymal chondrosarcoma. Am J Surg Pathol 44：719-728, 2020

第4部
臨床との連携

I. 骨腫瘍の手術療法

1. 骨腫瘍に対する標準的手術療法

1）患肢温存手術[1]

骨腫瘍に対する手術は腫瘍組織周囲の剥離，すなわち進入路の切除縁 surgical margin との関係をもとに以下の腫瘍内切除，辺縁切除，広範切除，治癒的広範切除の4種の手技に分類されている．1つの腫瘍切除に際して複数の切除縁が存在する場合には，最も局所制御効果が低い切除縁で評価される．この切除縁に基づく分類・評価法は肉眼的な所見をもって行われるのが原則であるが，組織学的な所見を加味して評価されることもある．

a）腫瘍内切除

腫瘍組織内に切除縁が一部でも存在する場合や，切除中に誤って腫瘍内に切り込んだ場合が腫瘍内切除 intralesional excision である（図1）．内軟骨腫や軟骨芽細胞腫などの良性骨腫瘍，中間群腫瘍の骨巨細胞腫などでは，皮質骨を部分的に切除（開窓）し，腫瘍組織を掻爬する掻爬術が行われ，この腫瘍内切除に分類される（図2）．骨巨細胞腫では腫瘍内切除単独では手術後の再発率が高いため，液体窒素処理[2]（図3），骨セメント充填，フェノール処理や無水エタノール処理[3]などが併用される．

b）辺縁切除

腫瘍周囲の反応層が切除縁である場合が辺縁切除 marginal excision である（図4）．腫瘍反応層とは肉眼的な変色部で，出血巣，変色した筋肉，浮腫状の組織などをいう．反応層がない，もしくは不明瞭なときは，腫瘍境界部のすぐ外側を切除縁として判断する．骨軟骨腫では腫瘍の本体である軟骨帽表面が

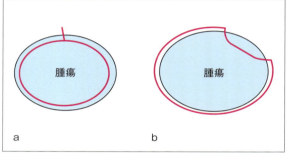

図1｜腫瘍内切除の概念図
切除縁（赤線）がすべて腫瘍内を通過する場合（a）と，一部が腫瘍内を通過する場合（b）とがある．

切除縁となるため，辺縁切除に分類される（図5）．基本的に辺縁切除は良性骨腫瘍に対して行われる手技であるが，悪性骨腫瘍でも骨外に広がり，重要な神経血管束と近接している場合など，神経血管束を温存するための剥離部などで辺縁切除となることが少なくない．

c）広範切除

切除縁が健常組織のみで，腫瘍反応層の外側端から切除縁までの健常組織の厚さが数 mm～5cm 未満の場合が広範切除 wide excision である．健常組織のなかで腫瘍の浸潤に抵抗性のある構造は barrier 組織と呼ばれ，厚い barrier と薄い barrier に分けられる．厚い barrier の例としては幼児の骨端線，腸脛靱帯，関節包，腱様の白い光沢を有する厚い筋膜などがあり，3cm 相当の健常組織と換算される．薄い barrier の例としては，薄い筋膜や，成人の骨膜，血管外膜などが挙げられ，2cm 相当の健常組織と換算される．

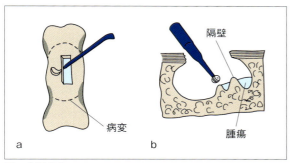

図 2 | 掻爬術
骨内の病変に対して皮質骨を部分的に開窓し，腫瘍組織を鋭匙などで掻爬する掻爬術（a）は腫瘍内切除である．隔壁を電動ドリルなどで削って内壁を平坦とし（b），残存腫瘍がないように掻爬を行うことが必要である．

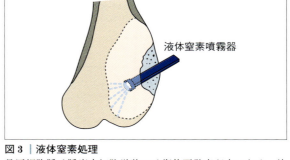

図 3 | 液体窒素処理
骨巨細胞腫は腫瘍内切除単独では術後再発率が高いため，液体窒素処理などが併用される．

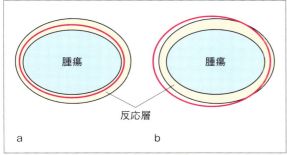

図 4 | 辺縁切除の概念図
切除縁（赤線）がすべて腫瘍周囲の反応層を通過する場合（a）と，一部が反応層を通過する場合（b）がある．

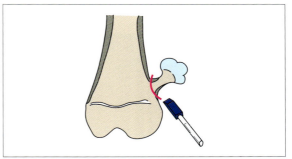

図 5 | 骨軟骨腫の手術手技
基部をノミなどで切離し切除する．腫瘍の本体である軟骨帽表面が切除縁となるため辺縁切除に分類される．

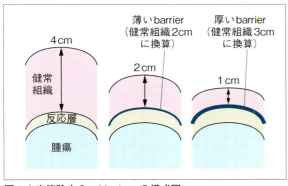

図 6 | 広範除去の wide 4cm の模式図
広範切除は健常組織の厚さ，barrier 組織の有無と厚さ，反応層の有無から wide 1～4cm に細分され，wide 4cm としては図の 3 つの場合が考えられる．

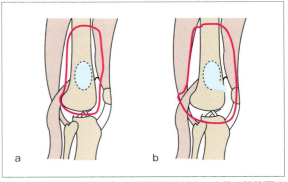

図 7 | 大腿骨遠位骨幹端の悪性腫瘍に対する広範切除範囲の模式図
関節腔に腫瘍が及んでいない場合は関節内切除を（a），関節腔に進展している場合は関節外切除を行う（b）．

広範切除はさらに健常組織の厚さ，barrier 組織の有無と厚さ，反応層の有無から wide 1～4cm に細分される．wide 4cm の例を**図 6** に模式的に示す．
　広範切除の対象となる悪性骨腫瘍は大腿骨遠位骨幹端，脛骨近位骨幹端と上腕骨近位骨幹端に多い．

それぞれ広範切除される場合の切除範囲にはおおよその定型的範囲がある．代表的な大腿骨遠位部の切除術式では，関節腔への腫瘍の進展があるか否かで切除範囲が異なる（**図 7**）．

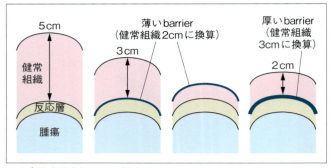

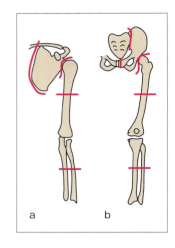

図8 │ 治癒的広範切除の模式図
広範切除のなかでも barrier 換算値を含めた健常組織の厚さが 5cm を超える場合に治癒的広範切除と呼ばれ，図の4つの場合が考えられる．左から3番目は健常組織の外に barrier がある場合で，健常組織と barrier が薄くても治癒的広範切除とみなされる．

図9 │ 切断レベルの模式図
上肢（a）では前腕切断，上腕切断，肩関節離断，肩甲帯離断などが，下肢（b）では下腿切断，大腿切断，股関節離断，片側骨盤離断などが行われている．

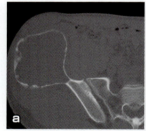 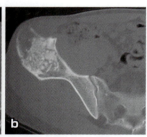

図10 │ 腸骨に生じた動脈瘤様骨嚢腫の術前（a）と搔爬および人工骨移植後の CT 像（b）

d）治癒的広範切除

広範切除のなかでも，barrier 換算値を含めた健常組織の厚さが 5cm を超える場合に治癒的広範切除 curative wide excision と呼ばれる（**図8**）．関節軟骨は肉眼的に異常がなければ 5cm 相当の barrier と換算される[4]．

2）焼灼術

類骨骨腫では nidus のみの辺縁切除が標準的切除手技であるが，近年，nidus 部にラジオ波焼灼術の機器を挿入して nidus を焼灼する手技が行われており，良好な成績が得られている[5]．本法では組織学的検討は行えない．

3）切断術

悪性腫瘍に対して，上記の患肢温存手術で対応できない場合，切断術が選択される．切断端の軟部組織や骨に腫瘍の浸潤がないことが必要条件である．上肢では，主に前腕切断，上腕切断，肩関節離断，肩甲帯離断などが，下肢では下腿切断，大腿切断，股関節離断，片側骨盤離断などが状況に応じて選択される（**図9**）．切断術においても前述の切除縁の評価がそのまま適用され，たとえば辺縁切除縁による大腿切断というように評価される．

2．手術後の再建法

1）骨移植

術後の骨欠損部に，顆粒状やブロック状の自家骨（腸骨や腓骨など）や同種骨，人工骨（**図10**）を用い，欠損部を補塡する手技である．近年，人工骨は種類・形状ともにさまざまな種類のものが使用できるようになってきている．広範囲の骨欠損部の補塡には，血流の保たれる血管柄付き骨移植も状況に応じて行われる（**図11**）．

2）骨セメント充塡

骨巨細胞腫の腫瘍内切除後には大きな骨の欠損が生じる．ここに骨セメントを充塡する手技である．搔爬骨移植に比べ再発率が低いが，これはセメントが硬化する際の発熱による抗腫瘍効果と考えられている．その一方で，二次的な変形性関節症の発症の増加が問題点である[6]．骨セメント充塡単独と，病的骨折予防の目的でプレート固定併用とが行われている（**図12**）．

3）処理骨による再建

広範切除後に広範囲の骨欠損が生じた場合，広範切除した骨から腫瘍組織や脆弱化した部分を除き，

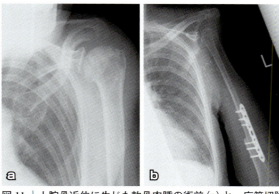

図11 | 上腕骨近位に生じた軟骨肉腫の術前(a)と，広範切除後に血管柄付き腓骨移植術による上腕骨の再建を行った術後(b)の単純X線像

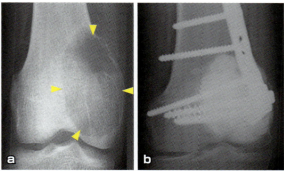

図12 | 骨巨細胞腫の術前(a)と掻爬後の骨セメント充填とプレート固定併用による再建術後(b)の単純X線像
a：矢頭部が病変．

これに抗腫瘍効果のある処理を施してから骨欠損部に戻す手技である．処理法としては Pasteur 法[7]，Pasteur 法と血管柄付き骨移植の併用[8]，液体窒素処理[9]，放射線照射などが用いられている．

4) 人工関節による再建

悪性骨腫瘍では関節部を含めた広範切除が必要となることが多い．よって術後の再建では関節機能の再建を目的に考案，設計された人工関節が多種使用されている (図13)．

5) 骨移動術による骨延長

骨移動術 bone transport は，Ilizarov 創外固定器を用いて切離した骨片をゆっくり移動させることによって，新しい仮骨を形成する手技である．これにより長管骨骨幹部の骨欠損部を補塡することができる．

（土江博幸，岡田恭司）

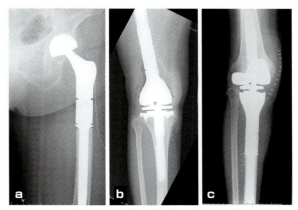

図13 | 人工関節による再建術 (3例) の単純X線像
大腿骨近位部(a)，遠位部(b)と脛骨近位部(c)切除後に，それぞれの切除範囲に適した人工関節が用いられる．

文 献

1) 日本整形外科学会，日本病理学会編：整形外科・病理 悪性骨腫瘍取扱い規約．第4版．金原出版，2015，pp42-51
2) Malawer MM, Bickels J, Meller I, et al：Cryosurgery in the treatment of giant cell tumor. A long-term follow up study. Clin Orthop Relat Res (359)：176-188, 1999
3) Lin WH, Lan TY, Chen CY, et al：Similar local control between phenol- and ethanol-treated giant cell tumors of bone. Clin Orthop Relat Res 469：3200-3208, 2011
4) Kawaguchi N, Matumoto S, Manabe J：New method of evaluating the surgical margin and safety margin for musculoskeletal sarcoma：analysed on the basis of 457 surgical cases. J Cancer Res Clin Oncol 121：555-563, 1995
5) Weber MA, Sprengel SD, Omlor GW, et al：Clinical long-term outcome, technical success, and cost analysis of radiofrequency ablation for the treatment of osteoblastomas and spinal osteoid osteomas in comparison to open surgical resection. Skeletal Radiol 44：981-993, 2015
6) Gaston CL, Bhumbra R, Watanuki M, et al：Does the addition of cement improve the rate of local recurrence after curettage of giant cell tumours in bone? J Bone Joint Surg Br 93：1665-1669, 2011
7) Manabe J, Ahmed AR, Kawaguchi N, et al：Pasteurized autologous bone graft in surgery for bone and soft tissue sarcoma. Clin Orthop Relat Res (419)：258-266, 2004
8) Sugiura H, Takahashi M, Nakanishi K, et al：Pasteurized intercalary autogenous bone graft combined with vascularized fibula. Clin Orthop Relat Res 456：196-202, 2007
9) Tsuchiya H, Wan SL, Sakayama K, et al：Reconstruction using an autograft containing tumour treated by liquid nitrogen. J Bone Joint Surg Br 87：218-225, 2005

Ⅱ. 骨腫瘍の画像診断

はじめに

骨腫瘍の診断にはさまざまな画像検査が用いられるが，単純X線検査が診断の基本であり，最初に行うべき検査である．良性腫瘍は単純X線写真のみで診断可能な場合も多い．CT，MRI，核医学検査は，単純X線検査に続いて行われ，それぞれの長所や短所を考慮して適応を考える必要がある．

1．画像診断法

1）単純X線検査

単純X線検査は安価で簡便かつ，被曝の少ない検査法であり，骨腫瘍の診断において重要な役割を担う．病変の分布および部位，内部性状，辺縁性状，骨膜反応，石灰化した基質，軟部組織の変化を解析し，年齢や症状のある部位など臨床情報を併せて診断を進める．原則的に前後像（正面像），側面像を撮影し，必要に応じて，任意方向の撮影を追加する．

a）内部性状・辺縁性状

内部性状より病変は溶骨性，硬化性，および両者が混在する混合性に分類される．溶骨性病変の骨破壊のパターンは，地図状，虫食い状，浸透状に分類され，地図状破壊は病変が限局性で一塊であることを示し，虫食い状や浸透状の破壊は病変内に既存の骨梁が取り残されていることを示す．地図状骨病変はさらに境界明瞭か不明瞭かに細分化される．病変と非病変部との境界は移行帯と呼ばれ，増大速度の速い病変は移行帯が広く，境界が不明瞭になり，遅い病変は移行帯が狭く，境界が明瞭となる．境界明瞭かつ辺縁に硬化縁を伴う場合は浸潤性に乏しい病変と考えられ，虫食い状や浸透状の破壊はいずれも明らかな浸潤性病変であることを反映している[1]（図1，2）．

b）骨膜反応

骨膜反応も病変の浸潤性を示す．浸潤性に乏しい病変では骨髄側からの骨吸収と骨膜下の骨新生により，病変部の膨隆と皮質に沿ったシェル状の骨膜反応がみられる．一方，浸潤傾向の強い病変では骨膜下に形成する骨は疎で網目状であり，層状や棘状の骨膜反応がみられる．また，増大速度が大きいと形成された骨膜反応を破壊して突破し，骨膜反応の途絶が認められる．Codman三角はこの機序で取り残された骨膜反応と骨皮質からなる三角形で，腫瘍の骨外進展の指標の一つである．肥厚型（ソリッド状）の骨膜反応は骨膜下の密な反応性骨形成を示し，通常，類骨骨腫などの良性疾患で認められる[2]（図3）．

c）石灰化

石灰化した基質の解析は，病変の組織学的性状を知る上で重要である．骨基質の石灰化は比較的均一で無構造であり，象牙様，雲状などと表現される（図4）．このような石灰化があれば骨肉腫などの骨形成性腫瘍が示唆される．軟骨基質の石灰化は，軟骨性腫瘍の分葉状構造を反映して輪状・弧状・点状の石灰化の集簇となる．これらの石灰化は内軟骨腫や軟骨肉腫で認められることが多い（図5）．また，線維性骨異形成では病変内に微細な線維性骨の形成があるが，画像では個々の骨形成が十分に解像されないために淡い無構造な（すりガラス状）硬化像として捉えられる[3]．

図1 | 溶骨性病変の骨破壊パターン
（文献1より作成）

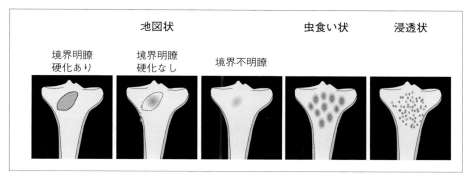

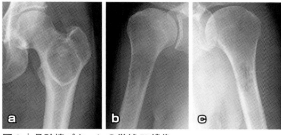

図2 | 骨破壊パターンの単純X線像
a：地図状骨破壊（境界明瞭，硬化縁あり）．b：地図状骨破壊（境界不明瞭）．c：虫食い状骨破壊．

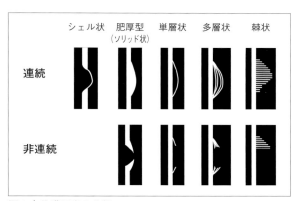

図3 | 骨膜反応の分類
（文献2より作成）

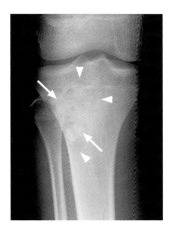

図4 | 骨肉腫の単純X線正面像
右脛骨の近位骨幹端を主座とする境界不明瞭な溶骨性病変（矢頭）が認められ，病変内には雲状の無構造な石灰化が認められる（矢印）．

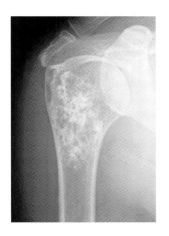

図5 | 軟骨肉腫の単純X線正面像
右上腕骨の近位骨幹端を主体に境界不明瞭な溶骨性病変が認められ，病変内には輪状・弧状・点状の石灰化が多数認められる．

d）軟部組織

骨と軟部組織の両者に病変が及ぶ際は，発生部位が骨か軟部かの鑑別が問題となる．大きな軟部病変にわずかな骨病変を伴っている場合は，軟部腫瘍の骨浸潤であることが多く，病変の中心・中核が骨内か軟部組織かの見極めも由来の推定に役立つ．ただし，骨腫瘍のなかでもEwing肉腫や悪性リンパ腫などの小円形細胞腫瘍は浸潤性が高く，骨病変よりも軟部病変が大きいことがあり，注意を要する．この際，骨内部から骨皮質表面に腫瘍が到達した後，骨膜により発育を抑えられ，骨表面に浅い陥凹（皿状侵食像 saucerization）を生じることがある[4]（**図6**）．

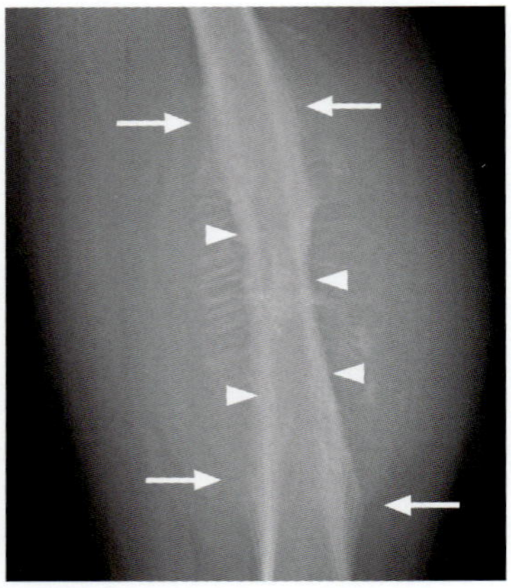

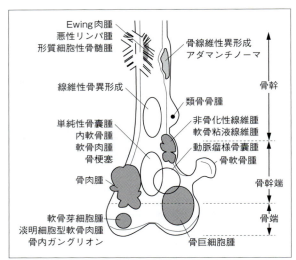

図6 | Ewing肉腫の単純X線正面像
左大腿骨骨幹部に著明な骨膜反応を認める．多層状ないし放射状の骨膜反応が目立ち，Codman三角（矢印）もみられる．骨内病変は浸透状の溶骨性変化を示し，境界は不明瞭である．骨皮質表面には皿状侵食像（矢頭）を認める．

図7 | 長管骨における骨腫瘍好発部位
（文献1より作成）

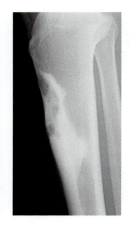

図8 | 骨線維性異形成の単純X線側面像
脛骨前面の骨皮質は不規則に肥厚し，病変上部には多房状の骨透亮像を認める．

骨膜反応の有無も重要であり，通常，軟部病変が骨内に及ぶ場合は骨膜の破綻があっても骨膜反応を伴わないが，悪性骨腫瘍が骨皮質を破壊して軟部組織に及ぶ場合は骨膜反応を認めることが多い．

e）臨床情報

単純X線所見の解析に年齢や発生部位を併せて評価することで，診断を絞ることができる．原発性骨腫瘍には好発年齢や好発部位がある腫瘍が多く，画像診断における重要な情報である．管骨の病変部位は，長軸方向では骨端，骨幹端，骨幹に分けて考え，短軸方向では骨髄の中央/辺縁（中心性/偏心性），皮質，骨膜周囲の分布を評価する[1]（図7）．手根骨，足根骨，膝蓋骨や大腿骨大転子は骨端相当部位であり，骨端と同様に考える．骨皮質を主座とする原発性骨腫瘍は，骨線維性異形成，類骨骨腫，非骨化性線維腫（線維性骨皮質欠損），アダマンチノーマなどであり（図8），これらの疾患の診断には短軸方向での部位の評価が重要である．

2）CT

生体を挟んでX線管球と検出器を対向させ，多くの方向からX線を照射して透過したX線を検出器で測定し，組織のX線吸収値をコンピュータで算出して生体の断面像を得る方法である．CTの骨腫瘍の解析は単純X線写真と同様であるが，単純X線写真と比較した際の主な利点は①解剖学的構造が複雑で単純X線写真では評価困難な領域（骨盤骨，脊椎，頭蓋底など）が評価できること，②微細な骨変化を捉えやすく，石灰化・骨化のパターン解析や骨皮質の破壊が詳細に評価できることである．これらの評価には薄層CTが有用であり，収集スライス厚をできるだけ小さくし，評価に適した多断面再構成 multiplanar reconstruction（MPR）像を作成する．また，類骨骨腫の小さなnidus（腫瘍部）の検出にはCTが有用である[5]（図9）．CTの利点を認識し，医療被曝や経済性を考慮しながら選択する必要がある．

3）MRI

核磁気共鳴 magnetic resonance（MR）現象を利用し，磁石と電磁波（ラジオ波）を用いて人体の断層撮像を行うもので，MRIの信号元は生体内の水素原子（プロトン）である．静磁場内に置かれた生体に電磁

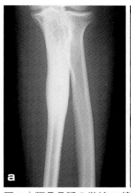
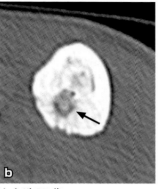

図9 | 類骨骨腫の単純X線およびCT像
a：単純X線正面像．尺骨の近位骨幹端～骨幹に骨皮質の肥厚とソリッド状の骨膜反応がみられる．b：CT像では肥厚した骨皮質内の類円形透亮像（nidus）（矢印）が明瞭である．

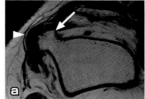
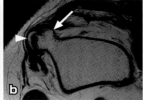

図10 | 骨軟骨腫のMR像
a：T1強調横断像，b：T2強調横断像．大腿骨の骨性隆起（矢印）は骨髄腔との連続が明瞭で，隆起先端にはT1強調像で低信号，T2強調像で高信号の軟骨帽（矢頭）が認められる．

波を照射し，放出される組織のMR信号の強弱を画像化したもので，異なる組織をグレースケール上で識別化する能力（コントラスト分解能）に優れている．各組織の水素原子の量（プロトン密度），縦緩和時間（T1値），横緩和時間（T2値），流れや拡散などの動きがMR信号の強弱を決める要因となり，装置の設定（パラメータ）を変えることでどの要因を強調して画像化するかが選択される．

a) T1強調・T2強調像

T1強調像は縦緩和時間（T1値）を強調した画像であり，脂肪，粘稠な液体，メトヘモグロビン，メラニン，ガドリニウム造影剤など，T1値の短いものが高信号となる．T2強調像は横緩和時間（T2値）を強調した画像で，自由水（さらさらした液体），浮腫，硝子軟骨などT2値が長いものは高信号（図10），膠原線維，腱，靱帯，デオキシヘモグロビン，ヘモジデリン，フェリチン，粘稠な液体などT2値が短いものは低信号となる（図11）．骨腫瘍の場合，組織の内部性状を正確に評価することが重要であり，スピンエコー法のT1およびT2強調像が撮像の基本である．撮像断面は病変の長軸方向と短軸方向の2方向が必要で，一般的には横断像と矢状断像，もしくは横断像と冠状断像を撮像する[6]．

b) 脂肪抑制法

浮腫や炎症の描出能向上，脂肪組織の検出，ガドリニウム造影剤の増強効果強調などの目的で脂肪抑制法が併用して用いられる．非選択的脂肪抑制法（short T1 inversion recovery（STIR））は反転回復法を使用した脂肪抑制法で，T1およびT2の付加的強調像であり，磁場の不均一に強く，手・足など形状

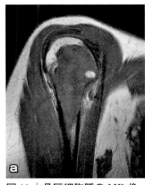
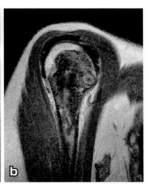

図11 | 骨巨細胞腫のMR像
a：T1強調冠状断像，b：T2強調冠状断像．上腕骨近位骨端から骨幹端の病変はT1強調像で大部分が筋肉と同等の信号を示す．T2強調像では不均一な信号を示し，ヘモジデリン沈着による著しい低信号が混在している．

が複雑な部位や脊髄の脂肪抑制法として有用である．一方，STIRは脂肪に近いT1値をもつ組織（血腫，造影剤にて増強された組織など）の信号も抑制されるため，造影MRIには併用できない．選択的脂肪抑制法（chemical shift selective（CHESS））は脂肪プロトンの共鳴周波数に合わせた周波数選択的励起パルスを印加することによって，脂肪信号のみを選択的に抑制できる．しかし，磁場不均一により脂肪抑制にムラが生じやすく，静磁場の均一性が要求されるために撮像部位が制限される．

c) T2*強調像

組織本来のT2に加えて，静磁場の不均一性や磁化率の違いなどの外的条件による信号の減衰を表す指標をT2*と呼ぶ．T2*強調像は磁化率効果が画像

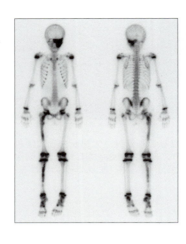

図12 | 線維性骨異形成の骨シンチグラフィ
頭蓋底左側，右大腿骨および右脛骨に高集積を認める．

に強く反映されて無信号域が拡大するため，ヘモジデリン沈着を感度よく検出できる[7]．

d）拡散強調画像（DWI）

拡散強調画像 diffusion weighted image（DWI）は組織における水分子の拡散運動の強さを信号強度に反映させた画像で，細胞内外の水分量，細胞密度，線維の走行などの組織構築や粘稠度の影響を受ける．悪性リンパ腫などの細胞密度の高い小円形細胞腫瘍や表皮囊腫，膿瘍などの質的診断に有用である．組織の拡散能を示す指標として，みかけの拡散係数 apparent diffusion coefficient（ADC）値が使用され，これらの疾患では低値を示す．また，悪性腫瘍のスキップ病変や転移検出にも期待できる撮像法である．

e）利点・欠点

単純X線写真で悪性骨腫瘍が疑われた際，MRIは次に行われるべき検査である．優れたコントラスト分解能と任意の断層像が得られるので，骨髄や軟部組織への進展範囲の評価に優れている．神経血管束の浸潤評価には横断像が有用なことが多い．造影パターンが基質の評価に役立つ場合もあり，造影後の腫瘍辺縁部を主体とする輪状，円弧状の増強効果は軟骨性基質を示唆する所見である．また，造影剤を急速に静脈内に注入して同じ断面を複数回撮像する造影ダイナミックMRIを行うことで，腫瘍の血行動態を評価できる．造影ダイナミックMRIは富血管性病変の診断や治療後の腫瘍壊死評価に有用で，腫瘍と浮腫や線維化などの反応性変化との鑑別にも用いられる[8]．

空気や金属などの磁場の不均一性を高めるものが近傍にあると画質の劣化をきたすが，近年の撮像技術の進歩によってMRIの弱点が次第に克服されるようになってきている[9]．CTと比べて検査時間が長いことや閉所恐怖症では施行できないなどの欠点があるが，放射線被曝がなく，妊娠可能年齢の女性や小児にも検査可能という利点がある．

2．核医学検査

1）骨シンチグラフィ

骨シンチグラフィ用薬剤として ^{99m}Tc-methylene diphosphonate（MDP），^{99m}Tc-hydroxymethylene diphosphonate（HMDP）があり，静脈投与後2～3時間以降，検査直前に排尿した後に撮像する．正常骨にも集積するが，病的状態で骨代謝が亢進すると局所の集積が増加して病変の検出が可能となる．全身の前面像と後面像を撮影し，異常が疑われる場合には斜位や拡大収集，single photon emission computed tomography（SPECT）撮影などを行う．骨シンチグラフィは前立腺癌，乳癌，肺癌などの悪性腫瘍の骨転移検出に有用であり，硬化性骨転移では後述の fluorodeoxyglucose（FDG）-PET より感度が高い[10]．一方，溶骨性変化主体の腫瘍では欠損像として描出されることがあり，多発性骨髄腫では検出率が低く，FDG-PETやタリウムシンチグラフィなど他の核医学検査が勧められる．原発性骨腫瘍の鑑別については，骨シンチグラフィ単独で行うことは困難であり，主に単発性か多発性かの鑑別に用いられる（図12）．悪性腫瘍や活動性の高い病変で高集積を示す傾向にあるが，集積の強弱による良悪の鑑別は難しい．

2）FDG-PET および FDG-PET/CT

PET検査に使用される薬剤は ^{18}F-FDG というグルコース類似体である．二次元データ収集では185～444MBq（3～7MBq/kg），三次元データ収集では111～259MBq（2～5MBq/kg）のFDGを静脈内に投与する．投与量は撮像に用いる機種，年齢，体重により適宜増減する．投与60～90分後に，PETあるいはPET/CT装置にて全身エミッションスキャンとトランスミッションスキャン（PETの場合）あるいはCT（PET/CTの場合）を撮像する．多くの悪性腫瘍ではグルコーストランスポータ活性およびヘキソキナーゼ活性が亢進しており，また脱リン酸化酵素活性がきわめて低いためFDGは高集積を示す[11]．悪性腫瘍へのFDG集積は，投与1時間以降も増加するが，良性疾患では低下するものが多い．そのため，後期像（2時間後）の追加は良悪性の鑑別に寄与する

ことがある．しかし，骨巨細胞腫などの中間群腫瘍や，線維性骨異形成，軟骨芽細胞腫などの良性病変でも高集積を示す場合があり，多発性骨髄腫など悪性腫瘍でも集積に乏しい場合がある．PETによる骨腫瘍の良悪性鑑別は必ずしも可能ではない．

悪性骨腫瘍の病期診断では，遠隔転移の検出にPETは有用である．骨のみでなく，肺や肝臓など他臓器を含め，全身を一度の検査で検索できる利点がある[12]（**図13**）．ただし，空間分解能は高くないため，小病変の検出には限界がある．また，造影ダイナミックMRIと同様に，治療後の再発病変と線維化などの治療後変化との鑑別にも役立つ．局所のみの評価ではMRIが優先されるが，全身評価も併せて必要な場合にはPETが選択される．

（青木隆敏）

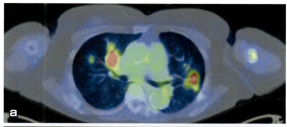

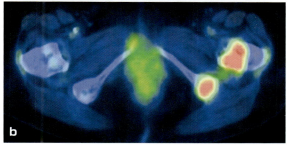

図13 | 悪性リンパ腫のFDG-PET/CT像
a：胸部気管分岐下レベル．b：骨盤骨下部レベル．両肺，左上腕骨，左坐骨および左大腿骨にFDGの強い集積がみられる．

文　献

1) Madewell JE, Ragsdale BD, Sweet DE：Radiologic and pathologic analysis of solitary bone lesions. Part I：internal margins. Radiol Clin North Am 19：715-748, 1981
2) Ragsdale BD, Madewell JE, Sweet DE：Radiologic and pathologic analysis of solitary bone lesions. Part II：periosteal reactions. Radiol Clin North Am 19：749-783, 1981
3) Sweet DE, Madewell JE, Ragsdale BD：Radiologic and pathologic analysis of solitary bone lesions. Part III：matrix patterns. Radiol Clin North Am 19：785-814, 1981
4) Mueller DL, Grant RM, Riding MD, et al：Cortical saucerization：an unusual imaging finding of Ewing sarcoma. AJR Am J Roentgenol 163：401-403, 1994
5) Expert Panel on Musculoskeletal Imaging, Bestic JM, Wessell DE, et al：ACR Appropriateness Criteria®. Primary Bone Tumors. J Am Coll Radiol 17：s226-s238, 2020
6) 日本医学放射線学会編：画像診断ガイドライン2016年版，金原出版，2016
7) Aoki J, Tanikawa H, Ishii K, et al：MR findings indicative of hemosiderin in giant-cell tumor of bone：frequency, cause, and diagnostic significance. AJR Am J Roentgenol 166：145-148, 1996
8) Reddick WE, Wang S, Xiong X, et al：Dynamic magnetic resonance imaging of regional contrast access as an additional prognostic factor in pediatric osteosarcoma. Cancer 91：2230-2237, 2001
9) Aoki T, Yamashita Y, Oki H, et al：Iterative decomposition of water and fat with echo asymmetry and least-squares estimation (IDEAL) of the wrist and finger at 3T：comparison with chemical shift selective fat suppression images. J Magn Reson Imaging 37：733-738, 2013
10) Nakai T, Okuyama C, Kubota T, et al：Pitfalls of FDG-PET for the diagnosis of osteoblastic bone metastases in patients with breast cancer. Eur J Nucl Med Mol Imaging 32：1253-1258, 2005
11) Bastiaannet E, Groen H, Jager PL, et al：The value of FDG-PET in the detection, grading and response to therapy of soft tissue and bone sarcomas；a systematic review and meta-analysis. Cancer Treat Rev 30：83-101, 2004
12) Feldman F, van Heertum R, Manos C：18FDG PET scanning of benign and malignant musculoskeletal lesions. Skeletal Radiol 32：201-208, 2003

第4部 臨床との連携

III. 悪性骨腫瘍の薬物療法および放射線療法

1. 病期分類

　原発性悪性骨腫瘍の病期分類には Union for International Cancer Control（UICC）/American Joint Committee on Cancer（AJCC）による TNM 分類が用いられることが多い[1]（**表1**）．本分類では，①原発腫瘍の大きさ（8cm以下，8cmを超える），②領域リンパ節転移（なし，あり），③遠隔転移（なし，肺転移あり，肺外転移あり），そして④組織学的悪性度（低，高）（grade）の4つの因子で病期（stage）を決定するが，領域リンパ節転移はほとんど発生しないため，実質的にはそれ以外の3つの因子で病期が決定されることになる．遠隔転移が肺転移と肺外転移に分けられていることが特徴であるが，これはおそらく，とくに骨肉腫の肺転移は薬物療法が奏効しやすいことと，肺転移巣の切除が行われることが多く，かつそれらが生存期間延長に寄与しているためと思われる．一方，肺外転移の多くは骨転移であるが，骨転移は薬物療法に対する反応が鈍く，かつ多くの部位で切除が困難であるため，予後不良因子になっていると思われる．治療戦略を立てる上では，これらのことを考慮しなくてはならない．

2. 薬物療法

1）適　応

　原則として，薬物療法の適応は高悪性度骨腫瘍（stage II 以上）に限られる．通常型軟骨肉腫には原則として薬物療法は行われない．薬物療法が行われる状況としては，下記のAとBが想定される（**図1**）．

A. 手術ですべての病巣を切除し，根治を企図する際の補助的な薬物療法（stage II および III と，stage IV の一部）
B. 切除不能であり，延命を企図する際に中心的な治療となる薬物療法（stage IV の一部）

　切除可能か切除不能であるかを決定する際に，上記の病期が重要となる．遠隔転移がない場合，あるいは遠隔転移があっても肺転移で数が少なければ，切除を見込んだAの治療方針とするであろうし，肺外転移，たとえば複数の脊椎転移を伴う場合は切除不能と考えてBの治療方針になる．また，当初Bの状況であっても薬物療法を行うことによって転移巣の数が減り，切除可能となってAの治療方針となる，いわゆるダウンステージ（本当の意味のダウンステージにはならないが）を目指す場合もある．一般的に，Aは治療強度の高い多剤併用療法を用いる．臓器予備能の高い小児や AYA（adolescent and young adult）世代に行われることが多く，入院期間も長期に及ぶ．一方，Bは単剤あるいは2剤併用程度で侵襲を抑えて行われ，できれば外来治療で継続する．根治が不能であるのに患者に負担を強い，在宅期間を短くする治療強度の高い治療を強行することは避けなければならない．しかし後述するように，昨今の軟部肉腫に対する新規薬剤の開発状況に比べ，悪性骨腫瘍に対する薬物療法の開発は遅れており，延命や症状安定を目的とした治療に適した治療レジメンは数少ないのが現状である．

2）根治を目指す場合の周術期補助化学療法

　現在，疾患単位にとどまらず腫瘍ゲノム変異に基

表1 | UICC/AJCC による TNM 分類（第8版）（文献1より）

本分類は悪性リンパ腫，多発性骨髄腫，表在型・傍骨性骨肉腫，傍骨性軟骨肉腫を除くすべての原発性悪性骨腫瘍に適応される．TNM の各項目の診断は身体所見と画像診断により行い（表1a），それらに組織学的悪性度を加味して病期を決定する（表1b）．第8版からは，脊柱と骨盤のT因子は占拠部位と大きさにより細かく分類されたが，病期分類の対象からは除外されたため，対象は四肢骨，躯幹骨，頭蓋骨，顔面骨に限定された．

表1a TNM 分類

T一原発腫瘍（四肢骨，躯幹骨，頭蓋骨，顔面骨）	
TX	原発腫瘍の評価が不能
T0	原発腫瘍を認めない
T1	原発腫瘍の長径が8cm以下
T2	原発腫瘍の長径が8cmを超える
T3	原発巣と同一骨内の非連続性腫瘍
N一領域リンパ節	
NX	領域リンパ節の評価が不能
N0	領域リンパ節転移なし
N1	領域リンパ節転移あり
M一遠隔転移	
M0	遠隔転移なし
M1a	肺転移あり
M1b	肺外転移あり

表1b TNM 病期分類

病期	腫瘍のサイズ	リンパ節転移	遠隔転移	組織学的悪性度
ⅠA	T1	N0	M0	低
ⅠB	T2 or T3	N0	M0	低
ⅡA	T1	N0	M0	高
ⅡB	T2	N0	M0	高
Ⅲ	T3	N0	M0	高
ⅣA	any T	N0	M1a	any grade
ⅣB	any T	N1	any M	any grade
	any T	any N	M1b	any grade

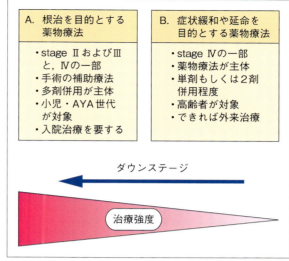

図1 | 薬物療法選択の原則

腫，骨膜性骨肉腫は，通常低悪性度から中間悪性度にとどまるため適応とならない．

1980年代に行われた2つの前向き比較試験の結果，多剤併用の補助薬物療法群が手術単独群よりも予後良好であることが示されたため，補助薬物療法が標準治療となった．現在はドキソルビシン（DXR），シスプラチン（CDDP），メトトレキサート（MTX），イホスファミド（IFM）の4剤を key drug とする多剤併用療法が行われる．標準治療は MTX，DXR，CDDP の3剤を用いる MAP 療法であり，状況に応じて IFM が追加される．術前補助化学療法を用いる優位性は証明されていないものの，慣習的に手術を挟んで術前補助化学療法と術後補助化学療法が行われている．術前補助化学療法後に原発巣の切除が行われるが，切除した腫瘍の組織学的効果判定[2]が強い予後因子であることが知られている．つまり，組織学的効果の高い患者 good responder は低い患者 poor responder よりも予後がよい．そのため，poor responder の予後を改善する目的で，術前に用いなかった薬剤を術後補助化学療法に追加する試みが古くから行われている．わが国でも同様の戦略で前向き試験 NECO 95J が行われ（図2），5年生存割合77.9％を達成している[3]．しかし，術後の薬剤追加の優位性を第Ⅲ相試験として検証した国際共同試験 EURAMOS-1 では，poor responder への IFM とエトポシド（VP-16）追加の優位性は否定された[4]．わが国では NECO 95J で得られた結果を第Ⅲ相試験で検証すべく，JCOG0905 が2010年より登録開始とな

づいた個別化治療が保険医療として行われているが，悪性骨腫瘍の分野では特定の組織型に対して開発された治療レジメンは基本的に2種類しかない．小児・AYA 世代の骨肉腫に対する薬物療法と，小児・AYA 世代の Ewing 肉腫に対する薬物療法である．

a）小児・AYA 世代の骨肉腫に対する薬物療法

高悪性度骨肉腫は薬物療法の適応となる．つまり，通常型骨肉腫，血管拡張型骨肉腫，小細胞型骨肉腫，表在性高悪性度骨肉腫，骨皮質内骨肉腫は適応となる．二次性骨肉腫も原則として薬物療法の適応になる．一方，低悪性度中心性骨肉腫，傍骨性骨肉

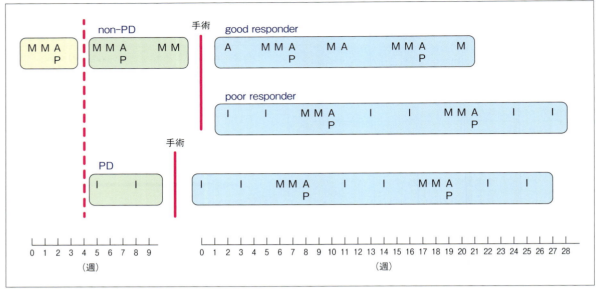

図2 | NECO95Jの概略図
M：大量メトトレキサート（MTX），A：ドキソルビシン（DXR），P：シスプラチン（CDDP），I：イホスファミド（IFM），PD：腫瘍増大，non-PD：腫瘍縮小ないしは変化なし．

り現在も試験が進められている[5]．

初診時に転移のある症例に対してもほぼ同様の戦略で治療が開始され，すべての病巣の切除が試みられるが予後は不良である．

b）小児・AYA世代のEwing肉腫に対する薬物療法

骨原発，四肢の深部，後腹膜や臓器発生のEwing肉腫は薬物療法の適応となる．皮下発生のEwing肉腫についても概ね同様の薬物療法が行われているが，他の発生部位に比べて予後がよいことが知られており，今後減量などの議論が起こると考える．DXR，シクロホスファミド（CPA），ビンクリスチン（VCR），IFMとVP-16の5剤をVDC（VCR＋DXR＋CPA）とIE（IFM＋VP-16）として交互に投与するVDC/IE療法が標準である．当初は3週間ごとに投与するレジメンであったが，その後，フィルグラスチムを用いて2週間に縮めることの優位性が示された[6]．日本ユーイング肉腫研究グループJapan Ewing Sarcoma Study Group（JESS）では，2016年からVDC/IE療法を2週間ごとに行う治療の安全性と有効性を確認する第Ⅱ相臨床試験JESS14が行われている．

現在，海外の試験では非転移例の5年生存割合は8割に達しているが，四肢発生例よりも骨盤骨発生例の予後が不良である．初診時転移例はさらに予後不良であり，5年生存割合は3割にとどまる．末梢血幹細胞移植を伴う大量化学療法の効果は明らかにされていないが，実地医療としては行われている．

c）その他の組織型などに対する薬物療法

骨肉腫とEwing肉腫以外の高悪性度骨腫瘍や，好発年齢以外の骨肉腫やEwing肉腫については症例数が少ないため，各々の状況に最適化されたレジメンは開発が遅れており，retrospectiveな結果のみ報告されている．

脱分化型軟骨肉腫は非転移例でも5年生存割合が32％という報告もあり[7]，予後不良な疾患である．DXRを含む多剤併用療法の奏効率が20％であった，あるいは多変量解析でIFM使用のハザード比（HR）が0.40（95％CI 0.17〜0.92）であったという薬物療法に肯定的な報告がある一方で[7,8]，切除のみに比較して予後は改善されなかったとする報告もあり[9]，その効果については一定の見解が得られていない．

間葉性軟骨肉腫はさらに希少な組織型であり，骨外の発生も多い．予後は10年生存割合で5割以下といわれている．DXRを含む多剤併用療法の奏効率が約30％であったとする報告もあり[7]，Ewing肉腫に準じた治療を推奨する報告もみられる[10]．しかし，脱分化型軟骨肉腫と同様にエビデンスレベルは低い．

中高齢者に対して複数の組織型の高悪性度骨腫瘍を同一のレジメンで治療する臨床試験が行われた．欧州で行われたEURO-B.O.S.S.では41〜65歳まで

の高悪性度骨肉腫（二次性も含む），線維肉腫，悪性線維性組織球腫，平滑筋肉腫，脱分化型軟骨肉腫，血管肉腫すべてを対象として，DXR，CDDP，IFMを中心に用い，術前補助化学療法効果の乏しい症例にはMTXを追加するレジメンを用いた．小児・AYA世代の骨肉腫に対する治療よりも投与量を減量しているが，毒性は強く完遂率は低いと報告されている．遠隔転移のない骨肉腫のみの治療成績は5年生存割合で66％であり，若年者と明らかな差はなかった[11]．

3) 切除不能例に対する薬物療法

切除不能例に対する対症的あるいは姑息的治療として理想的なレジメンは確立していない．DXR単剤，IFM単剤，IE療法，あるいは保険適用がないもののゲムシタビンとドセタキセルの併用療法などが行われている．初回治療後に再発した若い骨肉腫患者も多いため，IFM，カルボプラチン，VP-16の3剤を用いたICE療法が行われることもあるが，入院が必要となる治療強度の高い治療であるため，外来治療が可能な治療方法の開発が急務である．2020年8月より企業治験として進行・再発骨肉腫患者を対象としたTAS-115の第Ⅲ相試験が行われている．

3. 放射線療法

1) 従来のリニアックによる放射線治療

a) 切除不能例に対する原発巣，あるいは転移巣に対する放射線治療

悪性骨腫瘍のなかで，放射線感受性が高く従来治療対象になってきたのはEwing肉腫である．脊椎や骨盤骨など切除が困難，もしくは切除により高度な後遺障害が予想される場合には，放射線治療単独による局所治療が選択される．状況に応じて強度変調放射線治療 intensity modulated radiation therapy (IMRT) が用いられるであろうし，小児患者などで周囲臓器の照射量を極力減らしたい場合は後述の粒子線治療が行われる．その他の組織型については，通常のリニアックを用いた放射線治療による根治は期待が薄く，対症的治療もしくは姑息的治療となる．

b) 周術期補助放射線治療

軟部肉腫ほどのエビデンスは得られていないものの，局所の再発を防ぐ目的で手術の補助として用いられることも多い．とくにEwing肉腫の手術前後に使用する補助放射線治療は標準的であり，臨床試験などでは細かい規定が定められている．その他の組織型に対する補助放射線治療の根拠は乏しいが，軟骨肉腫に対してはNational Comprehensive Cancer Network（NCCN）のガイドラインでも推奨されており，手術で辺縁切除あるいは腫瘍内切除が予想される場合は術前補助放射線治療や術後補助放射線治療が，術後の評価で辺縁切除以下の切除縁と判明した場合は術後補助放射線治療が行われる場合がある．

2) 粒子線治療

骨軟部腫瘍に対する粒子線治療は，頭蓋底脊索腫については主に米国の陽子線治療施設で，仙骨に発生した切除不能脊索腫については日本の放射線医学総合研究所で炭素イオン線を用いた治療開発が行われてきた．粒子線による治療は，ブラッグピークという粒子線がもつ特性により病変に照射を集中させ，正常組織への障害を低く抑えることができる．つまり，体内に入った粒子線は，ある深さまでは周囲組織にエネルギーをあまり与えずに通り抜け，途中で急に速度を落として多くのエネルギーを近傍の組織に与えて線量のピーク（ブラッグピーク）を作り，その後は停止する．このブラッグピークを腫瘍の範囲に調整すれば，周囲の正常組織にほとんど粒子線を照射せずに，標的とする腫瘍に高い線量を照射することが可能となる．

放射線医学総合研究所で開発された重イオン線治療装置（heavy ion medical accelerator in Chiba (HIMAC)）では，1996年から切除不能の仙骨脊索腫に対する炭素イオン線治療を開始しており，2013年までに188例を治療している．5年局所コントロール割合，5年全生存割合，5年無病生存割合は，各々77.2％，81.1％，50.3％であった．局所再発までの中央値は35ヵ月（13～60ヵ月）であった．2例にgrade 4の皮膚障害，6例にgrade 3の末梢神経障害が発生したが，97％の患者はなんらかの形で歩行が可能であった[12]．この結果は，日常診療で再発や術後感染症などで苦い思いをしていたわが国の骨軟部腫瘍を扱う整形外科医にとって朗報であり，多くの患者を粒子線治療に委ねる結果となっている．手術による根治的な治療法が困難な限局性の骨軟部腫瘍に対する重粒子線治療は2016年4月より保険適用となり，手術による根治的な治療法が困難な骨軟部腫瘍の陽子線治療も2018年4月より保険適用となった．

4. 医師主導臨床試験および治験

　現在，わが国で希少がん対策への準備が加速している．悪性骨腫瘍は希少がんの最たる疾患であるが，熱心な病理医や臨床医の努力により治療開発が続けられており，治療成績自体は海外と遜色ないものと思われる．しかし，問題は山積している．まず，軟部肉腫に対する新規薬剤が分子標的治療薬も含めて複数開発され，すでに3種類の薬剤が上市されているのに対し，悪性骨腫瘍に対しては直近10年間で新規薬剤はなく，開発が遅れていることである．さらに，患者数が少ない一方で組織型が多様であるため臨床試験が少なく，治療戦略を決定するためのエビデンスレベルは総じて低く，自信をもって最適な治療を患者やその家族に伝えることができない．臨床試験や治験を通じた治療開発が急務であり，すべての患者の治療をなんらかの臨床試験，あるいは治験に登録して行う覚悟が必要と考える．

〈平賀博明〉

文　献

1) Brierley JD, Gospodarowicz MK, Wittekind C (ed)：TNM 悪性腫瘍の分類 第8版 日本語版，UICC日本委員会 TNM委員会訳，金原出版，2017
2) 日本整形外科学会，日本病理学会編：整形外科・病理 悪性骨腫瘍取扱い規約，第4版，金原出版，2015, p60
3) Iwamoto Y, Tanaka K, Isu K, et al：Multiinstitutional phase II study of neoadjuvant chemotherapy for osteosarcoma (NECO study) in Japan：NECO-93J and NECO-95J. J Orthop Sci 14：397-404, 2009
4) Marina NM, Smeland S, Bielack SS, et al：Comparison of MAPIE versus MAP in patients with a poor response to preoperative chemotherapy for newly diagnosed high-grade osteosarcoma (EURAMOS-1)：an open-label, international, randomised controlled trial. Lancet Oncol 17：1396-1408, 2016
5) Iwamoto Y, Tanaka K：The activity of the Bone and Soft Tissue Tumor Study Group of the Japan Clinical Oncology Group. Jpn J Clin Oncol 42：467-470, 2012
6) Womer RB, West DC, Krailo MD, et al：Randomized controlled trial of interval-compressed chemotherapy for the treatment of localized Ewing sarcoma：a report from the Children's Oncology Group. J Clin Oncol 30：4148-4154, 2012
7) Kawaguchi S, Sun T, Lin PP, et al：Does ifosfamide therapy improve survival of patients with dedifferentiated chondrosarcoma? Clin Orthop Relat Res 472：983-989, 2014
8) Italiano A, Mir O, Cioffi A, et al：Advanced chondrosarcomas：role of chemotherapy and survival. Ann Oncol 24：2916-2922, 2013
9) Dickey ID, Rose PS, Fuchs B, et al：Dedifferentiated chondrosarcoma：the role of chemotherapy with updated outcomes. J Bone Joint Surg Am 86：2412-2418, 2004
10) Cesari M, Bertoni F, Bacchini P, et al：Mesenchymal chondrosarcoma. An analysis of patients treated at a single institution. Tumori 93：423-427, 2007
11) Ferrari S, Bielack SS, Smeland S, et al：EURO-B.O.S.S.：A European study on chemotherapy in bone-sarcoma patients aged over 40：Outcome in primary high-grade osteosarcoma. Tumori 104：30-36, 2018
12) Imai R, Kamada T, Araki N, et al：Carbon ion radiation therapy for unresectable sacral chordoma：an analysis of 188 cases. Int J Radiat Oncol Biol Phys 95：322-327, 2016

第4部　臨床との連携

Ⅳ. 免疫染色と遺伝子診断

はじめに

　腫瘍の病理診断の基本は腫瘍細胞に備わった分化形質を見出すことであり，その分化の方向を客観的かつ簡便に評価する目的で今日免疫組織化学が汎用されている．ところが，骨腫瘍については，その組織型のバリエーションが比較的限られていることや，年齢や発生部位（局在），放射線学的所見などの臨床情報が診断において今もって重視されていることなどの理由で，免疫組織化学がその威力を発揮する機会は多くない．しかしながら，この領域においても研究の進展や技術の進歩によって腫瘍診断に寄与しうるマーカーが近年少なからず見出されている上，軟部腫瘍に準じて腫瘍型に比較的特徴的な遺伝子・染色体の異常もいくつか知られている[1]（表1）．
　本項では，代表的な骨腫瘍の病理診断に応用可能な免疫染色用の主なマーカーと遺伝子診断について概説する．

1. 骨形成性腫瘍

　骨肉腫をはじめとする骨形成性腫瘍では，組織学的に腫瘍性骨基質（類骨）の存在を多少とも認識できれば骨芽細胞（様）分化を示す腫瘍と判断できるが，膠原線維の集積あるいはその硝子化などと類骨との区別が困難なために診断に難渋することもときに経験される．そのような場合に骨の分泌型非膠原線維性蛋白である osteocalcin や osteonectin に加え，骨芽細胞への分化マーカーとされる RUNX2，TWIST1，SATB2 に対する免疫染色の応用が考慮さ

れる[2,3]．とくに後三者は転写因子ないしDNA結合蛋白であり，基本的に細胞の核内にそれらの局在（陽性像）が認められるため，前二者に比して染色結果の判定が比較的容易である（図1）．
　なお，良悪性の鑑別におけるこれらの有用性は乏しく，その目的については，たとえば骨芽細胞腫と骨肉腫との鑑別に cyclooxygenase 2（COX2）やβ-catenin の発現の有無または局在の違いが応用できるとの報告があるものの[4,5]，これまで検索されている例数が限られており，実用に際してはさらなる検討が必要と思われる．また，軟骨形成性腫瘍や骨巨細胞腫などでもこれらのマーカーが陽性となる場合が少なくなく，それらとの鑑別における有用性は乏しいことに注意を要する．一方，類骨骨腫や骨芽細胞腫において，FOS（まれに FOSB）遺伝子の再構成が高頻度に存在しており，それらの腫瘍では核内の FOS の過剰発現が免疫染色で認められることが近年報告され，その発現の強度や分布が異なっている骨肉腫との鑑別に応用できる可能性が指摘されている[6]．なお，骨肉腫ではα-smooth muscle actin（α-SMA）や S-100 蛋白，cytokeratin，EMA，CD99 が部分的に陽性となることがあるため，これらの所見に惑わされないように注意が必要である．
　遺伝子・染色体異常について報告されている主なものは，低悪性度中心性骨肉腫や傍骨性骨肉腫における 12q13-15 を含む染色体領域の変異（増幅）である．FISH法によりその異常を検出することが可能な上，この領域における代表的な遺伝子 CDK4 や MDM2 の過剰発現を免疫染色によって確認することができる（図2）．とくに通常型骨肉腫相当の高異

表 1 | 主な骨腫瘍にみられる特徴的な遺伝子異常

腫瘍型	異常のみられる遺伝子・染色体（異常のタイプ）
線維性骨異形成	GNAS（ミスセンス変異：R201H, R201C, Q227L など）
類骨骨腫，骨芽細胞腫	FOS（遺伝子再構成，まれに FOSB）
骨肉腫（傍骨性，低悪性度中心性，通常型）	12q13-15（増幅：MDM2, CDK4, SAS, GLI, HMGA2），TP53（遺伝子再構成，点突然変異）
内軟骨腫，骨膜性軟骨腫，軟骨肉腫（脱分化型を含む）	IDH1（ミスセンス変異：R132C, R132H），IDH2（ミスセンス変異：R172S）
間葉性軟骨肉腫	HEY1-NCOA2（融合遺伝子），IRF2BP2-CDX1（融合遺伝子）
Ewing 肉腫	EWSR1-FLI1/ERG/FEV/ETV1/ETV4（融合遺伝子），FUS-ERG/FEV（融合遺伝子）
EWSR1-非 ETS 融合を有する円形細胞肉腫*	EWSR1-NFATC2/PATZ1（ZSG）/SP3/SMARCA5（融合遺伝子）
CIC 遺伝子再構成肉腫	CIC-DUX4/FOXO4/NUTM1（融合遺伝子）
BCOR 遺伝子異常を有する肉腫	BCOR-CCNB3/MAML3（融合遺伝子），ZC3H7B-BCOR（融合遺伝子）
動脈瘤様骨嚢腫	CDH11/TRAP150/ZNF9/COL1A1/USP9X/OMD/E1F1/RUNX2/PAFAH1B1/CTNNB/SEC31A/FOSL2/STAT3-USP6（融合遺伝子）
筋上皮腫	EWSR1-POU5F1/PBX1/ZNF444（融合遺伝子）
類上皮血管内皮腫	WWTR1-CAMTA1（融合遺伝子），YAP1-TFE3（融合遺伝子）
類上皮血管腫（非定型，出血性類上皮紡錘形細胞型）	ZFP36-FOSB（融合遺伝子），FOS（遺伝子再構成）
偽筋原性血管内皮腫	SERPINE1/ACTB-FOSB（融合遺伝子）
傍骨性骨軟骨異形増生	t(1;17)(q32;q21)
爪下外骨腫	COL4A5/COL12A1（遺伝子再構成）
脊索腫	6q27（増幅：T/brachyury），SMARCB1/INI1（欠失：低分化型）
骨軟骨腫	EXT1（ミスセンス変異，欠失），EXT2（ミスセンス変異，欠失）
骨巨細胞腫	H3F3A（ミスセンス変異：G34W など）
軟骨芽細胞腫	H3F3B（ミスセンス変異：K36M など）
軟骨粘液線維腫	COL12A1/TBL1XR1/MEF2A/BCLAF1-GRM1（融合遺伝子）
Langerhans 細胞組織球症	BRAF（ミスセンス変異：V600E など），MAP2K1（ミスセンス変異）

*ETS：E26 transformation-specific family 転写因子

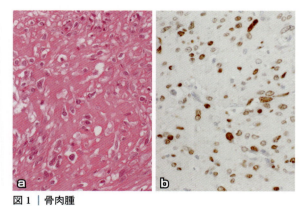

図 1 | 骨肉腫
類骨を思わせる好酸性基質を背景に上皮様異型細胞がみられ（a），SATB2 の発現を核内に認める（b）．

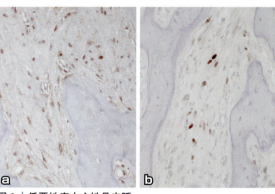

図 2 | 低悪性度中心性骨肉腫
腫瘍細胞に CDK4（a）と MDM2（b）の発現を認める．

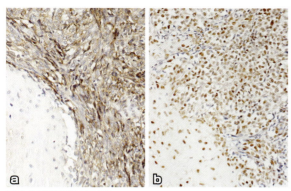

図3 | 間葉性軟骨肉腫
腫瘍細胞にCD99（a）とSOX9（b）の発現を認める．

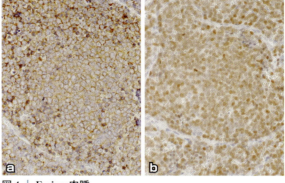

図4 | Ewing肉腫
腫瘍細胞の細胞膜にCD99（a），核内にNKX2.2（b）の発現がみられる．

型度の骨肉腫においてこれらのマーカーの発現が認められた場合は，低悪性度骨肉腫が脱分化した病変である可能性が考慮される[7]．

2．軟骨形成性腫瘍

軟骨への分化を示すマーカーとして従来使用されてきたものに，S-100蛋白やcollagen type IIがあるが，残念ながらこれらの軟骨形成性腫瘍に対する特異性や感度は芳しくないのが現状である．近年それらに優るマーカーとして利用されているのがSOX9である．軟骨分化に必須の転写因子の一つであり，核内にその発現が認められ，軟骨芽細胞腫や軟骨粘液線維腫，軟骨肉腫（亜型を含む）などの軟骨形成性腫瘍が高頻度に陽性となる[8]（図3）．なお，軟骨芽細胞型骨肉腫をはじめ他の骨肉腫の亜型でも陽性となりうるため，骨肉腫との鑑別における有用性は乏しい．さらに軟骨分化や成長に関与する蛋白としてcollagen type XIやaggrecanなどもあるが，これらの診断学的応用については実績に乏しく今後の検討が待たれる．

内軟骨腫や骨膜性軟骨腫，軟骨肉腫（脱分化型を含む）における代表的な遺伝子異常として知られているものに，*IDH1*や*IDH2*遺伝子の点突然変異がある．とくに多発性内軟骨腫症（Ollier病，Maffucci症候群）や内軟骨腫を母地として生じた二次性の軟骨肉腫では，それらの検出される頻度が80％以上と高い[9]．*IDH1*・*IDH2*遺伝子の産物は解糖系におけるイソクエン酸の酸化的脱炭酸反応を触媒する酵素であり，変異の結果，細胞内にδ-2-hydroxyglutarate

の異常な蓄積が生じることにより腫瘍化が誘導されると考えられている．軟骨芽細胞腫や軟骨芽細胞型骨肉腫などの他の軟骨形成性骨腫瘍には同種の遺伝子異常はみられないため，それらとの鑑別に有用とされる．また，間葉性軟骨肉腫や，*EXT1*や*EXT2*遺伝子の点突然変異を有することで知られる骨軟骨腫，それから二次的に生じた末梢性軟骨肉腫においても*IDH1*・*IDH2*遺伝子変異は認められない．

3．小円形細胞腫瘍

骨に生じる小円形細胞腫瘍には，Ewing肉腫をはじめ小細胞型骨肉腫，Ewing肉腫類似の小細胞肉腫，悪性リンパ腫，形質細胞性骨髄腫，小細胞癌の骨転移などの多彩な疾患があり，それらの鑑別においては免疫染色が必須である．

Ewing肉腫については，CD99が今日最も頻用されているマーカーであるが（図4a），感度は高いものの特異性に欠いており，たとえば小細胞型骨肉腫や間葉性軟骨肉腫でもしばしば陽性となる．診断においてはCD99の陽性所見とともに染色性の厳密な評価（Ewing肉腫ではびまん性かつ均一に染色される）を行う一方，他の分化マーカーを適宜組み合わせた抗体パネルを用いて他の腫瘍を除外する必要がある．なお，Ewing肉腫で陽性となりうるCD99以外のマーカーとしては，CD56やsynaptophysinなどの神経内分泌マーカー，FLI1，ERGなどがある．しかし，これらが陰性となるEwing肉腫もまれならず経験される上に，ときにはcytokeratinやdesminが部分的に陽性となることもあるため注意が必要である．

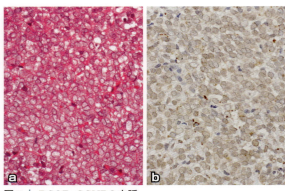

図5｜BCOR-CCNB3肉腫
ほぼ均一な小型の類円形細胞の増殖からなり(a)，免疫染色にてCCNB3(b)の発現を認める．

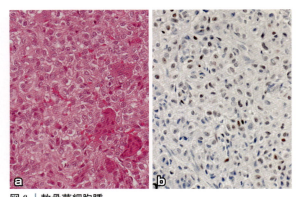

図6｜軟骨芽細胞腫
破骨細胞型多核巨細胞を伴って核にくびれや溝を有する単核の腫瘍細胞の増殖がみられる(a)．腫瘍細胞の核には変異型ヒストンH3.3B(H3F3B K36M)の陽性像が認められる(b)．

近年 *EWSR1-FLI1* などの融合遺伝子の産物により発現が誘導される転写因子 NKX2.2 や PAX7 が見出され(図4b)，Ewing肉腫の優れた免疫組織化学マーカーであることが報告されており[10,11]，同腫瘍の可能性が考慮される場合にCD99との併用が推奨される．なお，分子病理学的検索により *EWSR1-FLI1* や *EWSR1-ERG* といった特徴的な融合遺伝子が検出されれば，Ewing肉腫の診断確定において決め手となるが，同腫瘍にはそれら以外にもまれな融合遺伝子のバリエーションが存在する上，代表的な融合遺伝子が検出されない小円形細胞肉腫の診断には難渋する場合が少なくない．

近年，骨軟部組織において形態学的にEwing肉腫に多少とも類似した小円形細胞腫瘍でありながら，Ewing肉腫での代表的な融合遺伝子を伴わない腫瘍の分子基盤が詳細に解析され，そのなかから異種の特徴的融合遺伝子(*CIC-DUX4*，*BCOR-CCNB3* など)をもつ腫瘍が見出されている(表1)．これらの腫瘍での病理診断に応用可能な免疫染色のマーカーとしては，*CIC* 遺伝子再構成肉腫ではDUX4やETV4，WT1が，*BCOR* 遺伝子異常を有する肉腫ではCCNB3やBCOR，SATB2などが挙げられるが[12](図5)，診断の確定には今もって各々に特徴的な遺伝子異常の検出によるところが大きい．

4. 破骨細胞型巨細胞に富む腫瘍

多数の破骨細胞型多核巨細胞の出現を特徴とする巨細胞性腫瘍の代表は骨巨細胞腫であるが，病理診断においては同様の巨細胞がしばしば出現する動脈瘤様骨嚢腫や軟骨芽細胞腫，骨肉腫などとの鑑別が必要となる．一般に反応性とみなされている破骨細胞型多核巨細胞は，組織球系マーカーであるCD68やcathepsin K，褐色脂肪のマーカーであるUCP1などが陽性となり，骨巨細胞腫でみられる単核細胞(いわゆる間質細胞)には前述のRUNX2やp63の発現がしばしばみられるものの，それらの診断学的価値は限られている．一方，骨巨細胞腫では単核の腫瘍細胞にヒストンH3.3をコードする *H3F3A* 遺伝子の変異が高頻度に存在し，軟骨芽細胞腫ではその同族遺伝子である *H3F3B* に変異がみられるため[13]，それらの変異遺伝子由来の蛋白に対する特異的抗体を用いた免疫染色が診断学的に応用されている(図6)．なお，動脈瘤様骨嚢腫やその関連疾患である指趾骨巨細胞性病変では，17q13に局在する *USP6* 遺伝子にしばしば再構成がみられ，16q22に位置する *CDH11* 遺伝子などとの融合を生じていることが知られており[14]，骨巨細胞腫などの他の骨腫瘍の遺伝子背景とは異なっている．

5. その他

上記以外の原発性骨腫瘍において免疫染色などの補助的診断法が有用なものには，脊索腫，Langerhans細胞組織球症，類上皮血管内皮腫，悪性リンパ腫，形質細胞性骨髄腫などが挙げられる．

脊索腫：脊索腫では従来免疫染色のマーカーとしてS-100蛋白およびcytokeratinやEMAなどの上皮性マーカーが用いられてきたが，近年は脊索への分化に関わる転写因子であるbrachyury(*T* 遺伝子産

物)がその特異的マーカーとして利用されている.

Langerhans 細胞組織球症：好酸球性肉芽腫をはじめとする Langerhans 細胞組織球症においては S-100 蛋白と CD1a がそのマーカーとして知られているが，Langerhans 細胞における Birbeck 顆粒の構成蛋白の一つである langerin も特異的マーカーとして使用することが可能である．また，本疾患では BRAF 遺伝子や MAP2K1 遺伝子の突然変異が比較的高頻度に検出され，これらの遺伝子産物の関与する mitogen-activated protein kinase(MAPK) pathway が活性化していることが報告されている．なお，変異 BRAF(V600E) の発現は免疫染色により検出が可能である [15]．

類上皮血管内皮腫：類上皮血管内皮腫において特徴的な融合遺伝子 WWTR1-CAMTA1 の存在と，それに基づいた転写因子 CAMTA1 の過剰発現が認められ，本腫瘍の診断学的マーカーとして CAMTA1 の応用が考慮される [16]（図7）．なお，同腫瘍では部分的に血管形成の明瞭なまれな亜型の存在が報告されており，それには異なる融合遺伝子 YAP1-TFE3 が認められるとされ，その場合に TFE3 がマーカーとなりうる可能性がある [17]．

悪性リンパ腫，形質細胞性骨髄腫：悪性リンパ腫や形質細胞性骨髄腫などの造血細胞腫瘍については，他の組織・臓器での発生例において診断に汎用されている各々の免疫染色用マーカーが骨発生例でも同様に使用される．

他の代表的な骨腫瘍には，類腱線維腫などの線維形成性腫瘍や良性線維性組織球腫などの線維組織球性腫瘍などもあるが，これらにおいて診断学的に有用な免疫染色用マーカーや遺伝子異常はほとんど明らかにされていない．

おわりに

骨腫瘍の病理診断に応用できる免疫染色と遺伝子診断について最近の知見を含めて記載した．他の臓器における腫瘍診断でも同様であるが，実際の診断においては，それぞれの腫瘍の臨床病理学的特徴を十分考慮した上でこれらの補助的診断法を活用すべきである．

なお，骨組織を検索する場合にはしばしば検体の脱灰操作が必要となる．マーカーによってはその操作によって染色性が影響を受ける場合も経験され，また核酸の細断片化や分解のために分子病理学的検

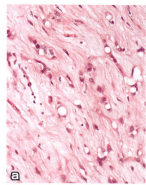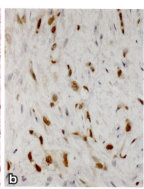

図7 | 類上皮血管内皮腫
しばしば空胞状の細胞質を有する上皮様腫瘍細胞の増殖からなり(a)，それらの核内に CAMTA1(b) の発現が認められる．

索が実施できないこともある．できるだけ適正な染色結果を得るためには，検体を採取後速やかにホルマリンに浸漬して6～48時間かけて十分固定し，ギ酸などによる脱灰を15℃前後で24時間以内に完了すべきである [18,19]．また，脱灰操作による染色性の低下や核酸の傷害を根本的に回避するためには，抗原性の保持が良好な EDTA を用いて脱灰するか，あるいは脱灰前に腫瘍内で硬組織を含まず壊死出血の乏しい部分を選んで切り出し，遺伝子を含む種々の検索専用にパラフィンブロックを別途作製するなどの配慮が求められる．

（久岡正典）

文献

1) Lam SW, van IJzendoorn DGP, Cleton-Jansen AM, et al：Molecular pathology of bone tumors. J Mol Diagn 21：171-182, 2019
2) Horvai AE, Roy R, Borys D, et al：Regulators of skeletal development：a cluster analysis of 206 bone tumors reveals diagnostically useful markers. Mod Pathol 25：1452-1461, 2012
3) Conner JR, Hornick JL：SATB2 is a novel marker of osteoblastic differentiation in bone and soft tissue tumours. Histopathology 63：36-49, 2013
4) Hosono A, Yamaguchi U, Makimoto A, et al：Utility of immunohistochemical analysis for cyclo-oxygenase 2 in the differential diagnosis of osteoblastoma and osteosarcoma. J Clin Pathol 60：410-414, 2007
5) Wan Y, Zhao W, Jiang Y, et al：β-catenin is a valuable marker for differential diagnosis of osteoblastoma and osteosarcoma. Hum Pathol 45：1459-1465, 2014
6) Fittall MW, Mifsud W, Pillary N, et al：Recurrent rearrangements of FOS and FOSB define osteoblastoma. Nat Commun 9：2150, 2018
7) Yoshida A, Ushiku T, Motoi T, et al：MDM2 and CDK4 immunohistochemical coexpression in high-grade osteosarcoma：correlation with a dedifferentiated subtype. Am J

Surg Pathol 36：423-431, 2012
8) Konishi E, Nakashima Y, Iwasa Y, et al：Immunohistochemical analysis for Sox9 reveals the cartilaginous character of chondroblastoma and chondromyxoid fibroma of the bone. Hum Pathol 41：208-213, 2010
9) Szuhai K, Cleton-Jansen AM, Hogendoorn PCW, et al：Molecular pathology and its diagnostic use in bone tumors. Cancer Genet 205：193-204, 2012
10) Shibuya R, Matsuyama A, Nakamoto M, et al：The combination of CD99 and NKX2.2, a transcriptional target of EWSR1-FLI1, is highly specific for the diagnosis of Ewing sarcoma. Virchows Arch 465：599-605, 2014
11) Charville GW, Wang WL, Ingram DR, et al：EWSR1 fusion proteins mediate PAX7 expression in Ewing sarcoma. Mod Pathol 30：1312-1320, 2017
12) Peters TL, Kumar V, Polikepahad S, et al：BCOR-CCNB3 fusions are frequent in undifferentiated sarcomas of male children. Mod Pathol 28：575-586, 2015
13) Behjati S, Tarpey PS, Presneau N, et al：Distinct H3F3A and H3F3B driver mutations define chondroblastoma and giant cell tumor of bone. Nat Genet 45：1479-1482, 2013
14) Oliveira AM, Chou MM：USP6-induced neoplasms：the biologic spectrum of aneurysmal bone cyst and nodular fasciitis. Hum Pathol 45：1-11, 2014
15) Roden AC, Hu X, Kip S, et al：BRAF V600E expression in Langerhans cell histiocytosis：clinical and immunohistochemical study on 25 pulmonary and 54 extrapulmonary cases. Am J Surg Pathol 38：548-551, 2014
16) Shibuya R, Matsuyama A, Shiba E, et al：CAMTA1 is a useful immunohistochemical marker for diagnosing epithelioid haemangioendothelioma. Histopathology 67：827-835, 2015
17) Antonescu CR, Le Loarer F, Mosquera JM, et al：Novel YAP1-TFE3 fusion defines a distinct subset of epithelioid hemangioendothelioma. Genes Chromosomes Cancer 52：775-784, 2013
18) Athanasou NA, Quinn J, Heryet A, et al：Effect of decalcification agents on immunoreactivity of cellular antigens. J Clin Pathol 40：874-878, 1987
19) Bussolati G, Leonardo E：Technical pitfalls potentially affecting diagnoses in immunohistochemistry. J Clin Pathol 61：1184-1192, 2008

第4部　臨床との連携

V. 骨肉腫の組織学的効果判定と切除縁評価

はじめに

　肉腫の根治には原発巣のコントロールが必須で，転移の制御を含めた化学療法の進歩と，新しい画像診断技術の導入による腫瘍の局在診断の精度向上が，適切な切除範囲設定と切除を可能とし，局所根治性ならびに予後の改善に大きく寄与している．化学療法の組織学的奏効性と切除縁が局所制御率に相関することが明らかで，最近では術前化学療法が奏効した症例では縮小手術が行われるようになっており，正確な切除縁評価の蓄積が今後の治療指標に必要である．

　本項では，骨肉腫を主体に使われている悪性骨腫瘍における術前治療の組織学的効果判定と，骨・軟部腫瘍の切除縁評価について解説する．

1. 骨肉腫の組織学的効果判定

　術前化学療法は多くの悪性腫瘍において有効であり，各臓器の腫瘍・癌取扱い規約で組織学的効果判定基準が定められており，骨・軟部腫瘍領域では，「整形外科・病理 悪性骨腫瘍取扱い規約 第4版」に判定基準が記載されている[1]．しかし，各臓器の基準は必ずしも統一性が保たれているわけではなく，壊死領域の程度を評価する基準，逆に残存腫瘍組織の量を主に判定する基準がみられるほか，組織変化の捉え方にも多様性がうかがわれる[2]など，十分な評価結果が得られているとは限らない．骨肉腫は術前治療の感受性が比較的高く，その効果を判定することは，薬剤選択の良否や予後の予測に非常に重要である[3~6]．また，骨病変では治療による修飾を受けたとしても，他臓器と異なって，もともと病変の存在していた範囲を推定するのが比較的容易であり，治療前後の違いを捉えやすい利点がある．

　「整形外科・病理 悪性骨腫瘍取扱い規約 第4版」の組織学的効果判定基準[1]（以下，規約基準）は，現在進められている日本臨床腫瘍研究グループ Japan Clinical Oncology Group（JCOG）の骨軟部腫瘍グループによる骨肉腫補助化学療法の臨床試験で提案された基準[5,6]（以下，JCOG基準）（表1）をもとにしている．また，がん研有明病院整形外科では，以前から細胞密度の減少に着目した独自の判定基準[6]（以下，CIH基準）（表2）を設け，併用している．ここでは骨肉腫の術前化学療法による組織変化や組織学的効果判定の実際について紹介する．

1）化学療法後の組織学的変化と腫瘍細胞のviability

　化学療法による病理組織学的変化は，腫瘍細胞死とその周囲の組織変化であり，細胞死はアポトーシスやネクローシスなどで説明される[2]が，さらに循環障害性の変化も加わっているものと考えられる．骨肉腫においては，未治療例でも種々の程度に出血・壊死・嚢胞化や線維黄色腫様の変化がみられ，術前治療による変化との明確な区別は困難であるが，術前治療の有無で症例を比較すると，ある程度の違いがうかがえる．腫瘍細胞の消失や種々の程度に細胞密度の減少を示し，背景の間質には融解壊死巣の黄色肉芽腫様変化，リンパ球・組織球浸潤を伴う線維・血管性組織の増生などが認められる．残存腫瘍細胞には治療前より核の濃縮・空胞化・膨化・崩壊

表1 | JCOG骨軟部腫瘍グループの組織学的効果判定基準（JCOG基準）抜粋（文献5より抜粋）

- 組織学的効果判定は，治療後に切除または切断された材料の腫瘍最大割面で判定することを原則とする．
- 対象の標本について「生きている腫瘍細胞viable tumor cell」の残存割合で判定する．
- 判定の際は以下のマッピングを推奨する．

Grade 1	viable tumor cellが50％を超えるもの
Grade 2	viable tumor cellが10％を超え50％以下
Grade 3	viable tumor cellが10％以下
Grade 4	viable tumor cellを全く認めない

注1：核に核濃縮pyknosis，核崩壊karyorrhexis，核融解karyolysisのうちいずれかの所見を認める場合，non-viable cellと判定する．細胞質が好酸性，空胞変性，核の膨化を認める場合は，viable tumor cellとする．

注2：マッピングの際，化学療法により細胞密度cellularityが極端に減少し，viable tumor cellがまだらに存在する範囲については，その面積に1/10あるいは1/20を適宜乗じた値をviable tumor cellの残存する面積として，他のviable tumor cellの残存面積に加えて計算する．

表2 | がん研有明病院整形外科の組織学的効果判定基準（CIH基準）

- 有効領域：術前治療による組織変化が強くあらわれている領域．すなわち，線維・血管性組織の増生・置換や類骨の増加・成熟を伴って，腫瘍細胞密度が著しく減少（活きの良い部分の細胞密度の1/3未満を目安とする）もしくは腫瘍細胞が消失する領域．
- 無効領域（もしくは効果の乏しい領域）：上記以外の領域．

grade 0	無効，vividな腫瘍組織がかなり残存 無効領域が30％以上，有効領域が全体の70％未満
grade 1	やや有効，vividな腫瘍組織が一部に残存 無効領域が10％以上，30％未満，有効領域が70～90％
grade 2	かなりの有効，vividな腫瘍組織がごく一部に残存 無効領域が10％未満，有効領域が90％以上
grade 3	著効，vividな腫瘍組織を認めない すべてが有効領域で，腫瘍細胞の消失を含む

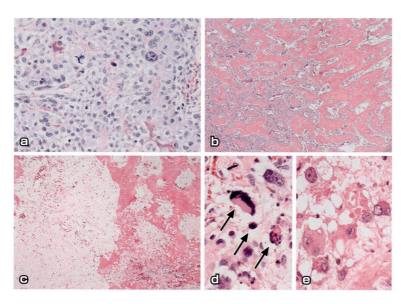

図1 | 骨芽細胞型骨肉腫の生検および化学療法後の組織像

化学療法前の生検（a）に比べ，化学療法後（b〜e）は種々の程度に細胞密度が減少し，類骨の肥厚・成熟（b, c）や，疎な線維・血管性組織による置換（c）を伴っている．大型・多形細胞がより目立ち（d, e），核濃縮・崩壊を示すnon-viable cell（d：矢印）も混在している．JCOG基準/規約基準では，細胞質の膨化や顆粒状変化がみられても，核構造が残っていればviable tumor cell（d, e）とみなされる．

や巨核化・多形化が，細胞質に膨化・空胞化・好酸性化・顆粒状〜滴状変化・融解が多くみられる．また，粗造なクロマチンと不整に腫大した核を有する大型異型・多形細胞や多核異型細胞なども出現している．さらに，基質の変化が骨肉腫に特徴的で，類骨形成の増加・顕在化，類骨の成熟・硬化像が認められる（図1, 2）．凝固壊死領域は主に循環障害による変化と考えられ，術前治療前・後ともに起こりうるが，前述した間質・基質の変化を伴って腫瘍細胞が消失する領域では，混在する既存骨梁に骨細胞の残存がみられるなど，血流の保たれていたことを示唆する所見があり，術前治療による効果領域として捉えることができる[4,6]．

変性腫瘍細胞が"viable"か"non-viable"であるか，細胞密度の減少をどのように評価するかが問題となる．細胞壊死の判断については一般的に核所見が重視されており，核の著しい膨化・濃縮，崩壊・断片化，融解，不染などがnon-viable cellとされている（図1d）．一方，細胞質・核の膨化や空胞変性，多核化，巨核化といった所見はviable tumor cellとみなされている[1,6]（図1e）．全くの壊死・消失でなくても，細胞や間質・基質の変化を伴って腫瘍細胞密

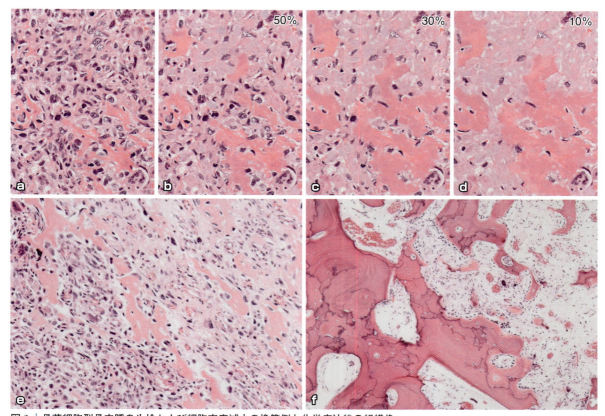

図2 | 骨芽細胞型骨肉腫の生検および細胞密度減少の換算例と化学療法後の組織像
骨芽細胞型骨肉腫の生検組織で比較的活きのよい領域（a）を画像処理して，細胞密度の減少の程度を示した．aに比べ，50％（b），30％（c），10％（d）相当の細胞数である．化学療法後の組織像（e, f）で，eの左下方は若干の細胞密度減少にとどまるが，右上方は1/3程度への減少とみなされる．fでは既存骨梁に付加された類骨が化学療法により肥厚・成熟してモザイク状を呈している．骨梁周囲を縁どりしている細胞は非腫瘍性の骨芽細胞である．大型の腫瘍細胞がごく少数散見されるのみで，aに比べて細胞密度は1/100〜1/200相当と思われ，JCOG基準/規約基準のGrade 3/4の判定以外，実際の残存領域の換算・合計にはほとんど影響しない領域である．

度が種々の程度に減少する像，viabilityの判断の困難な腫瘍細胞がわずかながら広く散在している像もみられ，判断に苦慮する場合も少なくない．

2）組織学的効果判定の実際

規約基準およびJCOG基準は，壊死範囲ではなくviableな腫瘍細胞の残存量を評価し，その範囲によって50％・10％・0％で区切られ，効果判定がGrade 1〜4の4段階に分類されている（**表1**）．第3版ではGradeの表記が0〜3であったので，データの比較の際には注意が必要である．viableな腫瘍細胞の残存割合の判定に際し，腫瘍細胞のviability（変性・壊死）の判断基準や，細胞密度の減少に対する評価についても配慮され，明確に定義されている[1]．CIH基準（**表2**）は，規約基準と同様にviableな腫瘍細胞の残存範囲によるが，細胞密度の変化を換算するのではなく，その減少の程度によって効果領域と非効果領域に分け，細胞密度の減少した領域を評価に加えている．また，未治療でも半分程度の壊死を示している症例もあることから，50％近い残存率は必ずしも治療の有効性を示唆しているとは限らないと考え，CIH基準ではgrade 0とgrade 1を30％で区切っている点，grade 3に腫瘍細胞残存例が含まれる点が異なっている．したがって，判定に際しviabilityの判断が難しい腫瘍細胞の存在に左右されないので，個々の細胞変化の判断基準は設定されていない[6]．

それぞれの基準において，実際の判定のイメージを模式図として**図3**に示した．規約基準には，マッピングの際，術前治療により細胞密度が減少しvia-

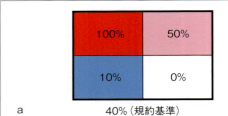

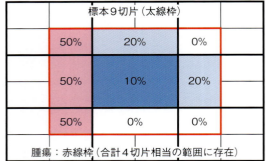

図3｜組織学的判定のイメージ：規約基準（a, b）および CIH 基準（c）

a：黒太線枠が標本1切片に相当し，領域により腫瘍細胞残存割合が異なるので，この切片では40％の残存と換算される．b：標本9切片で，赤線枠が腫瘍の進展範囲とし，合計4切片に相当する．それぞれの切片で腫瘍細胞残存割合と面積を合わせて計算すると，この症例では20％の残存で，規約基準 Grade 1 と評価される．c：各枠が1切片に相当し，腫瘍が20切片で，各切片での腫瘍残存割合である．CIH 基準では細胞密度の低下の程度によって青線枠が非有効・無効領域，残りの16切片が有効領域と判断され，残存領域は20％，grade 1 との評価となる．ちなみに規約基準で計算すると18％である．

ble tumor cell がまだらに存在する範囲については，その面積に 1/10 あるいは 1/20 を適宜乗じた値を viable tumor cell の残存する面積として，他の viable tumor cell の残存面積に加えて計算する[1] とあるが，細胞密度減少の程度は，生検組織の活きのよい領域もしくは切除材料で viable tumor cell が最もよく残っ

ている領域の細胞密度を参考にして換算する（図2）．図3a では太線枠が標本1切片に相当するとして，領域により腫瘍細胞残存割合が異なるので，この切片では40％の残存と換算される．腫瘍の含まれる標本ごとに換算し，残存面積を加えて計算していく．図3b では標本9切片で，赤線枠が腫瘍の進展範囲で，合計4切片に相当するが，それぞれの切片で腫瘍細胞残存割合と面積を合わせて計算すると，この症例では20％の残存となり，規約基準 Grade 1 と評価される．図3c は CIH 基準における評価である．各枠が腫瘍の含まれる標本1切片とし，腫瘍が20切片で，各切片での腫瘍残存割合が記載されている．細胞密度の低下の程度によって青線枠が非有効・無効領域，残りの16切片を有効領域と判断して，残存領域は20％，CIH 基準 grade 1 と評価される．ちなみに規約基準で計算すると18％となる．

a）評価材料について

評価は，切除または切断された材料について病巣の中央を通る最大割面全体を標本にして判定することを基本としている[1]．切除した骨を処理骨として再建に用いた場合には，同様の方法での効果判定は不可能である．そのような場合や実際に判定する際に問題となる点については，どのように評価する標本を作製するか，臨床試験ごとや施設において事前に取り決めておく必要がある．JCOG 骨軟部腫瘍グループの病理診断中央判定会議でも，標本の信頼度や評価する際の細則を決めている[6]．標本の状態が評価の信頼度に関わるので，腫瘍の最大割面か否か，掻爬材料などに分け，信頼度の段階づけを行っている．切除材料を処理骨として使用する場合について，処理前に骨より切離・採取した骨外病変や，骨内病変のサンプリング，標本作製方法について定められているが，化学療法後には骨皮質〜骨外領域で腫瘍残存の多い傾向があり[6]，標本作製した部位・量によって，判定が過大もしくは過小に評価される可能性がある点に注意しなければならない．また，もともと広範囲で細胞密度の低い硬化型骨肉腫症例や過脱灰標本などでも，減少の程度の判断が難しくなると思われる．

b）組織学的効果判定と予後について

化学療法のみを施行した M0 の骨肉腫症例を用いて判定を行ってみると，細胞密度減少を評価に加える妥当性が確認された[6]．規約旧基準（第3版）において細胞密度減少を考慮せずに評価・判定すると，有意差が得られず，治療後にもかかわらず半数以上

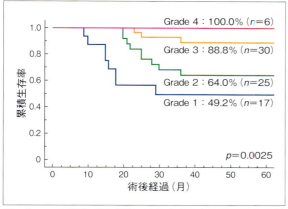

図4 | JCOG基準/規約基準による生存率（Kaplan-Meier法）

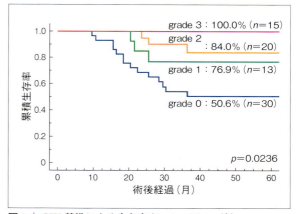

図5 | CIH基準による生存率（Kaplan-Meier法）

がGrade 0，無効の評価にとどまり，実際の効果や予後が十分反映されていないものであった．判定医によって評価に大きな較差が見受けられ，再現性に問題のあったことがうかがえる[2,6]．第4版の規約基準（図4）やCIH基準（図5）では，ともに細胞密度減少について考慮されており，予後との相関がより明瞭で，実際の治療効果を反映しているものと思われる．各grade の設定が異なるため，CIH基準ではgrade 0およびgrade 3と判定される症例が規約基準よりもやや多く，grade 1以上で治療効果があることがうかがえるが，規約基準ではGrade 1・2とGrade 3・4に二極化する傾向がある．それぞれのgrade 2・3およびGrade 3・4に分類された症例の合計数，予後はほぼ同様の結果であった．規約基準では腫瘍細胞のviable/non-viableの定義があり，Grade 3・4の判定はそれほど苦慮せずに行える．CIH基準では，細胞密度減少の程度の捉え方に若干の煩雑さがあるものの，viable cellの残存する症例も含まれるgrade 3の生存率については規約基準と同様に5年生存率100％で，切除を前提とした場合，少数の腫瘍細胞が残存していても予後に影響しないことが示唆される．判定をどのように解釈して治療や予後の判断に結びつけるかで，両基準の有用性が異なるものと考えられる．

2．切除縁評価

化学療法による予後の改善や術後の患肢機能を比較，評価するためには，手術により局所制御が達成されていることが前提となる．そのためには，より

よい手術計画につながる切除縁評価・データの蓄積が必要である．わが国では世界でも類をみない切除縁評価法が日本整形外科学会骨・軟部腫瘍委員会[7]および骨軟部肉腫手術手技研究会によって確立されており，安全な切除縁・手術法について詳細な解析がなされてきた[8,9]．原則として肉眼的に腫瘍（およびその反応層）からの最短距離（cmで計測）が最も再発性を規定する因子として評価されるが，この切除縁評価法の特徴的な点は，距離の評価にbarrierの概念を導入し，1cmごとの段階的な切除縁分類をしたことである．ここでは，従来の評価法に加え，30年以上にわたって蓄積，経過観察された膨大な症例のデータ解析によって得られた新しい評価法と安全な切除縁の考え方を紹介する．

1）従来の切除縁評価法と問題点

切除縁評価法では，腫瘍から切除縁までの距離とそこに介在するbarrierで評価する．"barrier"とは切除縁を構成する組織の質に注目した概念で，腫瘍と切除ラインとの間に介在する筋膜，腱，靱帯，骨膜，血管・神経鞘，軟骨などの解剖学的コンパートメントを境する構造であり，腫瘍進展に対する抵抗性（局所制御性）を有すると考えられている．そのbarrier構造に由来する再発抵抗性を経験上等価と思われる「距離」に換算することで，全体を一元的に距離として評価している[1,7~9]．したがって，標本観察により得られる最短距離として表現された切除縁には，barrierが介在することにより「換算された距離」と，直接「計測された距離」が混在することになる．換算される距離は仮定として定められており，評価

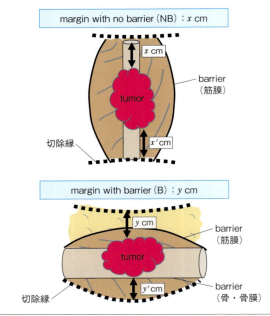

図6｜新しい切除縁評価法（案）
太い点線が切除縁．（文献13より改変）

法がやや煩雑であるが，換算された切除縁を含む距離（cm）と局所制御率は十分に相関し，その有用性が示されている[8,9]．また，この理論をもとにした手術計画の立案がなされ，局所制御率の改善や，安全な縮小手術の根拠となるデータ蓄積に大きく寄与している[10〜12]．

一方で，実際に使ってみるとbarrierの換算スコアが煩雑であることに加え，スコアの数値が経験則に基づいており，距離に換算することの科学的根拠が証明されていないことが弱点とされている．高悪性度軟部肉腫，非再発症例を対象とした検証では，barrierは腫瘍の局所再発に対して制御性を有するという概念は正しいものの，それを距離に換算してbarrierの介在しない切除縁の距離と同等に扱うことの十分な妥当性は得られていない[10,13,14]．

従来の評価法の詳細は，本腫瘍病理鑑別診断アトラスシリーズ『悪性軟部腫瘍 改訂・改題第2版』第4部-Ⅵ「軟部肉腫の組織学的治療効果判定と切除縁評価」の項を参照されたい．

2）解析によって得られた新しい評価法（案）と安全な切除縁

下記の新しい評価法（案）は，従来の評価法をもとにbarrierの局所制御性と1 cmの精度で評価することの実用性を継承しつつ，根拠に基づいたより簡便な評価となっている．barrier介在の有無は評価に加えるものの，距離への換算はせず，次のような手順で行われる[13,14]．

①ホルマリン固定後，切除標本の長軸方向，短軸方向における少なくとも2つの代表的割面を作製する．術者の考える最小切除縁がこの割面に入っていなければ，適宜割面を追加する．これらの割面における腫瘍または反応層からの最短距離を検索して，「cm」単位で計測する．

②切除縁はbarrierの有無により分類し，その双方を併記する．すなわち，barrierの介在しない切除縁NBタイプ（NB）：x cmと，介在する切除縁Bタイプ（B）：y cmの両方を表記する．

③Bに分類された切除縁では，barrierと腫瘍の癒着の有無をintactまたはcontaminatedでさらに分類してそれぞれB(i)，B(c)で表記する．

④よって切除縁評価は3つのカテゴリーで表記される．すなわち，NB：x cm，B(c)：y cm，B(i)：y cmとなる．ただし，同じ距離であれば理論的にNB＜B(c)＜B(i)と局所制御能の優劣が決定できることにより，明らかに局所制御性が高いカテゴリーは省略して表記する．

したがって，切除縁評価はbarrierの種類に関係なく，その有無と腫瘍との関係，実際の距離によってなされる（図6）．この評価法は，数字が換算された値ではなくすべて実測された距離であること，NB・B(c)・B(i)の表記が記述的で理解しやすいことが利点で，他臓器の腫瘍と同様の感覚ですぐに切除縁評価が可能と思われる（図7）．また，これらのデータの蓄積は各タイプの切除縁の安全な距離を明らかにし，手術計画を立てる際や手技の根治性について詳細かつわかりやすい情報を与えてくれる表記法でもある．さらに，従来の切除縁評価法によって得られたデータも容易に置き換えることが可能であ

V．骨肉腫の組織学的効果判定と切除縁評価　249

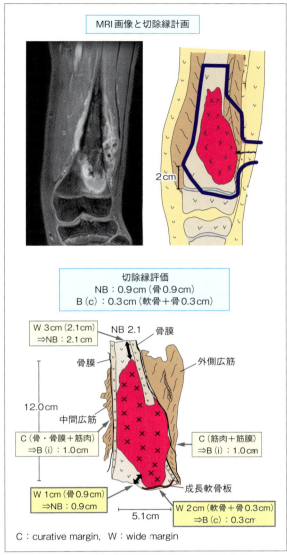

図7｜切除縁評価の実際
従来法と新しい切除縁評価法（案）の比較．

表3｜切除縁分類と統計学的局所制御率

計測距離		barrier 評価		
		NB	B(c)	B(i)
高悪性度骨腫瘍*	0cm	54%	94%	96%
	1cm	93%	98%	95%
	2cm	100%	100%	100%
高悪性度軟部腫瘍	0cm	57%	86%	90%
	1cm	71%	92%	95%
	2cm	94%	100%	92%

赤字：安全な切除縁．
*症例の97%で補助療法施行．

表4｜腫瘍別の安全な切除縁（90%）一覧（文献13, 14より改変）

		切除縁分類		
		NB	B(c)	B(i)
骨腫瘍	高悪性度*	1cm	0.1cm	0.1cm
	低悪性度	1cm	1cm	0.1cm
軟部腫瘍	高悪性度	2cm	1cm	1cm
	低悪性度	1cm	0.1cm	0.1cm

*症例の97%で補助療法施行．

　従来の評価法より簡便となっているが，これまでに蓄積された切除縁評価と再発の記録をまとめたデータを用いた検討で，その妥当性，有用性が確認されている[13,14]．初回手術例の骨・軟部肉腫を用いたNB，B(c)，B(i)の3タイプの切除縁の統計学的局所制御率から，距離とbarrierが局所制御に寄与していることが明らかである（表3）．ただし，高悪性度骨腫瘍の場合，その大部分が術前補助療法を行っている影響もあり，距離と局所制御の関係がうかがえるものの，B(c)とB(i)との間に高悪性度軟部腫瘍ほどの差は得られていない．局所制御率90%以上を確保できる距離を安全な切除縁とすると，高悪性度骨腫瘍の場合，barrierのない部分では1cm以上，barrierの介在する部分では腫瘍とbarrierの癒着の有無にかかわりなく0.1cm（barrierのみ）以上となるが，補助療法を前提とした場合の切除縁設定とみなされる．高悪性度軟部腫瘍では，barrierのない部分では2cm以上，barrierの介在する部分では腫瘍とbarrierの癒着の有無にかかわりなく1cm以上の確保が必要とされ，術前補助療法を行わない高悪性度骨腫瘍の切除縁設定の参考になるものと思われる．同様に，低悪性度軟部腫瘍，低悪性度骨腫瘍についても解析され，術前の安全な切除縁設定の計画に用いられている[13,14]（表4）．ただし，以上は熟練した術者・専門施設での最小切除縁であること，そして肉眼的評価に基づくことに注意が必要である．

　病理学的には，肉眼評価された割面全体を組織学的に検索することが望ましい．肉眼評価によって得られた切除縁と腫瘍の関係を確認し，組織学的評価を加えることは，術後の再発予測において重要である．通常，悪性骨腫瘍では粘液線維肉腫に代表される浸潤型軟部肉腫のような高度の浸潤性発育を示すことはないが，肉眼的範囲やbarrierを越えた浸潤を

示す場合，浸潤範囲の確定には丹念な病理組織学的観察が必要である．

おわりに

「整形外科・病理 悪性骨腫瘍取扱い規約 第4版」の組織学的効果判定基準と，術前化学療法を行った骨肉腫における組織変化および効果判定の実際について紹介した．腫瘍細胞の消失のみならず，細胞密度の減少や間質・基質の変化，変性腫瘍細胞の形態などを十分に考慮して判定することが重要で，細胞密度の減少も評価することが有意な判定につながるものと考えられる．

切除縁評価については，「整形外科・病理 悪性骨腫瘍取扱い規約 第4版」に従来の評価法が掲載されており，新しい肉眼的切除縁評価法は"案"の段階である．従来の評価法を用いつつも，新しい評価法への換算は容易であり，より簡便・有用な評価法への移行も必要である．また，画像診断・評価や薬物療法の進歩，切除技術やコンピュータ支援下ナビゲーション技術の導入による切除精度の向上により，縮小手術の方向に進んでいる．さらに細かな精度での切除縁評価が必要になり，切り出し・標本作製の正確性や組織学的評価の重要性が増していくと考えられる．

（蛭田啓之，阿江啓介，中山隆之，山下享子）

文献

1) 日本整形外科学会，日本病理学会編：整形外科・病理 悪性骨腫瘍取扱い規約，第4版，金原出版，2015
2) 落合淳志：癌の治療効果と病理組織診断．各種治療後の病理組織診断（総論）．病理と臨床 26：440-446, 2008
3) Ayala AG, Raymond AK, Jaffe N：The pathologist's role in the diagnosis and treatment of osteosarcoma in children. Hum Pathol 15：258-266, 1984
4) Picci P, Bacci G, Campanaci M, et al：Histologic evaluation of necrosis in osteosarcoma induced by chemotherapy. Regional mapping of viable and nonviable tumor. Cancer 56：1515-1521, 1985
5) 平賀博明，野島孝之，小田義直，他：日本臨床腫瘍研究グループ 骨軟部腫瘍グループ JCOG0905 資料，2008
6) 蛭田啓之，町並陸生，神田浩明，他：骨肉腫の術前化学療法組織学的効果判定と問題点．日本整形外科學會雜誌 84：1120-1125, 2010
7) 日本整形外科学会骨・軟部腫瘍委員会編：骨・軟部肉腫切除縁評価法，金原出版，1989
8) Kawaguchi N, Matsumoto S, Manabe J：New method of evaluating the surgical margin and safety margin for musculoskeletal sarcoma, analysed on the basis of 457 surgical cases. J Cancer Res Clin Oncol 121：555-563, 1995
9) Kawaguchi N, Ahmed AR, Matsumoto S, et al：The concept of curative margin in surgery for bone and soft tissue sarcoma. Clin Orthop Relat Res (419)：165-172, 2004
10) 阿江啓介，松本誠一，下地 尚，他：切除縁評価法の改正にむけて―バリア概念の検証．日本整形外科學會雜誌 88：567-574, 2014
11) Matsumoto S (ed)：Modern Surgical Challenges for Musculoskeletal Sarcoma, Proceeding from 26th Annual Meeting of Surgical Treatment for Musculoskeletal Sarcoma, Vol 19, 2017
12) 松本誠一，阿江啓介：サルコーマの疫学と治療法の原則．臨床外科 80：301-307, 2018
13) 阿江啓介，松本誠一：肉腫外科治療の最前線：切除縁―ユニークな切除縁評価法と，根拠に基づく安全な手術計画．医学のあゆみ 254：285-290, 2015
14) 阿江啓介，松本誠一：新しい切除縁評価とその概念．Bone Joint Nerve 7：459-468, 2017

第4部 臨床との連携

VI. 病理診断報告書の記載

はじめに

　病理診断報告書は患者の治療方針，予後を決定する重要な文書であり，必要十分な情報を的確かつ慎重に記載する必要がある．骨腫瘍の診断において重要なのは，いうまでもなくJaffe's triangle（quadrangle）（図1）に則り，臨床情報，画像所見を併せて総合的に判断することである．骨腫瘍から採取された検体は脱灰操作を経る可能性が高く，軟部腫瘍ほど遺伝子変異検索やFISH法などによる補助的診断が行われる機会には恵まれないが，少しずつ明らかとなっている遺伝子変異・染色体転座などの結果があれば，上記と併せて判断する必要が出てくる．

　骨腫瘍の経験豊富な施設であれば，臨床側からみた問題点，疑問点に対して病理医との連携がスムーズに行われるものと推測されるが，骨腫瘍の提出頻度が比較的まれな施設では，病理医が報告書を書く前に上記の情報を集め総合的に判断する習慣をつけねばならない．病理医のみが組織所見のみで評価することにより，大きな誤診につながる可能性も否めない．観察される病理組織学的所見に臨床診断との乖離がある場合，あるいは腫瘍辺縁が採取された可能性や，当該臨床診断以外のさまざまな疾患に非特異的に出現する所見しか得られなかった場合，とくに臨床医との密な連携が必要である．

　病理診断報告書に記載する所見（コメント）は腫瘍性疾患，非腫瘍性疾患，生検，切除生検，手術材料によって異なる．本項では骨腫瘍の病理診断報告書に必要な内容と注意点について具体的に解説する．

1. 病理診断報告書の構成[1~3]

　報告書は，①患者情報（ID，氏名，生年月日，病理番号，採取日時，依頼科，採取部位など），②病理診断，③病理所見（コメント）から構成される．また，必要に応じて依頼書のコピー，検体の肉眼写真，切り出し図，病変分布を示す図（マッピング）や特殊検査の結果が添付される．近年は病理診断報告書作成のためのソフトを導入し，病理診断報告書自体も電子化し，電子カルテに連動している施設も多い．

2. 病理診断

　病理診断として，①検体の種類，②採取方法，③病理診断が記載される．多くの施設で診断名（疾患名）は英語で記載されるが，所見は日本語で記載されることが多い．診断名が英語で記載される理由として，入力した診断名がICDコード化，登録されやすいという点が挙げられるが，臨床医，病理医ともに診断名は日常的に英語を用いることが多いのも，その理由と考えられる．

　1つの臓器ないし検体で複数の病変が存在する場合は，重要なものだけが記載されることが多いが，副次的な診断名も含めて列記されることがある（表1）．たとえば，骨腫瘍が主診断であっても，腫瘍が再発で，前回切除された部位に関連するとみられる炎症性肉芽組織を伴っている場合，臨床的に非腫瘍性病変が腫瘍と鑑別がつかなかった場合，あるいは同時に重篤な感染症による所見（膿瘍など）を合併している場合などには，それらを列記したほうがよい

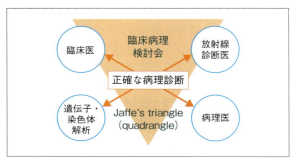

図1 | Jaffe's triangle (quadrangle)
"Jaffe's triangle"とは1958年にJaffeが著した教科書の冒頭に出てくる表現で，整形外科医-病理医-放射線診断医の三者が共同して骨腫瘍の診断・治療を行わなければならないという考え方である．上記に加え，遺伝子・染色体検査も併せて集学的に判断する"quadrangle"も用いられる．

表1 | 病理診断の記載例

Bone and soft tissue, right chest wall, excision：
臓器（骨・軟部組織），部位（右胸壁），採取方法（切除）
 - Chondrosarcoma, grade 2, see comment.
  最も重要な組織診断（軟骨肉腫）
 - Inflammatory granulation tissue.
  副次的な組織診断（炎症性肉芽組織）

と考えられる．また，特定の組織診断名ではなく，描写的所見（記述的診断 descriptive diagnosis）が記載される場合がある．その場合，とくに微小な生検検体においては「病理所見（コメント）」に，確定診断に至らなかった理由や鑑別診断を列挙する必要性が生じる．骨腫瘍を疑った生検の場合，可及的速やかな診断が診療科より求められるが，一方で，すべての患者について，病理組織診断の際は整形外科などの診療科や放射線診療科との集学的チーム医療が推奨されている．したがって，大きな腫瘍の一部のみが採取された生検検体では，診断に遅れが生じる可能性も否めない[4]．

3．病理所見（コメント）

所見は，①提出された検体の種類，採取部位，個数，②肉眼所見，③組織所見とその解釈，④診断に至った根拠，⑤患者の治療に関わるコメント（悪性度や予後の評価など）から構成される．

生検診断と手術検体の場合とでは，コメントの内容に違いがある．とくに悪性腫瘍の症例では，生検が腫瘍の診断と組織型の確定に主眼が置かれるのに

表2 | 病理診断所見の例

【提出検体】
　第3，4，5肋骨，胸骨を含む右胸壁腫瘍摘出検体．150×130mm大．一部に皮膚が付着しています．
【切り出し】
　検体中央部については表皮に垂直に14分割して検討．胸骨，およびこれと接する体軸正中側の腫瘍辺縁部については，検体中央部の割線に垂直に各々9分割，7分割して検討．右の末梢側の腫瘍辺縁部については肋骨に平行に5分割して検討．また，骨を含む検体であるため，全体に脱灰操作を施行しましたが，あらかじめ一部をブロック化して標本1としました．胸骨（標本2～10），腫瘍本体（11～29）．
【肉眼所見】
　割面には，比較的境界明瞭な130×100×70mm大の乳白色，分葉状の結節性病変を認めます．第4肋骨については腫瘍内で途絶しており，腫瘍が骨破壊性に増殖していることがわかります．割面で確認できる範囲においては，肉眼上切除縁や剝離面に明らかな腫瘍の露出は認められません．
【組織所見】
　胸壁腫瘍は肉眼領域にほぼ一致して認められます．腫瘍は，好塩基性の軟骨様基質，粘液基質を背景に，単核もしくは二核の円形～類円形の核と好酸性の細胞質を有する軟骨様細胞の増殖からなります．軟骨内骨化も確認できます．軟骨様細胞に著しい核の多形性や核分裂像は目立ちませんが，二核細胞が散見され，細胞の大小不同，細胞密度の疎密を伴います．一部に壊死も確認できます．chondrosarcomaを考える像です．
　腫瘍は分葉状の増殖を示し，合併切除された真皮深層にも浸潤しています．第4肋骨には破壊性に，第3，5肋骨および胸骨においては骨梁間を這って骨髄を置換するように浸潤しています．
　標本19，25に対してdeeper sectionを作製したところ，標本19（検体頭側の軟部組織）において熱変性を受けた粘液基質，異型細胞を認めます．標本作製時のコンタミネーションの可能性もありますが，異型細胞に焼灼変性を認めるため，頭側軟部組織切除縁陽性の可能性を否定できません．
　標本25（検体右側の骨）についてはdeeper sectionを作製しても（切片の凹凸が影響しているものと推察され）骨髄組織が断片化し，全面が出ないため正確な評価が困難です．観察可能な範囲では明らかな切除縁への腫瘍の露出は確認できないと判断しますが，切除縁至近まで腫瘍浸潤はみられます．

対し，切除材料では腫瘍の組織型のみならず，解剖学的指標に基づく腫瘍の広がり（病理学的病期），脈管侵襲の有無，切除縁の状態，化学療法効果などが記載される（**表2**）．さらに，できれば治療・予後などの臨床的観点についても触れ，有用な参考文献があれば記載する[2]．合併切除された臓器，組織との関係が図示できる場合には，割面の写真を添付する（**図2**）．

1）組織型

HE染色による形態学的所見に加え，特殊染色あ

るいは免疫組織化学染色 immunohistochemical（IHC）staining を行い，組織型，悪性度評価の一助とする場合も生じる．骨腫瘍における IHC については Ⅳ「免疫染色と遺伝子診断」に詳述されており，そちらも併せて参照されたい．とくに転移性腫瘍との鑑別が問題となる場合には IHC が有用であることも多い．近年では脱灰液による抗原抗体反応への影響も最小限に抑えられているが，長時間の脱灰が必要な検体については，脱灰の必要がない軟らかい腫瘍部のみをあらかじめ IHC 用に取り分ける作業が必要である．このような努力をした上で得た診断に有用な IHC の結果を記載し，診断の根拠を要領よくまとめる．

確定診断に至るまで上記の補助的診断が必要な場合の第一報や，検体量などの問題や腫瘍の分化の方向性が特定できず確定診断に至らない場合でも，当面の治療方針の決定に参考となりうる所見（良・悪性の別，原発性・転移性の別，高悪性度・低悪性度の別，小細胞性腫瘍・紡錘形細胞腫瘍・多形細胞腫瘍の別など）を記載し報告する[2]．

骨腫瘍は病理診断のなかでも専門性が高い領域と認識されており，判断の難しい症例では専門家へのコンサルテーションが必要となることも多い．ただし，コンサルタントの意見はあくまで参考資料の一つであり，最終的な判断は主治医と担当病理医が集学的に行わなければならない[2]．場合によっては複数のコンサルタントに意見を求める場合も生じるが，コンサルタント間の意見が分かれることもあり，最終的には主治医と担当病理医が協力して判断していくこととなる．

2）grading（悪性度）

骨腫瘍は良性 benign，中間群（局所侵襲性）intermediate（locally aggressive），中間群（低頻度転移性）intermediate（rarely metastasizing）と悪性 malignant の4つに分類されているが，WHO 分類第5版（2020年）では骨悪性腫瘍の grade を 1（低悪性度 low-grade），2（中間悪性度 intermediate-grade），3（高悪性度 high-grade）に分類し，さらに "variable grading" として個別に判断すべき腫瘍が列記されている[4,5]（**表3**）．軟部腫瘍の grading に用いられる Fédération Nationale des Centres de Lutte Contre le Cancer（FNCLCC）grading system は，骨腫瘍において有用であるとの評価はなされていない[4]．骨悪性腫瘍においては，組織学的亜型がしばしば臨床経過を決定しうる．たとえば Ewing 肉腫 Ewing sarcoma

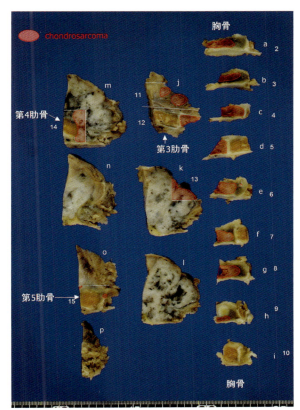

図2｜腫瘍割面と周囲との関係
病理診断報告書とともに診断ソフトの画像編集機能を用い，腫瘍と周囲組織との関係をマッピングしたもの．本件では，切り出し図の一部に腫瘍の広がりと切除された肋骨との関係がわかるようにマークしている（すべての腫瘍を切り出していないため，マッピングは適宜でよい）．

や間葉性軟骨肉腫 mesenchymal chondrosarcoma，脱分化型軟骨肉腫 dedifferentiated chondrosarcoma は常に高悪性度と考えられ，淡明細胞型軟骨肉腫 clear cell chondrosarcoma や傍骨性骨肉腫 parosteal osteosarcoma は低悪性度と判断される（**表3**）．上記の分類には例外があり，"variable grading" として評価すべきものには，通常型軟骨肉腫 conventional chondrosarcoma や骨平滑筋肉腫 leiomyosarcoma of bone などが挙げられている．通常型軟骨肉腫の grading には Evans らの分類[5]が広く用いられている．アダマンチノーマ adamantinoma や通常型脊索腫 conventional chordoma は悪性腫瘍であるが，grading はしない．

「整形外科・病理 悪性骨腫瘍取扱い規約 第4版」では，よりわかりやすく高分化，中分化，低分化の3分類として grade 1〜3 とし，発生母地が不明なほ

表3 | 骨悪性腫瘍のgrading（文献4，5より）

grade 1 (low-grade)	Low-grade central osteosarcoma Parosteal osteosarcoma Clear cell chondrosarcoma
grade 2 (intermediate-grade)	Periosteal osteosarcoma
grade 3 (high-grade)	Osteosarcoma (conventional, telangiectatic, small cell, secondary, high-grade surface) Undifferentiated pleomorphic sarcoma Ewing sarcoma Dedifferentiated chondrosarcoma Mesenchymal chondrosarcoma Dedifferentiated chordoma Poorly differentiated chordoma Angiosarcoma
variable grading	Conventional chondrosarcoma (grade 1-3 according to Evans et al [5]) Leiomyoma of bone (grade 1-3, no established grading system) Low-and High-grade malignancy may occur in giant cell tumour of bone

表4 | 悪性骨腫瘍のEnneking staging

stage	grade	site	metastases
ⅠA	low	intracompartmental	−
ⅠB	low	extracompartmental	−
ⅡA	high	intracompartmental	−
ⅡB	high	extracompartmental	−
Ⅲ	any	any	regional or distant

どに未分化な組織像をgrade 4としたAmerican Joint Committee on Cancer（AJCC）のgrading[6]が最近ではより一般的になってきているとし，TNM分類[7]にgradingを加えたTNMGによりstagingを行うAJCCの記載を悪性腫瘍取扱いの国際的な基準とし，この考え方に沿っている[2]．

一般的に悪性度が高くなるほど腫瘍の細胞密度が増加し，核縁が不整になり，核の腫大やクロマチン増量が認められる．また核分裂像の増加や壊死はgradeを評価する際に有用である．ただし，組織学的gradeは観察者間相違のため臨床的な意義が限られる[4]．

3）staging（病期）

悪性骨腫瘍のstagingは病理診断の重要な項目である．WHO分類第5版ではEnnekingらの分類が記載され（**表4**），彼らのstaging systemはMusculoskeletal Tumor Society（MSTS）によって採用されていることに言及している[4]．これはEnnekingらの分類が手術療法の決定に有用であるため，整形外科医に受け入れられていることが主な理由である．ただし現実的には，多くの腫瘍がstage ⅡBに分類され，本分類の限界が感じられる．一般的に腫瘍のstagingにおいて，病理組織学的には組織型，組織亜型，腫瘍の大きさ，連続性，grade，および局所や遠隔転移に関する記載が必要とされる．腫瘍の大きさは予後因子として重要と思われるが，Ennekingらの分類には腫瘍の大きさが含まれていない．加えて，脊椎と骨盤骨に及ぶ腫瘍についての特記がなされていないのが欠点である．

一方，AJCCとUnion for International Cancer Control（UICC）[8]により記載されたTNM staging system[7]は，2020年現在第8版であるが，腫瘍の大きさが8 cm以下とそれより大きい腫瘍で各々T1，T2に分類され，主病変と連続性のない腫瘍がある場合はT3に分類されている．また，脊椎と骨盤骨についてはT分類があり，骨盤骨においてもT分類は腫瘍の大きさ（8 cmがcut-off）と4つの領域への広がりで規定されているが，脊椎と骨盤骨の悪性骨腫瘍についてはstageがないのが現状である．

4）壊死

壊死の有無と範囲について記載する．

5）腫瘍の大きさ

腫瘍の大きさは三次元的に記載する．

6）発生部位と深達度

解剖学的発生部位および周囲組織への浸潤について記載する．

7）浸潤

近接する組織（神経，血管，リンパ管や骨など）への浸潤の有無を記載する．

8）切除縁

切除縁への波及の有無，切除縁までの距離を記載する．切除縁までの距離が1.5〜2 cmであれば，追加切除もしくは放射線療法が必要になる可能性がある．腫瘍と切除縁が筋膜や骨膜で境界されている場

合には，切除縁までの距離が短くとも適切に切除されている可能性が高いので，その旨を記載する．骨腫瘍の切除検体では，画像所見で最も危惧される切除縁（骨断端，軟部組織断端）については臨床医との連絡を密にとる必要がある．とくに軟部組織断端は大きな検体を全周性に検索することが困難な場合も多いので，検体の肉眼観察・切り出し時に問題となる箇所にマーキングしておく．病理診断報告書ではそのような検討がなされた旨も併せて記載する．

9) 治療効果

患者が術前化学療法を受けている場合には，切除標本の最大割面で「生きている腫瘍細胞 viable tumor cell」の割合を評価し，組織学的効果判定を行う．組織学的効果判定は「整形外科・病理 悪性骨腫瘍取扱い規約 第 4 版」に則り以下のように記載する[2]．

Grade 1：viable tumor cell が 50％を超えるもの
Grade 2：viable tumor cell が 10％を超え 50％以下
Grade 3：viable tumor cell が 10％以下
Grade 4：viable tumor cell を全く認めない

おわりに

骨腫瘍の病理診断報告書は実際の診断を行う前から始まっており（Jaffe's triangle（quadrangle）に則る），あらかじめ必要な処理を施して（切除縁検索の工夫，脱灰前に腫瘍を取り分けるなど），治療上必要な情報が誤解を招かずに確実に臨床医に届くように，日頃から連携を心がけておくことが肝要である．

〔三橋智子〕

文　献

1）三上芳喜：病理組織・細胞診断報告書の読み方．笹野公伸，森谷卓也，真鍋俊明編：臨床医・初期研修医のための病理検査室利用ガイド 病理検査の依頼から CPC レポートの作成まで．文光堂，2004, pp83-111
2）日本整形外科学会，日本病理学会編：整形外科・病理 悪性骨腫瘍取扱い規約．第 4 版．金原出版，2015
3）Laster S：Manual of Surgical Pathology, Churchill Livingstone, Philadelphia, 2001, pp116-128
4）WHO Classification of Tumours Editorial Board（ed）：WHO Classification of Tumours, Soft Tissue and Bone（5th ed），IARC Press, Lyon, 2020, pp340-344
5）Evans HL, Ayala AG, Romsdahl MM：Prognostic factors in chondrosarcoma of bone：a clinicopathologic analysis with emphasis on histologic grading. Cancer 40：818-831, 1977
6）Edge SB, Byrd DR, Compton CC, et al（eds）：AJCC Cancer Staging Manual（7th ed），Springer, New York, 2010
7）Brierly JD, Gospondarowicz MK, Wittekind C（eds）：TNM Classification of Malignant Tumours（8th ed），Wiley Blackwell, Oxford and Hoboken, 2017
8）UICC：Publications and Resources, updated 4 August 2020, https://www.uicc.org/resources/tnm/publications-resources（2020 年 11 月閲覧）

欧文索引

数字

2017年度全国骨腫瘍登録一覧表　6

A

adamantinoma（AD）　146, 147
adamantinoma-like Ewing sarcoma　149
aggressive osteoblastoma　61, 180
American Joint Committee on Cancer（AJCC）　254
aneurysmal bone cyst（ABC）　5, 55, 99, 100, 102, 104, 110, 132, 186, 195
aneurysmal bone cyst（ABC）様変化　51
angiosarcoma　129
APC　57
apparent diffusion coefficient（ADC）　230
atypical cartilaginous tumour（ACT）　4, 33
atypical chordoma　115
atypical notochordal cell tumour（ANCT）　114

B

bag of blood　74
basaloid pattern　147
BCOR　156
BCOR-CCNB3　205, 240
BCOR-CCNB3肉腫　155
BCOR-ITD　156
*BCOR*遺伝子異常を有する肉腫　2, 151
benign fibrous histiocytoma（BFH）　194
benign notochordal cell tumour（BNCT）　112
Birbeck顆粒　141
bizarre parosteal osteochondromatous proliferation（BPOP）　185
bone island　57, 114
brachyury　113, 216
BRAF　241
BRAF　142

brown tumour　101, 110

C

calcium pyrophosphate dihydrate crystal deposition disease　192
CAMTA1　241
CAMTA1抗体　126
cartilaginous cap　17
CD1a　141
CD99　76, 239
CDK4　82
CDK4　237
central chondrosarcoma　33
central giant cell granuloma　99
chemical shift selective（CHESS）　229
cherubism　101
chicken-wire calcification　26
chondroblastic osteosarcoma　66, 178, 188
chondroblastoma（CB）　26, 54, 109, 189, 199
chondroblastoma-like osteosarcoma　31, 67
chondroid chordoma　117
chondroma of soft tissue　173
chondromyxoid fibroma　26, 190
chondromyxoid fibroma-like osteosarcoma　67
chondrosarcoma　33, 118, 173, 185
chondrosarcoma, grade 1　4
chordoid meningioma　118
chordoid tumour　118
chordoma periphericum　119
CIC-DUX4　240
*CIC*遺伝子再構成肉腫　2, 151, 204
clear cell chondrosarcoma（CCCS）　51, 109, 114, 181, 185
Codman三角　64, 226
conventional osteosarcoma　63
CSF1　167
CT　228

D

dedifferentiated area　87
dedifferentiated chondrosarcoma（DCS）　44
dedifferentiated low-grade central osteosarcoma　82
dedifferentiated parosteal osteosarcoma　87, 184
descriptive diagnosis　252
desmoplastic fibroma　182
desmoplastic fibroma of bone　94
diffusion weighted image（DWI）　230

E

ecchordosis physaliphora sphenooccipitalis（EPSO）　114
ecchordosis physaliphora vertebralis　112
encasement　21
enchondral ossification　16
enchondroma　19, 188
endosteal erosion　21
endosteal scalloping　22
entrapment　37
eosinophilic granuloma（EG）　140
epithelioid angiosarcoma　129
epithelioid haemangioendothelioma　126
epithelioid haemangioma　122, 127
epithelioid osteoblastoma　62, 71, 181
epithelioid osteosarcoma　67
epithelioid sarcoma-like haemangioendothelioma　128
Epstein-Barr（EB）ウイルス関連腫瘍　163
ETV4　240
Ewing 肉腫（Ewing sarcoma）　50, 77, 151, 204, 206, 212, 219, 227
Ewing 肉腫様アダマンチノーマ（Ewing-like adamantinoma）　149
Ewing 様肉腫（Ewing-like sarcoma）　2, 51, 151, 204, 220
EWSR1-FLI1　76, 153
EWSR1-NFATC2 肉腫　157, 220
EWSR1-非 ETS 融合を有する円形細胞肉腫　2, 151, 206
exostosis　57
EXT1　19
EXT2　19
extra-axial chordoma　119
extraskeletal benign notochordal cell tumour（骨外性 BNCT）　114
extraskeletal myxoid chondrosarcoma　118

F

fibro-osseous lesion　79
fibroblastic osteosarcoma　66, 178
fibrocartilaginous dysplasia（FCD）　135, 190
fibrocartilaginous mesenchymoma　191
fibrosarcoma　184
fibrous dysplasia（FD）　135, 146, 183
florid reactive periostitis　181
fluid-fluid level　26
fluorodeoxyglucose（FDG）-PET　230
fluorodeoxyglucose（FDG）-PET/CT　230
FOS　59, 62, 125
FOSB　62
FOSB 遺伝子再構成　128
FOS 遺伝子再構成　128

G

giant cell lesion of the small bones（GCLSB）　99, 194
giant cell reparative granuloma（GCRG）　4, 99, 110
giant cell-rich osteosarcoma　67
giant cell tumour of bone（GCTB）　54, 101, 105, 197
giant cell tumour of soft tissue　168
giant notochordal hamartoma　112
giant notochordal rest　112
GNAS　138
grading　253
GRM1　30

H

H3 K36M　53, 54, 200
H3.3（H3）G34W　54, 198
H3F3A　108, 240
H3F3A 遺伝子変異　28
H3F3B　240
H3F3B 遺伝子変異　28
H3K27me3　45
haemangioma　114, 122
haemangiopericytoma-like pattern　48
haemosiderotic synovitis　168
HEY1-NCOA2　50, 76

hibernoma of bone 114
high-grade surface osteosarcoma 91, 179, 181
Homer Wright ロゼット 153

I

IDH1 239
IDH2 239
INI1 117
intralesional excision 222
intraosseous chordoma 112
intraosseous well-differentiated osteosarcoma 80
IRF2BP2-CDX1 50

J

Jaffe's triangle 251, 252

L

Langerhans 細胞組織球症（Langerhans cell histiocytosis, LCH) 140
langerin 141, 241
leiomyosarcoma 163
Li-Fraumeni 症候群 78
low-grade central osteosarcoma 80, 178, 182

M

Maffucci 症候群 20, 33
malignant fibrous histiocytoma (MFH)-like osteosarcoma 67
MAP 療法 233
marginal excision 222
Mazabraud 症候群 135
McCune-Albright 症候群 135
MDM2 82
MDM2 237
MDM2 高度増幅 69
mesenchymal chondrosarcoma (MCS) 47, 48
metastatic carcinoma 114
metastatic clear cell carcinoma 54
metastatic leiomyosarcoma 48
mitogen-activated protein kinase (MAPK) 142
MRI 228
multistep transformation process 150

myoepithelial carcinoma 118
myoepithelioma 118
myositis ossificans 182

N

NFATC2 158
nidus 58, 228
NKX2.2 76, 153, 240
NKX3.1 157, 206, 212
non-ossifying fibroma (NOF) 96, 101, 110, 199
Nora's lesion 186
notochordal rest 112
NSAIDs 58

O

Ollier 病 20, 33
onion-skin 64
open chromatin pattern 21
ossifying fibromyxoid tumour (OFMT) 158
osteoblastic osteosarcoma 66, 178
osteoblastoma 60, 180
osteoblastoma-like osteosarcoma 67
osteochondral loose bodies 172
osteochondroma 16, 24
osteoclastic multinucleated giant cell 194
osteofibrous dysplasia (OFD) 138, 144, 147, 183
osteofibrous dysplasia (OFD) 様アダマンチノーマ（osteofibrous dysplasia-like adamantinoma, OFD-like AD) 5, 146, 147, 148
osteogenesis imperfecta 70
osteoid osteoma 58, 180
osteoma 57
osteosarcoma 101
osteosarcoma arising in fibrous dysplasia 79

P

Paget 骨肉腫 (Paget osteosarcoma) 78
parachordoma 118
parosteal osteosarcoma 18, 85, 178, 183, 185
PAX7 153, 240
periosteal chondroma 23
periosteal chondrosarcoma 18, 24, 33, 185
periosteal osteosarcoma 24, 89, 178, 185

peripheral chondrosarcoma　33
phosphaturic mesenchymal tumour　110
physaliphorous cell　115
post-denosumab treatment giant cell tumour of bone　183
postradiation sarcoma　163
pseudomyogenic haemangioendothelioma　128

R

radiation-associated osteosarcoma　78
radiation osteitis　79
residual diaphyseal cyst　133
Rothmund-Thomson 症候群　78
RUNX2　237

S

sarcomatoid chordoma　115
SATB2　237
saucerization　227
sclerosing osteosarcoma　67
secondary osteosarcoma　77
secondary peripheral atypical cartilaginous tumour/chondrosarcoma, grade 1　18
short T1 inversion recovery (STIR)　229
simple bone cyst (SBC)　132
single photon emission computed tomography (SPECT)　230
small cell osteosarcoma　75, 178
SMARCB1　117
soap-bubble appearance　147
solitary bone cyst　132
SOX9　77, 239
spicula　64
spindle cell pattern　147
squamoid pattern　147

staging　254
surgical margin　222
synovial chondromatosis　170, 191
synovial lipoma　174

T

T1 強調像　229
T2 強調像　229
T2*強調像　229
telangiectatic osteosarcoma　73, 178, 186
tenosynovial chondromatosis　170
tenosynovial giant cell tumour　165
TNM 分類　232, 254
tubular pattern　147
TWIST1　237

U

undifferentiated pleomorphic sarcoma (UPS)　160, 168, 184
undifferentiated pleomorphic sarcoma-like osteosarcoma　67
unicameral bone cyst　132
Union for International Cancer Control (UICC)　254
USP6 遺伝子再構成　99, 102, 197

V, W, Z

VDC/IE 療法　234
well-differentiated intramedullary osteosarcoma　80
Werner 症候群　78
WHO 骨腫瘍分類第 5 版　2
wide excision　222
woven bone　52, 136
WT1　240
zoning architecture (phenomenon)　146

日本語索引

あ

悪性腱滑膜巨細胞腫　165
悪性骨巨細胞腫　108
悪性末梢神経鞘腫瘍　157
悪性リンパ腫　77, 227
アダマンチノーマ　146, 147, 214, 215, 228
アダマンチノーマ様 Ewing 肉腫　149, 153

い

異型脊索細胞腫　114
異型軟骨腫瘍　4, 33
遺残脊索　112
一次性悪性骨巨細胞腫　105
一次性動脈瘤様骨囊腫（ABC）　102
遺伝性多発性骨軟骨腫　17

う

渦巻き状　156

え

液面形成　26, 74

お

黄色肉芽腫性変化　106

か

外骨腫　57
海綿状血管腫　122
化学療法　243

顎骨原発の骨肉腫　67
拡散強調画像　230
画像診断　226
褐色脂肪腫　4, 114
褐色腫　101, 110, 202
滑膜血管腫　176
滑膜脂肪腫　174
滑膜軟骨腫症　5, 170, 191
滑膜肉腫　157
顆粒球系腫瘍　209
間葉性軟骨肉腫　47, 48, 77, 155, 210, 212

き

偽筋原性血管内皮腫　128
記述的診断　252
巨細胞修復性肉芽腫　4, 99, 110, 202
筋上皮癌　118, 215
筋上皮腫　118, 157, 215
筋上皮性腫瘍　158, 214

け

形質細胞腫瘍　209
血管拡張型骨肉腫　5, 73, 178, 186
血管腫　114, 122
血管周皮腫様構造　48
血管肉腫　129
結節性硬化症　119
ケルビズム　101
腱滑膜巨細胞腫　165
腱滑膜軟骨腫症　170
腱鞘巨細胞腫　165
原発性骨腫瘍　7
原発性中心性（通常型）軟骨肉腫　40

原発性末梢性（骨膜性）軟骨肉腫　41

こ

硬化型骨肉腫　67, 72
好酸球性肉芽腫　140
広範切除　222
高分化型線維肉腫　96
高分化髄内型骨肉腫　80
骨 Paget 病　77, 78
骨移植　224
骨外性粘液軟骨肉腫　118
骨外性良性脊索細胞腫　114
骨芽細胞型骨肉腫　66, 178, 180
骨芽細胞腫　60, 71, 180
骨芽細胞腫様骨肉腫　67, 71
骨化性筋炎　182
骨基質　226
骨巨細胞腫　54, 71, 98, 101, 105, 183, 197, 231
骨形成不全症　70
骨系統疾患　77
骨梗塞　77
骨腫　57
骨腫瘍の発生年齢　8
骨腫瘍の発生頻度　6
骨腫瘍の発生部位　10
骨腫瘍の分類　3
骨腫瘍類似疾患　7
骨シンチグラフィ　230
骨髄腫　210
骨折仮骨　70
骨線維性異形成　138, 144, 147, 183, 228
骨線維性異形成様アダマンチノーマ　5, 146, 147
骨島　57, 114
骨内高分化型骨肉腫　80

骨軟骨腫　16, 24
骨軟骨性関節遊離体　172
骨肉腫　70, 101
骨肉腫（顎骨原発）　67
骨肉腫（線維性骨異形成に続発）　78
骨膜性骨肉腫　24, 89, 178, 185
骨膜性軟骨腫　23
骨膜性軟骨肉腫　18, 24, 33, 185
骨膜反応　226
骨リンパ腫　208
混合性腫瘍　215

さ

再建法　224
皿状侵食像　227

し

色素性絨毛結節性滑膜炎　165
指趾骨巨細胞性病変　99, 194
脂肪肉腫　4
脂肪抑制法　229
手術検体　11
手術療法　222
術中迅速診断　11
腫瘍割面　253
腫瘍内切除　222
小細胞型骨肉腫　5, 75, 154, 178, 186, 206
小児・AYA 世代の Ewing 肉腫に対する薬物療法　234
小児・AYA 世代の骨肉腫に対する薬物療法　233
上皮様骨腫瘍　214
処理骨　224
神経芽腫　155, 212
人工関節　77, 225
侵襲性骨芽細胞腫　61, 180
迅速診断　11

す

スキップ転移　64
スピクラ　64

すりガラス状硬化像　226

せ

生検検体　11
脊索腫　112, 216
脊索様腫瘍　118
脊索様髄膜腫　118
石灰化　226
切除縁　222, 254
切除縁評価　243
セメント質　133
線維芽細胞型骨肉腫　66, 178, 184
線維骨　136
線維骨性病変　79
線維性骨異形成　77, 82, 96, 135, 146, 183, 231
線維性骨異形成に続発した骨肉腫　79
線維性組織球腫様変化　107
線維軟骨性異形成　135, 190
線維軟骨性間葉腫　2, 191
線維肉腫　184
選択的脂肪抑制法　229

そ

造影ダイナミック MRI　230
爪下外骨腫　5
続発性骨腫瘍　7
組織学的効果判定　243, 255

た

大細胞神経内分泌癌　220
脱分化型脊索腫　112
脱分化型低悪性度中心性骨肉腫　82
脱分化型軟骨肉腫　44
脱分化型傍骨性骨肉腫　87, 184
脱分化成分　45, 87
多発性骨髄腫　231
玉ねぎの皮状　64, 152
単純 X 線検査　226
単純性骨嚢腫　132

淡明細胞型腎細胞癌　218
淡明細胞型軟骨肉腫　51, 109, 114, 181, 185, 200, 218

ち

中心性軟骨肉腫　33
治療効果　255

つ

通常型骨肉腫　63
通常型軟骨肉腫　33

て

手足の小骨に発生する巨細胞性病変　4
低悪性度中心性骨肉腫　80, 96, 138, 178, 182
低悪性度軟骨肉腫　45
低分化型脊索腫　2, 112
デノスマブ　105, 183, 198
転移　211
転移性癌腫　114
転移性（骨）腫瘍　7, 8
転移性淡明細胞癌　54
転移性肉腫様癌　218
転移性平滑筋肉腫　48

と

動脈瘤様骨嚢腫　5, 26, 55, 62, 74, 99, 100, 102, 110, 132, 186, 195
動脈瘤様骨嚢腫様変化　106
特殊型軟骨肉腫　44

な

内軟骨腫　19, 188
内軟骨性骨化　16
内部性状　226
軟骨芽細胞型骨肉腫　66, 70, 178, 184, 188
軟骨芽細胞腫　5, 26, 54, 109, 167, 189, 199, 231

軟骨芽細胞腫様骨肉腫　31, 66
軟骨間葉性過誤腫（胸壁）　5
軟骨基質　226
軟骨島　48
軟骨肉腫　33, 70, 118, 173, 185, 188
軟骨肉腫, grade 1　4
軟骨粘液線維腫　5, 26, 190, 200
軟骨粘液線維腫様骨肉腫　67
軟骨帽　17
軟骨様脊索腫　117
軟部巨細胞腫　168
軟部組織　227
軟部軟骨腫　173

に

二次性悪性骨巨細胞腫　105
二次性骨肉腫　77
二次性中心性軟骨肉腫　41
二次性軟骨肉腫　173
二次性末梢性異型軟骨腫瘍/軟骨肉腫, grade 1　18
二次性末梢性軟骨肉腫　42
二次性未分化多形肉腫（UPS）　160
二次的な動脈瘤様骨嚢腫（ABC）様変化　104
二相性パターン　45, 48

の

膿瘍　230

は

肺小細胞癌　219
破骨細胞型多核巨細胞　26, 52, 194
汎発性線維性骨炎　202

ひ

非骨化性線維腫　96, 101, 110, 199, 228

非選択的脂肪抑制法　229
びまん性大細胞型B細胞リンパ腫　208
病期分類　232
表在性高悪性度骨肉腫　91, 179, 181
表皮嚢腫　230
病理所見　252
病理診断報告書　251
ピロリン酸カルシウム結晶沈着症　192

ふ

富巨細胞腫型骨肉腫　67, 71, 201

へ

平滑筋肉腫　163
ヘモジデリン沈着性滑膜炎　168
辺縁性状　226
辺縁切除　222
変性異型　107

ほ

傍骨性骨軟骨異形増生　5, 185
傍骨性骨肉腫　18, 83, 85, 178, 183, 185
放射線照射　77
放射線性骨炎　79
放射線に関連した骨肉腫　78
放射線療法　235
胞巣型横紋筋肉腫　155, 212

ま

末梢性軟骨肉腫　33
マッピング　65
慢性骨髄炎　77

み

みかけの拡散係数　230
未熟骨　52

未分化小円形細胞成分　48
未分化大細胞型リンパ腫　208
未分化多形肉腫　72, 160, 168, 184, 201
未分化多形肉腫様骨肉腫　67, 72

も

モザイクパターン　79

や

薬物療法　232

よ

予後　243

り

リウマチ性滑膜炎　176
粒子線治療　235
良性脊索細胞腫　112
良性線維性組織球腫　4, 194
良性軟骨形成性腫瘍　26
リン酸塩尿性間葉系腫瘍　110
リンパ芽球性リンパ腫　155, 208

る

類腱線維腫　83, 94, 182
類骨　66
類骨骨腫　58, 180, 228
類上皮型骨芽細胞腫　62, 71, 180, 218
類上皮型骨肉腫　67
類上皮血管腫　122, 127
類上皮血管内皮腫　126, 217
類上皮血管肉腫　129, 217
類上皮肉腫様血管内皮腫　128

検印省略

腫瘍病理鑑別診断アトラス

骨腫瘍

定価（本体16,000円＋税）

2016年5月3日　第1版　第1刷発行
2021年3月16日　第2版　第1刷発行

編集者　小田　義直・吉田　朗彦
　　　　（おだ　よしなお）（よしだ　あきひこ）
発行者　浅井　麻紀
発行所　株式会社 文光堂
　　　　〒113-0033　東京都文京区本郷7-2-7
　　　　TEL（03）3813-5478（営業）
　　　　　　（03）3813-5411（編集）

© 小田義直・吉田朗彦，2021　　　　　　印刷・製本：広研印刷

ISBN978-4-8306-2255-7　　　　　　　　　　　　Printed in Japan

- 本書の複製権，翻訳権・翻案権，上映権，譲渡権，公衆送信権（送信可能化権を含む），二次的著作物の利用に関する原著作者の権利は，株式会社文光堂が保有します．
- 本書を無断で複製する行為（コピー，スキャン，デジタルデータ化など）は，私的使用のための複製など著作権法上の限られた例外を除き禁じられています．大学，病院，企業などにおいて，業務上使用する目的で上記の行為を行うことは，使用範囲が内部に限られるものであっても私的使用には該当せず，違法です．また私的使用に該当する場合であっても，代行業者等の第三者に依頼して上記の行為を行うことは違法となります．
- JCOPY〈出版者著作権管理機構　委託出版物〉
本書を複製される場合は，そのつど事前に出版者著作権管理機構（電話03-5244-5088，FAX 03-5244-5089，e-mail：info@jcopy.or.jp）の許諾を得てください．